SHERPA

셀파

해법수학

중학수학

2.1

SHERPA

해 법 수 학

www.chunjae.co.kr

책머리에

수학은 누구나 잘 할 수 있습니다.
셀파 해법수학과 함께하는 여러분은 목표를 꼭 이룰 것입니다.

'어떻게 하면 지긋지긋한 수학을 쉽고 재미있게 공부할 수 있을까?'
하고 고민해 본 경험은 누구에게나 한 번쯤은 있을 것입니다.
수학은 모든 학문의 바탕이 되는 과목입니다.
또한 대학입시에서도 매우 중요한 역할을 합니다.
그러나 안타깝게도 많은 학생들이 수학을 포기하는 것이 우리 현실입니다.

수학을 잘 하기 위해서는 무엇보다 수학과 친해져야 합니다.
그러기 위해서는 쉬운 문제부터 시작하여
기본 원리를 확실하게 터득해야 합니다.

이에 여러분 모두가 수학을 잘 할 수 있기를 바라는 마음으로
셀파 해법수학을 만들었습니다.
수학을 쉽게 익힐 수 있는 셀파 해법수학 개념 기본서는
여러분의 수학 실력을 한 단계 더 높이는 데 도움을 줄 것입니다.

수학을 공부하다 보면
도대체 이 문제를 어떻게 푸는 걸까?
하며 힘들어 할 때가 생길 것입니다.
이렇게 도움이 필요한 순간마다 셀파 해법수학을 펼쳐 보십시오.
셀파 해법수학은 여러분의 수학 공부 도우미가 될 것입니다.

셀파 해법수학과 함께하는 여러분의 성공을 기원합니다.

崔 容 準

Structure 구성과 특징

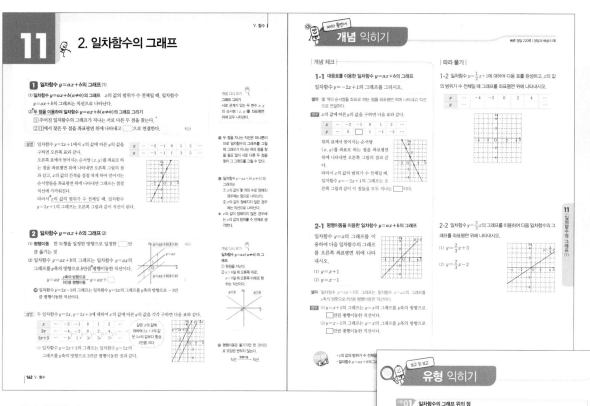

개념 익히기

그 단원에서 다루는 개념을 완벽하게 이해할 수 있도록 꼼꼼하고 상세하게 개념을 정리하였습니다.

개념 설명과 함께 보기를 제시해서 개념이 문제 해결 과정에서 어떻게 이용되는지 알 수 있도록 하였습니다. 빈칸 채우기를 통해 핵심 개념을 더욱 확실히 알 수 있도록 하였습니다.

따라 풀면서 개념 익히기

새로 배우는 개념을 좀 더 편리하게 학습할 수 있도록 다양한 형식의 가장 쉬운 문제를 제시하였습니다. 이 부분의 문제만 풀더라도 개념 형성이 가능하도록 하였습니다.

따라 풀기를 통해 같은 개념의 다른 문제를 한 번 더 풀어봄으로써 기초를 확실히 다질수 있도록 하였습니다.

보고 또 보고 유형 익히기

기본 문제 / 발전 문제 꼭 알아야 하는 유형의 기본 문제와 기본 문제를 응용한 발전 문제를 통해 다양한 유형을 학습할 수 있도록 하였습니다. 확인 문제에서 처음 다루는 내용이나 문제 해결에 필요한 내용은 마이 셀파에서 도움말을 제공하여 큰 어려움 없이 문제를 풀 수 있도록 하였습니다.

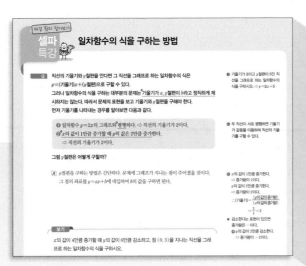

셀파 특강

중학교 수학에서 꼭 알아야 하지만
본문의 개념 정리에서 조금 부족하게 다룬 내용은
셀파 특강을 통해 충분히 학습할 수 있도록 하였습니다.

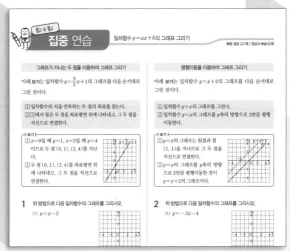

집중 연습

새로 배우는 개념을 확실하게 익힐 수 있도록
집중 연습 문제를 제시하였습니다.

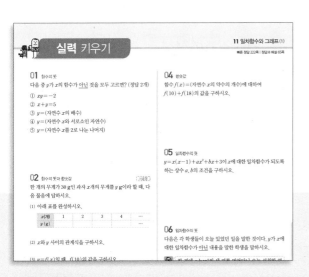

실력 키우기

실력 키우기에서 제시하는 문제는 앞에서 다룬 내용을 바탕으로 하고
있습니다. 기본을 강화하는 데 도움이 되는 내용과 학교 시험에서 자주
나오는 내용뿐 아니라 실력을 한 단계 높일 수 있는 문제로 알차게 구
성하였습니다. 창의력 문제, 여러 개념의 통합형 문제, 서술형 문제를
통해 실력을 한층 높일 수 있도록 하였습니다.

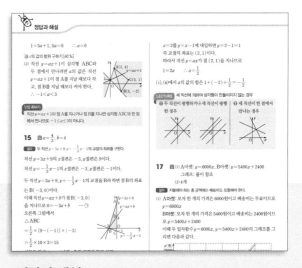

정답과 해설

이해하기 쉽도록 과정을 자세하게 설명하였습니다. 서술형 문제에서
는 설명과 채점 기준을 제시해서 풀이의 핵심을 알 수 있도록 하였고,
개념 다시 보기, 다른 풀이, 오답 피하기 등을 통해 문제를 완벽하게 해
결할 수 있도록 하였습니다. 자기주도 학습에 도움이 되도록 깊이 있는
설명이 필요한 부분에 LECTURE 를 제시하였습니다.

Contents 이 책의 차례

1

I | 유리수와 순환소수

유리수의 소수 표현

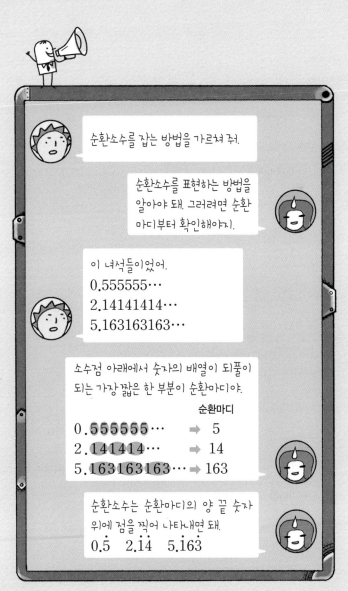

1 유리수의 소수 표현

1 유리수와 소수

(1) 유리수

① **유리수** 분수 $\dfrac{a}{b}$ (a, b는 정수, $b \neq 0$)로 나타낼 수 있는 수

② **유리수의 분류**

$$
\text{유리수}
\begin{cases}
\text{정수}
\begin{cases}
\text{양의 정수}(\boxed{}) : 1,\ 2,\ 3,\ \cdots & \text{자연수} \\
\boxed{} & 0 \\
\text{음의 정수}: -1,\ -2,\ -3,\ \cdots
\end{cases} \\
\text{정수가 아닌 유리수}: \dfrac{1}{2},\ 0.25,\ -\dfrac{3}{5},\ \cdots
\end{cases}
$$

(2) 소수의 분류

① **유한소수** 소수점 아래의 0이 아닌 숫자가 유한 번 나타나는 소수

    예 1.35, 0.8, 4.123, 234.1

② **무한소수** 소수점 아래의 0이 아닌 숫자가 $\boxed{}$ 번 나타나는 소수 · · · · · 무한

    예 1.2121⋯, 0.111⋯, 2.3847⋯

> **모든 정수는 다음과 같이 분수로 나타낼 수 있다.**
>
> $1 = \dfrac{1}{1} = \dfrac{2}{2} = \dfrac{3}{3} = \cdots$
>
> $0 = \dfrac{0}{1} = \dfrac{0}{2} = \dfrac{0}{3} = \cdots$
>
> $-2 = -\dfrac{2}{1} = -\dfrac{4}{2} = -\dfrac{6}{3}$
>
> $\quad = \cdots$

> **용어 click** 👆
>
> **유한소수** 있다 유(有), 한계 한(限)으로 한계가 있는 소수
> **무한소수** 없다 무(無), 한계 한(限)으로 한계가 없는 소수
> **순환소수** 돌다 순(循), 고리 환(環)으로 숫자의 배열 하나가 돌고 도는, 즉 되풀이되는 소수

보기 다음 소수를 유한소수와 무한소수로 구분하시오.

(1) 0.7　　　　(2) 0.696969⋯　　　　(3) 3.141592⋯　　　　(4) 1.231231

풀이 (1) 유한소수　　(2) 무한소수　　(3) 무한소수　　(4) 유한소수

2 순환소수

(1) 순환소수
무한소수 중에서 소수점 아래의 어떤 자리에서부터 일정한 숫자의 배열이 한없이 되풀이되는 소수

(2) 순환마디
순환소수에서 숫자의 배열이 되풀이되는 가장 짧은 $\boxed{}$ 부분 · · · · 한

    예 0.555⋯,　　2.141414⋯,　　5.163163163⋯
       └ 순환마디는 5 └ 순환마디는 $\boxed{}$ └ 순환마디는 163　　14

(3) 순환소수의 표현
순환소수는 순환마디 양 끝 숫자 위에 점을 찍어 나타낸다.

    예 $0.555\cdots = 0.\dot{5}$, $2.141414\cdots = 2.\boxed{}$, $5.163163163\cdots = 5.\dot{1}6\dot{3}$　　$1\dot{4}$

> **참고** 무한소수 중에는 원주율 $\pi = 3.141592\cdots$, 0.1010010001⋯과 같이 순환소수가 아닌 무한소수도 있다.

> **주의** 순환소수의 표현에서 주의해야 할 것
> ① 순환마디는 소수점 아래에서 찾는다.
> ⇨ $1.631631\cdots = \dot{1}.6\dot{3}$ (×)
> ② 처음 반복되는 부분에 점을 찍는다.
> ⇨ $1.631631\cdots = 1.6\dot{3}1\dot{6}$ (×)
> ③ 순환마디의 양 끝 숫자 위에만 점을 찍는다.
> ⇨ $1.631631\cdots = 1.\dot{6}\dot{3}\dot{1}$ (×)
> ⇨ $1.631631\cdots = 1.\dot{6}3\dot{1}$ (○)

보기 다음 순환소수에 대하여 순환마디를 구하고, 점을 찍어 간단히 나타내시오.

(1) 0.333⋯　　　　　　　　　　　(2) 0.3212121⋯

풀이 (1) 소수점 아래 첫째 자리부터 3이 반복되므로 순환마디는 3 ⇨ $0.\dot{3}$

　　　(2) 소수점 아래 둘째 자리부터 2, 1이 차례대로 반복되므로 순환마디는 21 ⇨ $0.3\dot{2}\dot{1}$

개념 체크

1-1 유리수와 소수

다음 분수를 소수로 나타내고, 유한소수와 무한소수로 구분하시오.

(1) $\dfrac{1}{8}$　　　　　(2) $\dfrac{1}{6}$

셀파 분수를 소수로 나타내려면 (분자)÷(분모)를 계산하면 된다.

연구 (1) $1\div8=0.125$

$$\begin{array}{r} 0.125 \\ 8\overline{)1} \\ \underline{8} \\ 20 \\ \underline{16} \\ 40 \\ \underline{40} \\ 0 \end{array}$$

⇨ 소수점 아래의 0이 아닌 숫자가 $\boxed{}$개, 즉 유한 번 나타나므로 유한소수이다.

(2) $1\div6=0.166\cdots$

$$\begin{array}{r} 0.166\cdots \\ 6\overline{)1} \\ \underline{6} \\ 40 \\ \underline{36} \\ 40 \\ \underline{36} \\ 4 \\ \vdots \end{array}$$

⇨ 소수점 아래의 0이 아닌 숫자가 무한 번 나타나므로 $\boxed{}$이다.

2-1 순환소수

다음 순환소수에 대하여 순환마디를 구하고, 점을 찍어 간단히 나타내시오.

(1) $0.040404\cdots$　　(2) $1.341341341\cdots$

(3) $2.015555\cdots$　　(4) $0.6292929\cdots$

셀파 소수점 아래에서 처음으로 반복되는 부분이 순환마디이다.

연구 (1) $0.\underline{04}\,\underline{04}\,04\cdots$ ⇨ 순환마디: 04, $0.\dot{0}\dot{4}$

(2) $1.\underline{341}\,\underline{341}\,341\cdots$ ⇨ 순환마디: 341, $\boxed{}$

(3) $2.01\underline{5}\underline{5}\underline{5}\underline{5}\cdots$ ⇨ 순환마디: 5, $2.01\dot{5}$

(4) $0.6\underline{29}\underline{29}\underline{29}\cdots$ ⇨ 순환마디: $\boxed{}$, $\boxed{}$

따라 풀기

1-2 다음 분수를 소수로 나타내고, 유한소수이면 '유한', 무한소수이면 '무한'을 ( ) 안에 써넣으시오.

(1) $\dfrac{1}{4}=1\div4=$ _____ (　)

(2) $\dfrac{1}{9}=$ _____ (　)

(3) $\dfrac{3}{8}=$ _____ (　)

(4) $\dfrac{3}{11}=$ _____ (　)

2-2 다음 순환소수에 대하여 순환마디를 구하고, 점을 찍어 간단히 나타내시오.

　　　　　　　　[순환마디]　　[순환소수의 표현]

(1) $0.666\cdots$ ⇨ _____ ⇨ _____

(2) $0.4555\cdots$ ⇨ _____ ⇨ _____

(3) $0.511511511\cdots$ ⇨ _____ ⇨ _____

(4) $7.272727\cdots$ ⇨ _____ ⇨ _____

요점 콕콕

• 분수 $\xrightarrow{\text{(분자)÷(분모)}}$
  ┌ 정수
  └ 소수 ┌ 유한소수: 끝이 있는 소수
  　　　 └ 무한소수: 끝없이 계속되는 소수

• **순환소수의 표현** ⇨ 소수점 아래에서 처음으로 반복되는 순환마디를 찾아 순환마디의 양 끝 숫자 위에 점을 찍는다.

3 유한소수로 나타낼 수 있는 분수

(1) 유한소수를 분수로 나타내기

① 모든 유한소수는 분모가 [ⓐ]10의 거듭제곱인 분수로 나타낼 수 있다.

② 유한소수를 기약분수로 나타내면 분모의 소인수는 2 또는 5뿐이다.

예 $0.5 = \dfrac{5}{10} = \dfrac{1}{2}$, $0.42 = \dfrac{42}{100} = \dfrac{21}{50} = \dfrac{21}{\boxed{} \times 5^2}$　　　　2

(2) 분수를 유한소수로 나타내기

분모의 소인수가 2 또는 5뿐인 기약분수는 분자와 분모에 2 또는 5의 거듭제곱

을 적당히 곱하여 분모를 10의 거듭제곱으로 고칠 수 있으므로 $\boxed{}$소수로 나　　유한

타낼 수 있다.

예 $\dfrac{3}{20} = \dfrac{3}{2^2 \times 5} = \dfrac{3 \times 5}{2^2 \times 5 \times 5} = \dfrac{15}{100} = \boxed{}$　　　　0.15

> **개념 다시 보기**
>
> • **거듭제곱** 같은 수나 문자를 거듭하여 곱한 것
> • **기약분수** 분모와 분자가 더 이상 약분되지 않는 분수
> • **소인수** 소수인 인수
> • **소수** 1보다 큰 자연수 중 1과 자기 자신만을 약수로 갖는 수

보기 다음은 $\dfrac{7}{50}$을 소수로 나타내는 과정이다. ㈎~㈒에 알맞은 수를 써넣으시오.

$$\frac{7}{50} = \frac{7}{2 \times 5^2} = \frac{7 \times \boxed{㈎}}{2 \times 5^2 \times \boxed{㈏}} = \frac{\boxed{㈐}}{\boxed{㈑}} = \boxed{㈒}$$

풀이 ㈎ **2**　㈏ **2**　㈐ **14**　㈑ **100**　㈒ **0.14**

ⓐ 10, 10^2, 10^3, ⋯ 중 하나라는 뜻이다.

4 유한소수, 순환소수로 나타낼 수 있는 유리수

(1) 유한소수로 나타낼 수 있는 유리수

정수가 아닌 유리수를 기약분수로 나타내었을 때, 분모의 <u>소인수가 2 또는 $\boxed{}$</u>　　5

뿐이면 그 유리수는 유한소수로 나타낼 수 있다.

(2) 순환소수로 나타낼 수 있는 유리수

정수가 아닌 유리수를 기약분수로 나타내었을 때, 분모가 2와 5 이외의 소인수

를 가지면 그 유리수는 $\boxed{}$소수로 나타낼 수 있다.　　순환

ⓑ 소인수가 2 또는 5뿐이라는 것은
  • 소인수가 2만 있는 경우
  • 소인수가 5만 있는 경우
  • 소인수가 2와 5 모두 있는 경우
중 하나라는 뜻이다.

참고 정수가 아닌 유리수가 유한소수인지 순환소수인지 판단하기

● 정수가 아닌 유리수 중에서 유한소수로 나타낼 수 없는 수는 모두 순환소수로 나타낼 수 있다.

보기 다음 $\boxed{}$ 안에 알맞은 수를 써넣고, 옳은 것에 ○표를 하시오.

(1) [ⓒ]$\dfrac{1}{2^2 \times 5}$ ⇨ 분모의 소인수는 $\boxed{}$와 $\boxed{}$이다. ⇨ (유한소수, 순환소수)로 나타낼 수 있다.

(2) $\dfrac{7}{3 \times 5}$ ⇨ 분모의 소인수는 $\boxed{}$과 $\boxed{}$이다. ⇨ (유한소수, 순환소수)로만 나타낼 수 있다.

풀이 (1) 분모의 소인수는 **2**와 **5**이다. ⇨ 유한소수로 나타낼 수 있다.

　　(2) 분모의 소인수는 **3**과 **5**이다. ⇨ 순환소수로만 나타낼 수 있다.

ⓒ $\dfrac{1}{2^2 \times 5}$을 유한소수로 나타내면 다음과 같다.

$$\frac{1}{2^2 \times 5} = \frac{1 \times 5}{2^2 \times 5 \times 5}$$
$$= \frac{5}{100}$$
$$= 0.05$$

| 개념 체크 |

3-1 유한소수를 분수로 나타내기

다음 유한소수를 기약분수로 나타내고, 분모를 소인수분해하시오.

(1) 0.3　　　　　(2) 0.32

(3) 0.285　　　　(4) 0.0375

셀파 소수점 아래의 0이 아닌 숫자의 개수에 따라 분모를 10, 100, 1000, …으로 정한다.

연구 (1) $0.3 = \dfrac{3}{10} = \dfrac{3}{2 \times 5}$

(2) $0.32 = \dfrac{32}{100} = \dfrac{8}{25} = \dfrac{8}{\boxed{}}$

(3) $0.285 = \dfrac{\boxed{}}{1000} = \dfrac{\boxed{}}{200} = \dfrac{57}{\boxed{}}$

(4) $0.0375 = \dfrac{\boxed{}}{\boxed{}} = \dfrac{3}{\boxed{}} = \dfrac{3}{\boxed{}}$

4-1 유한소수, 순환소수로 나타낼 수 있는 유리수

다음 분수를 유한소수로 나타낼 수 있으면 '유한', 순환소수로만 나타낼 수 있으면 '순환'을 (　　) 안에 써넣으시오.

(1) $\dfrac{15}{2 \times 3 \times 5^2}$　　　　(　　　　)

(2) $\dfrac{21}{90}$　　　　(　　　　)

셀파 기약분수로 나타낸 다음 분모를 소인수분해하였을 때, 소인수가 2 또는 5뿐이면 유한소수로 나타낼 수 있다.

연구 (1) $\dfrac{15}{2 \times 3 \times 5^2} = \dfrac{1}{2 \times 5}$ ⇨ 분모의 소인수가 2와 $\boxed{}$뿐이므로 $\boxed{}$ 소수로 나타낼 수 있다.

(2) $\dfrac{21}{90} = \dfrac{7}{30} = \dfrac{7}{\boxed{}}$ ⇨ 분모의 소인수 중에 $\boxed{}$이 있으므로 $\boxed{}$소수로만 나타낼 수 있다.

| 따라 풀기 |

3-2 다음 유한소수를 기약분수로 나타내고, 분모를 소인수분해하시오.

　　　　　　[기약분수]　　　[분모를 소인수분해]

(1) 0.7　⇨ ＿＿＿＿＿＿　⇨ ＿＿＿＿＿＿

(2) 0.25　⇨ ＿＿＿＿＿＿　⇨ ＿＿＿＿＿＿

(3) 4.65　⇨ ＿＿＿＿＿＿　⇨ ＿＿＿＿＿＿

(4) 0.316　⇨ ＿＿＿＿＿＿　⇨ ＿＿＿＿＿＿

4-2 다음 분수를 유한소수로 나타낼 수 있으면 '유한', 순환소수로만 나타낼 수 있으면 '순환'을 (　　) 안에 써넣으시오.

(1) $\dfrac{3}{2 \times 5}$　　　　　　　　(　　　　)

(2) $\dfrac{14}{2^2 \times 7}$　　　　　　　　(　　　　)

(3) $\dfrac{4}{22}$　　　　　　　　(　　　　)

(4) $\dfrac{27}{180}$　　　　　　　　(　　　　)

요점 콕콕 유한소수, 순환소수를 판별하는 방법

분수를 기약분수로 나타내기 ➡ 분모를 소인수분해하기

↗ 소인수가 2 또는 5뿐이면 유한소수

↘ 소인수 중에 2와 5 이외의 수가 있으면 순환소수

기본 01 순환소수의 표현

다음 중 순환소수의 표현이 옳은 것은?

① $1.222\cdots=1.\dot{2}$

② $0.5444\cdots=0.\dot{5}\dot{4}$

③ $2.323232\cdots=2.\dot{3}$

④ $8.37666\cdots=8.37666$

⑤ $0.321321321\cdots=0.3\dot{2}\dot{1}$

해법코드

a, b, c가 0 또는 한 자리 자연수일 때
• $0.aaa\cdots=0.\dot{a}$
• $0.ababab\cdots=0.\dot{a}\dot{b}$
• $0.abcabcabc\cdots=0.\dot{a}b\dot{c}$

셀파 순환소수는 순환마디의 양 끝 숫자 위에 점을 찍어 나타낸다.

풀이 ② $0.5444\cdots$의 순환마디는 4이므로 $0.5444\cdots=0.5\dot{4}$

③ $2.323232\cdots$의 순환마디는 32이므로 $2.323232\cdots=2.\dot{3}\dot{2}$

④ $8.37666\cdots$의 순환마디는 6이므로 $8.37666\cdots=8.37\dot{6}$

⑤ $0.321321321\cdots$의 순환마디는 321이므로 $0.321321321\cdots=0.\dot{3}2\dot{1}$ → 첫 번째 순환마디에 점을 찍어 나타낸다.

따라서 옳은 것은 ①이다.

🄐 순환마디는 반드시 소수점 아래에서 찾는다.

🄑 순환마디의 숫자가 3개 이상일 때는 순환마디의 처음과 끝에만 점을 찍는다.

확인 01 다음 중 순환소수의 표현이 옳지 <u>않은</u> 것은?

① $0.5666\cdots=0.5\dot{6}$

② $0.350350\cdots=0.\dot{3}5\dot{0}$

③ $1.818181\cdots=\dot{1}.\dot{8}\dot{1}$

④ $0.002002\cdots=0.\dot{0}0\dot{2}$

⑤ $1.2343434\cdots=1.2\dot{3}\dot{4}$

» **My 셀파**
순환마디는 소수점 아래에서 처음으로 반복되는 부분을 찾는다.

기본 02 분수를 순환소수로 나타내기

다음 분수를 소수로 고쳐 순환마디를 이용하여 간단히 나타내시오.

(1) $\dfrac{5}{11}$

(2) $\dfrac{4}{15}$

(3) $\dfrac{1}{7}$

해법코드

소수점 아래에서 반복되는 부분을 알 수 있도록 나타내어야 한다.

셀파 분자를 분모로 직접 나눈다.

풀이 (1) $5\div11=0.454545\cdots$의 순환마디는 45이므로 $\dfrac{5}{11}=\mathbf{0.\dot{4}\dot{5}}$

(2) $4\div15=0.2666\cdots$의 순환마디는 6이므로 $\dfrac{4}{15}=\mathbf{0.2\dot{6}}$

(3) $1\div7=0.142857142857142857\cdots$의 순환마디는 142857이므로 $\dfrac{1}{7}=\mathbf{0.\dot{1}4285\dot{7}}$

분수를 소수로 나타내면 유한소수이거나 순환소수야. 그러므로 소수점 아래에서 반복되는 부분을 찾을 때까지 나눗셈을 계속해야 돼.

확인 02 다음 분수를 소수로 고쳐 순환마디를 이용하여 간단히 나타내시오.

(1) $\dfrac{5}{9}$

(2) $\dfrac{13}{33}$

(3) $\dfrac{11}{30}$

» **My 셀파**
소수점 아래에서 반복되는 부분을 찾을 때까지 분자를 분모로 계속 나눈다.

기본 03 **10의 거듭제곱을 이용하여 분수를 소수로 나타내기**

다음은 분수 $\dfrac{3}{50}$ 을 유한소수로 나타내는 과정이다. (개)~(라)에 알맞은 수를 써넣으시오.

$$\frac{3}{50} = \frac{3}{2 \times 5^2} = \frac{3 \times \boxed{(가)}}{2 \times 5^2 \times \boxed{(나)}} = \frac{6}{\boxed{(다)}} = \boxed{(라)}$$

셀파 분모의 소인수 2와 5의 지수가 같아지게 하는 수를 분모와 분자에 각각 곱한다.

풀이 $\dfrac{3}{50} = \dfrac{3}{2 \times 5^2} = \dfrac{3 \times 2}{2 \times 5^2 \times 2} = \dfrac{6}{100} = 0.06$

∴ (개)$=2$, (나)$=2$, (다)$=100$, (라)$=0.06$

모든 유한소수는 분모가 10의 거듭제곱인 분수로 나타낼 수 있다.

ⓐ 2와 5의 지수가 같아야 10의 거듭제곱 꼴이 된다. 즉
$2 \times 5 = 10$, $2^2 \times 5^2 = 10^2$,
$2^3 \times 5^3 = 10^3$, $\cdots$

ⓑ

2를 곱한다.

확인 03 다음은 분수 $\dfrac{3}{40}$ 을 유한소수로 나타내는 과정이다. ☐ 안에 알맞은 수로 옳지 **않은** 것은?

$$\frac{3}{40} = \frac{3}{2^3 \times 5} = \frac{3 \times \boxed{①}}{2^3 \times 5 \times \boxed{②}} = \frac{\boxed{③}}{\boxed{④}} = \boxed{⑤}$$

① 5^2　　② 5^2　　③ 75　　④ 100　　⑤ 0.075

» My 셀파
분모의 소인수 2와 5의 지수가 같아지게 하는 수를 분모와 분자에 각각 곱한다.

기본 04 **유한소수, 순환소수로 나타낼 수 있는 분수**

다음 분수 중 유한소수로 나타낼 수 있는 것을 모두 고르면? (정답 2개)

① $\dfrac{8}{60}$　　② $\dfrac{6}{120}$　　③ $\dfrac{3}{200}$　　④ $\dfrac{3}{168}$　　⑤ $\dfrac{12}{210}$

- 분모의 소인수가 2 또는 5뿐인 기약분수 ⇨ 유한소수
- 분모에 2와 5 이외의 소인수가 있는 기약분수 ⇨ 순환소수

셀파 유한소수로 나타낼 수 있는 기약분수 ⇨ 분모의 소인수가 2 또는 5뿐인 분수

풀이 ① $\dfrac{8}{60} = \dfrac{2}{15} = \dfrac{2}{3 \times 5}$ ⇨ 분모의 소인수 중에 3이 있으므로 유한소수로 나타낼 수 없다.

② $\dfrac{6}{120} = \dfrac{1}{20} = \dfrac{1}{2^2 \times 5}$ ⇨ 분모의 소인수가 2와 5뿐이므로 유한소수로 나타낼 수 있다.

③ $\dfrac{3}{200} = \dfrac{3}{2^3 \times 5^2}$ ⇨ 분모의 소인수가 2와 5뿐이므로 유한소수로 나타낼 수 있다.

④ $\dfrac{3}{168} = \dfrac{1}{56} = \dfrac{1}{2^3 \times 7}$ ⇨ 분모의 소인수 중에 7이 있으므로 유한소수로 나타낼 수 없다.

⑤ $\dfrac{12}{210} = \dfrac{2}{35} = \dfrac{2}{5 \times 7}$ ⇨ 분모의 소인수 중에 7이 있으므로 유한소수로 나타낼 수 없다.

따라서 유한소수로 나타낼 수 있는 것은 ②, ③이다.

» 오답 피하기
② $\dfrac{6}{120}$ 의 분모 $120 = 2^3 \times 3 \times 5$에 소인수 3이 있다고 '유한소수로 나타낼 수 없다.'고 답하지 않도록 한다.

$\dfrac{6}{120} = \dfrac{1}{20} = \dfrac{1}{2^2 \times 5}$ 로 약분되므로 분모에서 소인수 3이 없어진다.

확인 04 다음 보기의 분수 중 순환소수로만 나타낼 수 있는 것을 모두 고르시오.

｜보기｜
㉠ $\dfrac{7}{60}$　　㉡ $\dfrac{3}{140}$　　㉢ $\dfrac{35}{490}$　　㉣ $\dfrac{81}{540}$　　㉤ $\dfrac{42}{2100}$

» My 셀파
기약분수로 고친 다음, 분모를 소인수분해하여 소인수를 살펴본다.
⇨ 분모에 2와 5 이외의 소인수가 있으면 순환소수로만 나타낼 수 있다.

$\dfrac{22}{420} \times x$를 소수로 나타내면 유한소수가 될 때, x의 값이 될 수 있는 자연수 중 가장 작은 수를 구하시오.

셀파 (기약분수)$\times x$에서 기약분수의 분모에 소인수가 2 또는 5만 남도록 적당한 수를 곱한다.

풀이 $\dfrac{22}{420} = \dfrac{11}{210} = \dfrac{11}{2 \times 3 \times 5 \times 7}$

$\dfrac{11}{2 \times 3 \times 5 \times 7} \times x$가 유한소수로 나타내어지려면 분모의 소인수가 2 또는 5뿐이어야 하므로

→ 분모의 소인수 중 3, 7을 없애야 한다.

x는 3×7, 즉 21의 배수이어야 한다.

따라서 x의 값이 될 수 있는 자연수 중 가장 작은 수는 **21**이다.

확인 $x = 21$이면 $\dfrac{22}{420} \times x = \dfrac{11}{2 \times 3 \times 5 \times 7} \times 21 = \dfrac{11}{2 \times 5} = \dfrac{11}{10} = 1.1$ ← 유한소수

해법코드

$\dfrac{B}{A} \times x$가 유한소수로 나타내어지도록 하는 x의 값 구하는 순서

① $\dfrac{B}{A}$를 기약분수로 나타낸다.

② ①의 분모를 소인수분해한다.

③ x의 값은 ②의 분모의 소인수 중 2와 5를 제외한 소인수들의 곱의 배수이다.

◉ 21의 배수는 21, 42, 63, 84, … 이고, 이 중 가장 작은 수는 21이다.

확인 05 $\dfrac{3}{105} \times x$를 소수로 나타내면 유한소수가 될 때, x의 값이 될 수 있는 자연수 중 가장 작은 두 자리 수를 구하시오.

» My 셀파
기약분수의 분모에서 2와 5 이외의 소인수를 없앤다.

두 분수 $\dfrac{9}{54}$, $\dfrac{15}{110}$에 각각 a를 곱하여 소수로 나타내면 모두 유한소수가 된다고 한다. 이때 a의 값이 될 수 있는 자연수 중 가장 작은 수를 구하시오.

셀파 두 분수를 기약분수로 나타내었을 때, 분모의 소인수 중 2와 5가 아닌 수의 배수를 곱한다.

풀이 $\dfrac{9}{54} = \dfrac{1}{6} = \dfrac{1}{2 \times 3}$이므로

◉ $\dfrac{1}{2 \times 3} \times a$가 유한소수로 나타내어지려면 a는 3의 배수이어야 한다.

또 $\dfrac{15}{110} = \dfrac{3}{22} = \dfrac{3}{2 \times 11}$이므로

◑ $\dfrac{3}{2 \times 11} \times a$가 유한소수로 나타내어지려면 a는 11의 배수이어야 한다.

따라서 a는 3과 11의 공배수, 즉 33의 배수이므로 이 중 가장 작은 수는 **33**이다.

→ 3과 11의 최소공배수

확인 $a = 33$이면 $\dfrac{1}{2 \times 3} \times 33 = \dfrac{11}{2} = 5.5$, $\dfrac{3}{2 \times 11} \times 33 = \dfrac{9}{2} = 4.5$

해법코드

(기약분수)$\times a$가 유한소수로 나타내어지려면 기약분수에서 분모의 소인수 중 2와 5 이외의 수가 약분되도록 a의 값을 정한다.

◉ 분모에 있는 소인수 3이 약분되어 없어져야 한다.

◑ 분모에 있는 소인수 11이 약분되어 없어져야 한다.

확인 06 두 분수 $\dfrac{13}{45}$, $\dfrac{8}{70}$에 각각 a를 곱하여 소수로 나타내면 모두 유한소수가 된다고 한다. 이때 a의 값이 될 수 있는 자연수 중 가장 작은 수를 구하시오.

» My 셀파
$\dfrac{13}{45}$, $\dfrac{8}{70}$을 각각 기약분수로 고치고, 분모를 소인수분해하여 2와 5 이외의 소인수를 없앨 수 있는 수를 찾는다.

기본 07 $\dfrac{B}{A \times x}$ 가 유한소수가 되도록 하는 x의 값 구하기

분수 $\dfrac{9}{12 \times x}$를 소수로 나타내면 유한소수가 될 때, 10보다 작은 자연수 중 x의 값이 될 수 있는 수는 모두 몇 개인지 구하시오.

셀파 약분하였을 때 분모의 소인수가 2 또는 5만 남게 되는 자연수를 찾는다.

풀이 $\dfrac{9}{12 \times x} = \dfrac{3}{2^2 \times x}$이 유한소수로 나타내어지려면 x는 3의 약수 또는 소인수가 2 또는 5뿐인 수 또는 이들의 곱으로 이루어진 수이어야 한다.
 ↦ 1, 3 ↦ 2, 4, 5, 8
따라서 x의 값은 1, 2, 3, 4, 5, 6, 8의 **7개**이다.
↑6

해법코드

$\dfrac{B}{A \times x}$ 가 유한소수로 나타내어지도록 하는 x의 값 구하는 순서
① $\dfrac{B}{A}$를 기약분수로 나타낸다.
② ①의 분모를 소인수분해한다.
③ x의 값이 될 수 있는 수는
$\Rightarrow$ ① ①의 분자의 약수
② 소인수가 2 또는 5뿐인 수
③ ①×②

확인 07 분수 $\dfrac{21}{2^2 \times x}$을 소수로 나타내면 유한소수가 될 때, 다음 중 x의 값이 될 수 <u>없는</u> 것은?

① 3 　　② 7 　　③ 9 　　④ 12 　　⑤ 15

» My 셀파
보기의 수를 대입하였을 때, 분자와 약분하여 분모의 소인수가 2 또는 5만 남아야 유한소수로 나타낼 수 있다.

기본 08 순환소수가 되도록 하는 미지수의 값 구하기

분수 $\dfrac{18}{2 \times 5^2 \times x}$이 순환소수로만 나타내어질 때, 다음 중 x의 값이 될 수 있는 것은?

① 2 　　② 3 　　③ 6 　　④ 7 　　⑤ 9

해법코드

분수를 기약분수로 나타내어 분모에 2와 5 이외의 소인수가 있도록 하면 순환소수로만 나타낼 수 있다.

셀파 $\dfrac{18}{2 \times 5^2 \times x} = \dfrac{9}{5^2 \times x}$의 x에 보기의 수를 각각 대입하여 분모의 소인수를 살펴본다.

풀이 ① $x=2$일 때, $\dfrac{9}{5^2 \times 2}$ ⇨ 분모의 소인수가 2와 5뿐이므로 유한소수로 나타낼 수 있다.

 ② $x=3$일 때, $\dfrac{9}{5^2 \times 3} = \dfrac{3}{5^2}$ ⇨ 분모의 소인수가 5뿐이므로 유한소수로 나타낼 수 있다.

 ③ $x=6$일 때, $\dfrac{9}{5^2 \times 6} = \dfrac{3}{5^2 \times 2}$ ⇨ 분모의 소인수가 2와 5뿐이므로 유한소수로 나타낼 수 있다.

 ④ $x=7$일 때, $\dfrac{9}{5^2 \times 7}$ ⇨ 분모의 소인수 중에 7이 있으므로 순환소수로만 나타낼 수 있다.

 ⑤ $x=9$일 때, $\dfrac{9}{5^2 \times 9} = \dfrac{1}{5^2}$ ⇨ 분모의 소인수가 5뿐이므로 유한소수로 나타낼 수 있다.

따라서 x의 값으로 알맞은 것은 ④이다.

» 오답 피하기
② $x=3$일 때, $\dfrac{9}{5^2 \times 3}$에서 분모에 소인수 3이 있다고 '순환소수로만 나타낼 수 있다.'고 답하지 않도록 한다.
이 경우 분모, 분자에서 3이 약분되어 분모에는 5^2만 남는다.

확인 08 분수 $\dfrac{21}{2^2 \times 5 \times x}$이 순환소수로만 나타내어질 때, 다음 중 x의 값이 될 수 있는 것은?

① 2 　　② 3 　　③ 6 　　④ 7 　　⑤ 9

» My 셀파
x에 보기의 수를 각각 대입하여 기약분수로 고치고, 분모의 소인수를 살펴본다.

다음 분수를 소수로 나타낼 때, 소수점 아래 50번째 자리의 숫자를 구하시오.

(1) $\dfrac{5}{37}$ (2) $\dfrac{4}{55}$

소수점 아래 n번째 자리의 숫자를 구할 때는 n을 순환마디의 숫자의 개수로 나눈 나머지를 이용하여 순환마디의 순서를 생각한다.

셀파 순환마디의 숫자의 개수를 구하여 규칙을 찾는다.

풀이 (1) $\dfrac{5}{37}=5\div37=0.\dot{1}3\dot{5}$이므로 순환마디의 숫자는 1, 3, 5의 3개이다.

이때 50$=\underset{\substack{\uparrow \\ \text{순환마디의 숫자의 개수}}}{3}\times16+2$에서 소수점 아래 50번째 자리의 숫자는 순환마디의 두 번째 숫자인 **3**이다.

(2) $\dfrac{4}{55}=4\div55=0.0\dot{7}\dot{2}$이므로 순환마디의 숫자는 7, 2의 2개이고, 소수점 아래 첫째 자리의 숫자 0은 순환하지 않는다.

이때 50$=(\underset{\substack{\uparrow \\ \text{소수점 아래 순환하지 않는 숫자의 개수}}}{1}+\underset{\substack{\uparrow \\ \text{순환마디의 숫자의 개수}}}{2}\times24)+1$에서 소수점 아래 50번째 자리의 숫자는 순환마디의 **첫 번째** 숫자인 **7**이다.

3개씩 16번 반복 50번째

ⓐ $0.\underbrace{135135\cdots135}_{49번째}135\cdots$

2개씩 24번 반복

ⓑ $0.0\underbrace{7272\cdots72}_{1번째\qquad 50번째}72\cdots$

확인 09 다음 분수를 소수로 나타낼 때, 소수점 아래 100번째 자리의 숫자를 구하시오.

(1) $\dfrac{14}{33}$ (2) $\dfrac{19}{55}$

≫ **My 셀파**
분수를 순환소수로 나타내고 소수점 아래에서 배열되는 숫자의 규칙을 찾는다.

분수 $\dfrac{x}{60}$는 유한소수로 나타낼 수 있고, 기약분수로 나타내면 $\dfrac{11}{y}$이다. 이때 자연수 x, y의 값을 각각 구하시오. (단, $50<x<70$)

유한소수로 나타낼 수 있으려면 분모의 소인수가 2 또는 5뿐이어야 한다.

셀파 분모의 소인수 중에서 2와 5가 아닌 것을 약분하여 없애는 방법을 생각한다.

풀이 $\dfrac{x}{60}=\dfrac{x}{2^2\times3\times5}$를 유한소수로 나타낼 수 있으려면 x는 3의 배수이어야 한다.

또 $\dfrac{x}{60}$를 기약분수로 나타내면 $\dfrac{11}{y}$이므로 x는 11의 배수이다.

따라서 x는 3과 11의 공배수, 즉 33의 배수이다.
이때 $50<x<70$이므로 $x=66$ → 33, 66, 99, …

$\dfrac{66}{60}=\dfrac{2\times3\times11}{2^2\times3\times5}=\dfrac{11}{10}$이고, $\dfrac{11}{10}=\dfrac{11}{y}$에서 $y=10$

ⓐ 분모에 있는 소인수 3이 약분되어 없어져야 한다.

ⓑ $x=11\times a (a$는 자연수) 꼴일 때 $\dfrac{x}{60}=\dfrac{11}{y}$이 된다.

확인 10 분수 $\dfrac{x}{70}$는 유한소수로 나타낼 수 있고, 기약분수로 나타내면 $\dfrac{3}{y}$이다. 이때 자연수 x, y의 값을 각각 구하시오. (단, $30<x<50$)

≫ **My 셀파**
$\dfrac{x}{70}=\dfrac{x}{2\times5\times7}=\dfrac{3}{y}$이므로 분자에는 소인수 7이 반드시 있어야 하고, 약분한 후에도 3이 남아야 한다.

실력 키우기

01 유리수와 소수

다음 중 옳지 <u>않은</u> 것은?

① $\dfrac{2}{5}$는 유리수이다.

② 3.14는 유한소수이다.

③ 0.333…은 무한소수이다.

④ $\dfrac{3}{8}$을 소수로 나타내면 유한소수이다.

⑤ $\dfrac{7}{16}$을 소수로 나타내면 무한소수이다.

02 순환소수

다음 중 순환소수의 표현이 옳은 것은?

① $0.010101\cdots = 0.0\dot{1}\dot{0}$

② $1.721721\cdots = 1.\dot{7}\dot{2}$

③ $0.423423\cdots = 0.4\dot{2}\dot{3}$

④ $3.072072\cdots = 3.0\dot{7}207\dot{2}$

⑤ $8.290290\cdots = 8.\dot{2}9\dot{0}$

03 순환소수 (서술형)

두 분수 $\dfrac{5}{11}$, $\dfrac{14}{9}$를 소수로 나타내었을 때, 순환마디의 숫자의 개수를 각각 x, y라 하자. 이때 $x+y$의 값을 구하시오.

04 분수를 유한소수로 나타내기

다음은 분수 $\dfrac{3}{8}$을 유한소수로 나타내는 과정이다. ☐ 안에 알맞은 수로 옳지 <u>않은</u> 것은?

$$\dfrac{3}{8} = \dfrac{3}{2^{\boxed{①}}} = \dfrac{3 \times \boxed{②}}{2^{\boxed{①}} \times \boxed{③}} = \dfrac{\boxed{④}}{1000} = \boxed{⑤}$$

① 3　　　② 5^2　　　③ 5^3

④ 375　　⑤ 0.375

05 유한소수, 순환소수로 나타낼 수 있는 분수 (창의·융합)

㉠, ㉡, ㉢의 방 중 하나에 보물이 숨겨져 있다. 다음과 같은 방법으로 방을 이동할 때, 보물이 숨겨져 있는 방에 적힌 분수를 소수로 나타내시오.

┤ 방법 ├

• 출발점에서 시작하여 그 방을 둘러싸고 있는 분수 중 유한소수로 나타낼 수 있는 분수가 적힌 방으로 이동한다.

• 문을 통해서만 방을 이동할 수 있고, 한 번 지나온 방은 다시 지나갈 수 없다.

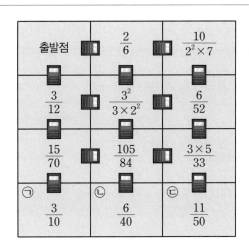

06 유한소수, 순환소수로 나타낼 수 있는 분수

다음 분수 중 순환소수로만 나타낼 수 있는 것을 모두 고르면? (정답 2개)

① $\dfrac{3}{75}$ ② $\dfrac{20}{2^2 \times 3 \times 5}$ ③ $\dfrac{14}{5 \times 7^2}$

④ $\dfrac{13}{260}$ ⑤ $\dfrac{3^2}{2^2 \times 3 \times 5^2}$

07 유한소수가 되도록 하는 미지수 구하기

$\dfrac{7}{220} \times x$를 소수로 나타내면 유한소수가 된다. 이때 x의 값이 될 수 있는 자연수 중 가장 큰 두 자리 수를 구하시오.

08 유한소수가 되도록 하는 미지수 구하기 　(서술형)

두 분수 $\dfrac{6}{45}$, $\dfrac{5}{56}$에 어떤 자연수 A를 각각 곱하여 소수로 나타내면 모두 유한소수가 된다고 한다. 다음을 구하시오.

(1) $\dfrac{6}{45}$에 곱해야 할 자연수 A의 조건

(2) $\dfrac{5}{56}$에 곱해야 할 자연수 A의 조건

(3) (1), (2)에서 곱해야 할 가장 작은 짝수 A의 값

09 유한소수가 되도록 하는 미지수 구하기

분수 $\dfrac{21}{2^2 \times 3 \times x}$을 소수로 나타내면 유한소수가 될 때, 다음 중 x의 값이 될 수 없는 것은?

① 7   ② 14   ③ 21   ④ 28   ⑤ 35

10 순환소수가 되도록 하는 미지수 구하기

분수 $\dfrac{3}{2^2 \times 5 \times x}$이 순환소수로만 나타내어질 때, 20보다 작은 자연수 중 x의 값이 될 수 있는 모든 짝수의 합을 구하시오.

11 순환소수에서 소수점 아래 n번째 자리의 숫자 구하기 　(서술형)

오른쪽은 분수 $\dfrac{2}{7}$를 소수로 나타내기 위하여 나눗셈을 하는 과정을 나타낸 것이다. $\dfrac{2}{7}$를 소수로 나타내었을 때, 다음을 구하시오.

(1) 순환마디의 숫자의 개수

(2) 소수점 아래 100번째 자리의 숫자

```
        0.285714
   7)2
        14
        ─────
        60
        56
        ─────
         40
         35
        ─────
          50
          49
        ─────
          10
           7
        ─────
          30
          28
        ─────
           2
           ⋮
```

12 유한소수가 되는 분수를 기약분수로 만들기 〔서술형〕

분수 $\dfrac{a}{140}$ 를 소수로 나타내면 유한소수가 되고, 기약분수로 나타내면 $\dfrac{11}{b}$ 이다. a가 100 이하의 자연수일 때, a, b의 값을 각각 구하시오.

13 유한소수, 순환소수로 나타낼 수 있는 분수

두 분수 $\dfrac{1}{4}$ 과 $\dfrac{6}{7}$ 사이에 있는 분모가 28인 분수 중에서 유한소수로 나타낼 수 있는 수는 모두 몇 개인지 구하시오.

14 유리수와 소수

다음 중에서 옳지 <u>않은</u> 것은?

① 모든 유리수는 분모($\neq 0$), 분자가 정수인 분수로 나타낼 수 있다.
② 모든 기약분수는 유한소수로 나타낼 수 있다.
③ 유한소수를 기약분수로 나타내면 분모의 소인수는 2 또는 5뿐이다.
④ 모든 유한소수는 분모가 10의 거듭제곱인 분수로 나타낼 수 있다.
⑤ 무한소수는 소수점 아래의 0이 아닌 숫자가 무한 번 나타난다.

15 유한소수가 되도록 하는 미지수 구하기 〔융합형〕

x에 대한 일차방정식 $12x = a$의 해를 소수로 나타내면 유한소수가 될 때, 이를 만족하는 모든 한 자리 자연수 a의 값의 합을 구하시오.

16 유한소수, 순환소수로 나타낼 수 있는 분수 〔창의·융합〕

척척박사는 두 수 a, b를 입력했을 때 $\dfrac{a}{b}$ 를 유한소수로 나타낼 수 있으면 초록색 불, $\dfrac{a}{b}$ 를 유한소수로 나타낼 수 없다면 빨간색 불이 켜지는 장치를 만들었다. 다음 **보기**에서 빨간색 불이 켜지도록 하는 순서쌍 (a, b)를 모두 고르시오.

┤ **보기** ├
㉠ $(15, 9)$ ㉡ $(24, 16)$ ㉢ $(121, 66)$

17 순환소수에서 소수점 아래 n번째 자리의 숫자 구하기 〔창의·융합〕

어떤 분수를 입력하면 그 분수를 소수로 바꿔 소수점 아래에 차례대로 나오는 숫자가 적힌 음이 연주되는 다음과 같은 건반이 있다. 분수 $\dfrac{64}{111}$ 를 입력했을 때, 20번째에 연주되는 음을 구하시오.

순환소수 몬스터는
다 내꺼다!

어어... 이건
10의 거듭제곱?!

순환소수들이 다 사라지고
분수만 남았잖아.
이게 어찌된 일이지?

순환소수가 10의 거듭제곱과
결합하면 분수로 변해
버린다고.

어느새 왔어?

어떻게 그럴 수가
있어?

순환소수를 미지수로 놓고
양변에 10의 거듭제곱을
곱해서 소수점 아래의 부분이
같은 두 식을 만드는
거야.

저걸 봐!
변하고 있어!

그러니까, 내 말은
어떻게 변할 수
있는 거냐고?

2

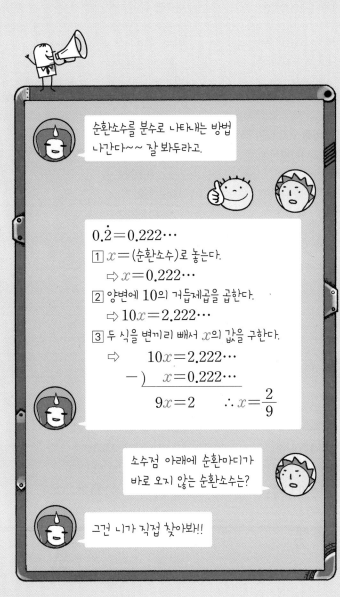

2 순환소수의 분수 표현

1 순환소수를 분수로 나타내는 방법 (1) – 등식의 성질 이용

10의 거듭제곱을 이용하여 다음과 같은 순서로 순환소수를 분수로 나타낼 수 있다.

① 순환소수를 x로 놓는다.

② 양변에 ▢ 의 거듭제곱을 곱하여 ◉소수점 아래의 부분이 같은 두 식을 만든다.

③ 두 식을 변끼리 빼서 x의 값을 구한다.

(1) 소수점 아래 순환마디가 바로 오는 경우

㉾ 순환소수 $0.\dot{2}$를 분수로 나타내어 보자.

① $x=$(순환소수)로 놓는다. ⇨ $x=0.222\cdots$
  └→ 순환마디의 숫자가 1개
  ➡ 10을 곱한다.

② 양변에 10의 거듭제곱을 곱하여 소수점 아래의 부분이 같은 두 식을 만든다. ⇨ $\boxed{}x=2.222\cdots$

③ 두 식을 변끼리 빼서 소수점 아래의 부분을 없앤 다음, x의 값을 구한다. ⇨

$$\begin{array}{r} 10x=2.222\cdots \\ -)x=0.222\cdots \\ \hline 9x=\boxed{} \end{array}$$
└ 소수점 아래의 부분이 같다.

$10x-x$ ←

$$\therefore x=\frac{2}{9}$$

(2) 소수점 아래 순환마디가 바로 오지 않는 경우

㉾ 순환소수 $0.1\dot{2}$를 분수로 나타내어 보자.

┌→ 소수점 아래에서 순환하지 않는 숫자가 1개 ➡ 10을 곱한다.

① $x=$(순환소수)로 놓는다. ⇨ $x=0.1222\cdots$

② 양변에 10의 거듭제곱을 곱하여 소수점 아래의 부분이 같은 두 식을 만든다. ⇨ $10x=1.2222\cdots$
$\boxed{}x=12.222\cdots$

③ 두 식을 변끼리 빼서 소수점 아래의 부분을 없앤 다음, x의 값을 구한다. ⇨

$$\begin{array}{r} 100x=12.222\cdots \\ -)10x=1.222\cdots \\ \hline 90x=\boxed{} \end{array}$$
└ 소수점 아래의 부분이 같다.

$$\therefore x=\frac{11}{90}$$

옆 설명란

◉ 소수점 아래 첫째 자리에서부터 똑같이 순환마디가 시작되도록 한다.

10

10

ⓛ 소수점 아래의 부분이 같은 두 순환소수끼리 빼면 소수점 아래의 부분이 없어지므로 차는 정수이다.

㉾
$$\begin{array}{r} 5.121212\cdots \\ -)\,3.121212\cdots \\ \hline 2 \end{array}$$

2

ⓒ 순환마디의 숫자의 개수만큼 10의 거듭제곱을 곱한다.
  • 순환마디의 숫자가 1개일 때
   ⇨ 양변에 10을 곱한다.
  • 순환마디의 숫자가 2개일 때
   ⇨ 양변에 10^2, 즉 100을 곱한다.
  • 순환마디의 숫자가 3개일 때
   ⇨ 양변에 10^3, 즉 1000을 곱한다.

100

11

보기 다음 순환소수를 기약분수로 나타내시오.

(1) $0.\dot{1}\dot{3}$

(2) $0.1\dot{2}\dot{3}$

풀이 (1) ① $x=0.131313\cdots$

② $100x=13.131313\cdots$

③ $$\begin{array}{r} 100x=13.131313\cdots \\ -)x=0.131313\cdots \\ \hline 99x=13 \end{array}$$

$$\therefore x=\frac{13}{99}$$

(2) ① $x=0.1232323\cdots$

② $10x=1.232323\cdots$

$1000x=123.232323\cdots$

③ $$\begin{array}{r} 1000x=123.232323\cdots \\ -)10x=1.232323\cdots \\ \hline 990x=122 \end{array}$$

$$\therefore x=\frac{122}{990}=\frac{61}{495}$$
└ 약분하여 기약분수로 나타낸다.

ⓔ 첫 번째 순환마디의 앞뒤로 소수점이 오도록 x에 10의 거듭제곱을 곱한다. 즉 $0.1\dot{2}$를 분수로 나타낼 때,
$x=0.1222\cdots$
따라서 필요한 계산식은
$100x-10x$

| 개념 체크 |

1-1 순환소수를 분수로 나타내는 방법 (1)

다음 순환소수를 기약분수로 나타내시오.

(1) $0.\dot{2}\dot{3}$　　　　(2) $0.4\dot{3}\dot{9}$

셀파 ① 주어진 순환소수를 x로 놓는다.

② 양변에 10의 거듭제곱을 곱하여 소수점 아래의 부분이 같은 두 식을 만든다.

③ ②의 두 식을 변끼리 빼서 x의 값을 구한다.

연구 (1) $x = 0.\dot{2}\dot{3} = 0.232323\cdots$ ← 첫 번째 순환마디

$\boxed{}\,x = 23.232323\cdots$ ← 두 식에서 소수점 아래의 부분이 같다.

$-)\quad\ \ x = \ \ 0.232323\cdots$

$\boxed{}\,x = 23$

$\therefore x = \dfrac{23}{\boxed{}}$

(2) $x = 0.4\dot{3}\dot{9} = 0.43999\cdots$ ← 첫 번째 순환마디

$\boxed{}\,x = 439.999\cdots$ ← 두 식에서 소수점 아래의 부분이 같다.

$-)\quad 100x = \ \ 43.999\cdots$

$\boxed{}\,x = 396$

$\therefore x = \dfrac{396}{\boxed{}} = \boxed{}$
← 기약분수로 나타낸다.

소수점이 첫 번째 순환마디의 앞뒤에 오도록 10의 거듭제곱을 곱한다고 생각하면 돼.

| 따라 풀기 |

1-2 다음은 순환소수를 기약분수로 나타내는 과정이다. ☐ 안에 알맞은 수를 써넣으시오.

(1) $x = 0.\dot{6}\dot{3}$

$\boxed{}\,x = 63.636363\cdots$

$-)\quad\ \ x = \ \ 0.636363\cdots$

$\boxed{}\,x = 63$

$\therefore x = \dfrac{63}{\boxed{}} = \boxed{}$

(2) $x = 5.\dot{2}$

$\boxed{}\,x = 52.222\cdots$

$-)\quad\ \ x = \ \ 5.222\cdots$

$\boxed{}\,x = 47$

$\therefore x = \dfrac{47}{\boxed{}}$

(3) $x = 2.3\dot{6}$

$\boxed{}\,x = 236.666\cdots$

$-)\quad 10x = \ \ 23.666\cdots$

$\boxed{}\,x = 213$

$\therefore x = \dfrac{213}{\boxed{}} = \boxed{}$

(4) $x = 0.2\dot{4}\dot{7}$

$\boxed{}\,x = 247.474747\cdots$

$-)\quad 10x = \ \ 2.474747\cdots$

$\boxed{}\,x = 245$

$\therefore x = \dfrac{245}{\boxed{}} = \boxed{}$

요점 콕콕 순환소수를 분수로 나타내는 방법

① 순환소수를 x로 놓는다.

② 양변에 적당한 10의 거듭제곱을 곱하여 소수점 아래의 부분이 같은 두 식을 만든다.

③ ②의 두 식을 변끼리 빼서 x의 값을 구한다.

2 순환소수를 분수로 나타내는 방법 (2) – 공식 이용

분모 ⇨ 순환마디의 숫자의 개수만큼 ☐를 쓰고, 그 뒤에 소수점 아래에서 순환하
지 않는 숫자의 개수만큼 0을 쓴다.

9

분자 ⇨ (전체의 수) − (순환하지 않는 수)

(1) 소수점 아래 순환마디가 바로 오는 경우

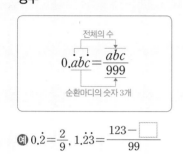

전체의 수

$$0.\dot{a}b\dot{c} = \frac{abc}{999}$$

순환마디의 숫자 3개

(2) 소수점 아래 순환마디가 바로 오지 않는 경우

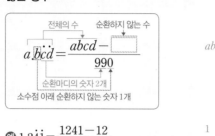

전체의 수   순환하지 않는 수

$$a.\dot{b}c\dot{d} = \frac{abcd - \boxed{}}{990}$$

순환마디의 숫자 2개
소수점 아래 순환하지 않는 숫자 1개

ab

예 $0.\dot{2} = \dfrac{2}{9}$, $1.\dot{2}\dot{3} = \dfrac{123 - \boxed{}}{99}$

예 $1.2\dot{4}\dot{1} = \dfrac{1241 - 12}{990}$

1

> 순환소수를 분수로 고치면 분모는 9, 99, 999, 90, 990, 900 등과 같이 9와 0으로만 이루어진다.

참고
a, b, c, d가 0 또는 한 자리 자연수일 때
- $0.\dot{a} = \dfrac{a}{9}$
- $0.\dot{a}\dot{b} = \dfrac{ab}{99}$
- $0.a\dot{b} = \dfrac{ab - a}{90}$
- $a.b\dot{c}\dot{d} = \dfrac{abcd - abc}{900}$

보기 다음 순환소수를 공식을 이용하여 기약분수로 나타내시오.

(1) $0.\dot{1}\dot{3}$

(2) $0.1\dot{2}\dot{3}$

풀이 (1) $0.\dot{1}\dot{3} = \dfrac{\mathbf{13}}{\mathbf{99}}$

(2) $0.1\dot{2}\dot{3} = \dfrac{123 - 1}{990} = \dfrac{122}{990} = \dfrac{\mathbf{61}}{\mathbf{495}}$

3 유리수와 소수의 관계

(1) 정수가 아닌 유리수는 유한소수 또는 순환소수로 나타낼 수 있다.

(2) 유한소수와 순환소수는 ☐로 나타낼 수 있으므로 유리수이다.

분수

(3) 유리수와 소수의 관계

소수 {
 유한소수: 0.1, 0.236, 0.7125, … ┐
 무한소수 {
  ☐소수: 0.222…, 0.141414…, … ┘ 유리수
  순환하지 않는 무한소수: π, 0.101001…, … — 유리수가 아니다.
}
}

순환

보기 다음 설명 중 옳은 것에는 ○, 옳지 않은 것에는 ×를 ( ) 안에 써넣으시오.

(1) 모든 무한소수는 유리수이다.   (   )

(2) 정수가 아닌 유리수는 모두 유한소수로 나타낼 수 있다.   (   )

풀이 (1) π와 같이 순환소수가 아닌 무한소수는 분수로 나타낼 수 없으므로 유리수가 아니다.
  ∴ ×

(2) $\dfrac{1}{3}$과 같은 유리수를 소수로 나타내면 무한소수이므로 정수가 아닌 유리수 중에는 유한소수로 나타낼 수 없는 것이 있다.   ∴ ×

| 개념 체크 |

2-1 순환소수를 분수로 나타내는 방법 (2)

다음 순환소수를 공식을 이용하여 기약분수로 나타내시오.

(1) $1.\dot{3}4\dot{5}$　　　　(2) $0.2\dot{4}\dot{1}$

셀파 ・분모 ⇨ 순환마디의 숫자의 개수만큼 9를 쓰고, 그 뒤에 소수점 아래에서 순환하지 않는 숫자의 개수만큼 0을 쓴다.

・분자 ⇨ (전체의 수)−(순환하지 않는 수)

연구

(1) $1.\dot{3}4\dot{5} = \dfrac{1345 - \boxed{}}{999} = \boxed{}$

순환마디의 숫자 3개

(2) $0.2\dot{4}\dot{1} = \dfrac{\boxed{} - \boxed{}}{990} = \boxed{}$

순환마디의 숫자 2개
소수점 아래 순환하지 않는 숫자 1개

3-1 유리수와 소수의 관계

다음 **보기**에서 유리수를 모두 고르시오.

┤ 보기 ├
㉠ 0.9　　　㉡ $0.\dot{1}\dot{2}$　　　㉢ π
㉣ $0.555\cdots$　　　㉤ 순환마디가 없는 무한소수

셀파 분수 꼴로 나타낼 수 있는 수는 유리수이다.

연구 ㉠ 0.9는 유한소수이므로 $\boxed{}$이다.
㉡ $0.\dot{1}\dot{2}$는 $\boxed{}$소수이므로 유리수이다.
㉢ π는 유리수가 아니다.
㉣ $0.555\cdots = 0.\dot{5}$는 순환소수이므로 유리수이다.
㉤ 순환마디가 없는 무한소수는 순환하지 않는 $\boxed{}$소수이 므로 유리수가 아니다.

요점 쿡쿡

전체의 수

$\cdot\ 0.\dot{a}b\dot{c} = \dfrac{abc}{999}$

순환마디의 숫자 3개

| 따라 풀기 |

2-2 다음 순환소수를 공식을 이용하여 기약분수로 나타내시오.

(1) $0.\dot{3}1\dot{5}$

(2) $0.0\dot{2}$

(3) $0.16\dot{2}$

(4) $2.2\dot{4}$

3-2 다음 보기에서 정수가 아닌 유리수를 모두 고르시오.

┤ 보기 ├

㉠ -52　　　㉡ -0.97　　　㉢ 0
㉣ $5.9\dot{1}$　　　㉤ $3.141592\cdots$　　　㉥ $1.696969\cdots$

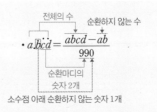

나, 여기 있어도 돼?

당연하지. 너도 분수로 나타낼 수 있잖아.

전체의 수　　　순환하지 않는 수

$\cdot\ a.\dot{b}c\dot{d} = \dfrac{abcd - ab}{990}$

순환마디의 숫자 2개
소수점 아래 순환하지 않는 숫자 1개

기본 01 등식의 성질을 이용하여 순환소수를 분수로 나타내기

순환소수 $x=0.13\dot{7}$을 분수로 나타낼 때, 다음 중 가장 편리한 식은?

① $100x-x$ ② $100x-10x$ ③ $1000x-x$

④ $1000x-10x$ ⑤ $1000x-100x$

셀파 소수점 아래 첫째 자리에서부터 순환마디가 시작되는 두 식을 만들어 뺀다.

풀이 $x=0.13\dot{7}=0.13777\cdots$에서

양변에 1000을 곱하면 $1000x=137.777\cdots$ ...... ㉠

양변에 100을 곱하면 $100x=13.777\cdots$ ...... ㉡

이때 ㉠, ㉡의 소수점 아래의 부분을 없애야 하므로 ㉠에서 ㉡을 변끼리 빼면

$1000x-100x=124 \rightarrow 900x=124$ ∴ $x=\dfrac{124}{900}=\dfrac{31}{225}$

따라서 가장 편리한 식은 ⑤ $1000x-100x$이다.

해법코드

첫 번째 순환마디의 앞뒤로 소수점이 오도록 x에 10의 거듭제곱을 곱한다.

$x=0.13\dot{7}$
$=0.13777\cdots$

◐ $x=0.13777\cdots$
$10x=1.3777\cdots$
$100x=13.777\cdots$
$1000x=137.777\cdots$

따라서 $100x$, $1000x$일 때 소수점 아래 첫째 자리에서부터 순환마디가 시작된다.

확인 01 순환소수 $x=11.1\dot{2}\dot{3}$을 분수로 나타낼 때, 다음 중 가장 편리한 식은?

① $10x-x$ ② $100x-x$ ③ $100x-10x$

④ $1000x-x$ ⑤ $1000x-10x$

» My 셀파

첫 번째 순환마디의 앞뒤로 소수점이 오도록 x에 10의 거듭제곱을 곱한다.

$x=11.1\dot{2}\dot{3}=11.1232323\cdots$

기본 02 공식을 이용하여 순환소수를 분수로 나타내기

다음 중 순환소수를 기약분수로 나타낸 것으로 옳지 <u>않은</u> 것을 모두 고르면? (정답 2개)

① $0.\dot{3}\dot{7}=\dfrac{37}{99}$ ② $1.\dot{2}=\dfrac{11}{90}$ ③ $0.3\dot{4}\dot{5}=\dfrac{19}{55}$

④ $2.1\dot{2}=\dfrac{191}{90}$ ⑤ $5.\dot{1}\dot{8}=\dfrac{518}{99}$

셀파 순환마디와 소수점 아래에서 순환하지 않는 부분을 구분한다.

풀이 ② $1.\dot{2}=\dfrac{12-1}{9}=\dfrac{11}{9}$ ③ $0.3\dot{4}\dot{5}=\dfrac{345-3}{990}=\dfrac{342}{990}=\dfrac{19}{55}$

④ $2.1\dot{2}=\dfrac{212-21}{90}=\dfrac{191}{90}$ ⑤ $5.\dot{1}\dot{8}=\dfrac{518-5}{99}=\dfrac{513}{99}=\dfrac{57}{11}$

따라서 옳지 않은 것은 ②, ⑤이다.

해법코드

· 분모 ⇨ 순환마디의 숫자의 개수만큼 9를 쓰고, 그 뒤에 소수점 아래에서 순환하지 않는 숫자의 개수만큼 0을 쓴다.

· 분자 ⇨ (전체의 수)
$-$(순환하지 않는 수)

확인 02 다음 보기에서 순환소수를 기약분수로 나타낸 것으로 옳은 것을 고르시오.

┤ 보기 ├

㉠ $0.1\dot{7}=\dfrac{17}{90}$ ㉡ $0.1\dot{7}\dot{5}=\dfrac{58}{33}$ ㉢ $2.0\dot{5}=\dfrac{203}{99}$ ㉣ $5.8\dot{1}\dot{2}=\dfrac{2902}{495}$

» My 셀파

a, b, c, d가 0 또는 한 자리 자연수일 때

· $0.a\dot{b}=\dfrac{ab-a}{90}$

· $0.a\dot{b}\dot{c}=\dfrac{abc-a}{990}$

· $a.b\dot{c}\dot{d}=\dfrac{abcd-ab}{990}$

다음 두 수의 크기를 비교하시오.

(1) $1.2\dot{3}$, $1.2\dot{3}$

(2) $2.\dot{3}3\dot{5}$, $2.3\dot{3}\dot{5}$

순환소수의 소수점 아래의 부분을 나열하여 비교하거나 분수로 고쳐서 비교한다.

셀파 순환소수의 크기를 비교할 때는 순환소수의 소수점 아래의 부분을 나열하여 비교한다.

풀이 (1) $1.\dot{2}\dot{3}=1.2323\cdots$, $1.2\dot{3}=1.2333\cdots$에서
두 수는 소수점 아래 셋째 자리부터 숫자가 다르다.
이때 $2<3$이므로 $1.\dot{2}\dot{3}<1.2\dot{3}$

$$1.\dot{2}\dot{3}=1.2323\cdots$$
$$1.2\dot{3}=1.2333\cdots$$

(2) $2.\dot{3}3\dot{5}=2.335335\cdots$, $2.3\dot{3}\dot{5}=2.335353\cdots$에서
두 수는 소수점 아래 다섯째 자리부터 숫자가 다르다.
이때 $3<5$이므로 $2.\dot{3}3\dot{5}<2.3\dot{3}\dot{5}$

$$2.\dot{3}3\dot{5}=2.335335\cdots$$
$$2.3\dot{3}\dot{5}=2.335353\cdots$$

다른 풀이 (1)
두 순환소수를 분수로 고쳐서 크기를 비교해도 된다.

$1.\dot{2}\dot{3}=\dfrac{123-1}{99}=\dfrac{122}{99}=\dfrac{1220}{990}$

$1.2\dot{3}=\dfrac{123-12}{90}=\dfrac{111}{90}=\dfrac{1221}{990}$

이때 $\dfrac{1220}{990}<\dfrac{1221}{990}$이므로

$1.\dot{2}\dot{3}<1.2\dot{3}$

》 My 셀파
순환소수의 소수점 아래의 부분을 나열하여 비교한다.

확인 03 다음 보기에서 가장 큰 수를 찾으시오.

┤ 보기 ├
㉠ 1.434 ㉡ $1.4\dot{3}$ ㉢ $1.\dot{4}\dot{3}$ ㉣ $1.\dot{4}3\dot{4}$

$\dfrac{1}{3}<0.\dot{x}<\dfrac{1}{2}$이 되도록 하는 한 자리 자연수 x의 값을 구하시오.

분수를 소수로 고치거나 순환소수를 분수로 고친다.

셀파 순환소수를 분수로 고친 다음, 주어진 조건의 식에서 분모를 통분하여 해결한다.

풀이 $0.\dot{x}=\dfrac{x}{9}$이므로 $\dfrac{1}{3}<\dfrac{x}{9}<\dfrac{1}{2}$

분모를 통분하면 $\dfrac{6}{18}<\dfrac{2x}{18}<\dfrac{9}{18}$, 즉 $6<2x<9$

따라서 $6<2x<9$를 만족하는 한 자리 자연수 x의 값은 **4**이다.

다른 풀이 $\dfrac{1}{3}=0.\dot{3}$, $\dfrac{1}{2}=0.5$이므로 $0.\dot{3}<0.\dot{x}<0.5$

이때 이 범위를 만족하는 한 자리 자연수 x의 값은 4이다.

ⓐ 3, 9, 2의 최소공배수 18로 분모를 통분한다.

ⓑ $0.\dot{3}<0.\dot{x}<0.5$에서
$x=3$이면 $0.\dot{3}<0.\dot{3}$ (×)
$x=5$이면 $0.\dot{5}=0.555\cdots<0.5$
(×)

확인 04 다음 중 $\dfrac{1}{2}<0.\dot{x}<\dfrac{3}{4}$이 되도록 하는 한 자리 자연수 x의 값을 모두 고르면? (정답 2개)

① 3   ② 4   ③ 5   ④ 6   ⑤ 7

》 My 셀파
분수 또는 소수 중 한 가지로 표현을 통일한다.

$x-0.\dot{1}=1.2\dot{7}$의 해를 순환소수로 나타내시오.

셀파 순환소수를 분수로 고친다. ⇨ $0.\dot{a}=\dfrac{a}{9}$, $a.b\dot{c}=\dfrac{abc-ab}{90}$

풀이 $0.\dot{1}=\dfrac{1}{9}$, $1.2\dot{7}=\dfrac{127-12}{90}=\dfrac{115}{90}=\dfrac{23}{18}$이므로

$x-\dfrac{1}{9}=\dfrac{23}{18}$

$\therefore x=\dfrac{23}{18}+\dfrac{1}{9}=\dfrac{25}{18}=1.3888\cdots=1.3\dot{8}$

❶ (분자)÷(분모)를 계산한다.

확인 05 **1.** $1.\dot{3}\dot{2}+0.0\dot{5}$를 계산하여 순환소수로 나타내시오.

2. $0.3\dot{6}\times x=0.6\dot{1}$의 해를 순환소수로 나타내시오.

기본 **06** **유리수와 소수의 관계**

다음 중 옳지 <u>않은</u> 것은?

① 유한소수는 유리수이다.

② 모든 순환소수는 무한소수이다.

③ 순환소수 중에는 분수로 나타낼 수 없는 것도 있다.

④ 무한소수 중에는 유리수가 아닌 것도 있다.

⑤ 유한소수로 나타낼 수 없는 정수가 아닌 유리수는 순환소수로 나타낼 수 있다.

셀파 소수 $\begin{cases} 유한소수 \\ 무한소수 \end{cases}$ $\begin{cases} 순환소수 - 유리수 \\ 순환하지 않는 무한소수 - 유리수가 아니다. \end{cases}$

풀이 ③ 순환소수는 모두 분수로 나타낼 수 있다.

따라서 옳지 않은 것은 ③이다.

확인 06 다음 보기에서 옳은 것을 모두 고르시오.

┤ 보기 ├
ㄱ 순환소수는 유리수이다.
ㄴ 무한소수는 유리수가 아니다.
ㄷ 분수로 나타낼 수 없는 유리수가 있다.
ㄹ 순환소수가 아닌 무한소수는 분수로 나타낼 수 없다.

순환소수에 적당한 수를 곱하여 유한소수 만들기

해법코드

순환소수 $0.41\dot{6}$에 자연수 a를 곱하면 정수가 아닌 유한소수가 된다. 이때 a의 값이 될 수 있는 100보다 작은 자연수는 모두 몇 개인지 구하시오.

주어진 순환소수를 기약분수로 고쳐서 분모를 소인수분해한다. 이때 분모에 있는 2와 5 이외의 소인수를 약분할 수 있어야 유한소수가 된다.

셀파 (순환소수)×(자연수)가 유한소수이다.
⇨ (순환소수)×(자연수)를 기약분수로 나타내면 분모의 소인수는 2 또는 5뿐이다.

풀이 $0.41\dot{6}=\dfrac{416-41}{900}=\dfrac{375}{900}=\dfrac{5}{12}=\dfrac{5}{2^2\times3}$

⬆ a가 3의 배수이면서 4의 배수이면 12의 배수이다.
$a=12k$ (k는 자연수)일 때,
$\dfrac{5}{2^2\times3}\times a=\dfrac{5}{2^2\times3}\times12k=5k$
이므로 자연수가 된다.

$\dfrac{5}{2^2\times3}\times a$가 정수가 아닌 유한소수가 되려면 분모에서 3만 약분되어야 한다.

즉 a는 3의 배수이지만 $2^2=\underline{4}$의 배수이면 안 된다.

따라서 a의 값이 될 수 있는 100보다 작은 자연수는 3의 배수 33개 중 12의 배수 8개를 빼면

$33-8=\mathbf{25}$(개)

100÷3의 자연수 몫   100÷12의 자연수 몫

확인 07 순환소수 $0.16\dot{3}$에 자연수 a를 곱하면 정수가 아닌 유한소수가 된다. 이때 a의 값이 될 수 있는 100보다 작은 자연수는 모두 몇 개인지 구하시오.

» **My 셀파**

$0.16\dot{3}=\dfrac{163-1}{990}=\dfrac{162}{990}$
$=\dfrac{9}{55}=\dfrac{9}{5\times11}$

분수를 소수로 바르게 나타내기

해법코드

어떤 기약분수를 순환소수로 나타내는데 희정이는 분모를 잘못 보아서 $0.2\dot{1}$로 나타내었고, 경아는 분자를 잘못 보아서 $1.3\dot{6}$으로 나타내었다. 이때 처음 기약분수를 순환소수로 바르게 나타내시오.

잘못 나타낸 순환소수를 기약분수로 고쳐서 분자, 분모 중에서 바르게 본 것을 찾는다.

셀파 분모를 잘못 보았다. ⇨ 분자는 바르게 보았다.
분자를 잘못 보았다. ⇨ 분모는 바르게 보았다.

풀이 $0.2\dot{1}=\dfrac{21}{99}=\dfrac{7}{33}$이고, 희정이는 분모를 잘못 보았으므로 바르게 본 것은 분자 7이다.

$1.3\dot{6}=\dfrac{136-1}{99}=\dfrac{135}{99}=\dfrac{15}{11}$이고, 경아는 분자를 잘못 보았으므로 바르게 본 것은 분모 11이다.

따라서 처음 기약분수는 $\dfrac{7}{11}$이고, 순환소수로 나타내면 $\dfrac{7}{11}=\mathbf{0.\dot{6}\dot{3}}$

$\dfrac{7}{11}=\dfrac{63}{99}=0.\dot{6}\dot{3}$

Q $\dfrac{21}{99}$에서 분자 21, $\dfrac{135}{99}$에서 분모 99라고 하면 안 될까?

A 문제에서 기약분수의 분모, 분자를 언급하였으므로 기약분수에서 생각해야 한다.

확인 08 어떤 기약분수를 순환소수로 나타내는데 태호는 분자를 잘못 보아서 $3.1\dot{7}$로 나타내었고, 보라는 분모를 잘못 보아서 $0.6\dot{3}$으로 나타내었다. 이때 처음의 기약분수를 순환소수로 바르게 나타내시오.

» **My 셀파**
태호는 분모를 바르게 보았고, 보라는 분자를 바르게 보았다.

실력 키우기

01 순환소수를 분수로 나타내기

다음은 순환소수 $0.3\dot{7}\dot{2}$를 기약분수로 나타내는 과정이다. ㈎~㈐에 알맞은 수를 써넣으시오.

> $0.3\dot{7}\dot{2}$를 x로 놓으면 $x=0.3727272\cdots$
> ㈎ $x=3.727272\cdots$ ……㉠
> ㈏ $x=372.727272\cdots$ ……㉡
> ㉡에서 ㉠을 변끼리 빼면 ㈐ $x=$ ㈑
> $\therefore x=\dfrac{㈒}{110}$

02 순환소수를 분수로 나타내기

순환소수 $x=1.23\dot{4}$를 분수로 나타낼 때, 다음 중 가장 편리한 식은?

① $100x-x$
② $1000x-x$
③ $1000x-10x$
④ $1000x-100x$
⑤ $10000x-x$

03 순환소수를 분수로 나타내기

다음 중 순환소수를 기약분수로 나타낸 것으로 옳지 않은 것은?

① $0.\dot{2}\dot{9}=\dfrac{29}{99}$
② $0.5\dot{2}=\dfrac{47}{90}$
③ $0.8\dot{1}=\dfrac{9}{11}$
④ $1.\dot{3}\dot{2}=\dfrac{131}{99}$
⑤ $1.02\dot{6}=\dfrac{77}{75}$

04 순환소수를 분수로 나타내기 [서술형]

순환소수 $0.\dot{6}$의 역수를 a, 순환소수 $0.2\dot{7}$의 역수를 b라 할 때, ab의 값을 구하시오.

05 순환소수를 분수로 나타내기 [창의력]

$\dfrac{3}{10}+\dfrac{3}{100}+\dfrac{3}{1000}+\cdots$을 계산하여 기약분수로 나타내면 $\dfrac{x}{y}$이다. 이때 $x+y$의 값을 구하시오.

06 순환소수의 대소 관계

다음 중 $x=0.2737373\cdots$에 대한 설명으로 옳지 않은 것은?

① 유리수이다.
② 순환마디는 73이다.
③ $0.27\dot{3}$보다 크다.
④ $x=0.2\dot{7}\dot{3}$으로 나타낼 수 있다.
⑤ 분수로 나타내면 $\dfrac{271}{900}$이다.

07 순환소수의 대소 관계

다음 중 두 수의 대소 관계가 옳은 것은?

① $0.\dot{1}<0.\dot{1}\dot{0}$
② $0.\dot{3}>0.\dot{3}\dot{2}$
③ $0.3\dot{2}\dot{5}<0.\dot{3}2\dot{5}$
④ $0.\dot{6}\dot{3}<\dfrac{7}{11}$
⑤ $0.\dot{2}\dot{5}<0.2\dot{4}\dot{9}$

08 순환소수의 대소 관계

$\dfrac{1}{6} < 0.\dot{a} \leq \dfrac{2}{3}$가 되도록 하는 한 자리 자연수 a는 모두 몇 개인지 구하시오.

09 순환소수를 포함한 식의 계산 서술형

$0.\dot{2}\dot{0} = a \times 20$, $2.\dot{7} = 25 \times b$일 때, $a+b$의 값을 순환소수로 나타내시오.

10 유리수와 소수의 관계

다음 중 옳은 것은?

① 모든 소수는 유리수이다.
② 원주율 π는 유리수이다.
③ 모든 순환소수는 분수로 나타낼 수 있다.
④ 정수가 아닌 유리수는 모두 유한소수로 나타낼 수 있다.
⑤ 유리수 중에는 분수로 나타낼 수 없는 수도 있다.

11 순환소수에 적당한 수를 곱하여 유한소수 만들기

순환소수 $1.9\dot{4}$에 어떤 자연수 a를 곱하면 정수가 아닌 유한소수가 된다. 이때 가장 작은 두 자리 자연수 a의 값을 구하시오.

12 분수를 소수로 바르게 나타내기 서술형

어떤 기약분수를 순환소수로 나타내는데 주혜는 분모를 잘못 보아서 $0.1\dot{3}$으로 나타내었고, 재영이는 분자를 잘못 보아서 $0.1\dot{2}$로 나타내었다. 다음 물음에 답하시오.

(1) $0.1\dot{3}$을 기약분수로 나타내고, 주혜가 바르게 본 수를 구하시오.

(2) $0.1\dot{2}$를 기약분수로 나타내고, 재영이가 바르게 본 수를 구하시오.

(3) 처음 기약분수를 순환소수로 바르게 나타내시오.

13 순환소수를 분수로 나타내기 창의·융합

다음 그림은 0부터 9까지의 각 숫자에 색을 대응시켜 나타낸 것이다.

0	1	2	3	4	5	6	7	8	9
검정	빨강	주황	노랑	초록	파랑	남색	보라	분홍	회색

0과 1 사이의 기약분수를 입력하면 그 분수를 소수로 나타내어 소수점 아래의 부분의 숫자에 대응하는 색을 이어 붙인 색 띠를 출력해 주는 기계가 있다고 한다.

예를 들어 $\dfrac{1}{8}$을 입력하면 $\dfrac{1}{8} = 0.125$이므로 오른쪽 그림과 같이 빨강, 주황, 파랑을 이어 붙인 색 띠가 출력된다.

빨강	주황	파랑

이 기계에 0과 1 사이의 기약분수를 입력하였더니 다음 그림과 같은 색 띠가 출력되었을 때, 입력한 기약분수를 구하시오.

노랑	회색	분홍	회색	분홍	회색	분홍	...

2 순환소수의 분수 표현

우아앗 엄청나게
몰려온다.

아니, 저 녀석은 어떻게 저리
쉽게 모으지? 방법이 뭐냐?

너 레벨이
낮구나.
이것들을 잡는
아이템이
있어야 돼.

가르쳐 줘.

지수… 합!!

$a^2 \times a^3$
$=$
툭!
a^5

간단해졌어!

이건 형태가
다르다. 지수가
괄호 밖에 또
있어.

a^2 ③

지수… 곱!

$a^2 \times a^2 \times a^2$

지수법칙 (1), (2)를
사용한 거야.

지수법칙 아이템을
장착해야겠네.

a^6 툭!

3

II | 식의 계산

단항식의 계산

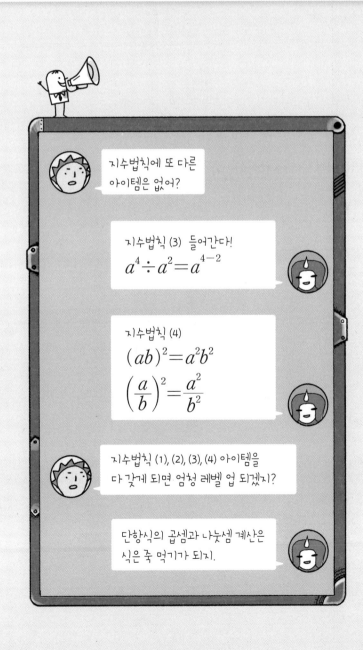

3 1. 지수법칙

1 지수법칙 (1) – 지수의 합

m, n이 자연수일 때

$a^m \times a^n = a^{m+n}$ → 지수끼리 더한다.

예 $a^2 \times a^3 = (\underbrace{a \times a}_{2개}) \times (\underbrace{}_{3개})$

$= \underbrace{a \times a \times a \times a \times a}_{(2+3)개}$

$= a^{2+3} = a^{\square}$

> 두 지수의 합
> $a^2 \times a^3 = a^{2+3}$

$a \times a \times a$

5

주의 다음과 같이 계산하지 않도록 주의한다.

① $a^2 \times a^3 \neq a^{2 \times 3}$ → 더해야 한다.　② $a^2 + a^3 \neq a^{2+3}$ → 곱셈이 아니다.　③ $a^2 \times b^3 \neq a^{2+3}$ → 밑이 다르다.

개념 다시 보기
- **거듭제곱** 같은 수나 문자를 거듭하여 곱한 것을 간단히 나타낸 것
- **밑** 거듭하여 곱한 수 또는 문자
- **지수** 거듭하여 곱해진 수 또는 문자의 개수

$$\underbrace{a \times a \times a \times \cdots \times a}_{n개} = a^n \overset{\text{←지수}}{\underset{\text{└밑}}{}}$$

보기 다음 식을 간단히 하시오.

(1) $a \times a^3$　　　　　　　　　　(2) $b^4 \times b^2$

풀이 (1) $a \times a^3 = \underbrace{a \times (a \times a \times a)}_{(1+3)개} = a^{1+3} = \boldsymbol{a^4}$

(2) $b^4 \times b^2 = \underbrace{(b \times b \times b \times b) \times (b \times b)}_{(4+2)개} = b^{4+2} = \boldsymbol{b^6}$

● 셋 이상의 지수에 대해서도 지수법칙 (1)이 성립한다.
l, m, n이 자연수일 때
$a^l \times a^m \times a^n = a^{l+m+n}$
예 $a^2 \times a^3 \times a^4 = a^{2+3+4} = a^9$

2 지수법칙 (2) – 지수의 곱

m, n이 자연수일 때

$(a^m)^n = a^{mn}$ → 지수끼리 곱한다.

예 $(a^2)^3 = \underbrace{a^2 \times a^2 \times a^2}_{3개} = a^{2+2+\square}$

$= a^{2 \times \square} = a^6$

> 두 지수의 곱
> $(a^2)^3 = a^{2 \times 3}$

2

3

주의 ① $(a^2)^3 \neq a^{2+3}$ → 곱해야 한다.　② $(a^2)^3 \neq a^{2^3}$

⊙ 지수의 표현에서 $a^1 = a$이다. a의 지수가 0이라고 생각하지 않는다.

보기 다음 식을 간단히 하시오.

(1) $(x^3)^2$　　　　　　　　　　(2) $(y^3)^3$

풀이 (1) $(x^3)^2 = \underbrace{x^3 \times x^3}_{2개} = x^{3+3} = x^{3 \times 2} = \boldsymbol{x^6}$

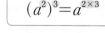

(2) $(y^3)^3 = \underbrace{y^3 \times y^3 \times y^3}_{3개} = y^{3+3+3} = y^{3 \times 3} = \boldsymbol{y^9}$

● 셋 이상의 지수에 대해서도 지수법칙 (2)가 성립한다.
l, m, n이 자연수일 때
$\{(a^l)^m\}^n = a^{lmn}$
예 $\{(a^2)^3\}^4 = a^{2 \times 3 \times 4} = a^{24}$

| 개념 체크 |

1-1 지수법칙 (1) – 지수의 합

다음 식을 간단히 하시오.

(1) $2^3 \times 2^5$ (2) $x^3 \times x^3$

(3) $a^5 \times a \times a^2$ (4) $a^2 \times b^2 \times a^3 \times b$

셀파 m, n이 자연수일 때, $a^m \times a^n = a^{m+n}$

연구 (1) $2^3 \times 2^5 = 2^{3+5} = 2^8$

(2) $x^3 \times x^3 = x^{3 \square 3} = x^{\square}$

(3) $a^5 \times a \times a^2 = a^{\square + 1 + \square} = a^{\square}$

(4) $a^2 \times b^2 \times a^3 \times b = a^2 \times a^3 \times b^2 \times b$
$= a^{2+\square} \times b^{2+\square} = a^{\square} b^{\square}$

우린 밑이 같으니까 지수끼리 더해도 돼.

$$a^m \times a^n = a^{m+n}$$

우린 밑이 다르니까 곱셈 기호만 생략하자!

$$a^m \times b^n = a^m b^n$$

2-1 지수법칙 (2) – 지수의 곱

다음 식을 간단히 하시오.

(1) $(2^3)^3$ (2) $(x^5)^2$

(3) $\{(x^6)^2\}^3$ (4) $(a^3)^4 \times (a^2)^3$

셀파 m, n이 자연수일 때, $(a^m)^n = a^{mn}$

연구 (1) $(2^3)^3 = 2^{3 \times 3} = 2^9$

(2) $(x^5)^2 = x^{5 \square 2} = x^{\square}$

(3) $\{(x^6)^2\}^3 = (x^{6 \times 2})^3 = (x^{12})^3 = x^{12 \times \square} = x^{\square}$

(4) $(a^3)^4 \times (a^2)^3 = a^{3 \times 4} \times a^{2 \times 3} = a^{\square} \times a^{\square} = a^{\square}$

| 따라 풀기 |

1-2 다음 식을 간단히 하시오.

(1) $3^2 \times 3^4$

(2) $b^3 \times b^4$

(3) $x^6 \times x^2 \times x^3$

(4) $x^2 \times y^3 \times x^4 \times y^5$

2-2 다음 식을 간단히 하시오.

(1) $(5^2)^6$

(2) $(a^3)^7$

(3) $\{(a^2)^2\}^3$

(4) $(x^2)^4 \times (x^3)^2$

- 지수법칙에서 밑에는 숫자나 문자 모두 올 수 있다. 이때 지수법칙은 밑이 같은 숫자 또는 같은 문자일 때만 적용한다.
- 곱셈에서는 교환법칙과 결합법칙이 성립하므로 밑이 다른 것이 있을 때는 밑이 같은 것끼리 모아서 간단히 한다.

3 지수법칙 (3) – 지수의 차

$a \neq 0$이고 m, n이 자연수일 때

① $m > n$이면 $a^m \div a^n = a^{m-n}$

② $m = n$이면 $a^m \div a^n = 1$

③ $m < n$이면 $a^m \div a^n = \dfrac{1}{a^{n-m}}$

두 지수의 차

$$a^4 \div a^2 = a^{4-2}$$

두 지수의 차

$$a^2 \div a^4 = \dfrac{1}{a^{4-2}}$$

예 ① $a^4 \div a^2 = \dfrac{a^4}{a^2} = \dfrac{\overset{4개}{\overbrace{\acute{a} \times \acute{a} \times a \times a}}}{\underset{2개}{\underbrace{\acute{a} \times \acute{a}}}} = \underset{(4-2)개}{\underbrace{a \times a}} = a^{4-\square} = a^2$ 2

② $a^2 \div a^2 = \dfrac{a^2}{a^2} = \dfrac{\acute{a} \times \acute{a}}{\acute{a} \times \acute{a}} = \square$ 1

③ $a^2 \div a^4 = \dfrac{a^2}{a^4} = \dfrac{\acute{a} \times \acute{a}}{\acute{a} \times \acute{a} \times a \times a} = \dfrac{1}{a \times a} = \dfrac{1}{a^{\square-2}} = \dfrac{1}{a^2}$ 4

주의 ① $a^4 \div a^2 \neq a^{4 \div 2}$ ② $a^2 \div a^2 \neq 0$ ③ $a^4 \div a^2 = \dfrac{a^4}{a^2} \neq \dfrac{4}{2}$
→ 빼야 한다.

보기 다음 식을 간단히 하시오.

(1) $x^5 \div x^3$ (2) $x^3 \div x^5$

풀이 (1) $x^5 \div x^3 = \dfrac{x^5}{x^3} = \dfrac{\acute{x} \times \acute{x} \times \acute{x} \times x \times x}{\acute{x} \times \acute{x} \times \acute{x}} = x \times x = x^{5-3} = \boldsymbol{x^2}$

(2) $x^3 \div x^5 = \dfrac{x^3}{x^5} = \dfrac{\acute{x} \times \acute{x} \times \acute{x}}{\acute{x} \times \acute{x} \times \acute{x} \times x \times x} = \dfrac{1}{x \times x} = \dfrac{1}{x^{5-3}} = \boldsymbol{\dfrac{1}{x^2}}$

4 지수법칙 (4) – 지수의 분배

m이 자연수일 때

$(ab)^m = a^m b^m$, $\left(\dfrac{a}{b}\right)^m = \dfrac{a^m}{b^m}$ (단, $b \neq 0$)

$$(ab)^2 = a^2 b^2$$

$$\left(\dfrac{a}{b}\right)^2 = \dfrac{a^2}{b^2}$$

예 $(ab)^2 = \overset{2개}{\overbrace{ab \times ab}} = (\overset{2개}{\overbrace{a \times a}}) \times (\overset{2개}{\overbrace{b \times b}}) = a^{\square} b^2$ 2

$\left(\dfrac{a}{b}\right)^2 = \overset{2개}{\overbrace{\dfrac{a}{b} \times \dfrac{a}{b}}} = \dfrac{\overset{2개}{\overbrace{a \times a}}}{\underset{2개}{\underbrace{b \times b}}} = \dfrac{a^2}{b^{\square}}$ 2

참고 괄호 안이 (수)×(문자)인 경우에도 지수법칙을 똑같이 적용한다.

예 $(3a^3)^2 = 3^2 \times (a^3)^2 = 9a^6$, $(-a^2 b)^3 = (-1)^3 \times (a^2)^3 \times b^3 = -a^6 b^3$

보기 다음 식을 간단히 하시오.

(1) $(xy^2)^3$ (2) $\left(\dfrac{x}{y^3}\right)^4$

풀이 (1) $(xy^2)^3 = \overset{3개}{\overbrace{xy^2 \times xy^2 \times xy^2}} = \overset{3개}{\overbrace{x \times x \times x}} \times \overset{3개}{\overbrace{y^2 \times y^2 \times y^2}} = x^3 \times (y^2)^3 = \boldsymbol{x^3 y^6}$

(2) $\left(\dfrac{x}{y^3}\right)^4 = \overset{4개}{\overbrace{\dfrac{x}{y^3} \times \dfrac{x}{y^3} \times \dfrac{x}{y^3} \times \dfrac{x}{y^3}}} = \dfrac{\overset{4개}{\overbrace{x \times x \times x \times x}}}{\underset{4개}{\underbrace{y^3 \times y^3 \times y^3 \times y^3}}} = \dfrac{x^4}{(y^3)^4} = \boldsymbol{\dfrac{x^4}{y^{12}}}$

ㄱ $a^m \div a^n$을 계산할 때는 m과 n의 크기를 먼저 비교한다.
즉 $m > n$, $m = n$, $m < n$인 세 가지 경우로 나누어 생각한다.

ㄴ 어떤 식(또는 수)을 자기 자신으로 나누면 그 결과는 항상 1이다.
$m = n$이면 $a^m = a^n$이므로
$a^m \div a^n = a^m \div a^m = 1$

ㄷ 셋 이상의 지수에 대해서도 지수법칙(4)가 성립한다.
l, m, n이 자연수일 때
· $(a^m b^n)^l = (a^m)^l \times (b^n)^l$
$= a^{ml} b^{nl}$
· $\left(\dfrac{a^m}{b^n}\right)^l = \dfrac{(a^m)^l}{(b^n)^l}$
$= \dfrac{a^{ml}}{b^{nl}}$ (단, $b \neq 0$)

참고 음수의 거듭제곱
$a > 0$일 때, $(-a)^n = (-1)^n \times a^n$
· n이 짝수이면 $(-1)^n = 1$이므로
$(-a)^n = a^n$
· n이 홀수이면 $(-1)^n = -1$이므로 $(-a)^n = -a^n$

| 개념 체크 |

3-1 지수법칙 ⑶ – 지수의 차

다음 식을 간단히 하시오.

(1) $2^6 \div 2^4$ (2) $x^5 \div x^5$

(3) $a^7 \div (a^3)^4$ (4) $a^4 \div a^2 \div a^3$

셀파 $a \neq 0$이고 m, n이 자연수일 때, $a^m \div a^n = \begin{cases} a^{m-n} & (m>n) \\ 1 & (m=n) \\ \dfrac{1}{a^{n-m}} & (m<n) \end{cases}$

연구 (1) $2^6 \div 2^4 = 2^{6-\square 4} = 2^{\square}$

(2) $x^5 \div x^5 = 1$

(3) $a^7 \div (a^3)^4 = a^7 \div a^{12} = \dfrac{1}{a^{\square-7}} = \dfrac{1}{a^{\square}}$

(4) $a^4 \div a^2 \div a^3 = a^{4-2} \div a^3 = a^2 \div a^3 = \dfrac{1}{a^{3-2}} = \dfrac{1}{a}$

4-1 지수법칙 ⑷ – 지수의 분배

다음 식을 간단히 하시오.

(1) $(a^3 b)^4$ (2) $(2a^2)^3$

(3) $\left(\dfrac{y^3}{x^2}\right)^3$ (4) $\left(-\dfrac{y^3}{2}\right)^4$

셀파 m이 자연수일 때, $(ab)^m = a^m b^m$, $\left(\dfrac{a}{b}\right)^m = \dfrac{a^m}{b^m}$ (단, $b \neq 0$)

연구 (1) $(a^3 b)^4 = (a^3)^4 \times b^4 = a^{12} b^4$

(2) $(2a^2)^3 = 2^{\square} \times (a^2)^3 = \square a^6$

(3) $\left(\dfrac{y^3}{x^2}\right)^3 = \dfrac{(y^3)^{\square}}{(x^2)^3} = \dfrac{y^{\square}}{x^{\square}}$

(4) $\left(-\dfrac{y^3}{2}\right)^4 = (-1)^{\square} \times \dfrac{(y^3)^4}{2^4} = \dfrac{y^{12}}{\square}$

| 따라 풀기 |

3-2 다음 식을 간단히 하시오.

(1) $3^6 \div 3^3$

(2) $x^{10} \div x^{10}$

(3) $(x^2)^5 \div (x^3)^4$

(4) $x^{12} \div x^8 \div x^4$

지수의 차는 큰 수에서 작은 수를 빼야 해.

4-2 다음 식을 간단히 하시오.

(1) $(a^2 b^2)^3$

(2) $(3b^3)^2$

(3) $\left(-\dfrac{x^2}{y}\right)^3$

(4) $\left(\dfrac{3y}{2x^2}\right)^2$

3 단항식의 계산

요점 콕콕 나눗셈이 연속된 식은 앞에서부터 차례대로 계산한다. 괄호가 있으면 괄호를 먼저 계산한다.

$\Rightarrow a \div b \div c = \dfrac{a}{b} \div c = \dfrac{a}{b} \times \dfrac{1}{c} = \dfrac{a}{bc}$, $a \div (b \div c) = a \div \dfrac{b}{c} = a \times \dfrac{c}{b} = \dfrac{ac}{b}$

참고 $a \div b \div c \neq a \div (b \div c)$이다. 곱셈에서는 결합법칙이 성립하지만 나눗셈에서는 결합법칙이 성립하지 않는다.

> (1) m, n이 자연수일 때, $a^m \times a^n = a^{m+n}$, $(a^m)^n = a^{mn}$
>
> (2) $a \neq 0$이고 m, n이 자연수일 때, $a^m \div a^n = \begin{cases} a^{m-n} & (m > n) \\ 1 & (m = n) \\ \dfrac{1}{a^{n-m}} & (m < n) \end{cases}$
>
> (3) m이 자연수일 때, $(ab)^m = a^m b^m$, $\left(\dfrac{a}{b}\right)^m = \dfrac{a^m}{b^m}$ (단, $b \neq 0$)

1 다음 식을 간단히 하시오.

(1) $2^7 \times 2^3$

(2) $a^3 \times a^4$

(3) $b \times b^3 \times b^4$

(4) $a^3 \times b \times a^2 \times b^5$

2 다음 식을 간단히 하시오.

(1) $(x^3)^4$

(2) $(a^5)^2 \times (a^3)^2$

(3) $a^3 \times (a^2)^4 \times (b^3)^5$

(4) $x^2 \times (y^2)^3 \times (x^4)^2 \times y$

3 다음 식을 간단히 하시오.

(1) $x^8 \div x^3$

(2) $a^3 \div a \div a^8$

(3) $y^{10} \div y^5 \times (y^2)^2$

(4) $(x^5)^2 \div x \div (x^2)^3$

4 다음 식을 간단히 하시오.

(1) $(xy^3)^5$

(2) $(-2x^2)^3$

(3) $\left(\dfrac{5y^2}{x}\right)^2$

(4) $\left(-\dfrac{a^3}{2b^2}\right)^4$

기본 01 지수법칙 (1) – 지수의 합

해법코드

다음 ☐ 안에 알맞은 수를 구하시오.

(1) $x^{\square} \times x^2 = x^6$

(2) $x \times x^{\square} \times x^4 = x^7$

(3) $5^{\square} \times 5^6 = 5^9$

(4) $3^4 \times 3^3 \times 3^{\square} = 3^{12}$

l, m, n이 자연수일 때

❶ $a^m \times a^n = a^{m+n}$

❷ $a^l \times a^m \times a^n = a^{l+m+n}$

셀파 밑이 같을 때 거듭제곱의 곱셈은 지수끼리 더한다.

풀이

(1) $x^{\square} \times x^2 = \overset{❶}{x^{\square+2}} = x^6$이므로 $\square + 2 = 6$ ∴ $\boxed{} = \mathbf{4}$

(2) $\overset{❷}{x} \times x^{\square} \times x^4 = x^{1+\square+4} = x^7$이므로 $1 + \square + 4 = 7$ ∴ $\boxed{} = \mathbf{2}$

(3) $5^{\square} \times 5^6 = 5^{\square+6} = 5^9$이므로 $\square + 6 = 9$ ∴ $\boxed{} = \mathbf{3}$

(4) $3^4 \times 3^3 \times 3^{\square} = 3^{4+3+\square} = 3^{12}$이므로 $4 + 3 + \square = 12$ ∴ $\boxed{} = \mathbf{5}$

㉠ 밑이 x로 같으므로 지수가 서로 같아야 등식이 성립한다.
즉 $a^x = a^y$이면 $x = y$이다.

㉡ x의 지수는 1이다.
즉 $x = x^1$

확인 01 다음 ☐ 안에 알맞은 수를 구하시오.

(1) $x^4 \times x^2 \times x = x^{\square}$

(2) $x^3 \times x^{\square} = x^9$

(3) $2^5 \times 2^{\square} = 2^7$

(4) $5^2 \times 5^3 \times 5^{\square} = 5^{11}$

» **My 셀파**

밑이 같을 때 거듭제곱의 곱셈은 지수끼리 더한다.

기본 02 지수법칙 (2) – 지수의 곱

해법코드

다음 ☐ 안에 알맞은 수를 구하시오.

(1) $(x^{\square})^3 = x^{15}$

(2) $(x^5)^{\square} \times x^4 = x^{24}$

(3) $(2^3)^{\square} = 2^{21}$

(4) $(3^{\square})^4 \times (3^2)^5 = 3^{18}$

m, n이 자연수일 때
$(a^m)^n = a^{mn}$

셀파 거듭제곱의 거듭제곱은 지수끼리 곱한다.

풀이

(1) $(x^{\square})^3 = x^{\square \times 3} = x^{15}$이므로 $\square \times 3 = 15$ ∴ $\boxed{} = \mathbf{5}$

(2) $(x^5)^{\square} \times x^4 = x^{5 \times \square + 4} = x^{24}$이므로 $5 \times \square + 4 = 24$ ∴ $\boxed{} = \mathbf{4}$

(3) $(2^3)^{\square} = 2^{3 \times \square} = 2^{21}$이므로 $3 \times \square = 21$ ∴ $\boxed{} = \mathbf{7}$

(4) $(3^{\square})^4 \times (3^2)^5 = 3^{\square \times 4} \times 3^{2 \times 5} = 3^{\square \times 4 + 10} = 3^{18}$이므로

$\square \times 4 + 10 = 18$ ∴ $\boxed{} = \mathbf{2}$

확인 02

1. $x^3 \times (y^6)^2 \times (x^2)^4 \times y^3$을 간단히 하시오.

2. $(x^{\square})^6 \times (x^5)^3 = x^{33}$일 때, ☐ 안에 알맞은 수를 구하시오.

» **My 셀파**

1. 밑이 같은 것끼리 모아서 간단히 한다.

2. $a^x = a^y$이면 $x = y$임을 이용한다.

3
단항식의 계산

기본 03 지수법칙 (3) – 지수의 차

다음 $\square$ 안에 알맞은 수를 구하시오.

(1) $x^{\square} \div x^2 = x^7$

(2) $x^4 \div x^{\square} = \dfrac{1}{x^7}$

(3) $x^{10} \div x \div x^{\square} = \dfrac{1}{x^5}$

(4) $(x^2)^{\square} \div x^3 = x^5$

셀파 밑이 같을 때 거듭제곱의 나눗셈은 지수의 ⓐ차로 구한다.

풀이

(1) $\underline{x^{\square} \div x^2}^{ⓑ} = x^{\square - 2} = x^7$이므로 $\square - 2 = 7$ $\therefore \square = \mathbf{9}$

(2) $\underline{x^4 \div x^{\square}}^{ⓒ} = \dfrac{1}{x^{\square - 4}} = \dfrac{1}{x^7}$이므로 $\square - 4 = 7$ $\therefore \square = \mathbf{11}$

(3) $x^{10} \div x \div x^{\square} = x^{10-1} \div x^{\square} = x^9 \div x^{\square} = \dfrac{1}{x^{\square - 9}} = \dfrac{1}{x^5}$이므로

$\square - 9 = 5$ $\therefore \square = \mathbf{14}$

(4) $(x^2)^{\square} \div x^3 = x^{2 \times \square} \div x^3 = x^{2 \times \square - 3} = x^5$이므로 $2 \times \square - 3 = 5$ $\therefore \square = \mathbf{4}$

ⓐ '두 수의 차'는 (큰 수)−(작은 수)이므로 항상 양수이다.

ⓑ $x^{■} \div x^{●}$의 결과가 분수 꼴이 아니므로 $■ > ●$이다.

ⓒ $x^{■} \div x^{●}$의 결과가 분수 꼴이므로 $■ < ●$이다.

확인 03 다음 중 계산 결과가 나머지 넷과 <u>다른</u> 하나는?

① $x^7 \div x^3$

② $(x^3)^2 \div x^2$

③ $(x^5)^3 \div (x^2)^5$

④ $x^{10} \div (x^2)^3$

⑤ $x^{12} \div x^5 \div x^3$

» **My 셀파**
3개 이상의 거듭제곱의 나눗셈은 앞에서부터 차례대로 계산한다.

기본 04 지수법칙 (4) – 지수의 분배

$\left(\dfrac{-3x^2}{y^a} \right)^4 = \dfrac{bx^8}{y^{12}}$이 성립하도록 하는 자연수 a, b의 값을 각각 구하시오.

m이 자연수일 때

❶ $(ab)^m = a^m b^m$

❷ $\left(\dfrac{a}{b} \right)^m = \dfrac{a^m}{b^m}$ (단, $b \neq 0$)

셀파 l, m, n이 자연수일 때, $\left(\dfrac{a^m}{b^n} \right)^l = \dfrac{a^{ml}}{b^{nl}}$ (단, $b \neq 0$)

풀이 $\left(\dfrac{-3x^2}{y^a} \right)^4 = \dfrac{(-3)^4 \times (x^2)^4}{(y^a)^4} = \dfrac{81x^8}{y^{4a}}$이므로

$\dfrac{81x^8}{y^{4a}} = \dfrac{bx^8}{y^{12}}$에서 $4a = 12$, $b = 81$

$\therefore \mathbf{a = 3}, \mathbf{b = 81}$

참고
$a > 0$일 때
$(-a)^n = \{(-1) \times a\}^n$
$\quad = (-1)^n \times a^n$
$\quad = \begin{cases} a^n & (n\text{이 짝수}) \\ -a^n & (n\text{이 홀수}) \end{cases}$

확인 04 다음 등식이 성립하도록 하는 자연수 a, b의 값을 각각 구하시오.

(1) $(5x^3)^a = bx^9$

(2) $\left(\dfrac{2^a x^a}{y} \right)^3 = \dfrac{bx^6}{y^3}$

» **My 셀파**
l, m, n이 자연수일 때
$(a^m b^n)^l = a^{ml} b^{nl}$
$\left(\dfrac{a^m}{b^n} \right)^l = \dfrac{a^{ml}}{b^{nl}}$ (단, $b \neq 0$)

기본 05 밑이 다른 거듭제곱의 곱셈과 나눗셈

$5^{12} \div 5 \div 5^3 \times 25 = 5^n$일 때, 자연수 n의 값을 구하시오.

셀파 밑이 같은 거듭제곱 꼴로 나타낸 다음, 앞에서부터 차례대로 계산한다.

풀이 $25 = 5 \times 5 = 5^2$이므로

$$5^{12} \div 5 \div 5^3 \times 25 = 5^{12} \div 5 \div 5^3 \times 5^2 \quad \rightarrow 5^{12-1} = 5^{11}$$
$$= 5^{11} \div 5^3 \times 5^2 \quad \rightarrow 5^{11-3} = 5^8$$
$$= 5^8 \times 5^2$$
$$= 5^{10}$$

따라서 $5^{10} = 5^n$이므로 $n = \mathbf{10}$

확인 05 다음 등식이 성립하도록 하는 자연수 n의 값을 구하시오.

(1) $3^3 \times 81 \div 9 = 3^n$

(2) $2^n \times 16 \div 2^5 = 2^7$

(3) $25 \times 5^n \div 125 = 5^4$

(4) $4^3 \div 2^5 \times 8^2 = 2^n$

» My 셀파
(1) $81 = 3^4, 9 = 3^2$
(2) $16 = 2^4$
(3) $25 = 5^2, 125 = 5^3$
(4) $4^3 = (2^2)^3 = 2^6$
$8^2 = (2^3)^2 = 2^6$

기본 06 밑과 지수가 같은 거듭제곱의 덧셈

$9^4 + 9^4 + 9^4 = 3^x$일 때, 자연수 x의 값을 구하시오.

셀파 좌변과 우변의 거듭제곱에서 밑을 같게 한다.

풀이 $9 = 3 \times 3 = 3^2$이므로 $9^4 = (3^2)^4 = 3^8$

$9^4 + 9^4 + 9^4 = 3 \times 9^4 = 3 \times 3^8 = 3^9$

따라서 $3^9 = 3^x$이므로 $x = \mathbf{9}$

참고 $\underset{\text{2를 2번 더하기}}{\underline{2 + 2 = 2 \times 2 = 4}}$, $\underset{\text{3을 3번 더하기}}{\underline{3 + 3 + 3 = 3 \times 3}}$, $\underset{\text{4를 4번 더하기}}{\underline{4 + 4 + 4 + 4 = 4 \times 4}}$

같은 방법으로 하면

$\underset{\text{2}^n\text{을 2번 더하기}}{\underline{2^n + 2^n = 2 \times 2^n = 2^{n+1}}}$, $\underset{\text{3}^n\text{을 3번 더하기}}{\underline{3^n + 3^n + 3^n = 3 \times 3^n = 3^{n+1}}}$, $\underset{\text{4}^n\text{을 4번 더하기}}{\underline{4^n + 4^n + 4^n + 4^n = 4 \times 4^n = 4^{n+1}}}$

ⓐ $(a^m)^n = a^{mn}$이므로
$(3^2)^4 = 3^{2 \times 4} = 3^8$

ⓑ $a = a^1$이고
$a^m \times a^n = a^{m+n}$이므로
$3 \times 3^8 = 3^{1+8} = 3^9$

확인 06

1. $8^3 + 8^3 + 8^3 + 8^3$을 2의 거듭제곱으로 나타내시오.

2. $3^4 + 3^4 + 3^4 = 3^a$, $3^4 \times 3^4 \times 3^4 = 3^b$일 때, $b - a$의 값을 구하시오. (단, a, b는 자연수)

셀파 특강

$2^m \times 5^n$은 몇 자리 자연수일까?

Q $A = 2^5 \times 5^7$의 자릿수는 어떻게 구할까? $2^5 \times 5^7$의 값을 알면 몇 자리 자연수인지 알 수 있다. 그러나 직접 계산하기는 쉽지 않다. 그럼 어떤 방법이 있을까?

A 지수법칙을 이용하면 된다. 지수법칙을 이용하여 A를 $\underline{a \times 10^k}$ 꼴로 나타내면 몇 자리 자연수인지 쉽게 알 수 있다.

㉠ $2 \times 10 = 20$ ← 2자리 자연수
$2 \times 10^2 = 200$ ← 3자리 자연수
$2 \times 10^3 = 2000$ ← 4자리 자연수
$\vdots$
2×10^k ← $(k+1)$자리 자연수

Q 왜 A를 $a \times 10^k$ 꼴로 나타내면 몇 자리 자연수인지 알게 되는 걸까?

A 예를 들어 $12 \times 10^5 = 1200000$으로, 자릿수는 12의 자릿수에 0의 개수를 더하면 된다. 즉 자릿수는 $2+5 = 7$이다.
이때 (0의 개수)=(10의 지수)임을 알 수 있다.
즉 $a \times 10^k$에서 a가 l자리 자연수이면 $a \times 10^k$은 $(l+k)$자리 자연수임을 알 수 있다.

㉡ 지수법칙 $a^m \times a^n = a^{m+n}$을 거꾸로 이용하였다. 즉 $a^{m+n} = a^m \times a^n$

Q 이제 $A = 2^5 \times 5^7$의 자릿수를 구해 보자.

A $A = 2^5 \times 5^7$
$= 2^5 \times 5^{5+2}$
$= 2^5 \times 5^5 \times 5^2$
$= 5^2 \times (2^5 \times 5^5)$
$= 5^2 \times (2 \times 5)^5$
$= 25 \times 10^5$

2와 5의 지수의 크기를 비교하여 지수의 크기가 작은 쪽에 맞추고 나머지는 옆에 곱한다.

2자리 수 ← 25×10^5 → 0의 개수: 5
이므로 A는 $2+5 = 7$(자리) 자연수이다.

이상을 정리하면 다음과 같다.

$2^m \times 5^n$의 자릿수는 다음과 같은 꼴로 나타낸 다음 구한다.
❶ $m > n$이면 $a \times (2 \times 5)^n$ ⇨ 자릿수: (a의 자릿수)$+n$
❷ $m < n$이면 $b \times (2 \times 5)^m$ ⇨ 자릿수: (b의 자릿수)$+m$

참고

2와 5의 거듭제곱으로 주어지지 않은 수는 주어진 수를 2와 5의 거듭제곱으로 나타낸 다음, 몇 자리 자연수인지 알아본다.
㉰ $A = 4^2 \times 5^5$일 때
$A = 4^2 \times 5^5$
$= (2^2)^2 \times 5^5$
$= 2^4 \times 5^5$
$= 2^4 \times 5^4 \times 5$
$= 5 \times (2 \times 5)^4$
$= 5 \times 10^4$
1자리 수 ← → 0의 개수: 4
따라서 A는 $1+4 = 5$(자리) 자연수이다.

보기

$2^8 \times 5^6$이 n자리 자연수일 때, n의 값을 구하시오.

풀이 $2^8 \times 5^6 = 2^{2+6} \times 5^6 = 2^2 \times 2^6 \times 5^6 = 2^2 \times (2 \times 5)^6 = 4 \times 10^6$
따라서 $2^8 \times 5^6$은 $(1+6)$자리 수, 즉 7자리 자연수이다. ∴ $n = 7$

Note $A = 2^m \times 5^n$의 자릿수 ⇨ A를 $a \times 10^k$ 꼴로 나타내어 구한다.

발전 07 거듭제곱의 곱으로 나타낸 수의 자릿수 구하기

$3^2 \times 4^2 \times 5^4$이 몇 자리 자연수인지 구하시오.

셀파 거듭제곱의 곱을 $a \times 10^n$ 꼴로 나타낸다.

풀이 $3^2 \times 4^2 \times 5^4 = 3^2 \times (2^2)^2 \times 5^4 = 3^2 \times (2^4 \times 5^4)$

$\qquad\qquad = 3^2 \times (2 \times 5)^4 = 3^2 \times 10^4$

$\qquad\qquad = 9 \times 10^4$

1자리 수 ← $\qquad$ ↘︎ 0의 개수: 4

따라서 $3^2 \times 4^2 \times 5^4$은 $(1+4)$자리 수, 즉 **5자리 자연수**이다.

확인 07 다음 수가 몇 자리 자연수인지 구하시오.

(1) $8^4 \times 5^{15}$ $\qquad\qquad\qquad$ (2) $2^8 \times 3 \times 5^{10}$

발전 08 거듭제곱을 문자를 사용하여 나타내기

다음 물음에 답하시오.

(1) $2^3 = A$일 때, 32^3을 A를 사용하여 나타내시오.

(2) $2^{x+2} = A$일 때, 4^{x+1}을 A를 사용하여 나타내시오. (단, x는 자연수)

셀파 $a^{m+n} = a^m \times a^n$, $(a^m)^n = a^{mn} = (a^n)^m$임을 이용한다.

풀이 (1) $32^3 = (2^5)^3 = 2^{15} = (2^3)^5 = \boldsymbol{A^5}$

$\qquad$ (2) $A = 2^{x+2} = 2^x \times 2^2 = 4 \times 2^x$

$\qquad\qquad \therefore 2^x = \dfrac{A}{4}$

$\qquad\qquad 4^{x+1} = 4^x \times 4 = 4 \times (2^2)^x = 4 \times (2^x)^2$

$\qquad$ 이 식에 $2^x = \dfrac{A}{4}$를 대입하면

$\qquad\qquad 4^{x+1} = 4 \times (2^x)^2 = 4 \times \left(\dfrac{A}{4}\right)^2 = 4 \times \dfrac{A^2}{16} = \dfrac{\boldsymbol{A^2}}{\boldsymbol{4}}$

ⓐ $a^{m+n} = a^m \times a^n$

ⓑ $(a^m)^n = a^{mn}$, $(a^n)^m = a^{mn}$
이므로 $(a^m)^n = (a^n)^m$
$\therefore (2^2)^x = (2^x)^2$

확인 08 **1.** $3^5 = A$일 때, 27^5을 A를 사용하여 나타내면?

$\qquad$ ① A^2 $\qquad$ ② A^3 $\qquad$ ③ A^4 $\qquad$ ④ A^5 $\qquad$ ⑤ A^6

$\qquad$ **2.** $3^{2x} = A$일 때, 9^{x+2}을 A를 사용하여 나타내면? (단, x는 자연수)

$\qquad$ ① $27A$ $\qquad$ ② $36A$ $\qquad$ ③ $81A$ $\qquad$ ④ $27A^2$ $\qquad$ ⑤ $81A^2$

2. 단항식의 곱셈과 나눗셈

1 단항식의 곱셈과 나눗셈

(1) (단항식)×(단항식)의 계산
① 계수는 계수끼리, 문자는 ☐끼리 계산한다.
② 같은 문자끼리의 곱은 ☐법칙을 이용하여 간단히 한다.

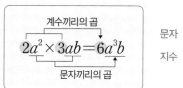

문자
지수

(2) (단항식)÷(단항식)의 계산
[방법 1] 역수의 ☐으로 바꾸어 계산한다. ⇨ $A \div B = A \times \dfrac{1}{B}$

[방법 2] 분수 꼴로 바꾸어 계산한다. ⇨ $A \div B = \dfrac{A}{\boxed{}}$

곱셈

B

개념 다시 보기
· **단항식** 항이 하나인 식(수 또는 수와 문자의 곱으로 이루어진 식)
예 $2, x, -5y$
· **계수** 수와 문자의 곱으로 이루어진 항에서 문자 앞에 곱해진 수
· **역수** 두 수의 곱이 1일 때, 한 수를 다른 수의 역수라 한다.
예 $-\dfrac{2}{3}$의 역수는 $-\dfrac{3}{2}$
부호는 그대로

[보기] 다음 식을 계산하시오.

(1) $4a^3 \times 2a^2b$ (2) $6x^3 \div 3xy$

풀이 (1) $4a^3 \times 2a^2b = (4 \times 2) \times (a^3 \times a^2 \times b) = \boldsymbol{8a^5b}$

(2) [방법 1] $6x^3 \div 3xy = 6x^3 \times \dfrac{1}{3xy} = \left(6 \times \dfrac{1}{3}\right) \times \left(x^3 \times \dfrac{1}{xy}\right) = \dfrac{\boldsymbol{2x^2}}{\boldsymbol{y}}$

[방법 2] $6x^3 \div 3xy = \dfrac{6x^3}{3xy} = \dfrac{\boldsymbol{2x^2}}{\boldsymbol{y}}$

㉠ 계수끼리의 곱에서 전체 부호가 결정된다.
· ($-$)가 홀수 개 ⇨ ($-$)
· ($-$)가 짝수 개 ⇨ ($+$)

2 단항식의 곱셈과 나눗셈의 혼합 계산

① 괄호가 있으면 ☐법칙을 이용하여 괄호를 푼다.
② 나눗셈은 ☐의 곱셈 또는 분수 꼴로 바꾼다.
③ 계수는 계수끼리, 문자는 문자끼리 계산한다.

지수
역수

[주의] 곱셈과 나눗셈이 혼합된 식은 반드시 앞에서부터 차례대로 계산한다.

$A \div B \times C \Rightarrow \begin{cases} (A \div B) \times C = \dfrac{AC}{B} \ (\bigcirc) \\ A \div (B \times C) = \dfrac{A}{BC} \ (\times) \end{cases}$

㉡ 나누는 식이 분수 꼴이거나 나눗셈이 2개 이상인 경우에는 [방법 1]을 이용하여 계산하는 것이 편리하다.

[보기] $4ab \div (2a)^2 \times 3a^2b$를 계산하시오.

풀이 $4ab \div (2a)^2 \times 3a^2b = 4ab \div 4a^2 \times 3a^2b$ ← 지수법칙을 이용하여 괄호를 푼다.

$= 4ab \times \dfrac{1}{4a^2} \times 3a^2b$ ← 나눗셈을 역수의 곱셈으로 바꾼다.

$= \left(4 \times \dfrac{1}{4} \times 3\right) \times \left(ab \times \dfrac{1}{a^2} \times a^2b\right)$ ← 계수는 계수끼리, 문자는 문자끼리 곱한다.

$= \boldsymbol{3ab^2}$

㉢ m, n이 자연수일 때
· $(a^m)^n = a^{mn}$
· $(ab)^m = a^m b^m$
· $\left(\dfrac{a}{b}\right)^m = \dfrac{a^m}{b^m}$ (단, $b \neq 0$)

개념 익히기

| 개념 체크 |

1-1 단항식의 곱셈과 나눗셈

다음 식을 계산하시오.

(1) $\left(-\dfrac{2}{3}xy\right)^2 \times 18y$

(2) $6a^2b^3 \div \left(-\dfrac{3}{5}a^3b\right)$

셀파 (단항식)×(단항식) ⇨ 계수는 계수끼리, 문자는 문자끼리 곱한다.
(단항식)÷(단항식) ⇨ 나누는 식이 분수 꼴인 경우 역수의 곱셈으로 바꾸어 계산한다.

연구 (1) $\left(-\dfrac{2}{3}xy\right)^2 \times 18y = \dfrac{4}{9}x^2y^2 \times 18y$

$\qquad = \dfrac{4}{9} \times \boxed{} \times x^2y^2 \times y$

$\qquad = \boxed{}$

(2) $6a^2b^3 \div \left(-\dfrac{3}{5}a^3b\right) = 6a^2b^3 \times \left(\boxed{}\right)$

$\qquad = 6 \times \left(\boxed{}\right) \times a^2b^3 \times \dfrac{1}{\boxed{}}$

$\qquad = \boxed{}$

2-1 단항식의 곱셈과 나눗셈의 혼합 계산

$14ab \div 7a \times 4a^2b$ 를 계산하시오.

셀파 나눗셈은 역수의 곱셈으로 바꾸고 앞에서부터 차례대로 계산한다.

연구 $14ab \div 7a \times 4a^2b$

$= 14ab \times \dfrac{1}{\boxed{}} \times 4a^2b$ ⟵ 나눗셈을 역수의 곱셈으로 바꾼다.

$= 14 \times \boxed{} \times 4 \times ab \times \dfrac{1}{\boxed{}} \times a^2b$ ⟵ 계수는 계수끼리, 문자는 문자끼리 곱한다.

$= \boxed{}$

| 따라 풀기 |

1-2 다음 식을 계산하시오.

(1) $-3xy \times (-2y)^3$

(2) $\left(-\dfrac{3}{4}xy\right)^2 \times \left(-\dfrac{2}{3}xy^3\right)$

1-3 다음 식을 계산하시오.

(1) $5a^3b^2 \div \left(-\dfrac{1}{4}a^3b\right)$

(2) $\left(-\dfrac{1}{3}x^2y\right)^2 \div \left(\dfrac{2}{3}xy^2\right)^3$

2-2 다음 식을 계산하시오.

(1) $a^3b^4 \times 6a \div 3a^2b$

(2) $12x^4y^5 \div (-2xy)^3 \times (-6xy)$

(3) $x^3y^4 \div \dfrac{1}{5}xy^2 \times (-2y)^2$

(4) $\left(-\dfrac{2}{ab}\right)^3 \times 6a^3b^4 \div \left(-\dfrac{2a}{b^3}\right)^3$

3 단항식의 계산

요점 콕콕 · **단항식의 곱셈** ⇨ 계수는 계수끼리, 문자는 문자끼리 곱한다.
· **단항식의 나눗셈** ⇨ 역수의 곱셈으로 바꾸어 계산한다.

기본 **01** **단항식의 곱셈**

$3xy \times (-xy^2)^3 \times 4x^2$을 계산하시오.

셀파 괄호를 푼 다음, 계수는 계수끼리, 문자는 문자끼리 계산한다.

풀이
$$3xy \times \underline{(-xy^2)^3} \times 4x^2 = 3xy \times (-x^3y^6) \times 4x^2$$
$$= 3 \times (-1) \times 4 \times xy \times x^3y^6 \times x^2$$
$$= -12x^6y^7$$

해법코드

계수는 계수끼리, 문자는 문자끼리 곱한다.
⇨ 문자끼리의 곱셈은 지수법칙을 이용하여 간단히 한다.

㉠ $(ab)^m = a^m b^m$, $(a^m)^n = a^{mn}$을 이용하면
$$(-xy^2)^3 = (-1)^3 \times x^3 \times (y^2)^3$$
$$= -x^3y^6$$

확인 01 다음 식을 계산하시오.

(1) $6xy^2 \times (-xy)^2$

(2) $(3x^2y)^2 \times x^3y^2 \times \left(-\dfrac{1}{3}y\right)$

» My 셀파

① 지수법칙 $(ab)^m = a^m b^m$을 이용하여 괄호를 푼다.
② 계수는 계수끼리, 문자는 문자끼리 곱한다.

기본 **02** **단항식의 나눗셈**

$(-2xy)^3 \div \dfrac{x^2}{2y} \div \left(\dfrac{y^3}{x^2}\right)^2$을 계산하시오.

해법코드

나눗셈이 2개 이상일 때는 역수의 곱셈으로 바꾸어 계산하는 것이 편리하다.

셀파 나누는 수의 역수를 곱한다. 이를테면 $A \div B \div C = A \times \dfrac{1}{B} \times \dfrac{1}{C}$이다.

풀이
$$(-2xy)^3 \div \dfrac{x^2}{2y} \div \underline{\left(\dfrac{y^3}{x^2}\right)^2} = (-8x^3y^3) \div \dfrac{x^2}{2y} \div \dfrac{y^6}{x^4}$$
$$= (-8x^3y^3) \times \dfrac{2y}{x^2} \times \dfrac{x^4}{y^6}$$
$$= (-8) \times 2 \times x^3y^3 \times \dfrac{y}{x^2} \times \dfrac{x^4}{y^6}$$
$$= -\dfrac{16x^5}{y^2}$$

㉠ $\left(\dfrac{y^3}{x^2}\right)^2 = \dfrac{(y^3)^2}{(x^2)^2} = \dfrac{y^{3 \times 2}}{x^{2 \times 2}}$
$$= \dfrac{y^6}{x^4}$$

㉡ 역수의 곱셈으로 바꾸어 계산한다.

$\dfrac{x^2}{2y} \xrightarrow{\text{역수}} \dfrac{2y}{x^2}$

$\dfrac{y^6}{x^4} \xrightarrow{\text{역수}} \dfrac{x^4}{y^6}$

Lecture 나눗셈이 연속으로 있는 계산

❶ 앞에서부터 차례대로 계산한다. ⇨ $A \div B \div C = (A \div B) \div C$

❷ 나눗셈을 역수의 곱셈으로 바꾸어 계산한다. ⇨ $A \div B \div C = A \times \dfrac{1}{B} \times \dfrac{1}{C}$

확인 02 $\left(\dfrac{1}{2}xy^2z^2\right)^2 \div \dfrac{-3}{4x^3y} \div \left(-\dfrac{xy^2z}{3}\right)^2 = ax^by^cz^d$일 때, $a+b+c+d$의 값을 구하시오.

(단, a, b, c, d는 상수)

» My 셀파

좌변의 나눗셈을 역수의 곱셈으로 바꾸어 계산한다.

기본 03 단항식의 곱셈과 나눗셈의 혼합 계산

$6x^2y^3 \div \dfrac{1}{3}xy^3 \times (x^2y)^2$을 계산하시오.

셀파 나눗셈은 역수의 곱셈으로 바꾼다.

풀이
$$6x^2y^3 \div \dfrac{1}{3}xy^3 \times (x^2y)^2 = 6x^2y^3 \times \dfrac{3}{xy^3} \times x^4y^2$$
$$= 6 \times 3 \times x^2y^3 \times \dfrac{1}{xy^3} \times x^4y^2$$
$$= \mathbf{18x^5y^2}$$

❶ 나눗셈은 역수의 곱셈으로 바꾼다.
$$\dfrac{1}{3}xy^3 = \dfrac{xy^3}{3} \xrightarrow{\text{역수}} \dfrac{3}{xy^3}$$

확인 03 다음 식을 계산하시오.

(1) $-16xy^2 \times (-3x^4y^3) \div 2xy$

(2) $(-xy^2)^3 \div \left(\dfrac{x^3}{2y}\right)^3 \times \left(\dfrac{-x}{y}\right)^2$

기본 04 ☐ 안에 알맞은 식 구하기

$6x^2y^5 \div \boxed{} \times 4x^3y^2 = 8x^2y^3$일 때, ☐ 안에 알맞은 식을 구하시오.

셀파 나눗셈은 역수의 곱셈으로 바꾸고, 좌변에서 먼저 계산할 것이 있으면 계산한다.

풀이 $6x^2y^5 \div \boxed{} \times 4x^3y^2 = 8x^2y^3$에서 $6x^2y^5 \times \dfrac{1}{\boxed{}} \times 4x^3y^2 = 8x^2y^3$

$24x^5y^7 \times \dfrac{1}{\boxed{}} = 8x^2y^3$, $8x^2y^3 \times \boxed{} = 24x^5y^7$

$\therefore \boxed{} = 24x^5y^7 \div 8x^2y^3 = \dfrac{24x^5y^7}{8x^2y^3} = \mathbf{3x^3y^4}$

·Lecture ❶ $A \times \boxed{} = B \Rightarrow \boxed{} = B \div A$ ❷ $\boxed{} \times A = B \Rightarrow \boxed{} = B \div A$
❸ $\boxed{} \div A = B \Rightarrow \boxed{} = B \times A$ ❹ $A \div \boxed{} = B \Rightarrow \boxed{} = A \div B$

❶ ☐를 제외한 나머지 부분을 간단히 정리한다.
$$6x^2y^5 \times \dfrac{1}{\boxed{}} \times 4x^3y^2$$
$$= 6x^2y^5 \times 4x^3y^2 \times \dfrac{1}{\boxed{}}$$
$$= 24x^5y^7 \times \dfrac{1}{\boxed{}}$$

확인 04 다음 ☐ 안에 알맞은 식을 구하시오.

(1) $8a^3b \times \boxed{} = 6a^5b^2$

(2) $24x^3y^2 \div \boxed{} \times (-3xy^3) = 18x^2y^4$

(3) $\dfrac{5}{6}xy^2 \times \boxed{} \div (2xy)^2 = 5x^2y^2$

» My 셀파
① 나눗셈은 역수의 곱셈으로 바꾼다.
② 좌변에서 먼저 계산할 것이 있으면 계산한다.
③ 등식의 성질을 이용하여 좌변에 ☐만 남긴다. 즉
$$A \times \boxed{} = B$$
$$\therefore \boxed{} = B \div A$$

기본 05 단항식의 계산에서 미지수 구하기

$\left(-2xy^3\right)^a \div \left(-\dfrac{4}{3}x^b y^3\right) \times x^2 y^4 = cx^2 y^7$일 때, a, b, c의 값을 각각 구하시오.

(단, a, b, c는 상수)

주어진 식의 좌변을 간단히 한 다음, 우변과 비교하여 미지수의 값을 구한다. 이때 계수는 계수끼리, 지수는 밑이 같은 지수끼리 비교한다.

셀파 $Ax^m y^n = Bx^p y^q \Rightarrow A=B, m=p, n=q$임을 이용한다.

풀이
$$\left(-2xy^3\right)^a \div \left(-\dfrac{4}{3}x^b y^3\right) \times x^2 y^4 = (-2)^a x^a y^{3a} \times \left(-\dfrac{3}{4x^b y^3}\right) \times x^2 y^4$$
$$= (-2)^a \times \left(-\dfrac{3}{4}\right) \times \dfrac{x^{a+2}}{x^b} \times y^{3a+1}$$
$$= cx^2 y^7$$

이때 $y^{3a+1} = y^7$에서 $3a+1=7$ ∴ $\boldsymbol{a=2}$

$\dfrac{x^{a+2}}{x^b} = x^2$에서 $\dfrac{x^4}{x^b} = x^2$ ∴ $\boldsymbol{b=2}$

$(-2)^a \times \left(-\dfrac{3}{4}\right) = c$에서 $c = (-2)^2 \times \left(-\dfrac{3}{4}\right) = 4 \times \left(-\dfrac{3}{4}\right) = -3$ ∴ $\boldsymbol{c=-3}$

❸ 결과가 분수 꼴이 아니므로 $4 > b$이다. 즉
$$\dfrac{x^4}{x^b} = x^{4-b} = x^2$$이므로
$4-b=2$ ∴ $b=2$

확인 05 $(-4x^3)^a \times 2xy^b \div (-2x^2 y)^2 = 8x^c y$일 때, $a+b+c$의 값을 구하시오.

(단, a, b, c는 상수)

» My 셀파
좌변을 간단히 하여 우변과 비교한다.

기본 06 단항식의 곱셈과 나눗셈의 활용

오른쪽 그림과 같이 밑면의 가로의 길이가 $2a^2 b$, 높이가 $3b$인 직육면체의 부피가 $18a^4 b^3$일 때, 밑면의 세로의 길이를 구하시오.

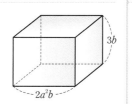

직육면체의 부피를 구하는 공식에 단항식을 대입하여 식을 세운다. 이때 모르는 식은 ☐로 놓는다.

셀파 (직육면체의 부피) = (밑면의 가로의 길이) × (밑면의 세로의 길이) × (높이)

풀이 밑면의 세로의 길이를 ☐라 하면
$$2a^2 b \times \boxed{} \times 3b = 18a^4 b^3$$
$$2a^2 b \times 3b \times \boxed{} = 18a^4 b^3$$
$$6a^2 b^2 \times \boxed{} = 18a^4 b^3$$
$$\therefore \boxed{} = 18a^4 b^3 \div 6a^2 b^2 = \dfrac{18a^4 b^3}{6a^2 b^2} = 3a^2 b$$

따라서 밑면의 세로의 길이는 $\boldsymbol{3a^2 b}$이다.

❸ 곱셈에서는 교환법칙과 결합법칙이 성립하므로 계산할 것이 있으면 먼저 계산한다.

❹ $A \times \boxed{} = B$이면
$$\boxed{} = B \div A = \dfrac{B}{A}$$

확인 06 오른쪽 그림과 같이 밑면이 직각삼각형인 삼각기둥의 부피가 $63a^5 b^4$일 때, 삼각기둥의 높이를 구하시오.

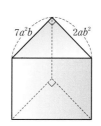

» My 셀파
삼각기둥의 높이를 ☐로 놓고
(삼각기둥의 부피) = (밑넓이) × (높이)
임을 이용하여 식을 세운다.

48 Ⅱ. 식의 계산

단항식의 곱셈

1 다음 식을 계산하시오.

(1) $3ab^2 \times 4a^5b$

(2) $-2x^2y \times (-3xy^3)$

(3) $5x^2y \times 6x^3 \times \dfrac{1}{3}y^2$

(4) $(-x^2y)^3 \times 2xy^3 \times (-3x^2y)$

단항식의 나눗셈

2 다음 식을 계산하시오.

(1) $12ab^2 \div 4a^2b^4$

(2) $15y^2 \div \dfrac{3}{2}y^3$

(3) $4x^3 \div (-2x)^3 \div 2x^4$

(4) $(5xy)^2 \div \dfrac{1}{5}x \div 5xy$

단항식의 곱셈과 나눗셈의 혼합 계산

3 다음 식을 계산하시오.

(1) $18ab \div 9a \times 3a^2b$

(2) $-2a^2b \div 8ab \times (-a^3b^2)$

(3) $2a^2 \times (-4a^3) \div 6a^4$

(4) $12x^2y \div (3x^4y^3)^2 \times 2x$

(5) $a^2b \times \dfrac{1}{6}ab^2 \div 12a^2b^3$

(6) $\left(\dfrac{x}{4y}\right)^2 \div \left(\dfrac{x^2y}{2}\right)^3 \times x^5y$

(7) $\dfrac{2}{3}x^4y^2 \times \left(-\dfrac{3}{4}x^4y^5\right) \div 12x^3y^2$

(8) $3a^3b^2 \times (2ab^3)^3 \div (-4a^2b^3)^3$

실력 키우기

01 지수법칙

다음 ☐ 안에 들어갈 수 중 가장 큰 것은?

① $a^2 \times a^{\square} = a^8$

② $x^2 \div x^{\square} = \dfrac{1}{x}$

③ $(a^3)^{\square} \div a^2 = a^{19}$

④ $(3x^3)^2 = \square x^6$

⑤ $\left(-\dfrac{z^3}{2xy^2}\right)^2 = \dfrac{z^6}{4x^2y^{\square}}$

02 지수법칙

다음 중 $a^{10} \div a^4 \div a^3$과 계산 결과가 같은 것은?

① $a^{10} \div (a^4 \div a^3)$

② $a^{10} \div a^4 \times a^3$

③ $a^{10} \div (a^4 \times a^3)$

④ $a^{10} \times a^4 \div a^3$

⑤ $a^{10} \times (a^4 \div a^3)$

03 밑이 다른 거듭제곱의 곱셈과 나눗셈 　　　창의력

오른쪽 표에서 가로, 세로, 대각선에 있는 세 수의 곱이 같을 때, A, B의 값을 각각 구하시오.

B		81
A	3^5	27
3^6		

04 밑과 지수가 같은 거듭제곱의 덧셈 　　　서술형

$5^3 + 5^3 + 5^3 + 5^3 + 5^3 = 5^a$, $5^3 \times 5^3 \times 5^3 = 5^b$, $\{(5^3)^3\}^3 = 5^c$일 때, $a+b+c$의 값을 구하시오. (단, a, b, c는 자연수)

05 자릿수 구하기

$2^7 \times 3^2 \times 5^5$이 n자리 자연수일 때, n의 값을 구하시오.

06 거듭제곱을 문자를 사용하여 나타내기

$A = 3^{x+2}$, $B = 5^{x-1}$일 때, 45^x을 A, B를 사용하여 나타내면? (단, x는 1보다 큰 자연수)

① $\dfrac{1}{81} A^2 B$

② $\dfrac{5}{81} A^2 B$

③ $5A^2 B$

④ $\dfrac{5}{9} AB$

⑤ $18AB$

07 단항식의 곱셈과 나눗셈

다음 중 옳지 <u>않은</u> 것을 모두 고르면? (정답 2개)

① $2a \times (-3b^2) = -6ab^2$

② $4a^2 \div \left(-\dfrac{1}{3} a^6\right) = -12a^8$

③ $(-x) \times 3xy \times (-4y) = 12x^2y^2$

④ $\dfrac{x}{4y} \div \dfrac{x^2y}{2} \times x^5y = \dfrac{x^4}{2y}$

⑤ $4x^2 \div (-3y) \div (-2x^2y)^2 = -\dfrac{16}{3} x^6y$

08 단항식의 곱셈과 나눗셈
다음 계산 과정에서 (가)에 $(-xy^2)^3$을 넣었을 때, (나), (다)에 알맞은 식을 구하시오.

$$\boxed{(가)} \xrightarrow{\div\left(\dfrac{y}{5x}\right)^2} \boxed{(나)} \xrightarrow{\times\left(\dfrac{2x}{y^2}\right)^3} \boxed{(다)}$$

09 □ 안에 알맞은 식 구하기
$-9a^3b \times (-4ab) \div \boxed{} = 6a^3$일 때, □ 안에 알맞은 식을 구하시오.

10 □ 안에 알맞은 식 구하기   (서술형)
단항식 $-32x^3y^2$에 어떤 식을 곱해야 할 것을 잘못하여 나누었더니 $8xy$가 되었다. 다음 물음에 답하시오.

(1) 어떤 식을 구하시오.

(2) 바르게 계산한 결과를 구하시오.

11 단항식의 계산에서 미지수 구하기
$\dfrac{1}{a}x^2y^4 \div \dfrac{(x^3y^b)^3}{2} \times x^3y = \dfrac{4}{3x^cy}$일 때, abc의 값을 구하시오.
(단, a, b, c는 상수)

12 단항식의 곱셈과 나눗셈의 활용
오른쪽 그림과 같이 밑변의 길이가 $4ab^2$이고, 넓이가 $12a^2b^4$인 삼각형의 높이를 구하시오.

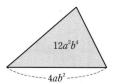

13 단항식의 곱셈과 나눗셈의 활용   (서술형)
다음 그림과 같이 밑면의 반지름의 길이가 ab^2이고 높이가 $3a^2b$인 원기둥 A와 밑면의 반지름의 길이가 $2a^2b$이고 높이가 $2b^3$인 원기둥 B가 있다. 원기둥 B의 부피는 원기둥 A의 부피의 몇 배인지 구하시오.

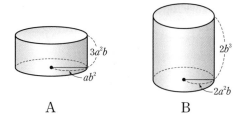

A   B

14 지수법칙의 응용   (융합형)
컴퓨터가 처리하는 정보의 양을 나타내는 단위로 Bit(비트), B(바이트), KiB(킬로바이트), MiB(메가바이트), GiB(기가바이트) 등이 있다. 위 순서대로 용량이 커지는데 각 단위 사이의 관계는 다음과 같다.

1 B	1 KiB	1 MiB	1 GiB
2^3 Bit	2^{10} B	2^{10} KiB	2^{10} MiB

아영이가 가지고 있는 메모리 칩 용량이 32 GiB일 때, 용량이 4 MiB인 사진을 몇 장까지 저장할 수 있는지 구하시오.
(단, 답은 2의 거듭제곱으로 나타낸다.)

이야~ 아이템을 많이 모았어. 레벨이 상당히 높아지겠는데.

후훗~ 저걸 다 계산한 뒤에 남는 것만 네 아이템이야.

일단 차수에 따라 분류를 해야 돼.

이건 문자가 2개인데 어째서 1차야?

이건 1차
요건 2차

문자의 개수와 상관없이 가장 큰 항의 차수에 따라서 구분해.

$x+y$ → 1차

x^2+5x-1 → 2차

동류항끼리 모아서 계산해야 돼.

$5-7+2+3-1+$
$\cdots+8-\cdots+$

$2x+x-3x+$
$\cdots+\cdots-2x$
$\cdots+\cdots-7x$

$y+3y-2y\cdots$
$\cdots-3y+5y$
$\cdots+$

이게 남은 아이템이다!

쟁그랑

1

4

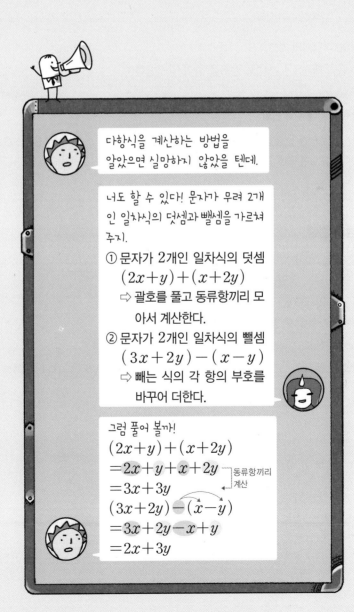

4 1. 다항식의 덧셈과 뺄셈

→ 차수가 1인 다항식

1 문자가 2개인 일차식의 덧셈과 뺄셈

(1) 문자가 2개인 일차식의 덧셈   괄호를 풀고 [ ]끼리 모아서 계산한다.   동류항

예 $(2x+y)+(x+2y)$ ⎫ 괄호를 푼다.
$=2x+y+x+2y$ ⎬ 동류항끼리 모은다.
$=2x+x+y+2y$ ⎬ 동류항끼리 계산한다.
$=3x+3y$ ⎭

(2) 문자가 2개인 일차식의 뺄셈   빼는 식의 각 항의 부호를 바꾸어 더한다.

예 $(2x+y)-(x+2y)$ ⎫ 괄호를 푼다.
$=2x+y-x\ \boxed{}\ 2y$ ⎬ 동류항끼리 모은다. $-$
$=2x-x+y\ \boxed{}\ 2y$ ⎬ 동류항끼리 계산한다. $-$
$=\boxed{}$ ⎭ $x-y$

(3) 여러 가지 괄호가 있는 다항식의 계산

(소괄호), { $\boxed{}$ }, [대괄호] 순으로 괄호를 풀어서 계산한다.   중괄호

설명 덧셈, 뺄셈에서 괄호를 풀 때 부호 변화

(1) 괄호 앞에 '$+$'가 있으면 괄호 안의 부호를 그대로 둔다. ⇨ $A+(B-C)=A+B-C$

(2) 괄호 앞에 '$-$'가 있으면 괄호 안의 부호를 반대로 쓴다. ⇨ $A-(B-C)=A-B+C$

2 이차식의 덧셈과 뺄셈

(1) 이차식   다항식의 각 항의 차수 중 가장 큰 차수가 2인 다항식

예 x^2-5x+1에서 x^2의 차수는 2, $-5x$의 차수는 1, 1의 차수는 0이므로 차수가 가장 큰 항의 차수는 2이다. ⇨ x에 대한 $\boxed{}$식   이차

$\boxed{x^2-5x+1}$ ⇨ 이차식
2차항 1차항 상수항

(2) 이차식의 덧셈   괄호를 풀고 [ ]끼리 모아서 계산한다.   동류항

예 $(x^2+x+1)+(2x^2-x+3)$ ⎫ 괄호를 푼다.
$=x^2+x+1+2x^2-x+3$ ⎬ 동류항끼리 모은다.
$=x^2+2x^2+x-x+1+3$ ⎬ 동류항끼리 계산한다.
$=\boxed{}$ ⎭ $3x^2+4$

(3) 이차식의 뺄셈   빼는 식의 각 항의 $\boxed{}$를 바꾸어 더한다.   부호

예 $(x^2+x+1)-(2x^2-x+3)$ ⎫ 괄호를 푼다.
$=x^2+x+1-2x^2+x\ \boxed{}\ 3$ ⎬ 동류항끼리 모은다. $-$
$=x^2-2x^2+x+x+1\ \boxed{}\ 3$ ⎬ 동류항끼리 계산한다. $-$
$=\boxed{}$ ⎭ $-x^2+2x-2$

개념 다시 보기

• **다항식** 하나 이상의 항의 합으로 이루어진 식

• **동류항** $2x$, x와 같이 문자도 같고 차수도 같은 항

• **차수** 어떤 항에서 문자가 곱해진 개수
  $4x^2$ ← 차수

⬤ $3x$, $3y$는 문자가 다르므로 동류항이 아니다. 따라서 더 이상 간단히 할 수 없다.

⬤ 괄호 앞에 $-$부호가 있는 경우 괄호를 풀면 괄호 안의 각 항의 부호가 반대로 바뀐다.

● 분배법칙
$A(B+C)=AB+AC$
$(A+B)C=AC+BC$

참고 a, b, c가 상수이고 $a\neq0$일 때
① $ax+b$ ⇨ x에 대한 일차식
② ax^2+bx+c ⇨ x에 대한 이차식

| 개념 체크 |

1-1 문자가 2개인 일차식의 덧셈과 뺄셈

다음을 계산하시오.

(1) $(2x+y)+(4x+3y)$

(2) $(2x-3y)-4(3x-y)$

셀파 괄호를 풀고 동류항끼리 계산한다.

연구 (1) $(2x+y)+(4x+3y)$

$=2x+y+4x+3y$ 괄호를 푼다.

$=6x+\boxed{}$ 동류항끼리 계산한다.

(2) $(2x-3y)-4(3x-y)$

$=2x-3y-12x+\boxed{}$ 괄호를 푼다.

$=-10x+\boxed{}$ 동류항끼리 계산한다.

2-1 이차식의 덧셈과 뺄셈

다음을 계산하시오.

(1) $(a^2+2a+3)+(3a^2-4a-1)$

(2) $(-2x^2-2x+4)-(-3x^2-x+3)$

셀파 이차항은 이차항끼리, 일차항은 일차항끼리, 상수항은 상수항끼리 계산한다.

연구 (1) $(a^2+2a+3)+(3a^2-4a-1)$

$=a^2+2a+3+3a^2-4a-1$ 괄호를 푼다.

$=4a^2-\boxed{}a+\boxed{}$ 동류항끼리 계산한다.

(2) $(-2x^2-2x+4)-(-3x^2-x+3)$

$=-2x^2-2x+4+3x^2+\boxed{}-3$ 괄호를 푼다.

$=x^2-\boxed{}+\boxed{}$ 동류항끼리 계산한다.

| 따라 풀기 |

1-2 다음을 계산하시오.

(1) $(a+4b)+(2a-b)$

(2) $(2x-4y)+3(x+2y)$

(3) $(7a+2b)-(4a+b)$

(4) $(2x-5y)-4(-x+y)$

2-2 다음을 계산하시오.

(1) $(6a^2-4a+2)+(5a^2+6a-3)$

(2) $(-10x^2+x-4)+2(7x^2-3x+5)$

(3) $(a^2-a+2)-(4a^2+2a-1)$

(4) $(2x^2-x+1)-3(x^2+4x-5)$

4

다항식의 계산

요점 콕콕 **다항식의 덧셈과 뺄셈** ⇨ 괄호를 풀고 동류항끼리 계산한다.

괄호를 풀 때 괄호 앞의 부호가 −이면 괄호 안의 각 항의 부호는 반대가 된다.

유형 익히기

기본 01 문자가 2개인 일차식의 덧셈과 뺄셈

다음을 계산하시오.

(1) $(9x-2y+3)+2(-6x+5y-3)$ (2) $3(-x+8y)-2(-4x+2y-6)$

해법코드

괄호를 풀고 동류항끼리 계산한다. 이때 괄호 앞의 부호가 −이면 괄호 안의 각 항의 부호는 반대로 바뀐다.

- 괄호 앞에 '+'가 있으면
  $\Rightarrow +(-●+▲-■)$
  괄호를 풀면
  $-●+▲-■$
  └─▶ 괄호 안의 부호 그대로

- 괄호 앞에 '−'가 있으면
  $\Rightarrow -(-●+▲-■)$
  괄호를 풀면
  $+●-▲+■$
  └─▶ 괄호 안의 부호 반대로

셀파 분배법칙을 이용하여 괄호를 풀고 x항은 x항끼리, y항은 y항끼리, 상수항은 상수항끼리 계산한다.

풀이
$$(1)\ (9x-2y+3)+2(-6x+5y-3)=9x-2y+3-12x+10y-6$$
$$=9x-12x-2y+10y+3-6$$
$$=\mathbf{-3x+8y-3}$$

$$(2)\ 3(-x+8y)-2(-4x+2y-6)=-3x+24y+8x-4y+12$$
$$=-3x+8x+24y-4y+12$$
$$=\mathbf{5x+20y+12}$$

확인 01 다음을 계산하시오.

(1) $2(-x+4y)+(3x-6y)$

(2) $(6x-y-1)-4(x+2y-1)$

» My 셀파

괄호를 풀고 x항은 x항끼리, y항은 y항끼리, 상수항은 상수항끼리 계산한다.

기본 02 여러 가지 괄호가 있는 다항식의 계산

$4y-[x+y-\{2x-(5x+7y)\}]$를 계산하시오.

해법코드

(소괄호) → {중괄호} → [대괄호] 순으로 괄호를 푼다.
이때 괄호 안의 동류항끼리 계산하여 간단히 한다.

셀파 괄호 앞에 −부호가 있으면 괄호 안의 부호를 반대로 바꾸어 계산한다.

풀이
$4y-[x+y-\{2x-(5x+7y)\}]$ ― 소괄호를 푼다.
$=4y-\{x+y-(2x-5x-7y)\}$ ― 소괄호 안의 식을 동류항끼리 계산한다.
$=4y-\{x+y-(-3x-7y)\}$ ― 다시 소괄호를 푼다.
$=4y-(x+y+3x+7y)$ ― 동류항끼리 계산한다.
$=4y-(4x+8y)$ ― 괄호를 푼다.
$=4y-4x-8y$
$=\mathbf{-4x-4y}$

⊙ 대괄호 안에 중괄호, 중괄호 안에 소괄호가 있을 때는 소괄호를 먼저 풀고, 중괄호를 소괄호로, 대괄호를 중괄호로 바꾼다.

확인 02 다음을 계산하시오.

(1) $7x-[3x-4y-\{x-3y-(2x-5y)\}]$

(2) $3x-[2y-3\{x+y-2(x-2y)\}]$

» My 셀파

제일 안쪽에 있는 소괄호부터 계산한다. 이때 괄호 앞에 있는 −부호에 주의한다.

$\left(\dfrac{1}{3}x-\dfrac{3}{4}y\right)+\left(-\dfrac{5}{4}x+\dfrac{1}{6}y\right)=ax+by$일 때, 상수 a, b의 값을 각각 구하시오.

계수가 분수인 다항식의 덧셈과 뺄셈은 통분하여 계산한다.
통분할 때는 분모의 최소공배수로 통분한다.

셀파 동류항끼리 모은 다음, 분모의 최소공배수로 통분하여 계산한다.

풀이
$$\left(\dfrac{1}{3}x-\dfrac{3}{4}y\right)+\left(-\dfrac{5}{4}x+\dfrac{1}{6}y\right)=\dfrac{1}{3}x-\dfrac{3}{4}y-\dfrac{5}{4}x+\dfrac{1}{6}y$$
$$=\dfrac{1}{3}x-\dfrac{5}{4}x-\dfrac{3}{4}y+\dfrac{1}{6}y \quad\}\text{동류항끼리 모은다.}$$
$$=\left(\dfrac{4}{12}-\dfrac{15}{12}\right)x+\left(-\dfrac{9}{12}+\dfrac{2}{12}\right)y \quad\}\text{동류항끼리 분모를 통분한다.}$$
$$=-\dfrac{11}{12}x-\dfrac{7}{12}y$$

$\therefore a=-\dfrac{11}{12}, b=-\dfrac{7}{12}$

❶ x항은 분모 3과 4의 최소공배수인 12로 통분한다.

❷ y항은 분모 4와 6의 최소공배수인 12로 통분한다.

확인 03 다음을 계산하시오.

(1) $\left(\dfrac{1}{2}a+\dfrac{1}{3}b\right)-\left(\dfrac{2}{3}a-\dfrac{3}{4}b\right)$

(2) $\dfrac{x-2y}{3}-\dfrac{4x-3y}{2}$

» My 셀파
(1) 동류항끼리 모은 다음, 각 동류항에서 분모의 최소공배수로 통분한다.
(2) 먼저 분모의 최소공배수로 통분한 다음, 분자에서 동류항끼리 계산한다.

$4a^2-3a-2-(a^2+2a-1)$을 계산하였을 때, a^2의 계수를 m, 상수항을 n이라 하자. 이때 mn의 값을 구하시오.

괄호를 풀고 동류항끼리 모아서 계산한다. 이때 차수가 높은 항부터 낮은 항의 순서로 정리한다.

셀파 괄호를 풀 때 괄호 앞의 부호가 $-$이면 괄호 안의 각 항의 부호는 반대로 바뀐다.

풀이
$$4a^2-3a-2-(a^2+2a-1)=4a^2-3a-2-a^2-2a+1$$
$$=4a^2-a^2-3a-2a-2+1$$
$$=3a^2-5a-1$$

이때 a^2의 계수가 3이므로 $m=3$, 상수항이 -1이므로 $n=-1$

$\therefore mn=3\times(-1)=-3$

확인 04 다음을 계산하시오.

(1) $(-5a^2+4a-1)+(7a^2-2a-1)$

(2) $(-8a^2+5a+1)-2(-4a^2+3a+2)$

» My 셀파
괄호를 풀고 이차항은 이차항끼리, 일차항은 일차항끼리, 상수항은 상수항끼리 계산한다.

4 다항식의 계산

$4x^2-x+2$에서 어떤 다항식을 뺐더니 $-x^2+7x-5$가 되었다. 이때 어떤 다항식을 구하시오.

셀파 어떤 다항식을 $\boxed{}$로 놓고 식을 세운다.

풀이 어떤 다항식을 $\boxed{}$라 하면

$(4x^2-x+2)-\boxed{}=-x^2+7x-5$

$\therefore \boxed{}=(4x^2-x+2)-(-x^2+7x-5)$

$=4x^2-x+2+x^2-7x+5$

$=\mathbf{5x^2-8x+7}$

확인 05 다음 $\boxed{}$ 안에 알맞은 식을 구하시오.

(1) $5a+6b-4+\boxed{}=-a+3b+2$

(2) $-2x^2+x+4-\boxed{}=3x^2-x+5$

어떤 식에서 $-x^2+4x-6$을 빼야 할 것을 잘못하여 더했더니 $2x^2-x+4$가 되었다. 이때 바르게 계산한 식을 구하시오.

셀파 어떤 식을 $\boxed{}$로 놓고, 잘못 계산한 식을 세운다.

풀이 어떤 식을 $\boxed{}$라 하면

$\boxed{}+(-x^2+4x-6)=2x^2-x+4$

$\therefore \boxed{}=2x^2-x+4-(-x^2+4x-6)$

$=2x^2-x+4+x^2-4x+6$

$=3x^2-5x+10$

따라서 바르게 계산한 식은

$3x^2-5x+10-(-x^2+4x-6)=3x^2-5x+10+x^2-4x+6$

$\qquad\qquad\qquad\qquad\qquad = \mathbf{4x^2-9x+16}$

확인 06 어떤 식에 $-5x^2+7x+4$를 더해야 할 것을 잘못하여 뺐더니 $2x^2+4x+3$이 되었다. 이때 바르게 계산한 식을 구하시오.

미지수가 2개인 일차식의 덧셈과 뺄셈

1 다음을 계산하시오.

(1) $(4a+3b)+(2a-4b)$

(2) $(-x+5y+2)+(x-6y-3)$

(3) $2(-x-4y+2)+(5x-3y-4)$

(4) $(4a+b)-(-2a+7b)$

(5) $(-3x+2y-1)-(2x-3y+4)$

(6) $2(a-7b-4)-(5a+b-6)$

이차식의 덧셈과 뺄셈

2 다음을 계산하시오.

(1) $(3x^2-x+5)+(2x^2+x-4)$

(2) $3(-x^2+2x-2)+5(x^2-x+3)$

(3) $(x^2-3x+2)-(-x^2+4x-7)$

(4) $(2x^2-3x+4)-3(2x-x^2)$

여러 가지 괄호가 있는 식의 계산

3 다음을 계산하시오.

(1) $5a-\{4a-2b-(2a-b)\}$

(2) $4x-[2x-\{3x-(2x-y)\}]$

(3) $5-x^2-\{1+2x^2-(2-x)\}$

(4) $5x^2-[4x^2-\{2x^2-(-x+2)+5x\}]$

계수가 분수인 다항식의 덧셈과 뺄셈

4 다음을 계산하시오.

(1) $\left(\dfrac{1}{3}x-\dfrac{2}{3}y\right)+\left(x+\dfrac{1}{2}y\right)$

(2) $\dfrac{1}{3}(4x-y)-\dfrac{1}{5}(3x-y)$

(3) $\dfrac{2x-y}{3}-\dfrac{x+4y}{6}$

(4) $\dfrac{x-4y}{6}+\dfrac{3(x-2y)}{4}$

(5) $\dfrac{x^2-x-1}{3}-\dfrac{x^2-3x+5}{2}$

2. 단항식과 다항식의 곱셈과 나눗셈

1 단항식과 다항식의 곱셈과 나눗셈

(1) (단항식) × (다항식)의 계산

분배법칙을 이용하여 단항식을 다항식의 각 ☐에 곱한다.   항

① **전개**   단항식과 다항식의 곱셈에서 괄호

    를 풀어 ☐의 다항식으로 나타내는 것   하나

② **전개식**   전개하여 얻은 다항식

> 전개
> $$2a(a+3b)=2a^2+6ab$$
> 전개식

(2) (다항식) ÷ (단항식)의 계산

[방법 1] 역수의 곱셈으로 바꾸어 계산한다.

$$\Rightarrow (A+B) \div C = (A+B) \times \boxed{}$$ $\dfrac{1}{C}$

[방법 2] 분수 꼴로 바꾸어 계산한다. $\Rightarrow (A+B) \div C = \dfrac{A+B}{\boxed{}}$ C

● $\overset{①~~~~②}{A \times (B+C)} = \underset{①}{\underline{AB}} + \underset{②}{\underline{AC}}$

   $\overset{①~~~~②}{(A+B) \times C} = \underset{①}{\underline{AC}} + \underset{②}{\underline{BC}}$

🄱 나누는 식이 분수 꼴이거나 나눗셈이 2개 이상인 경우에는 [방법 1]처럼 역수의 곱셈으로 바꾸어 계산하는 것이 편리하다.

· $A \div \dfrac{C}{B} = A \times \dfrac{B}{C} = \dfrac{AB}{C}$

· $A \div B \div C = A \times \dfrac{1}{B} \times \dfrac{1}{C}$

      $= \dfrac{A}{BC}$

[보기] 다음을 계산하시오.

   (1) $4a(-2a+b)$ (2) $(12x^2-20xy) \div (-4x)$

풀이   (1) $4a(-2a+b) = 4a \times (-2a) + 4a \times b = \boldsymbol{-8a^2+4ab}$

      (2) [방법 1] $(12x^2-20xy) \div (-4x) = (12x^2-20xy) \times \left(-\dfrac{1}{4x}\right)$

                           $= 12x^2 \times \left(-\dfrac{1}{4x}\right) - 20xy \times \left(-\dfrac{1}{4x}\right)$

                           $= \boldsymbol{-3x+5y}$

         [방법 2] $(12x^2-20xy) \div (-4x) = \dfrac{12x^2-20xy}{-4x} = \dfrac{12x^2}{-4x} - \dfrac{20xy}{-4x} = \boldsymbol{-3x+5y}$

🄲 [방법 2]에서 분자의 모든 항을 분모로 나누는 것에 주의한다.

   $\dfrac{12x^2-20xy}{-4x} = -3x-20xy$

                  (×)

   $\Rightarrow \dfrac{12x^2-20xy}{-4x} = -3x+5y$

                  (○)

2 단항식과 다항식의 혼합 계산

1 거듭제곱이 있으면 거듭제곱을 먼저 계산한다.

2 괄호가 있으면 ☐ 안을 먼저 계산한다.   괄호

3 곱셈, 나눗셈을 계산한다.

4 ☐, 뺄셈을 계산한다.   덧셈

[보기] $x(x-3y) + (x^2y-xy^2) \div y$를 계산하시오.

풀이 $x(x-3y) + (x^2y-xy^2) \div y = x \times x - x \times 3y + x^2y \times \dfrac{1}{y} - xy^2 \times \dfrac{1}{y}$

                               $= x^2 - 3xy + x^2 - xy = \boldsymbol{2x^2-4xy}$

🄳 $(x^2y-xy^2) \div y$

   $= (x^2y-xy^2) \times \dfrac{1}{y}$

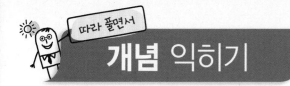
| 개념 체크 |

1-1 단항식과 다항식의 곱셈과 나눗셈

다음을 계산하시오.

(1) $-3a(4a+b-5)$

(2) $(2x^2-4x)\div\dfrac{2}{3}x$

셀파 (단항식)×(다항식) ⇨ 분배법칙을 이용하여 괄호를 푼다.

(다항식)÷(단항식) ⇨ 역수의 곱셈으로 바꾸거나 분수 꼴로 바꾸어 계산한다.

연구 (1) $-3a(4a+b-5)$

$=-3a\times 4a+(-3a)\times b-(-3a)\times \boxed{}$

$=-12a^2-3ab+\boxed{}$

(2) $(2x^2-4x)\div\dfrac{2}{3}x$

$\overset{\frac{2x}{3}}{}$

$=(2x^2-4x)\times\boxed{}$ ⟩ 역수의 곱셈으로 바꾼다.

$=2x^2\times\dfrac{3}{2x}-4x\times\dfrac{3}{2x}$ ⟩ 괄호를 푼다.

$=3x-6$

2-1 단항식과 다항식의 혼합 계산

$x(5x-y)-(10x^2y-6xy^2)\div 2y$를 계산하시오.

셀파 사칙계산이 혼합된 식에서는 곱셈, 나눗셈을 덧셈, 뺄셈보다 먼저 계산한다.

연구 $x(5x-y)-(10x^2y-6xy^2)\div 2y$

$=5x^2-xy-\dfrac{10x^2y-6xy^2}{2y}$

$=5x^2-xy-(5x^2-\boxed{})$

$=5x^2-xy-5x^2+\boxed{}$

$=\boxed{}$

| 따라 풀기 |

1-2 다음을 계산하시오.

(1) $-x(5x-3y)$

(2) $\dfrac{2}{3}x(6x^2-9x)$

(3) $(6a^2-4ab)\div 2a$

(4) $(a^2-3a)\div\left(-\dfrac{1}{3}a\right)$

2-2 다음을 계산하시오.

(1) $3(2a+b)+(4ab-8b^2)\div 2b$

(2) $(6x^3y^2-4x^2y)\div 2xy-2x(xy+3)$

(3) $-4x(2x+6)+(6x^2y+9xy)\div\dfrac{3}{4}y$

요점 콕콕
- (단항식)×(다항식): 분배법칙을 이용하여 전개하여 계산한다.
- (다항식)÷(단항식): 역수의 곱셈으로 바꾸거나 분수 꼴로 바꾸어 계산한다.
- 사칙계산이 혼합된 식의 계산: 거듭제곱 ⇨ 괄호 풀기 ⇨ 곱셈, 나눗셈 ⇨ 덧셈, 뺄셈 순으로 계산한다.

4 다항식의 계산

기본 01 단항식과 다항식의 곱셈

$\dfrac{x}{4}(8x^2-2x+10)=ax^3+bx^2+cx$일 때, $a+b+c$의 값을 구하시오. (단, a, b, c는 상수)

해법코드
분배법칙을 이용하여 단항식을 다항식의 각 항에 곱한다. 이때 부호에 주의한다.

셀파 $A(\overset{\frown}{B}+\overset{\frown}{C}+D)=AB+AC+AD$

풀이 주어진 식의 좌변을 전개하면

$$\dfrac{x}{4}(8x^2-2x+10)=\dfrac{x}{4}\times 8x^2-\dfrac{x}{4}\times 2x+\dfrac{x}{4}\times 10$$

$$=2x^3-\dfrac{1}{2}x^2+\dfrac{5}{2}x$$

따라서 $a=2$, $b=-\dfrac{1}{2}$, $c=\dfrac{5}{2}$이므로

$$a+b+c=2+\left(-\dfrac{1}{2}\right)+\dfrac{5}{2}=\mathbf{4}$$

❶ 덧셈에서는 결합법칙이 성립하므로 분수끼리 먼저 계산한다.

$$2+\left(-\dfrac{1}{2}\right)+\dfrac{5}{2}$$
$$=2+\left\{\left(-\dfrac{1}{2}\right)+\dfrac{5}{2}\right\}$$
$$=2+\dfrac{4}{2}=4$$

확인 01 다음 식을 전개하시오.

(1) $\dfrac{1}{4}x(16x+8y-12)$

(2) $(-4a+3ab+2b)\times 5ab$

» My 셀파

(1) $A(\overset{\frown}{B}+\overset{\frown}{C}+D)$
$=AB+AC+AD$

(2) $(\overset{\frown}{A}+\overset{\frown}{B}+C)D$
$=AD+BD+CD$

기본 02 다항식과 단항식의 나눗셈

다음을 계산하시오.

(1) $(6a^2b-3ab^2)\div(-ab)$ (2) $(-2ab^2+b)\div\left(-\dfrac{1}{3}b\right)$

해법코드
역수의 곱셈으로 바꾸거나 분수 꼴로 바꾸어 계산한다.

셀파 나누는 식에 분수가 있으면 역수의 곱셈으로 바꾸어 계산한다.

풀이 (1) $(6a^2b-3ab^2)\div(-ab)=\dfrac{6a^2b-3ab^2}{-ab}=\dfrac{6a^2b}{-ab}-\dfrac{3ab^2}{-ab}=\mathbf{-6a+3b}$

(2) $(-2ab^2+b)\div\left(-\dfrac{1}{3}b\right)=(-2ab^2+b)\times\left(-\dfrac{3}{b}\right)=-2ab^2\times\left(-\dfrac{3}{b}\right)+b\times\left(-\dfrac{3}{b}\right)$

$-\dfrac{b}{3}$ ⌇ $=\mathbf{6ab-3}$

확인 02 다음을 계산하시오.

(1) $(8-16y+12y^2)\div 4y$

(2) $(12a^2b^3-6ab^2)\div\dfrac{3}{2}ab$

» My 셀파
나누는 식에 분수가 있으면 역수의 곱셈으로 바꾸어 계산하는 것이 편리하다.

기본 03 단항식과 다항식의 혼합 계산

$2x(3x-5)+(15x^3+9x^2)\div 3x$ 를 계산하시오.

셀파 곱셈, 나눗셈을 먼저 계산한다.

풀이
$$2x(3x-5)+(15x^3+9x^2)\div 3x$$
$$=6x^2-10x+\frac{15x^3+9x^2}{3x}$$
$$=6x^2-10x+5x^2+3x$$
$$=\mathbf{11x^2-7x}$$

● $\dfrac{15x^3+9x^2}{3x}=\dfrac{15x^3}{3x}+\dfrac{9x^2}{3x}$
$$=5x^2+3x$$

확인 03 다음을 계산하시오.

(1) $(18y+24y^2)\div 6y-(4y-3)$

(2) $\dfrac{16x^2-24xy}{4x}-\dfrac{15xy+18y^2}{-3y}$

(3) $2xy(x-3y)-(4x^3y^2-2x^2y^3)\div 2xy$

» **My 셀파**
혼합 계산 문제에서는 곱셈, 나눗셈을 먼저 계산하고 덧셈, 뺄셈은 나중에 계산한다.

기본 04 어떤 식 구하기

어떤 다항식에 $\dfrac{1}{2}xy$ 를 곱하였더니 $x^3y^2-3x^2y^3$ 이 되었다. 이때 어떤 다항식을 구하시오.

해법코드
· $A\times B=C \Rightarrow A=C\div B$
· $A\div B=C \Rightarrow A=C\times B$

셀파 어떤 다항식을 □로 놓고 식을 세운다.

풀이 어떤 다항식을 □ 라 하면
$$\boxed{}\times\frac{1}{2}xy=x^3y^2-3x^2y^3$$
$$\therefore \boxed{}=(x^3y^2-3x^2y^3)\div\frac{1}{2}xy$$
$$=(x^3y^2-3x^2y^3)\times\frac{2}{xy}$$
$$=x^3y^2\times\frac{2}{xy}-3x^2y^3\times\frac{2}{xy}$$
$$=\mathbf{2x^2y-6xy^2}$$

확인 04 $\boxed{}\div\dfrac{1}{2}y=6x^2-4x+4y$ 일 때, □ 안에 알맞은 식을 구하시오.

» **My 셀파**
$A\div B=C$ 에서 $A=C\times B$ 임을 이용한다.

기본 05 도형에의 활용

오른쪽 그림과 같이 밑면의 반지름의 길이가 $3x$인 원뿔의 부피가 $\pi(15x^4-21x^2y^2)$일 때, 이 원뿔의 높이를 구하시오.

셀파 원뿔의 부피를 구하는 공식에 주어진 식을 대입하여 계산한다.

풀이 $\dfrac{1}{3}\times\pi\times(3x)^2\times(높이)=\pi(15x^4-21x^2y^2)$에서

$3\pi x^2\times(높이)=\pi(15x^4-21x^2y^2)$

$\therefore (높이)=\dfrac{\pi(15x^4-21x^2y^2)}{3\pi x^2}=\mathbf{5x^2-7y^2}$

• (원뿔의 부피)
　$=\dfrac{1}{3}\times$(밑면인 원의 넓이)$\times$(높이)
• (원의 넓이)$=\pi\times$(반지름의 길이)^2

● 밑면이 반지름의 길이가 $3x$인 원이므로
　(원의 넓이)$=\pi\times(3x)^2$
　$\qquad\qquad=9\pi x^2$

확인 05 오른쪽 그림과 같이 윗변의 길이가 $4xy^2$, 아랫변의 길이가 $12xy^2$인 사다리꼴의 넓이가 $24x^4y^2+8x^3y^2$일 때, 사다리꼴의 높이를 구하시오.

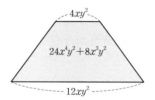

» My 셀파
(사다리꼴의 넓이)
$=\dfrac{1}{2}\times\{$(윗변의 길이)
　　　$+$(아랫변의 길이)$\}$
　　　$\times$(높이)

발전 06 식의 값

$x=1$, $y=-2$일 때, $(6x^2y^3+12xy^2)\div 3xy$의 값을 구하시오.

셀파 주어진 식을 계산한 다음, x, y의 값을 각각 대입한다.

풀이 $(6x^2y^3+12xy^2)\div 3xy=\dfrac{6x^2y^3+12xy^2}{3xy}=2xy^2+4y$

이 식에 $x=1$, $y=-2$를 대입하면

$2xy^2+4y=2\times 1\times(-2)^2+4\times(-2)=8-8=\mathbf{0}$

식의 값은 다음과 같은 순서로 구한다.
① 주어진 식을 계산한다.
② 계산한 식의 문자에 주어진 수를 대입하여 식의 값을 구한다.
　이때 대입하는 수가 음수인 경우에는 괄호를 사용하여 대입한다.

확인 06 다음 식의 값을 구하시오.

(1) $x=-1$, $y=2$일 때, $(-3x+2y-1)-(2x-3y+4)$

(2) $x=\dfrac{1}{5}$, $y=\dfrac{1}{2}$일 때, $(12y^2-15xy)\div 3y$

» My 셀파
(1) 음수를 대입할 때는 괄호를 사용한다.
(2) 주어진 식을 분수 꼴로 바꾸어 계산한 다음, 문자에 주어진 수를 대입한다.

발전 07 식의 대입

$A=2x-5y$, $B=-x+3y$일 때, 다음 식을 x, y의 식으로 나타내시오.

(1) $4A+7B$ (2) $2A-(A+2B)$

셀파 주어진 식을 간단히 한 다음, A, B에 x, y로 나타낸 식을 대입한다.

풀이 (1) $4A+7B=4(2x-5y)+7(-x+3y)$
$\qquad\qquad\quad=8x-20y-7x+21y$
$\qquad\qquad\quad=\boldsymbol{x+y}$

(2) $2A-(A+2B)=2A-A-2B=A-2B$
$\qquad\qquad\qquad\quad=(2x-5y)-2(-x+3y)$
$\qquad\qquad\qquad\quad=2x-5y+2x-6y$
$\qquad\qquad\qquad\quad=\boldsymbol{4x-11y}$

확인 07 $A=x+2y$, $B=-2x+5y$일 때, 다음 식을 x, y의 식으로 나타내시오.

(1) $\dfrac{A}{2}-\dfrac{B}{3}$ (2) $4B-\{3(2A+B)-5A\}$

발전 08 등식을 변형하여 다른 식에 대입하기

$x+5y-3=0$일 때, 다음 물음에 답하시오.

(1) $7x-10y+5$를 x의 식으로 나타내시오.
(2) $7x-10y+5$를 y의 식으로 나타내시오.

해법코드

x, y에 대한 등식이 주어질 때, x, y에 대한 다항식 A를 한 문자의 식으로 나타내기
① x의 식으로 나타낼 때
⇨ 등식을 $y=(x$의 식)으로 변형한 다음, A에 대입
② y의 식으로 나타낼 때
⇨ 등식을 $x=(y$의 식)으로 변형한 다음, A에 대입

셀파 'x의 식으로 나타내시오.' ⇨ $Ax+B$(A, B는 상수) 꼴로 나타내라는 뜻이다.
'y의 식으로 나타내시오.' ⇨ $Ay+B$(A, B는 상수) 꼴로 나타내라는 뜻이다.

풀이 (1) $x+5y-3=0$을 $y=(x$의 식)으로 나타내면 $y=-\dfrac{1}{5}x+\dfrac{3}{5}$

$\quad\therefore 7x-10y+5=7x-10\left(-\dfrac{1}{5}x+\dfrac{3}{5}\right)+5$
$\qquad\qquad\qquad\quad=7x+2x-6+5$
$\qquad\qquad\qquad\quad=\boldsymbol{9x-1}$

(2) $x+5y-3=0$을 $x=(y$의 식)으로 나타내면 $x=-5y+3$
$\quad\therefore 7x-10y+5=7(-5y+3)-10y+5$
$\qquad\qquad\qquad\quad=-35y+21-10y+5$
$\qquad\qquad\qquad\quad=\boldsymbol{-45y+26}$

확인 08 $5x-6y=12$일 때, $2(x-3y)-x+3$을 x의 식으로 나타내면 $Ax+B$이다. 이때 상수 A, B에 대하여 $A+B$의 값을 구하시오.

**4
다항식의 계산**

(단항식)×(다항식)의 계산

1 다음을 계산하시오.

(1) $3a(2a-1)$

(2) $-3x(2x-8y)$

(3) $2a(a^2-3a+2)$

(4) $\dfrac{1}{4}x(8y-12x)$

(5) $\dfrac{3}{2}x(6x^2+2xy-4y^2)$

(다항식)÷(단항식)의 계산

2 다음을 계산하시오.

(1) $(18y+24y^2)\div 6y$

(2) $(15a^3-10ab^3)\div(-3a)$

(3) $(8x^2y-12xy^2)\div 4xy$

(4) $(20xy-15y^2)\div\dfrac{5}{2}y$

(5) $(x^3y^2-2x^2y)\div\left(-\dfrac{1}{4}xy\right)$

단항식과 다항식의 혼합 계산

3 다음을 계산하시오.

(1) $2x(3x-y)-3x(4x-2y)$

(2) $a(-2a+b)+(3a-b)\times(-2a)$

(3) $(2a-12b)\div 2-(6a^2-8ab)\div 2a$

(4) $\dfrac{4x^2+6xy}{-2x}-\dfrac{12y^2-15xy}{3y}$

(5) $(-4x^2+5x)\div\dfrac{1}{2}x-(2x^3-3x^2)\div\left(-\dfrac{1}{3}x^2\right)$

4 다음을 계산하시오.

(1) $\dfrac{1}{3}x(6x+9y-18)-2x^2y\div y$

(2) $2xy(x-3y)-(4x^3y^2-2x^2y^3)\div 2xy$

(3) $(2a^2b-3ab^2)\div\left(-\dfrac{1}{3}ab\right)-3(b-a)$

(4) $\dfrac{2}{3}x(x-3y)-\left(\dfrac{2}{3}x^3-\dfrac{x^2y}{2}\right)\div\dfrac{1}{3}x$

(5) $(-2ab+3b)\div\left(-\dfrac{1}{2a}\right)-3a^2\left(1-\dfrac{2b}{a}\right)$

실력 키우기

01 문자가 2개인 일차식의 덧셈과 뺄셈

$(4x-6y)-2(-2x+y)=ax+by$일 때, 상수 a, b의 값을 각각 구하시오.

02 계수가 분수인 일차식의 덧셈과 뺄셈

$\dfrac{x+2y}{3}-\dfrac{2x-y}{2}+\dfrac{x-5y}{6}=ax+by$일 때, $\dfrac{a}{b}$의 값을 구하시오. (단, a, b는 상수)

03 이차식

다음 중 이차식이 <u>아닌</u> 것은?

① $-x^2+1$ ② $\dfrac{x^2-2}{2}-x$

③ $3(2x-x^2)+3x^2$ ④ $2(x^2-4x)+8x$

⑤ $(2x^2-3x-1)-3x^2$

04 이차식의 덧셈과 뺄셈

$(x^2-5x+2)-(-3x^2+2x-6)$을 계산하였을 때, x^2의 계수와 x의 계수의 합을 구하시오.

05 □ 안에 알맞은 식 구하기   (창의·융합)

다음 표에서 가로, 세로, 대각선에 있는 세 다항식의 합이 같을 때, A에 알맞은 다항식을 구하시오.

		$6x+y$
$5x-5y$	$2x-y$	
$-2x-3y$		A

06 바르게 계산한 식 구하기   (서술형)

$3x^2+5x-2$에 어떤 다항식 A를 더해야 할 것을 잘못하여 뺐더니 $6x^2-x-2$가 되었다. 다음 물음에 답하시오.

(1) 다항식 A를 구하시오.

(2) 바르게 계산한 식을 구하시오.

07 여러 가지 괄호가 있는 다항식의 계산

다음을 계산하시오.

$$3x^2-[x-2\{x+2x(3-x)-1\}]$$

08 단항식과 다항식의 곱셈과 나눗셈

다음 중 옳지 <u>않은</u> 것은?

① $xy(3x-5y)=3x^2y-5xy^2$

② $(a-b-1)\times 2a=2a^2-2ab-2a$

③ $-2y(x-4y)=-2xy-8y^2$

④ $(4xy-6xz)\div 2x=2y-3z$

⑤ $(6x^2-4xy+2x)\div\left(-\dfrac{2}{3}x\right)=-9x+6y-3$

09 다항식과 단항식의 나눗셈

현철이는 $(8a^2-6a)\div(-2a)$를 다음과 같이 계산하였다. 계산 과정에서 처음으로 잘못된 부분을 찾고, 바르게 계산하시오.

$$
\begin{aligned}
(8a^2-6a)\div(-2a) &= \frac{8a^2-6a}{-2a} &&\cdots\cdots \text{(가)}\\
&= -4a-6a &&\cdots\cdots \text{(나)}\\
&= -10a &&\cdots\cdots \text{(다)}
\end{aligned}
$$

10 ☐ 안에 알맞은 식 구하기

$\dfrac{4x^3y^2-\boxed{}}{2xy}=2x^2y-x^2y^2$일 때, ☐ 안에 알맞은 식을 구하시오.

11 단항식과 다항식의 혼합 계산

$-3x(4x-6y)+(18x^2y^2-12x^3y)\div 6xy$를 계산한 식에서 x^2의 계수를 a, xy의 계수를 b라 할 때, $b-a$의 값을 구하시오.

12 도형에의 활용

오른쪽 그림과 같이 가로의 길이가 $4a^2b$인 직사각형의 넓이가 $20a^3b^2-16a^2b$일 때, 세로의 길이를 구하시오.

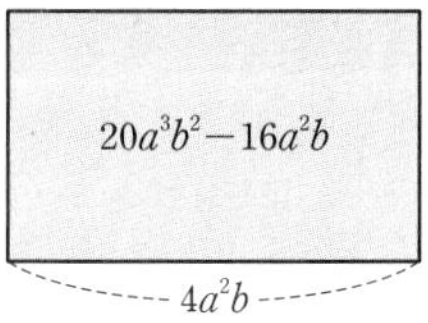

$20a^3b^2-16a^2b$

$4a^2b$

13 식의 값 　　　　　　　(서술형)

다항식 $(a^2-2ab)\div\dfrac{a}{3}-(10ab+10b^2)\div 5b$에 대하여 다음 물음에 답하시오.

(1) 주어진 식을 계산하시오.

(2) $a=1$, $b=-\dfrac{1}{4}$일 때, 식의 값을 구하시오.

14 식의 대입

$A=2x-y$, $B=-x+2y-3$일 때, $A+4B-(2A+5B)$
를 x, y의 식으로 나타내시오.

15 등식을 변형하여 다른 식에 대입하기

$3x-2y-2=6x-y+3$일 때, $4x-5y+3$을 x의 식으로
나타내시오.

16 이차식의 덧셈과 뺄셈 창의·융합

다음 그림과 같은 전개도로 직육면체를 만들었을 때, 서로 마
주 보는 면에 적힌 두 다항식의 합이 같다고 한다. 물음에 답
하시오.

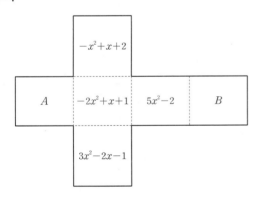

(1) A, B에 알맞은 다항식을 구하시오.

(2) $A+B$를 계산하시오.

17 도형에의 활용

오른쪽 그림과 같은 직사각형
ABCD에서 색칠한 부분의 넓이
를 구하시오.

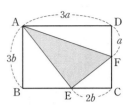

18 도형에의 활용 서술형 융합형

다음 그림과 같은 삼각기둥 모양의 그릇 A에 가득 들어 있는
물을 직육면체 모양의 그릇 B로 옮겼더니 높이의 $\frac{1}{3}$만큼 채
워졌을 때, 그릇 B의 높이를 구하려고 한다. 물음에 답하시
오. (단, 그릇의 두께는 생각하지 않는다.)

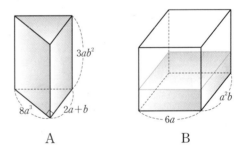

A   B

(1) 그릇 A에 들어 있는 물의 부피를 구하시오.

(2) 그릇 B에 들어 있는 물의 높이를 h라 할 때, 물의 부피를
구하시오.

(3) 그릇 B의 높이를 구하시오.

4
─ 다항식의 계산

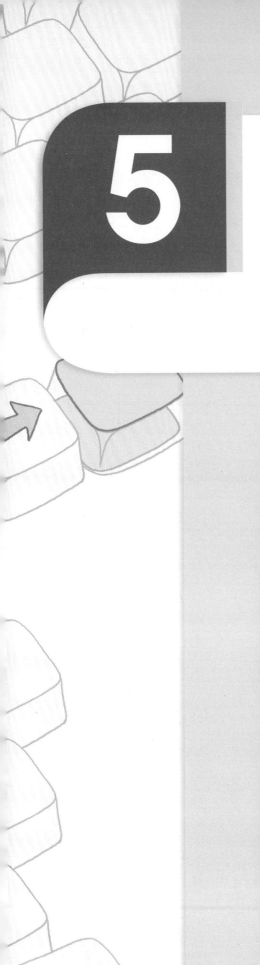

5

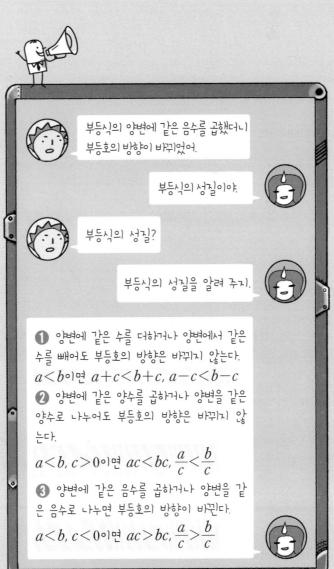

부등식의 양변에 같은 음수를 곱했더니 부등호의 방향이 바뀌었어.

부등식의 성질이야.

부등식의 성질?

부등식의 성질을 알려 주지.

❶ 양변에 같은 수를 더하거나 양변에서 같은 수를 빼어도 부등호의 방향은 바뀌지 않는다.

$a < b$이면 $a+c < b+c$, $a-c < b-c$

❷ 양변에 같은 양수를 곱하거나 양변을 같은 양수로 나누어도 부등호의 방향은 바뀌지 않는다.

$a < b$, $c > 0$이면 $ac < bc$, $\dfrac{a}{c} < \dfrac{b}{c}$

❸ 양변에 같은 음수를 곱하거나 양변을 같은 음수로 나누면 부등호의 방향이 바뀐다.

$a < b$, $c < 0$이면 $ac > bc$, $\dfrac{a}{c} > \dfrac{b}{c}$

5 부등식의 뜻과 성질

1 부등식

(1) **부등식** 부등호 $>$, ☐, $\geq$, $\leq$를 사용하여 수 또는 식의 대소 관계를 나타낸 식

> **참고** 부등식에서도 등식의 경우와 같이 부등호의 왼쪽 부분을 좌변, ☐ 부분을 우변이라 하며, 좌변과 우변을 통틀어 양변이라 한다.

> **예** $5>3$, $3x-2\geq5$, $x<2x-1$ ⇨ ☐가 있으므로 부등식이다.
>
> $2x-4$, $x+1=20$ ⇨ 부등호가 없으므로 부등식이 아니다.

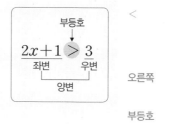

오른쪽

부등호

(2) **부등식의 표현**

$a>b$	$a<b$	ᵃ$a\geq b$	ᵇ$a\leq b$
a는 b보다 크다.	a는 b보다 ☐.	a는 b보다 크거나 같다.	a는 b보다 작거나 같다.
a는 b 초과이다.	a는 b 미만이다.	a는 b ☐이다.	a는 b 이하이다.
		a는 b보다 작지 않다.	a는 b보다 크지 않다.

작다

이상

ⓐ $a\geq b$는 '$a>b$ 또는 $a=b$'임을 의미한다.

보기 다음 문장을 부등식으로 나타내시오.

(1) 7은 4보다 크다.

(2) 2는 3보다 작다.

(3) x는 5보다 크거나 같다.

(4) x는 -2보다 크지 않다.

풀이 (1) $7>4$ (2) $2<3$ (3) $x\geq5$ (4) $x\leq-2$

ⓑ $a\leq b$는 '$a<b$ 또는 $a=b$'임을 의미한다.

2 부등식의 해

(1) **부등식의 해** 부등식을 ☐이 되게 하는 미지수의 값

(2) **부등식을 푼다** 부등식의 해를 모두 구하는 것

참

● **부등식의 참, 거짓**
부등식의 좌변과 우변에서 값의 대소 관계가
① 주어진 부등호의 방향과 일치하면 ⇨ 그 부등식은 참이다.
② 주어진 부등호의 방향과 다르면 ⇨ 그 부등식은 거짓이다.

보기 x의 값이 1, 2, 3일 때, 부등식 $2x>3$의 해를 구하시오.

풀이 부등식 $2x>3$의 x에 1, 2, 3을 각각 대입하면 다음 표와 같다.

x의 값	좌변	대소 비교	우변	참, 거짓
1	$2\times1=2$	$<$	3	거짓
2	$2\times2=4$	$>$	3	참
3	$2\times3=6$	$>$	3	참

부등식의 x 대신 1, 2, 3을 각각 대입했을 때, 부등호의 방향이 옳으면 해가 돼.

따라서 위의 표에서 부등식 $2x>3$을 참이 되게 하는 x의 값은 **2, 3**이다.
└→ 부등식 $2x>3$의 해이다.

개념 익히기

| 개념 체크 |

1-1 부등식

다음 중 부등식인 것에는 ○표, 부등식이 아닌 것에는 ×표를 ( ) 안에 써넣으시오.

(1) $-3 > 1$ (   )

(2) $2x + 3 = 5$ (   )

(3) $x + 2x \leq 3$ (   )

(4) $a + b - 1$ (   )

셀파 식에 부등호 $>$, $<$, $\geq$, $\leq$가 있으면 부등식이다.

연구 (1) 부등호 '$>$'가 있으므로 부등식이다.

(2) 부등호가 아닌 등호가 있으므로 부등식이 아니다.

(3) 부등호 '$\leq$'가 있으므로 [   ]이다. → [   ]이다.

(4) 부등호가 없으므로 부등식이 아니다.

 $-3 > 1$처럼 거짓인 부등식도 부등식이구나!

응. 식에 부등호($>$, $<$, $\geq$, $\leq$)만 있으면 부등식이야. 부등식이 참인지 거짓인지는 상관없어.

2-1 부등식의 해

x의 값이 $0, 1, 2, 3, 4$일 때, 부등식 $2x - 1 \leq 3$의 해를 구하시오.

셀파 x의 값을 부등식 $2x - 1 \leq 3$에 대입했을 때, 부등식이 참인 것을 찾는다.

연구

x의 값	좌변	부등호	우변	참, 거짓
0	$2 \times 0 - 1 = -1$	$<$	3	참
1	$2 \times 1 - 1 = 1$	$<$	3	[ ]
2	$2 \times 2 - 1 = 3$	$=$	3	[ ]
3	$2 \times 3 - 1 = 5$	$>$	3	거짓
4	$2 \times 4 - 1 = 7$	$>$	3	거짓

따라서 부등식 $2x - 1 \leq 3$의 해는 0, [   ], [   ]이다.

| 따라 풀기 |

1-2 다음 중 부등식인 것에는 ○표, 부등식이 아닌 것에는 ×표를 (   ) 안에 써넣으시오.

(1) $x + 3 \geq -2$ (   )

(2) $5x - 3x = 2x$ (   )

(3) $6 < 2 \times 4$ (   )

(4) $4x - 5 + y$ (   )

2-2 x의 값이 $1, 2, 3, 4$일 때, 부등식 $x + 1 \geq 4$에 대하여 다음 표를 완성하고 해를 구하시오.

x의 값	좌변	부등호	우변	참, 거짓
1	$1 + 1 = 2$	$<$	4	거짓
2				
3				
4				

 요점 콕콕 $x = a$를 부등식에 대입했을 때 ⇨ ┌ 부등식이 참 ⇨ $x = a$는 부등식의 해이다.
└ 부등식이 거짓 ⇨ $x = a$는 부등식의 해가 아니다.

3 부등식의 성질

❶ 부등식의 양변에 같은 수를 더하거나 [ⓐ]양변에서 같은 수를 빼어도 부등호의 방향은 바뀌지 않는다.

⇨ $a<b$이면 $a+c<b+c, a-c<b-c$

❷ 부등식의 양변에 같은 [ ]를 곱하거나 [ⓑ]양변을 같은 양수로 나누어도 부등호의 방향은 바뀌지 않는다. 양수

⇨ $a<b, c$ [ ] 0이면 $ac<bc, \dfrac{a}{c}<\dfrac{b}{c}$ $>$

❸ 부등식의 양변에 같은 음수를 곱하거나 양변을 같은 음수로 나누면 부등호의 방향이 바뀐다.

⇨ $a<b, c$ [ ] 0이면 $ac>bc, \dfrac{a}{c}>\dfrac{b}{c}$ $<$

참고 부등호 $<$를 $\leq$로, $>$를 $\geq$로 바꾸어도 부등식의 성질은 성립한다.

ⓐ 부등식의 양변에서 같은 수 c를 뺀다는 것은 양변에 $-c$를 더하는 것과 같다.

ⓑ 부등식의 양변을 $c(c\neq0)$로 나누는 것은 양변에 $\dfrac{1}{c}$을 곱하는 것과 같다.

주의
부등식에서 양변에 0을 곱하거나 양변을 0으로 나누지 않는다.

설명 수직선을 이용하여 부등식의 성질 이해하기

부등식 $2<4$에 대하여

❶ 양변에 2를 더하면

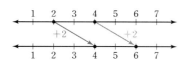

⇨ $2+2<4+2$

양변에서 2를 빼면

⇨ $2-2<4-2$

개념 다시 보기
수직선 위에서 대소 관계
수직선 위에서 오른쪽에 있는 수가 왼쪽에 있는 수보다 크다.

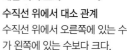

작아진다 ← → 커진다

❷ 양변에 2를 곱하면

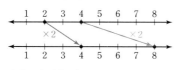

⇨ $2\times2<4\times2$

양변을 2로 나누면

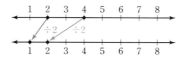

⇨ $2\div2<4\div2$

❸ 양변에 -2를 곱하면

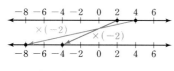

⇨ $2\times(-2)>4\times(-2)$

양변을 -2로 나누면

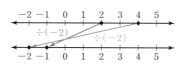

⇨ $2\div(-2)>4\div(-2)$

보기 $a>b$일 때, 다음 [ ] 안에 알맞은 부등호를 써넣으시오.

(1) $a+3$ [ ] $b+3$　　　　(2) $a-2$ [ ] $b-2$

(3) $2a$ [ ] $2b$　　　　(4) $\dfrac{a}{3}$ [ ] $\dfrac{b}{3}$

(5) $-a$ [ ] $-b$　　　　(6) $-\dfrac{a}{2}$ [ ] $-\dfrac{b}{2}$

풀이 (1) $>$　　(2) $>$　　(3) $>$　　(4) $>$　　(5) $<$　　(6) $<$

부등식의 양변에 같은 음수를 곱하거나 양변을 같은 음수로 나눌 때만 부등호의 방향이 바뀌네.

| 개념 체크 |

3-1 부등식의 성질 (1)

$a < b$일 때, 다음 □ 안에 알맞은 부등호를 써넣으시오.

(1) $a + 5 \ \square \ b + 5$
(2) $a \div (-3) \ \square \ b \div (-3)$
(3) $-3a - 2 \ \square \ -3b - 2$

셀파 $a < b$의 양변에 같은 수를 더하거나 곱하거나 또는 양변에서 같은 수를 빼거나 양변을 같은 수로 나누어 원하는 식을 만들어 본다. 이때 음수를 곱하거나 음수로 나눌 때는 부등호의 방향이 바뀐다.

연구 (1) $a < b$ $\xrightarrow[\text{5를 더한다.}]{\text{양변에}}$ $a + 5 < b + 5$

(2) $a < b$ $\xrightarrow[\text{-3으로 나눈다.}]{\text{양변을}}$ $a \div (-3) \ \square \ b \div (-3)$

(3) $a < b$ $\xrightarrow[\text{-3을 곱한다.}]{\text{양변에}}$ $-3a \ \square \ -3b$

$\xrightarrow[\text{2를 뺀다.}]{\text{양변에서}}$ $-3a - 2 \ \square \ -3b - 2$

4-1 부등식의 성질 (2)

다음 □ 안에 알맞은 부등호를 써넣으시오.

(1) $a - 4 > b - 4$이면 $a \ \square \ b$이다.
(2) $8a \leq 8b$이면 $a \ \square \ b$이다.
(3) $-3a + 2 < -3b + 2$이면 $a \ \square \ b$이다.

셀파 주어진 부등식의 양변에 적당한 수를 더하거나 빼거나 또는 곱하거나 나누어 원하는 식을 만들어 본다.

연구 (1) $a - 4 > b - 4$ $\big)$ 양변에 4를 더한다.
∴ $a > b$

(2) $8a \leq 8b$ $\big)$ 양변을 8로 나눈다.
∴ $a \ \square \ b$

(3) $-3a + 2 < -3b + 2$ $\big)$ 양변에서 2를 뺀다.
$-3a \ \square \ -3b$ $\big)$ 양변을 -3으로 나눈다.
∴ $a \ \square \ b$

| 따라 풀기 |

3-2 $a \geq b$일 때, 다음 □ 안에 알맞은 부등호를 써넣으시오.

(1) $a + 1 \ \square \ b + 1$

(2) $a - 3 \ \square \ b - 3$

(3) $a \div 5 \ \square \ b \div 5$

(4) $-a + 2 \ \square \ -b + 2$

4-2 다음 □ 안에 알맞은 부등호를 써넣으시오.

(1) $a + 5 > b + 5$이면 $a \ \square \ b$이다.

(2) $a - 1 \leq b - 1$이면 $a \ \square \ b$이다.

(3) $-\dfrac{a}{4} > -\dfrac{b}{4}$이면 $a \ \square \ b$이다.

(4) $2a - 1 \leq 2b - 1$이면 $a \ \square \ b$이다.

 요점 콕콕

❶ $a < b$이면 $a + c < b + c$, $a - c < b - c$ ❷ $a < b$, $c > 0$이면 $ac < bc$, $\dfrac{a}{c} < \dfrac{b}{c}$ ❸ $a < b$, $c < 0$이면 $ac > bc$, $\dfrac{a}{c} > \dfrac{b}{c}$

기본 01 부등식

해법코드

부등식: 부등호($>$, $<$, $\geq$, $\leq$)를 사용하여 수 또는 식의 대소 관계를 나타낸 식

다음 중 부등식인 것을 모두 고르면? (정답 2개)

① $2x+3 \geq 7$　　　② $3a-2=7$　　　③ $-6b$

④ $5>3$　　　⑤ $x-(3x+4)$

셀파 부등호 $>$, $<$, $\geq$, $\leq$가 포함되어 있는 식을 찾는다.

풀이 ① $2x+3 \geq 7$ ➡ 부등호 '$\geq$'가 있으므로 부등식이다.

② $3a-2=7$ ➡ 등호 '$=$'가 있으므로 등식이다.

③ $-6b$ ➡ 다항식이다.

④ $5>3$ ➡ 부등호 '$>$'가 있으므로 부등식이다.

⑤ $x-(3x+4)$ ➡ 다항식이다.

따라서 부등식인 것은 ①, ④이다.

확인 01 다음 보기에서 부등식인 것을 모두 고르시오.

┌ 보기 ├

㉠ $x-5$　　㉡ $a+5=7$　　㉢ $0<-3$　　㉣ $\dfrac{2}{3}x-x+2 \leq 10$

» My 셀파

대소 관계가 옳지 않아도 부등호가 있으면 부등식이다.

기본 02 문장을 부등식으로 나타내기

해법코드

주어진 문장을 x에 대한 다항식으로 나타낸 다음, '크다', '작다' 등을 부등호로 표현한다.

x는 a 이상이다. ➡ $x \geq a$

x는 a 이하이다. ➡ $x \leq a$

x는 a보다 크다. ➡ $x>a$

x는 a보다 작다. ➡ $x<a$

다음 문장을 부등식으로 나타내시오.

(1) x를 2배한 수는 7보다 크지 않다.

(2) 600원짜리 볼펜 x자루의 가격은 7000원 이상이다.

셀파 '$\sim$는 (은)'을 기준으로 좌변과 우변을 나누고 부등호를 정한다.

풀이 (1) <u>x를 2배한 수는</u> / 7 / 보다 <u>크지 않다.</u>

　　➡　　$2x$　　$\leq$　　7

　　∴ $2x \leq 7$

(2) <u>600원짜리 볼펜 x자루의 가격은</u> / 7000원 / 이상이다.

　　➡　　　　$600x$　　$\geq$　　7000

　　∴ $600x \geq 7000$

❶ '크지 않다.'는 '작거나 같다.'와 같은 뜻이므로 '$\leq$'를 써서 나타낸다.

확인 02 다음 문장을 부등식으로 나타내시오.

(1) x에서 3을 뺀 수는 5보다 작다.

(2) x원짜리 연필 3자루와 500원짜리 지우개 1개의 가격의 합은 3000원을 넘지 않는다.

» My 셀파

문장의 뜻을 파악하고 적당히 끊어 부등호를 사용하여 나타낸다.

(2) '넘지 않는다.'는 '작거나 같다.'와 같은 뜻이다.

기본 03 **부등식의 해**

x의 값이 0, 1, 2, 3일 때, 부등식 $3-x \leq x-1$의 해를 구하시오.

해법코드

셀파 x의 값을 주어진 부등식에 대입했을 때, 부등식이 참이 되게 하는 x의 값을 모두 찾는다.

풀이 $x=0, 1, 2, 3$을 $3-x \leq x-1$에 각각 대입해 보면

$x=0$일 때, $3-0 \leq 0-1$, 즉 $3 \leq -1$ ∴ 거짓

$x=1$일 때, $3-1 \leq 1-1$, 즉 $2 \leq 0$ ∴ 거짓

$x=2$일 때, $3-2 \leq 2-1$, 즉 $1 \leq 1$ ∴ 참

$x=3$일 때, $3-3 \leq 3-1$, 즉 $0 \leq 2$ ∴ 참

따라서 부등식 $3-x \leq x-1$의 해는 **2, 3**이다.

$x=a$를 부등식에 대입했을 때
- 부등식이 참 ⇨ $x=a$는 부등식의 해이다.
- 부등식이 거짓 ⇨ $x=a$는 부등식의 해가 아니다.

참고

$a \leq b$는 $a < b$와 $a=b$를 함께 나타낸 것이다.
따라서 $a < b$와 $a=b$ 중 어느 하나만 성립해도 부등식 $a \leq b$는 참이다.

확인 03 다음 중 [ ] 안의 수가 부등식의 해인 것은?

① $2x+3 < 0$ [0]

② $3x+4 > 1$ [-1]

③ $-x+5 < 7$ [-2]

④ $x+3 \geq 4-x$ [1]

⑤ $2x+8 \leq 1-x$ [-2]

» My 셀파
주어진 수를 각 부등식의 x에 대입했을 때, 참인 부등식을 찾는다.

기본 04 **부등식의 성질(1)**

$a > b$일 때, 다음 □ 안에 알맞은 부등호를 써넣으시오.

(1) $3a-5$ □ $3b-5$ (2) $3-a$ □ $3-b$ (3) $-\dfrac{a}{3}+2$ □ $-\dfrac{b}{3}+2$

해법코드

셀파 $a > b$에서 부등식의 성질을 이용하여 원하는 식을 만들어 본다.

풀이 (1) $a > b$의 양변에 3을 곱하면 $3a > 3b$

$3a > 3b$의 양변에서 5를 빼면 $3a-5$ $>$ $3b-5$

(2) $a > b$의 양변에 -1을 곱하면 $-a < -b$

$-a < -b$의 양변에 3을 더하면 $3-a$ $<$ $3-b$

(3) $a > b$의 양변을 -3으로 나누면 $-\dfrac{a}{3} < -\dfrac{b}{3}$

$-\dfrac{a}{3} < -\dfrac{b}{3}$의 양변에 2를 더하면 $-\dfrac{a}{3}+2$ $<$ $-\dfrac{b}{3}+2$

$a > b$일 때 다음이 성립한다.
❶ $a+c > b+c$, $a-c > b-c$
❷ $c > 0$이면 $ac > bc$, $\dfrac{a}{c} > \dfrac{b}{c}$
❸ $c < 0$이면 $ac < bc$, $\dfrac{a}{c} < \dfrac{b}{c}$

$a > b$의 양변에 같은 수를 더하거나 곱하거나 또는 양변에서 같은 수를 빼거나 양변을 같은 수로 나누어 원하는 식을 만들어 봐.

음수를 곱하거나 음수로 나눌 때는 부등호의 방향이 바뀌니깐 조심해야 돼.

확인 04 $a \leq b$일 때, 다음 중 옳지 않은 것은?

① $2a+1 \leq 2b+1$

② $5-3a \leq 5-3b$

③ $-2+\dfrac{a}{5} \leq -2+\dfrac{b}{5}$

④ $-\dfrac{a}{4}+1 \geq -\dfrac{b}{4}+1$

⑤ $\dfrac{a-1}{2} \leq \dfrac{b-1}{2}$

» My 셀파
부등식의 양변에 같은 음수를 곱하거나 양변을 같은 음수로 나누면 부등호의 방향이 바뀐다.

해법코드

$-2a+3 \leq -2b+3$일 때, 다음 □ 안에 알맞은 부등호를 써넣으시오.

(1) $3a-2$ □ $3b-2$　　(2) $4-5a$ □ $4-5b$　　(3) $-\dfrac{a}{4}+1$ □ $-\dfrac{b}{4}+1$

부등식의 성질을 이용하여 주어진 부등식을 변형시켜 a, b의 크기를 비교한다.

셀파　$-2a+3 \leq -2b+3$의 양변에서 3을 뺀 다음, 양변을 -2로 나누어서 a, b의 크기를 비교한다.

풀이　$-2a+3 \leq -2b+3$의 양변에서 3을 빼면 $-2a \leq -2b$

　　　　$-2a \leq -2b$의 양변을 -2로 나누면 $a \geq b$

　　　　(1) $a \geq b$의 양변에 3을 곱하면 $3a \geq 3b$

　　　　　　$3a \geq 3b$의 양변에서 2를 빼면 $3a-2$ $\boxed{\geq}$ $3b-2$

　　　　(2) $a \geq b$의 양변에 -5를 곱하면 $-5a \leq -5b$

　　　　　　$-5a \leq -5b$의 양변에 4를 더하면 $4-5a$ $\boxed{\leq}$ $4-5b$

　　　　(3) $a \geq b$의 양변을 -4로 나누면 $-\dfrac{a}{4} \leq -\dfrac{b}{4}$

　　　　　　$-\dfrac{a}{4} \leq -\dfrac{b}{4}$의 양변에 1을 더하면 $-\dfrac{a}{4}+1$ $\boxed{\leq}$ $-\dfrac{b}{4}+1$

» 오답 피하기

양수, 음수 관계없이 부등식의 양변에 같은 수를 더하거나 양변에서 같은 수를 빼어도 부등호의 방향은 바뀌지 않는다.
단, 부등식의 양변에 같은 음수를 곱하거나 양변을 같은 음수로 나누면 부등호의 방향이 바뀐다.

확인 05　$-4a+2 < -4b+2$일 때, 다음 중 옳은 것은?

① $a < b$　　　　② $-3a > -3b$　　　③ $3a-1 > 3b-1$

④ $2-\dfrac{a}{3} > 2-\dfrac{b}{3}$　　⑤ $\dfrac{a}{2} < \dfrac{b}{2}$

» My 셀파

$-4a+2 < -4b+2$의 양변에서 2를 뺀 다음, 양변을 -4로 나누어 a, b의 크기를 비교한다.

해법코드

$-2 < x \leq 3$일 때, 다음 식의 값의 범위를 구하시오.

(1) $2x+3$　　　　　　　　　　　　(2) $-3x+4$

x의 값의 범위가 주어졌을 때,
●$x+$▲의 값의 범위 구하기
① 주어진 부등식의 각 변에 ●를 곱하여 ●x의 값의 범위를 구한다.
② ①의 각 변에 ▲를 더하여 ●$x+$▲의 값의 범위를 구한다.

셀파　주어진 식의 계수를 보고, 부등식의 각 변에 곱해야 하는 수를 찾는다.

풀이　(1) $-2 < x \leq 3$의 각 변에 2를 곱하면 $-4 < 2x \leq 6$

　　　　　각 변에 3을 더하면 $\mathbf{-1 < 2x+3 \leq 9}$

　　　　(2) $-2 < x \leq 3$의 각 변에 -3을 곱하면 $6 > -3x \geq -9$

　　　　　각 변에 4를 더하면 $10 > -3x+4 \geq -5$

　　　　　∴ $\mathbf{-5 \leq -3x+4 < 10}$

❶ 부등호가 2개 이상 쓰이면 보통 작은 것부터 나열한다.

참고　$a < b < c$와 같이 부등호가 두 개 이상 있는 식에서도 부등식의 성질을 이용한다.

확인 06　$-4 \leq x \leq 0$일 때, 다음 식의 값의 범위를 구하시오.

(1) $5x+2$　　　　　　　　　　　(2) $-2x-1$

» My 셀파

(1) $-4 \leq x \leq 0$의 각 변에 5를 곱한 다음, 각 변에 2를 더한다.
(2) $-4 \leq x \leq 0$의 각 변에 -2를 곱한 다음, 각 변에서 1을 뺀다.

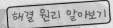

범위가 주어질 때, $x+y$, $x-y$의 값의 범위

Q $-6 \leq x \leq -3$, $5 \leq y \leq 7$일 때, $x+y$의 값의 범위는 어떻게 구할까?

A x, y를 각각의 범위에 있는 정수라 생각하고 $x+y$의 최댓값과 최솟값을 구하면 된다.

x의 값의 범위에 있는 정수는 $-6, -5, -4,$ -3이고, y의 값의 범위에 있는 정수는 $5, 6, 7$ 이므로 $x+y$의 값은 오른쪽 표와 같다.

따라서 $x+y$의 최댓값은 4이고 최솟값은 -1 이므로 $-1 \leq x+y \leq 4$

여기서 $x+y$의 최솟값 -1은 x, y의 값의 범위에서 가장 작은 수인 -6과 5의 합이고, $x+y$의 최댓값 4는 x, y의 값의 범위에서 가장 큰 수인 -3과 7의 합이다.

따라서 $(-6)+5 \leq x+y \leq (-3)+7$

x ＼ y	5	6	7
-6	-1	0	1
-5	0	1	2
-4	1	2	3
-3	2	3	4

$$-6 \quad \leq \quad x \quad \leq \quad -3$$
$$5 \quad \leq \quad y \quad \leq \quad 7$$
$$(-6)+5 \leq x+y \leq (-3)+7$$

○ x, y가 정수가 아닐 때도 성립한다.

Q 그럼 $-6 \leq x \leq -3$, $5 \leq y \leq 7$일 때, $x-y$의 값의 범위는 어떻게 구할까?

A $x-y$를 $x+(-y)$로 생각하여 x와 $-y$의 값의 범위를 각각 구한 다음, 각 변끼리 더하여 $x-y$의 값의 범위를 구하면 된다.

$5 \leq y \leq 7$의 각 변에 -1을 곱하면 $-7 \leq -y \leq -5$

이때 $x+(-y)$의 최솟값은 $x, -y$의 값의 범위에서 가장 작은 수끼리 더한 것이 고, $x+(-y)$의 최댓값은 $x, -y$의 값의 범위에서 가장 큰 수끼리 더한 것이다.

따라서 $(-6)+(-7) \leq x+(-y) \leq (-3)+(-5)$, 즉 $-13 \leq x-y \leq -8$

○ 다음과 같이 표를 이용하면 $x-y$의 값의 범위를 쉽게 구할 수 있다.

x ＼ y	5	6	7
-6	-11	-12	-13
-5	-10	-11	-12
-4	-9	-10	-11
-3	-8	-9	-10

$$-6 \quad \leq \quad x \quad \leq \quad -3$$
$$5 \quad \leq \quad y \quad \leq \quad 7$$
$$(-6)-7 \leq x-y \leq (-3)-5$$
$$\therefore -13 \leq x-y \leq -8$$

보기

$-2 \leq x \leq 1$, $-4 \leq y \leq 3$일 때, 다음 식의 값의 범위를 구하시오.

(1) $x+y$　　　　　　　　　(2) $x-y$

풀이 (1) $(-2)+(-4) \leq x+y \leq 1+3$, 즉 **$-6 \leq x+y \leq 4$**

(2) $-4 \leq y \leq 3$의 각 변에 -1을 곱하면 $-3 \leq -y \leq 4$

이때 $(-2)+(-3) \leq x+(-y) \leq 1+4$이므로

$-5 \leq x+(-y) \leq 5$　　$\therefore$ **$-5 \leq x-y \leq 5$**

● x, y의 값의 각각의 범위에서 최솟값과 최댓값을 각각 찾는다.

Note $a \leq x \leq b$, $c \leq y \leq d$이면 $a+c \leq x+y \leq b+d$, $a-d \leq x-y \leq b-c$

실력 키우기

01 부등식

다음 보기 중 부등식은 모두 몇 개인지 구하시오.

┤ 보기 ├

㉠ $x-3>2x+3$　　㉡ $2x-1+5x-3$
㉢ $x-2>-(2-x)$　㉣ $3x-4=2x+1$

02 문장을 부등식으로 나타내기

다음 중 문장을 부등식으로 나타낸 것으로 옳은 것은?

① x는 1 이상 4 미만이다. ⇨ $1<x<4$

② 어떤 수 a를 2배한 다음 3을 뺀 것은 -5보다 크지 않다.
　　⇨ $2a-3\leq-5$

③ 우리 반 학생 수 x명의 10배는 전체 학생 수 450명보다 작다. ⇨ $10x\leq450$

④ 종호의 10년 후의 나이는 현재 나이 x세의 2배보다 많다.
　　⇨ $x+10>2+x$

⑤ 무게가 1 kg인 바구니에 500 g짜리 귤 x개를 담았을 때, 전체 무게는 5 kg 이상이다. ⇨ $1+500x\geq5$

03 부등식의 해

다음 부등식 중 $x=1$이 해가 아닌 것은?

① $2x>x-1$　　　② $-\dfrac{x}{4}\geq-1$

③ $2(x-2)\leq0$　　④ $3x+1<0$

⑤ $\dfrac{x-1}{5}\geq-1$

04 부등식의 해

다음 중 [ ] 안의 수가 부등식의 해가 아닌 것은?

① $x+1>2$　[5]　　② $x\leq2x$　[0]

③ $2x-x\leq4$　[3]　　④ $-x+3<5$　[-2]

⑤ $3x<x+1$　[-1]

05 부등식의 해

(서술형)

x의 값이 -2, -1, 0, 1, 2일 때, 부등식 $3x-1>2x-2$를 참이 되게 하는 모든 x의 값의 합을 구하시오.

06 부등식의 성질

$a<b$일 때, 다음 중 ☐ 안에 들어갈 부등호의 방향이 나머지 넷과 다른 하나는?

① $a-7$ ☐ $b-7$

② $2a-3$ ☐ $2b-3$

③ $2-(-a)$ ☐ $2-(-b)$

④ $\dfrac{a}{5}$ ☐ $\dfrac{b}{5}$

⑤ $-\dfrac{a}{4}+1$ ☐ $-\dfrac{b}{4}+1$

07 부등식의 성질

부등식 $-3x > 6$을 $x < -2$로 바꿀 때, 이용한 부등식의 성질은?

① $a > b$이면 $a + c > b + c$

② $a > b$이면 $a - c > b - c$

③ $a > b, c > 0$이면 $ac > bc$

④ $a > b, c > 0$이면 $\dfrac{a}{c} > \dfrac{b}{c}$

⑤ $a > b, c < 0$이면 $\dfrac{a}{c} < \dfrac{b}{c}$

08 부등식의 성질

$-3a - 4 < -3b - 4$일 때, 다음 중 옳은 것은?

① $a < b$ ② $-3a > -3b$

③ $5a - 3 > 5b - 3$ ④ $\dfrac{a}{4} < \dfrac{b}{4}$

⑤ $3 - \dfrac{a}{2} > 3 - \dfrac{b}{2}$

09 식의 값의 범위

$1 < x < 3$일 때, $5 - 2x$의 값의 범위를 구하려고 한다. 물음에 답하시오.

(1) 다음 (가), (나)에 알맞은 수를 써넣으시오.

> $1 < x < 3$에서 x를 $5 - 2x$로 바꾸려면
> ① $1 < x < 3$의 각 변에 [(가)]를 곱한다.
> ② ①의 각 변에 [(나)]를 더한다.

(2) $a < 5 - 2x < b$일 때, $b - a$의 값을 구하시오.

10 식의 값의 범위   〔서술형〕

$-1 \leq 2x + 3 < 7$에 대하여 다음 물음에 답하시오.

(1) x의 값의 범위를 구하시오.

(2) (1)에서 구한 x의 값의 범위를 이용하여 $-3x + 4$의 값의 범위를 구하시오.

11 부등식의 성질

$a < b < 0$일 때, 다음 중 옳은 것은?

① $1 - a < 1 - b$ ② $a^2 < ab$

③ $a - b < 0$ ④ $\dfrac{1}{a} < \dfrac{1}{b}$

⑤ $\dfrac{a}{c} < \dfrac{b}{c}$ (단, $c \neq 0$)

12 부등식의 성질   〔창의력〕

아래 그림은 세 수 a, b, c를 수직선 위에 나타낸 것이다. 다음 중 옳지 <u>않은</u> 것은?

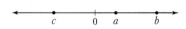

① $a + c < b + c$ ② $c - b > a - b$

③ $ac > bc$ ④ $\dfrac{c}{a} < \dfrac{b}{a}$

⑤ $1 - 3a > 1 - 3b$

6

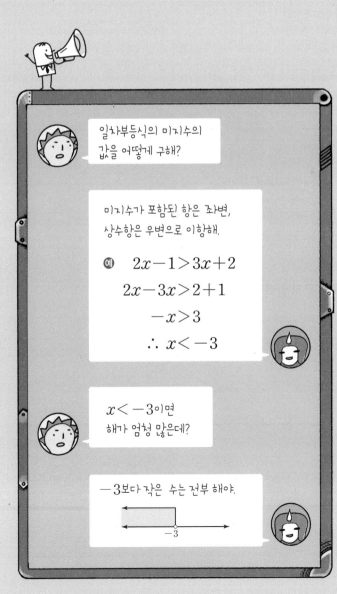

6 일차부등식의 풀이

1 일차부등식

(1) **이항** 부등식의 성질을 이용하여 부등호의 방향을 바꾸지 않고 부등식의 한 변에 있는 항을 □를 바꾸어 다른 변으로 옮기는 것

$$x+4>6$$
$$\text{이항}$$
$$x+4-6>0$$
부호

+■를 이항하면 ⇨ −■
−■를 이항하면 ⇨ +■
이항하면 부호가 바뀐다.

(2) **일차부등식** 부등식의 모든 항을 좌변으로 □하여 정리한 식이

(일차식)>0, (일차식)<0, (일차식)≥0, (일차식)≤0

중 어느 하나의 꼴로 나타낼 수 있는 부등식

이항

예 $2x+1<x+3$ $\xrightarrow[\text{좌변으로 이항한다.}]{\text{우변의 모든 항을}}$ $2x+1-x\square 3<0$ $\xrightarrow[\text{정리한다.}]{\text{좌변을}}$ $x-2<0$ 일차식

즉 $2x+1<x+3$은 (일차식)<0 꼴로 나타낼 수 있으므로 일차부등식이다.

⬜ 이항은 부등식의 성질 중 '양변에 같은 수를 더하거나 양변에서 같은 수를 빼어도 부등호의 방향은 바뀌지 않는다.'를 이용한 것이다.

● 부등식 $x+4>6$의 양변에서 6을 빼면
$x+4-6>6-6$
∴ $x+4-6>0$

ⓑ 차수가 1인 다항식을 말한다.
예 $x+2, 3x-1, -2x+1$
⇨ 일차식이다.
$3, x^2-x, -x^2+2x-1$
⇨ 일차식이 아니다.

보기 다음 부등식이 일차부등식인지 말하시오.

(1) $x-1>2$　　　　　　　(2) $x+1<x+2$

풀이 (1) $x-1>2$ $\xrightarrow[\text{좌변으로 이항한다.}]{\text{우변에 있는 2를}}$ $x-1-2>0$ $\xrightarrow[\text{정리한다.}]{\text{좌변을}}$ $x-3>0$ 일차식

따라서 $x-1>2$는 일차부등식이다.

(2) $x+1<x+2$ $\xrightarrow[\text{좌변으로 이항한다.}]{\text{우변에 있는 x와 2를}}$ $x+1-x-2<0$ $\xrightarrow[\text{정리한다.}]{\text{좌변을}}$ $-1<0$ 일차식이 아니다.

따라서 $x+1<x+2$는 일차부등식이 아니다.

ⓒ **부등식의 성질**
❶ $a<b$이면
$a+c<b+c, a-c<b-c$
❷ $a<b, c>0$이면
$ac<bc, \dfrac{a}{c}<\dfrac{b}{c}$
❸ $a<b, c<0$이면
$ac>bc, \dfrac{a}{c}>\dfrac{b}{c}$

2 부등식의 성질을 이용한 일차부등식의 풀이

(1) 부등식의 □을 이용하여 주어진 부등식을 $x>$(수), $x<$(수), $x\geq$(수), $x\leq$(수) 중 어느 하나로 고쳐서 해를 구한다.

성질

(2) **부등식의 해를 수직선 위에 나타내기**

① $x>a$　② $x<a$　③ $x\square a$　④ $x\leq a$　　$\geq$

ⓓ (ⅰ) 시작점의 표시
・$x\geq a$ 또는 $x\leq a$인 경우 즉 부등호에 등호가 있으면 ⇨ a에 대응하는 점을 ●으로 나타낸다.
・$x>a$ 또는 $x<a$인 경우 즉 부등호에 등호가 없으면 ⇨ a에 대응하는 점을 ○으로 나타낸다.
(ⅱ) 화살표의 방향
・$x>a$ 또는 $x\geq a$인 경우 ⇨ a에서 오른쪽으로 화살표를 그린다.
・$x<a$ 또는 $x\leq a$인 경우 ⇨ a에서 왼쪽으로 화살표를 그린다.

보기 부등식의 성질을 이용하여 일차부등식 $-3x+1>-5$를 풀고, 그 해를 수직선 위에 나타내시오.

풀이 $-3x+1>-5$ 〉양변에서 1을 뺀다.
$-3x>-6$ 〉양변을 -3으로 나눈다.
∴ $x<2$

수직선 위에 나타내기

| 개념 체크 |

1-1 일차부등식

다음 중 일차부등식인 것에는 ○표, 일차부등식이 아닌 것에는 ×표를 ( ) 안에 써넣으시오.

(1) $x+1>2x$ ( )

(2) $-x+2>3-x$ ( )

(3) $x^2+2<x^2-3x$ ( )

셀파 모든 항을 좌변으로 이항하여 정리한 식이
$ax+b>0, ax+b<0, ax+b\geq0, ax+b\leq0(a\neq0)$
꼴이면 일차부등식이다.

연구 (1) 우변에 있는 $2x$를 좌변으로 이항하면 $x+1-2x>0$

   ∴ $-x+1>0$ ⇨ 일차부등식이다.

(2) 우변에 있는 3과 $-x$를 좌변으로 이항하면

   $-x+2-3+x>0$ ∴ □ >0

   ⇨ □

(3) 우변에 있는 x^2과 $-3x$를 좌변으로 이항하면

   $x^2+2-x^2+3x<0$ ∴ □ <0

   ⇨ □

2-1 부등식의 해와 수직선

부등식 $x>3$의 해를 수직선 위에 나타내시오.

셀파 부등호에 등호가 있으면 시작점을 ●으로, 등호가 없으면 ○으로 나타낸다.

연구 ① 수직선 위에 수 □을 나타낸다.

② 부등호에 등호가 없으므로 3에 대응하는 점을 ○으로 나타낸다.

③ 'x는 3보다 크다.'이므로 3에서 □으로 화살표를 그린다.

| 따라 풀기 |

1-2 다음 중 일차부등식인 것에는 ○표, 일차부등식이 아닌 것에는 ×표를 ( ) 안에 써넣으시오.

(1) $x+2<x$ ( )

(2) $2x-5>1-2x$ ( )

(3) $x(x-2)<3$ ( )

(4) $x^2+x\leq x^2-5$ ( )

> (2)에서 주어진 식에 x항이 있다고 무조건 일차부등식이라고 하면 안 돼. 또 (3)에서 x^2항이 있다고 무조건 일차부등식이 아니라고 하면 안 돼.

2-2 다음 부등식의 해를 수직선 위에 나타내시오.

(1) $x>-1$

(2) $x<5$

(3) $x\geq7$

(4) $x\leq-4$

• 모든 항을 좌변으로 이항하여 정리하였을 때, (일차식)>0, (일차식)<0, (일차식)≥0, (일차식)≤0 중 어느 하나의 꼴이면 일차부등식이다. 이때 이항하는 항의 부호가 바뀌고, 부등호의 방향은 바뀌지 않는다.

• **부등식의 해를 수직선 위에 나타내는 방법**

⇨ $x>a$ 또는 $x\geq a$일 때는 a에서 오른쪽으로 화살표를 그리고, $x<a$ 또는 $x\leq a$일 때는 a에서 왼쪽으로 화살표를 그린다.

이때 부등호에 등호가 있으면 시작점을 ●으로, 등호가 없으면 시작점을 ○으로 나타낸다.

6 │ 일차부등식의 풀이

6 일차부등식의 풀이

3 일차부등식의 풀이

1 미지수 x를 포함한 항은 좌변으로, 상수항은 [   ]으로 이항한다.   우변

2 양변을 정리하여

$$ax>b,\ ax<b,\ ax\geq b,\ ax\leq b\ (a\neq 0)$$

중 어느 하나의 꼴로 나타낸다.

3 양변을 x의 계수 [   ]로 나눈다. 이때 a가 음수이면 부등호의 방향이 바뀐다. a

● 이항하여도 부등호의 방향은 바뀌지 않는다.
부등식의 양변에 음수를 곱하거나 양변을 음수로 나눌 때만 부등호의 방향이 바뀐다.

[보기] 일차부등식 $2x-1\geq 3x+2$를 푸시오.

[풀이] 1 x를 포함한 항은 좌변으로, 상수항은 우변으로 이항하면 ⇨ $2x-3x\geq 2+1$

2 양변을 정리하면 ⇨ $-x\geq 3$

3 양변을 x의 계수 -1로 나누면 ⇨ $\dfrac{-x}{-1}\leq\dfrac{3}{-1}$ ∴ $x\leq -3$

4 복잡한 일차부등식의 풀이

(1) 괄호가 있는 일차부등식

분배법칙을 이용하여 괄호를 풀어 정리한 다음, 부등식을 푼다.

예 $3x+2(x-2)\leq 6$의 괄호를 풀면 $3x+2x$ [   ] $4\leq 6$ $-$

(2) 계수가 소수인 일차부등식

양변에 10, 100, 1000, … 중 적당한 수를 곱하여 계수를 [   ]로 바꾸어 푼다.   정수

예 $0.03x-0.1<0.2$의 양변에 [   ]을 곱하면   100

$(0.03x-0.1)\times 100<0.2\times 100$ ⇨ $3x-10<$ [   ]   20

(3) 계수가 분수인 일차부등식

양변에 분모의 [   ]를 곱하여 계수를 정수로 바꾸어 푼다.   최소공배수

예 $\dfrac{1}{2}x+1>\dfrac{1}{4}x$의 양변에 2, 4의 최소공배수 [   ]를 곱하면   4

$\left(\dfrac{1}{2}x+1\right)\times 4>\dfrac{1}{4}x\times 4$ ⇨ $2x+4>$ [   ] x

개념 다시 보기

· 분배법칙

$a\times(b+c)=a\times b+a\times c$

$(a+b)\times c=a\times c+b\times c$

· 최소공배수 두 개 이상의 자연수의 공배수 중 가장 작은 수

● 각 계수의 소수점 아래 자리의 수가 다른 경우에는 소수점 아래 자리의 수가 가장 많은 계수를 기준으로 10의 거듭제곱을 곱해야 일차부등식의 계수가 모두 정수가 된다.

[보기] 일차부등식 $0.5x+2>0.3(x+4)$를 푸시오.

[풀이]

$0.5x+2>0.3(x+4)$

$(0.5x+2)\times 10>0.3(x+4)\times 10$ 〉 양변에 10을 곱한다.

$5x+20>3(x+4)$

$5x+20>3x+12$ 〉 괄호를 푼다.

〉 이항한다.

$5x-3x>12-20$

〉 양변을 정리한다.

$2x>-8$

〉 양변을 x의 계수 2로 나눈다.

∴ $x>-4$

양변에 같은 수를 곱할 때는 모든 항에 빠짐없이 곱해야 해. 괄호를 이용하여 각 변의 모든 항을 묶어 놓고 곱하면 항을 빼먹는 실수를 없앨 수 있어.

| 개념 체크 |

3-1 일차부등식의 풀이

일차부등식 $3x-2<x+4$를 이항을 이용하여 푸시오.

셀파 이항하여 $ax<b$ 꼴로 만든 다음, 해 $x<\dfrac{b}{a}$ 또는 $x>\dfrac{b}{a}$를 구한다.

연구 ① x를 포함한 항은 좌변으로, 상수항은 우변으로 이항하면

$\Rightarrow 3x-x<4+2$

② 양변을 정리하면 $\Rightarrow 2x<\boxed{}$

③ 양변을 x의 계수 2로 나누면 $\Rightarrow x\boxed{}3$

4-1 복잡한 일차부등식의 풀이

다음 일차부등식을 푸시오.

(1) $2(x-1)-3<1$

(2) $0.21x-0.2\geq0.01$

(3) $\dfrac{1}{6}x-\dfrac{2}{3}\geq\dfrac{1}{2}x$

셀파 계수가 소수이면 $\Rightarrow$ 10의 거듭제곱 중 적당한 수를 곱한다.

계수가 분수이면 $\Rightarrow$ 양변에 분모의 최소공배수를 곱한다.

연구 (1) ① 괄호를 푼다. $\Rightarrow 2x-2-3<1$, 즉 $2x-5<1$

② 이항하여 $ax<b$ 꼴로 정리한다.

$\Rightarrow 2x<1+5$, 즉 $2x<\boxed{}$

③ 양변을 x의 계수로 나눈다. $\Rightarrow x<3$

(2) ① 양변에 $\boxed{}$을 곱한다. $\Rightarrow 21x-20\geq1$

② 이항하여 $ax\geq b$ 꼴로 정리한다.

$\Rightarrow 21x\geq1+20$, 즉 $21x\geq21$

③ 양변을 x의 계수로 나눈다. $\Rightarrow x\geq1$

(3) ① 양변에 분모의 최소공배수 $\boxed{}$을 곱한다.

$\Rightarrow x-4\geq3x$

② 이항하여 $ax\geq b$ 꼴로 정리한다.

$\Rightarrow x-3x\geq4$, 즉 $-2x\geq4$

③ 양변을 x의 계수로 나눈다. $\Rightarrow x\boxed{}-2$

| 따라 풀기 |

3-2 다음 일차부등식을 푸시오.

(1) $2x+1>-1$

(2) $2x-3\geq5x+18$

(3) $12-4x\leq x-3$

4-2 다음 일차부등식을 푸시오.

(1) $4(x-3)<2x+6$

(2) $2(x+1)\leq3(2x-5)+7$

(3) $0.2x-0.5>1.5$

(4) $0.05x+1.2>0.07x+2$

(5) $\dfrac{x}{3}+1\geq\dfrac{2}{5}x-\dfrac{3}{5}$

(6) $\dfrac{x+2}{4}<\dfrac{2x-1}{3}$

요점 콕콕 계수가 소수 또는 분수인 일차부등식은 양변에 적당한 수를 곱하여 계수를 정수로 바꾼 다음 부등식을 푼다.

유형 익히기

기본 01 일차부등식

다음 **보기**에서 일차부등식을 모두 고르시오.

⊣ 보기 ⊢
ㄱ $x-3<0$ ㄴ $2x+1\geq2x$ ㄷ $x^2-x\geq0$ ㄹ $x^2+2x>x^2-1$

셀파 부등식의 우변에 있는 항을 좌변으로 이항하여 정리하였을 때, 좌변이 일차식인 것을 찾는다.

풀이 ㄱ $x-3<0$ ⇨ 일차부등식이다.
ㄴ $2x+1\geq2x$에서 $1\geq0$ ⇨ 일차부등식이 아니다.
ㄷ $x^2-x\geq0$ ⇨ 일차부등식이 아니다.
ㄹ $x^2+2x>x^2-1$에서 $2x+1>0$ ⇨ 일차부등식이다.
따라서 일차부등식은 ㄱ, ㄹ이다.

확인 01 다음 중 일차부등식이 <u>아닌</u> 것은?

① $2x+3>x$　　② $\dfrac{x}{2}\geq-x+2$　　③ $2x-5<1+2x$

④ $x^2-4>x^2-3x$　　⑤ $-x+7\geq x+7$

기본 02 부등식의 해를 수직선 위에 나타내기

부등식의 성질을 이용하여 일차부등식 $-\dfrac{1}{5}x+2\geq7$을 풀고, 그 해를 수직선 위에 나타내시오.

셀파 $ax\square b$ 꼴로 정리한 다음, x의 계수 a를 1로 만든다.

풀이
$$-\dfrac{1}{5}x+2\geq7$$
양변에서 2를 뺀다.
$$-\dfrac{1}{5}x+2-2\geq7-2$$
양변을 정리한다.
$$-\dfrac{1}{5}x\geq5$$
양변에 -5를 곱한다.
$$-\dfrac{1}{5}x\times(-5)\leq5\times(-5)$$
$$\therefore x\leq-25$$ 수직선 위에 나타내기

확인 02 부등식의 성질을 이용하여 다음 일차부등식을 풀고, 그 해를 수직선 위에 나타내시오.

(1) $\dfrac{1}{4}x+1\geq5$　　　　(2) $-x-2>3$

다음 일차부등식을 푸시오.

(1) $12-2x>3x-8$　　　　　　　　　(2) $5-2(x+3)\geq-5(x-1)$

셀파　주어진 부등식을 $x>(수)$, $x<(수)$, $x\geq(수)$, $x\leq(수)$ 중 하나로 나타낸다.

풀이　(1) 좌변의 12를 우변으로, 우변의 $3x$를 좌변으로 이항하면

$$-2x-3x>-8-12, \ -5x>-20$$

　　　　양변을 -5로 나누면 $x<\dfrac{-20}{-5}$　　$\therefore \ \boldsymbol{x<4}$

　　(2) $5-2(x+3)\geq-5(x-1)$의 괄호를 풀면

$$5-2x-6\geq-5x+5$$

　　　　우변의 $-5x$를 좌변으로, 좌변의 5와 -6을 우변으로 이항하면

$$-2x+5x\geq5-5+6, \ 3x\geq6$$

　　　　양변을 3으로 나누면 $x\geq\dfrac{6}{3}$　　$\therefore \ \boldsymbol{x\geq2}$

확인 03　다음 일차부등식을 푸시오.

(1) $3x+4\leq x-6$　　　　　　　　　(2) $4x+1>7x-11$

(3) $2(x-3)>x-6$　　　　　　　　　(4) $x+2(x-1)\leq4(x+2)$

---

① 괄호가 있으면 괄호를 푼다.
② $ax>b$, $ax<b$, $ax\geq b$, $ax\leq b$ $(a\neq0)$ 꼴로 만든다.
③ 양변을 x의 계수 a로 나눈다. 이때 $a<0$이면 부등호의 방향이 바뀐다.

● x의 계수가 음수가 되지 않도록 x의 계수가 큰 쪽으로 x항을 이항해도 된다. 즉 $12-2x>3x-8$에서 $12+8>3x+2x, \ 20>5x$ $4>x$　　$\therefore \ x<4$

● 괄호를 풀 때, 괄호 앞의 부호에 주의한다. $-2(x+3)=-2x+6 \ (\times)$ $-2(x+3)=-2x-6 \ (\bigcirc)$

≫ My 셀파

괄호가 있으면 괄호를 먼저 푼 다음, x항은 좌변으로, 상수항은 우변으로 이항하고 정리한다.

다음 일차부등식을 푸시오.

(1) $0.3x-1.4<0.4(x+2.5)$　　　　　(2) $\dfrac{2}{3}x+\dfrac{3}{2}\geq\dfrac{3}{2}x-\dfrac{1}{6}$

셀파　양변에 적당한 수를 곱해 계수를 정수로 바꾼다.

풀이　(1) 양변에 10을 곱하면 $3x-14<4(x+2.5)$

　　　　괄호를 풀면 $3x-14<4x+10, \ -x<24$　　$\therefore \ \boldsymbol{x>-24}$

　　(2) 양변에 분모 3, 2, 6의 최소공배수 6을 곱하면

$$6\left(\dfrac{2}{3}x+\dfrac{3}{2}\right)\geq6\left(\dfrac{3}{2}x-\dfrac{1}{6}\right), \ \text{즉} \ 4x+9\geq9x-1$$

$$-5x\geq-10 \ \ \therefore \ \boldsymbol{x\leq2}$$

확인 04　다음 일차부등식을 푸시오.

(1) $0.03x+0.02\leq1.07$　　　　　　(2) $-0.3(2x-1)>0.2(5-4x)$

(3) $\dfrac{x}{4}-\dfrac{x}{2}-1<4$　　　　　　　(4) $\dfrac{2x+4}{3}+2\geq\dfrac{5x-3}{4}$

---

(1) 계수가 소수이면 양변에 10, 100, 1000, … 중 적당한 수를 곱한다.
(2) 계수가 분수이면 양변에 분모의 최소공배수를 곱한다.

● 분모 3, 2, 6의 최소공배수는
```
3) 3  2  6
2) 1  2  2
   1  1  1
```
$3\times2\times1\times1\times1=6$
따라서 양변에 6을 곱한다.

≫ My 셀파

(1) 양변에 100을 곱한다.
(2) 양변에 10을 곱한다.
(3) 양변에 분모 4, 2의 최소공배수 4를 곱한다.
(4) 양변에 분모 3, 4의 최소공배수 12를 곱한다.

6　**일차부등식의 풀이**

부등식의 해가 주어질 때, 미지수 구하기

해법코드

일차부등식 $2x+a<8$의 해가 $x<9$일 때, 상수 a의 값을 구하시오.

부등식을 $x>(수)$, $x<(수)$, $x\geq(수)$, $x\leq(수)$ 중 어느 하나의 꼴로 나타낸 다음, 주어진 부등식의 해와 비교한다.

셀파 부등식 $2x+a<8$을 $x<(수)$ 꼴로 나타낸 다음, $x<9$와 비교한다.

풀이 ⓐ$2x+a<8$에서 $2x<8-a$ $\therefore x<\dfrac{8-a}{2}$

이때 ⓑ$x<\dfrac{8-a}{2}$와 $x<9$가 같으므로 $\dfrac{8-a}{2}=9$

$8-a=18$ $\therefore a=-10$

ⓐ a는 상수이므로 우변으로 이항한다.

다른 풀이 부등식의 성질을 이용하여 $x<9$를 $2x+a<\boxed{}$로 변형하여 $2x+a<8$과 비교해도 된다.

$x<9$의 양변에 2를 곱하면 $2x<18$

양변에 a를 더하면 $2x+a<18+a$

이때 $2x+a<8$과 $2x+a<18+a$가 같으므로 $8=18+a$

$\therefore a=-10$

ⓑ 좌변과 우변이 각각 같아야 한다. 이때 좌변은 x로 같으므로 우변인 $\dfrac{8-a}{2}$와 9가 서로 같으면 된다.

확인 05 일차부등식 $3x+4+a\leq2(x+3)$의 해가 $x\leq4$일 때, 상수 a의 값을 구하시오.

» My 셀파
$3x+4+a\leq2(x+3)$을 $x\leq(수)$ 꼴로 나타낸 다음, $x\leq4$와 비교한다.

해가 서로 같은 일차부등식

해법코드

두 일차부등식 $3x-2<10$, $x-1>3(x+a)$의 해가 서로 같을 때, 상수 a의 값을 구하시오.

두 부등식 $x<A$, $x<B$가 같으려면 $A=B$이어야 한다.

셀파 두 일차부등식을 각각 풀어 해가 같아지도록 하는 a의 값을 구한다.

풀이 $3x-2<10$에서 $3x<12$ $\therefore x<4$

$x-1>3(x+a)$에서 $x-1>3x+3a$

$-2x>3a+1$ $\therefore x<-\dfrac{3a+1}{2}$

이때 ⓐ$x<4$와 $x<-\dfrac{3a+1}{2}$이 같으므로 $4=-\dfrac{3a+1}{2}$

$-8=3a+1$, $-3a=9$ $\therefore a=-3$

ⓐ 좌변은 이미 x로 같으므로 우변끼리 같으면 된다.

확인 06 두 일차부등식 $3x-7\leq2$, $2x-3\geq3x-2a$의 해가 서로 같을 때, 상수 a의 값을 구하시오.

» My 셀파
두 일차부등식을 각각 풀어 해를 비교한다.

x의 계수가 문자인 일차부등식의 풀이

Q 다음과 같이 x의 계수가 문자인 일차부등식은 어떻게 풀까?

> x에 대한 일차부등식 $ax>b$를 푸시오. (단, a, b는 상수)

ⓐ 주어진 부등식이 x에 대한 일차부등식이므로 $a \neq 0$이다.
따라서 $a>0$ 또는 $a<0$이다.

A x의 계수가 문자라도 x의 계수가 숫자인 일차부등식을 푸는 것이라고 생각하면 된다. 단, 부등식의 양변을 x의 계수로 나누면 a의 부호에 따라 부등호의 방향이 바뀔 수도 있으므로<u>ⓑa가 양수인지 음수인지</u>를 확인해야 한다.

(ⅰ) $a>0$일 때

$ax>b$의 양변을 양수 a로 나누면 $x>\dfrac{b}{a}$

(ⅱ) $a<0$일 때

$ax>b$의 <u>ⓒ양변을 음수 a로 나누면</u> $x<\dfrac{b}{a}$

ⓑ $a<0$이므로 $ax>b$의 양변을 음수인 a로 나누면 부등호의 방향이 바뀌므로 $x<\dfrac{b}{a}$

따라서 x에 대한 일차부등식 $ax>b$의 해는 a의 부호에 따라 다음과 같다.

> ① $a>0$이면 $\Rightarrow$ $x>\dfrac{b}{a}$ ② $a<0$이면 $\Rightarrow$ $x<\dfrac{b}{a}$

주의
양변을 문자로 나눌 때는 문자 앞에 $-$가 없어도 문자 자체의 부호에 주의해야 한다. 예를 들어
$a<0$인 경우 $-a$는 양수이므로 양변을 $-a$로 나누어도 부등호의 방향은 바뀌지 않는다. 하지만 양변을 a로 나눌 때에는 a가 음수이므로 부등호의 방향이 바뀐다.

보기

a의 부호가 다음과 같을 때, 일차부등식 $-ax \leq 3a$의 해를 구하시오.

(1) $a>0$ (2) $a<0$

풀이 (1) $a>0$이므로 $-a<0$

$-ax \leq 3a$의 양변을 $-a$(음수)로 나누면

$x \geq \dfrac{3a}{-a}$ $\therefore x \geq -3$

(2) $a<0$이므로 $-a>0$

$-ax \leq 3a$의 양변을 $-a$(양수)로 나누면

$x \leq \dfrac{3a}{-a}$ $\therefore x \leq -3$

ⓓ x의 계수 $-a$의 부호를 알아본다.
(1) $a>0$이면 $-a<0$
(2) $a<0$이면 $-a>0$

Note 부등식의 양변을 x의 계수 a로 나눌 때, $a>0$이면 부등호의 방향은 바뀌지 않고
$a<0$이면 부등호의 방향이 바뀐다.

발전 07 x의 계수가 문자인 일차부등식

해법코드

$a<2$일 때, x에 대한 일차부등식 $ax-a>2(x-1)$의 해를 구하시오.

주어진 부등식을 $Ax>B$ 꼴로 정리하였을 때

셀파 x의 계수가 문자일 때, 먼저 x의 계수가 양수인지 음수인지 확인한다.

· $A>0$이면 $x>\dfrac{B}{A}$

풀이 $ax-a>2(x-1)$의 괄호를 풀면 $ax-a>2x-2$

· $A<0$이면 $x<\dfrac{B}{A}$

$ax-2x>a-2$, $\overset{\text{⊙}}{(a-2)x>a-2}$

이때 $a<2$이므로 $a-2<0$

⊙ x의 계수인 $a-2$로 양변을 나누어야 하므로 $a-2$의 부호를 알아야 한다.

부등식 $(a-2)x>a-2$의 양변을 음수 $a-2$로 나누면

$x<\dfrac{a-2}{a-2}$ ∴ $\boldsymbol{x<1}$

확인 07

≫ My 셀파

1. $a<0$일 때, x에 대한 일차부등식 $-ax+3>6$의 해를 구하시오.

주어진 부등식을 $Ax>B$ 또는 $Ax<B$ 꼴로 정리하였을 때, x의 계수 A의 부호를 알아본다.

2. $a<1$일 때, x에 대한 일차부등식 $ax+5<x+5a$의 해를 구하시오.

발전 08 자연수인 해의 개수가 주어진 경우

해법코드

x에 대한 일차부등식 $3x-2\geq5x+a$를 만족하는 자연수 x가 3개일 때, 상수 a의 값의 범위를 구하시오.

① 일차부등식의 해 $x\leq k$를 구한다.
② 해의 범위에 자연수가 3개만 포함되도록 수직선 위에 $x\leq k$를 나타낸다.

셀파 주어진 조건을 만족하도록 부등식의 해를 수직선 위에 나타내어 본다.

풀이 $3x-2\geq5x+a$에서 $-2x\geq a+2$ ∴ $x\leq-\dfrac{a+2}{2}$

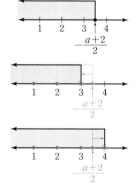

이를 만족하는 자연수 x가 3개이므로 1, 2, 3이 포함되도록 해를 수직선 위에 나타내면 오른쪽 그림과 같다.

⊙ $-\dfrac{a+2}{2}$를 3의 자리와 4의 자리로 이동시켜 보면서 주어진 조건에 맞는지 확인한다.

(ⅰ) $-\dfrac{a+2}{2}=3$일 때, 자연수 x가 1, 2, 3의 3개이므로 3은 포함된다.

(ⅱ) $-\dfrac{a+2}{2}=4$일 때, 자연수 x가 1, 2, 3, 4의 4개이므로 4는 포함되지 않는다.

(ⅰ), (ⅱ)에서 $3\leq\overset{\text{⊙}}{-\dfrac{a+2}{2}}<4$이므로 $\boldsymbol{-10<a\leq-8}$

⊙ 각 변에 -2를 곱하면
$-6\geq a+2>-8$
각 변에서 2를 빼면
$-8\geq a>-10$
∴ $-10<a\leq-8$

확인 08

≫ My 셀파

x에 대한 일차부등식 $9-5x>a$를 만족하는 자연수 x가 4개일 때, 상수 a의 값의 범위를 구하시오.

① 부등식의 해를 구한다.
② 해의 범위에 자연수가 4개만 포함되도록 해를 수직선 위에 나타낸다.

일차부등식의 풀이 순서

1 계수를 정수로 바꾼다.

2 괄호를 푼다.

3 x를 포함하는 항은 좌변으로, 상수항은 우변으로 이항한다.

4 양변을 정리하여 $ax>b$, $ax<b$, $ax\geq b$, $ax\leq b$ $(a\neq 0)$ 중 어느 하나의 꼴로 나타낸다.

5 양변을 x의 계수 a로 나눈다.

$$0.2(x+3)>0.4x-0.2$$
양변에 10을 곱한다.
$$2(x+3)>4x-2$$
괄호를 푼다.
$$2x+6>4x-2$$
이항한다.
$$2x-4x>-2-6$$
양변을 정리한다.
$$-2x>-8$$
양변을 x의 계수 -2로 나눈다.
$$\therefore x<4$$

일차부등식의 풀이

1 다음 일차부등식을 푸시오.

(1) $4x+5\geq 2x+3$

(2) $-3x+1<-x-7$

(3) $-(x-10)\leq 2(x-1)$

(4) $8-2(x+2)\geq 3(x-2)$

계수가 소수인 일차부등식의 풀이

2 다음 일차부등식을 푸시오.

(1) $0.8x+1.5<0.3x-4$

(2) $0.04x-0.3<-0.01x+0.2$

(3) $x\geq 0.3(x+7)$

계수가 분수인 일차부등식의 풀이

3 다음 일차부등식을 푸시오.

(1) $\dfrac{x}{2}<\dfrac{x}{6}+1$

(2) $\dfrac{x-4}{5}\geq \dfrac{x-1}{2}$

(3) $\dfrac{1-2x}{4}\leq \dfrac{3x+4}{2}$

복잡한 일차부등식의 풀이

4 다음 일차부등식을 푸시오.

(1) $0.3(2x+1)-\dfrac{1}{2}<0.4x$

(2) $\dfrac{2+3x}{5}\leq 0.2(7x-6)$

(3) $\dfrac{1}{4}x+0.6>0.2x-\dfrac{1}{5}$

(4) $\dfrac{2x-1}{3}-\dfrac{x+2}{6}\leq x-0.5$

6

일차부등식의 풀이

실력 키우기

01 일차부등식

다음 중 일차부등식인 것은?

① $-1 \leq 1$　　　　② $5x-1 \leq 5x$

③ $x-2 > 5+3x$　　　④ $-x \geq x^2-1$

⑤ $6x^2-2 \geq 3(2x^2-4)$

02 부등식의 성질을 이용한 일차부등식의 풀이

오른쪽은 부등식의 성질을 이용
하여 일차부등식

$-2x+3 < -5$의 해를 구하는

과정이다. (가), (나)에서 이용된 부

등식의 성질을 다음 **보기**에서 고르시오.

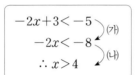

┤ 보기 ├

㉠ $a < b$이면 $a+c < b+c$, $a-c < b-c$이다.

㉡ $a < b$, $c > 0$이면 $ac < bc$, $\dfrac{a}{c} < \dfrac{b}{c}$이다.

㉢ $a < b$, $c < 0$이면 $ac > bc$, $\dfrac{a}{c} > \dfrac{b}{c}$이다.

03 일차부등식의 풀이

다음 부등식 중 해가 나머지 넷과 <u>다른</u> 하나는?

① $-2x > -6$　　　　② $4x-1 < 11$

③ $-3x+7 > -2$　　　④ $-x+3 > -3x+9$

⑤ $2+4x < 5+3x$

04 괄호가 있는 일차부등식의 풀이　　(서술형)

일차부등식 $4-(5+3x) > -2(x-2)$를 만족하는 x에 대
하여 $A=2x+5$일 때, 가장 큰 정수 A의 값을 구하시오.

05 계수가 분수인 일차부등식의 풀이

일차부등식 $\dfrac{x-1}{4} - \dfrac{3+2x}{3} < 1$을 만족하는 x의 값 중 가
장 작은 정수를 구하시오.

06 계수가 소수 또는 분수인 일차부등식의 풀이

일차부등식 $\dfrac{1}{4} - \dfrac{x-1}{2} > x$의 해를 $x < a$라 하고, 일차부등
식 $0.35x-0.4 > 0.2x+0.05$의 해를 $x > b$라 할 때, $2a+b$
의 값을 구하시오.

07 복잡한 일차부등식의 풀이

다음 중 일차부등식 $\dfrac{1}{5}(3x+2) \geq 0.4x+1$의 해를 수직선
위에 바르게 나타낸 것은?

①　　　　②　

③　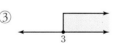　　　④　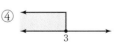

⑤　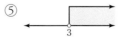

08 부등식의 해가 주어진 경우

x에 대한 일차부등식 $ax-5>4$의 해를 수직선 위에 나타내면 오른쪽 그림과 같다. 이때 상수 a의 값을 구하시오.

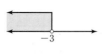

-3

09 해가 서로 같은 일차부등식

두 일차부등식 $x-2<3x+4, 5x+a>-2(1-x)$의 해가 서로 같을 때, 상수 a의 값을 구하시오.

10 x의 계수가 문자인 일차부등식

$a<3$일 때, x에 대한 일차부등식 $3x+a>ax+3$의 해를 구하시오.

11 복잡한 일차부등식의 풀이 [서술형] [융합형]

일차부등식 $0.\dot{4}x-0.\dot{3}x\leq\dfrac{3x-5}{2}$를 푸시오.

12 x의 계수가 문자인 일차부등식 [창의력]

x에 대한 일차부등식 $ax>1$의 해는 $x<\dfrac{1}{a}$이고, x에 대한 일차부등식 $bx<1$의 해는 $x<\dfrac{1}{b}$이다. 이때 x에 대한 일차부등식 $abx\geq1$의 해를 구하시오. (단, $a\neq0, b\neq0$)

13 자연수인 해의 개수가 주어진 경우 [서술형]

x에 대한 일차부등식 $3+3x\leq x-a$를 만족하는 자연수 x가 2개일 때, 다음 물음에 답하시오.

(1) 주어진 일차부등식의 해를 구하시오.

(2) 주어진 조건을 만족하도록 (1)에서 구한 해를 수직선 위에 나타내시오.

(3) 상수 a의 값의 범위를 구하시오.

14 자연수인 해의 개수가 주어진 경우

x에 대한 일차부등식 $3(x+1)-a<-x$를 만족하는 자연수 x가 없을 때, 상수 a의 값의 범위를 구하시오.

7

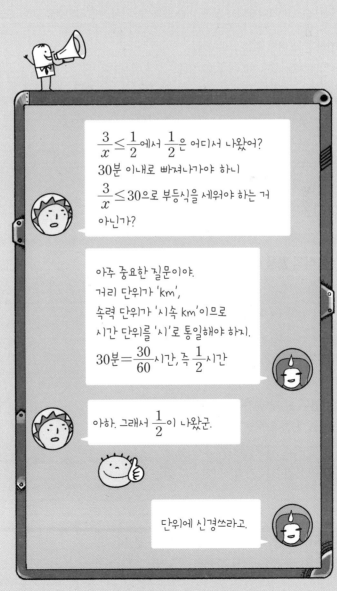

$\dfrac{3}{x} \leq \dfrac{1}{2}$에서 $\dfrac{1}{2}$은 어디서 나왔어? 30분 이내로 빠져나가야 하니 $\dfrac{3}{x} \leq 30$으로 부등식을 세워야 하는 거 아닌가?

아주 중요한 질문이야. 거리 단위가 'km', 속력 단위가 '시속 km'이므로 시간 단위를 '시'로 통일해야 하지. 30분$=\dfrac{30}{60}$시간, 즉 $\dfrac{1}{2}$시간

아하. 그래서 $\dfrac{1}{2}$이 나왔군.

단위에 신경쓰라고.

7 일차부등식의 활용

1 일차부등식의 활용 문제 해결 방법

부등식의 활용 문제는 다음과 같은 순서로 해결한다.

1 미지수 x 정하기 ⇨ 문제의 뜻을 파악하고 무엇을 미지수 x로 놓을지 정한다.

2 부등식 세우기 ⇨ 문제의 뜻에 맞게 x에 대한 ⬚⬚⬚⬚⬚ 을 세운다. ……… 일차부등식

3 부등식 풀기 ⇨ 일차부등식을 푼다.

4 확인하기 ⇨ 구한 해가 문제의 뜻에 맞는지 확인한다.

참고 ① 이상, 이하, 초과, 미만 또는 이에 해당하는 표현을 찾아 부등호를 결정한다.

② 개수, 사람 수, 횟수, 나이 등을 x로 놓았을 때, x의 값은 ⬚⬚⬚ 이어야 한다. ……… 자연수

보기 어떤 수의 2배에 5를 더한 수는 20보다 크다고 할 때, 이를 만족하는 가장 작은 자연수를 구하시오.
　　　　　　　　　　①　　　　　　②

풀이 1 미지수 x 정하기 ⇨ 어떤 수를 x라 하자.

2 부등식 세우기 ⇨ $2x+5>20$ ← ①>②

3 부등식 풀기 ⇨ $2x>15$　∴ $x>\dfrac{15}{2}=7.5$

따라서 이를 만족하는 자연수 x는 8, 9, 10, …이므로

이 중 가장 작은 자연수는 8이다.

4 확인하기 ⇨ 어떤 수가 8이면 $2\times8+5=21>20$이고,

어떤 수가 7이면 $2\times7+5=19<20$이므로

가장 작은 자연수 8은 문제의 뜻에 맞다.

2 여러 가지 일차부등식의 활용 문제

(1) 수에 대한 문제

① 연속하는 두 정수 ⇨ $x, x+1$ (또는 $x-1, x$)

② 연속하는 세 정수 ⇨ $x-1, x, x+1$ (또는 $x, x+1, x+2$)

③ 연속하는 두 홀수(짝수) ⇨ $x, x+\boxed{}$ (또는 $x-2, x$) ……… 2

(2) 최대 개수에 대한 문제

① (물건의 총 가격)=(물건 한 개당 가격)×(물건의 ⬚⬚⬚) ……… 개수

② 가격이 다른 두 물건 A, B를 합하여 n개 사는 경우

⇨ 구하려는 물건의 개수: x, 다른 물건의 개수: $n-\boxed{}$ ……… x

(물건 A의 가격)+(물건 B의 가격)≤(가지고 있는 금액)

(3) 예금액에 대한 문제

① (총 예금액)=(⬚⬚⬚ 예금액)+(매달 예금액)×(개월 수) ……… 현재

② x개월 후부터 A의 예금액이 B의 예금액보다 많아지는 경우

⇨ (x개월 후 A의 예금액) ⬚⬚ (x개월 후 B의 예금액) ……… >

Q 활용 문제의 뜻을 파악할 때는 어떤 내용을 고려해야 할까?

A ① 구하려는 것이 무엇인지?
② 알고 있는 수량이 무엇인지?
③ 구하려는 것과 알고 있는 수량 사이에는 어떤 부등식이 성립하는지?

를 고려하는 것이 중요하다.

부등식을 세울 때
① 부등호의 방향
② 등호를 포함해야 하는지
등을 확인해야 해.

보통 구하려는 것을 미지수 x로 놓는다.

부등식을 풀어 구한 해를 문제의 상황에 대입하여 식이 성립하는지 확인한다.

| 개념 체크 |

1-1 여러 가지 일차부등식의 활용 문제 (1)

연속하는 두 정수의 합이 35보다 작을 때, 이와 같은 수 중에서 가장 큰 두 정수를 구하시오.

셀파 연속하는 두 정수를 x, $x+1$로 놓는다.

연구
① 미지수 x 정하기 ⇨ 두 정수 중 작은 수를 x라 하면
큰 수는 [　　]이다.
② 부등식 세우기 ⇨ 두 정수의 합이 35보다 작으므로
$x + ($ [　　] $) < 35$
③ 부등식 풀기 ⇨ $2x +$ [　] < 35 ∴ $x < 17$
따라서 x의 값 중 가장 큰 정수는 16이므로 구하는 두 정수는 16, 17이다.

2-1 여러 가지 일차부등식의 활용 문제 (2)

한 개에 300원인 사탕과 한 개에 1000원인 과자를 합하여 10개를 사려고 한다. 전체 가격이 6500원 이하가 되게 하려면 과자를 최대 몇 개까지 살 수 있는지 구하시오.

셀파 구하려는 물건의 개수를 x로 놓고, 부등식을 세운다.

연구 과자를 x개 산다고 하면

	사탕	과자
개수	$10 - x$	x
금액(원)	[　　　]	$1000x$

이때 전체 가격이 6500원 이하이어야 하므로
[　　　　] $+ 1000x \leq 6500$
부등식을 풀면 [　　　]
따라서 과자를 최대 [　] 개까지 살 수 있다.

| 따라 풀기 |

1-2 연속하는 두 정수가 있다. 작은 수에 2배를 하여 5를 더한 것이 큰 수의 3배보다 작을 때, 이와 같은 수 중에서 가장 작은 두 정수를 구하려고 한다. 다음 물음에 답하시오.

(1) 두 정수 중 작은 수를 x로 놓고, 부등식을 세우시오.

(2) (1)에서 세운 부등식을 푸시오.

(3) 문제의 뜻에 맞는 답을 구하시오.

2-2 한 권에 500원인 공책과 한 권에 300원인 공책을 합하여 12권을 사려고 한다. 전체 가격이 5000원 이하가 되게 하려고 할 때, 다음 물음에 답하시오.

(1) 한 권에 500원인 공책을 x권 산다고 할 때, 아래 표를 완성하시오.

	한 권에 500원인 공책	한 권에 300원인 공책
권수	x	
금액(원)	$500x$	

(2) 부등식을 세우시오.

(3) (2)에서 세운 부등식을 푸시오.

(4) 한 권에 500원인 공책은 최대 몇 권까지 살 수 있는지 구하시오.

 일차부등식의 활용 문제 해결 방법
① 미지수 x 정하기 ⇨ ② 부등식 세우기 ⇨ ③ 부등식 풀기 ⇨ ④ 확인하기

7 일차부등식의 활용

3 거리, 속력, 시간에 대한 문제

① (거리) = (속력) × (시간) ② (속력) = $\dfrac{(거리)}{(시간)}$ ③ (시간) = $\dfrac{(거리)}{(속력)}$

예 시속 2 km로 x km 이동했을 때 걸린 시간 ⇨ ☐ 시간 $\dfrac{x}{2}$
   (속력)   (거리)

주의
거리, 속력, 시간에 대한 식을 세울 때 단위는 반드시 통일시킨다.
〈속력〉   〈시간〉   〈거리〉
시속 km ⇨ 시 ⇨ km
분속 m ⇨ 분 ⇨ m
초속 m ⇨ 초 ⇨ m

보기 다음 문장을 부등식으로 나타내시오.

> 총 거리가 x km인 공원을 산책하는데 갈 때는 시속 2 km, 올 때는 시속 3 km로 걸어서 2시간 이내에 산책을 마쳤다.

풀이 x km인 거리를 시속 2 km로 걸었으므로 갈 때 걸린 시간은 $\dfrac{x}{2}$

x km인 거리를 시속 3 km로 걸었으므로 올 때 걸린 시간은 $\dfrac{x}{3}$

따라서 (갈 때 걸린 시간) + (올 때 걸린 시간) ≤ (총 걸린 시간)이므로

$$\dfrac{x}{2} + \dfrac{x}{3} \leq 2$$

⊙ 양변에 6을 곱하면
$3x + 2x \leq 12$
$5x \leq 12$ ∴ $x \leq \dfrac{12}{5}$

4 농도에 대한 문제

① (소금물의 농도) = $\dfrac{(소금의\ 양)}{(소금물의\ 양)} \times 100\ (\%)$

② (소금의 양) = $\dfrac{(소금물의\ 농도)}{100} \times (\boxed{}의\ 양)$ 소금물

예 5 %의 소금물 200 g에 들어 있는 소금의 양 ⇨ $\dfrac{5}{100} \times \boxed{} = 10\ (g)$ 200

참고 소금물에 물을 더 넣거나 증발시켜도 소금물에 녹아 있는 소금의 양은 변하지 않는다.

⊙ 농도는 용액이 얼마나 진하고 묽은지를 나타내는 값이다.

● (소금물의 양) > (소금의 양)이므로 농도는 항상 0과 1 사이의 값이지만 단위를 퍼센트(%)로 나타내므로 농도를 구할 때는 반드시 100을 곱한다.

⊙ 소금물의 농도를 구하는 공식에서 얻을 수 있다.

보기 다음 문장을 부등식으로 나타내시오.

> 10 %의 소금물 400 g과 4 %의 소금물 x g을 섞어서 6 % 이하의 소금물을 만들었다.

풀이

10 % 400 g   +   4 % x g   ≤   6 % (400+x) g

$$\dfrac{10}{100} \times 400 + \dfrac{4}{100} \times x \leq \dfrac{6}{100} \times (400+x)$$

⊙ 양변에 100을 곱하면
$4000 + 4x \leq 2400 + 6x$
$-2x \leq -1600$
∴ $x \geq 800$

개념 익히기

| 개념 체크 |

3-1 거리, 속력, 시간에 대한 문제

산책을 가는데 갈 때는 분속 80 m, 올 때는 같은 길을 분속 60 m로 걸어서 35분 이내에 산책을 마치려고 한다. 이때 최대 몇 m 떨어진 지점까지 갔다 올 수 있는지 구하시오.

셀파 (갈 때 걸린 시간)+(올 때 걸린 시간)≤(35분)

연구 x m 떨어진 지점까지 갔다 온다고 하면

	갈 때	올 때
거리	x m	x m
속력	분속 80 m	분속 60 m
걸린 시간	$\dfrac{x}{80}$ 분	분

이때 걸린 시간이 35분 이내이어야 하므로 $\dfrac{x}{80}+\dfrac{x}{60}$ ☐ 35

부등식을 풀면 ☐

따라서 최대 ☐ m 떨어진 지점까지 갔다 올 수 있다.

4-1 농도에 대한 문제

20 %의 소금물 100 g에 물을 더 넣어 10 % 이하의 소금물을 만들려고 한다. 이때 몇 g 이상의 물을 더 넣어야 하는지 구하시오.

셀파 소금물의 농도에 대한 부등식을 세운다.

연구 더 넣는 물의 양을 x g이라 하면

	소금물의 양 (g)	소금의 양 (g)
물을 넣기 전	100	20
물을 넣은 후	100+x	☐

이때 물을 더 넣은 후 소금물의 농도가 10 % 이하이어야 하므로 $\dfrac{☐}{100+x}\times100\le10$

부등식을 풀면 ☐

따라서 ☐ g 이상의 물을 더 넣어야 한다.

| 따라 풀기 |

3-2 등산을 하는데 올라갈 때는 시속 2 km로 걷고, 내려올 때는 올라갈 때보다 3 km 더 먼 길을 택하여 시속 4 km로 걸어서 총 걸리는 시간을 3시간 이내로 하려고 한다. 다음 물음에 답하시오.

(1) 올라갈 때의 거리를 x km로 놓고 다음 표를 완성하시오.

	올라갈 때	내려올 때
거리	x km	
속력	시속 2 km	시속 4 km
걸린 시간	$\dfrac{x}{2}$ 시간	

(2) 부등식을 세우시오.

(3) 올라갈 수 있는 거리는 최대 몇 km인지 구하시오.

4-2 6 %의 소금물 600 g에서 물을 증발시켜 9 % 이상의 소금물을 만들려고 한다. 다음 물음에 답하시오.

(1) 증발시켜야 하는 물의 양을 x g으로 놓고 다음 표를 완성하시오.

	소금물의 양 (g)	소금의 양 (g)
증발시키기 전	600	
증발시킨 후	600−x	

(2) 부등식을 세우시오.

(3) 증발시켜야 하는 물의 양은 몇 g 이상인지 구하시오.

요점 콕콕
- 거리, 속력, 시간에 대한 문제 ⇨ 총 걸린 시간이 k시간 이내일 때, $\left\{\dfrac{(거리)}{(속력)}의 합\right\}\le k$
- 농도에 대한 문제 ⇨ 물을 더 넣거나 증발시키는 경우에는 소금의 양은 변하지 않으므로 농도에 대한 식을 이용한다.

7 일차부등식의 활용

기본 01 수에 대한 문제

연속하는 세 자연수의 합이 45보다 작다고 할 때, 이와 같은 수 중에서 가장 큰 세 자연수를 구하시오.

해법코드

셀파 (연속하는 세 자연수의 합)<45

풀이 연속하는 세 자연수를 $x-1$, x, $x+1$이라 하면

$(x-1)+x+(x+1)<45$

$3x<45$ $\therefore x<15$

따라서 x의 값 중 가장 큰 자연수는 14이므로

구하는 세 자연수는 **13, 14, 15**이다.

참고 연속하는 자연수는 1씩 차이가 난다. 따라서 연속하는 세 자연수 중에서 가운데 수를 x라 하면 앞에 있는 수는 $x-1$이고, 뒤에 있는 수는 $x+1$이다.

① 연속하는 세 자연수
  ⇨ 세 자연수를 $x-1$, x, $x+1$로 놓는다.
② 연속하는 세 짝수(홀수)
  ⇨ 세 짝수(홀수)를 $x-2$, x, $x+2$로 놓는다.

확인 01 연속하는 세 짝수의 합이 72보다 크다고 한다. 이와 같은 세 짝수 중 가장 작은 자연수를 x라 할 때, x의 값이 될 수 있는 가장 작은 수를 구하시오.

» My 셀파
연속하는 세 짝수를 x, $x+2$, $x+4$로 놓고, 부등식을 세운다.

기본 02 도형에 대한 문제

세로의 길이가 5 cm인 직사각형의 둘레의 길이가 24 cm 이하일 때, 직사각형의 가로의 길이의 최댓값을 구하시오.

해법코드

(직사각형의 둘레의 길이)
$=2\times\{(가로의 길이)+(세로의 길이)\}$

셀파 (직사각형의 둘레의 길이)≤24임을 이용하여 부등식을 세운다.

풀이 가로의 길이를 x cm라 하면

(직사각형의 둘레의 길이)$=2(x+5)$ (cm)

이때 $2(x+5)\leq24$, $2x+10\leq24$

$2x\leq14$ $\therefore x\leq7$

따라서 직사각형의 가로의 길이의 최댓값은 **7 cm**이다.

➊ 괄호를 풀지 않고 양변을 2로 나누어도 된다. 즉
$x+5\leq12$ $\therefore x\leq7$

확인 02 오른쪽 그림과 같이 윗변의 길이가 4 cm이고, 높이가 6 cm인 사다리꼴이 있다. 이 사다리꼴의 넓이가 48 cm² 이상일 때, 아랫변의 길이는 몇 cm 이상인지 구하시오.

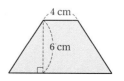

» My 셀파
(사다리꼴의 넓이)
$=\dfrac{1}{2}\times\{(윗변의 길이)+(아랫변의 길이)\}\times(높이)$

현재 형의 통장에는 4000원, 동생의 통장에는 12000원이 예금되어 있다. 다음 달부터 형은 매달 5000원씩, 동생은 매달 3000원씩 예금한다고 할 때, 형의 예금액이 동생의 예금액보다 많아지는 것은 몇 개월 후부터인지 구하시오.

현재 예금액이 a원이고, 매달 b원씩 예금할 때, x개월 후의 예금액
⇨ $(a+bx)$ 원

셀파 (x개월 후의 형의 예금액)>(x개월 후의 동생의 예금액)

풀이 x개월 후부터 형의 예금액이 동생의 예금액보다 **많아진다**고 하면
x개월 후의 형의 예금액은 $(4000+5000x)$원,
동생의 예금액은 $(12000+3000x)$원이므로
$$4000+5000x>12000+3000x$$
$$2000x>8000 \qquad \therefore x>4$$
따라서 형의 예금액이 동생의 예금액보다 많아지는 것은 **5개월** 후부터이다.

🅐 많아진다는 것은 커진다는 뜻이므로 '>'로 나타낸다.
즉 등호는 포함되지 않는다.

🅑 개월 수는 자연수이므로 $x>4$를 만족하는 x의 값 중 가장 작은 자연수는 5이다.

확인 03 현재 아라의 통장에는 300000원, 민아의 통장에는 100000원이 예금되어 있다. 다음 달부터 아라는 매달 30000원씩, 민아는 매달 20000원씩 예금한다고 할 때, 아라의 예금액이 민아의 예금액의 2배보다 적어지는 것은 몇 개월 후부터인지 구하시오.

» My 셀파
x개월 후부터 아라의 예금액이 민아의 예금액의 2배보다 적어진다고 하고 부등식을 세운다.

7 일차부등식의 활용

기본 **04** 최대 개수에 대한 문제 해법코드

민정이는 인터넷 쇼핑몰에서 샤프와 볼펜을 합하여 12자루를 사려고 한다. 샤프 1자루의 가격은 1000원, 볼펜 1자루의 가격은 800원이고 배송료가 2500원일 때, 전체 가격이 13000원 이하가 되게 하려면 샤프는 최대 몇 자루까지 살 수 있는지 구하시오.

A, B의 개수의 합이 n
⇨ (A의 개수)=x라 하면
(B의 개수)=$n-x$

셀파 (전체 가격)=(샤프 가격)+(볼펜 가격)+(배송료)

풀이 샤프를 x자루 산다고 하면 볼펜은 $(12-x)$자루 살 수 있다.
이때 샤프 가격은 $1000x$원, 볼펜 가격은 $800(12-x)$원, 배송료는 2500원이고
전체 가격이 13000원 이하이어야 하므로
$$1000x+800(12-x)+2500\le13000$$
$$1000x+9600-800x+2500\le13000$$
$$200x\le900 \qquad \therefore x\le\frac{9}{2}=4.5$$
따라서 샤프는 최대 **4자루**까지 살 수 있다.

🅐 전체 가격에 배송료가 포함된다.

🅑 물건의 개수는 자연수이어야 하므로 $x\le4.5$를 만족하는 x의 값 중 가장 큰 자연수는 4이다.

확인 04 한 송이에 600원 하는 장미와 한 송이에 1000원 하는 카네이션 2송이를 사서 꽃다발을 만들려고 한다. 포장비가 1500원일 때, 전체 비용이 8000원 이하가 되게 하려면 장미는 최대 몇 송이까지 살 수 있는지 구하시오.

» My 셀파
장미를 x송이 산다고 하고, 부등식을 세운다.

어느 택배 회사에서는 물건을 보낼 때 무게 20 kg까지는 기본요금 2500원이고, 20 kg을 넘으면 1 kg당 300원의 추가 요금이 부과된다고 한다. 택배 요금이 4000원을 넘지 않게 하려면 물건을 최대 몇 kg까지 보낼 수 있는지 구하시오.

기본요금 a원 외에 추가되는 1개당 가격이 b원일 때, x개를 추가한다고 하면
① (전체 요금)$=a+bx$(원)
② (기본요금)+(추가 요금)
　☐(이용 가능 금액)
↳ 문제의 뜻에 맞게 부등호를 넣는다.

(넘지 않는다.)
=(작거나 같다.)
=(이하이다.)

셀파 (기본요금)+(추가 요금)≤4000

풀이 물건의 무게를 x kg($x>20$)이라 하면 추가 요금은 $300(x-20)$원

이때 총 택배 요금은 $\{2500+300(x-20)\}$원이고,

택배 요금이 4000원을 넘지 않아야 하므로

$2500+300(x-20)\le4000$

$2500+300x-6000\le4000,\ 300x\le7500$

∴ $x\le25$

따라서 물건을 최대 **25 kg**까지 보낼 수 있다.

확인 05 사진을 5장 인화하는 데 드는 비용은 6000원이고, 5장을 넘으면 한 장에 500원씩 추가된다고 한다. 10000원으로 인화할 수 있는 사진은 최대 몇 장인지 구하시오.

» My 셀파
사진을 x($x>5$)장 인화하면
$(x-5)$장은 추가 요금을 내야 한다.

집 앞 편의점에서 한 개에 1000원인 아이스크림이 대형 마트에서는 600원이라 한다. 대형 마트를 다녀오려면 왕복 교통비가 2000원이 든다고 할 때, 아이스크림을 몇 개 이상 사는 경우 대형 마트에서 사는 것이 유리한지 구하시오.

가격 또는 비용이 적은 쪽이 유리한 방법이다.
이때 전체 가격에는 교통비 또는 배송료, 포장비 등도 포함하여 생각한다.

셀파 (집 앞 편의점에서 산 아이스크림 가격)>(대형 마트에서 산 아이스크림 가격)+(왕복 교통비)

풀이 아이스크림을 x개 산다고 하면

집 앞 편의점에서는 $1000x$원이 들고,

대형 마트에서는 왕복 교통비를 포함하여 $(600x+2000)$원이 든다.

이때 대형 마트에서 사는 것이 유리해야 하므로

$1000x>600x+2000$

$400x>2000$　∴ $x>5$

따라서 아이스크림을 **6개** 이상 사는 경우 대형 마트에서 사는 것이 유리하다.

확인 06 집 앞 가게에서 한 봉지에 1200원인 과자가 할인 매장에서는 한 봉지에 800원이라 한다. 할인 매장에 다녀오려면 왕복 교통비가 1500원이 든다고 할 때, 과자를 몇 봉지 이상 사는 경우 할인 매장에서 사는 것이 유리한지 구하시오.

» My 셀파
과자를 x봉지 산다고 할 때, 집 앞 가게와 할인 매장에서 드는 비용을 각각 구하여 부등식을 세운다.

기본 07 유리한 방법을 선택하는 문제 (2)

어느 놀이공원의 입장료는 1인당 5000원이고, 30명 이상의 단체인 경우에는 입장료의 30 %를 할인해 준다고 한다. 30명 미만인 단체가 이 놀이공원에 입장할 때, 몇 명 이상이면 30명의 단체 입장권을 사는 것이 유리한지 구하시오.

전체 인원 수를 x명이라 하고 a명 이상에게 단체 입장권을 적용하는 경우
⇨ (x명의 입장료)
  >(a명의 단체 입장료)
(단, $x<a$)

셀파 (x명의 입장료)>(30명의 단체 입장료)

풀이 1인당 입장료가 5000원이므로 x명이 입장할 때 입장료는 $5000x$원

30 %를 할인한 30명의 단체 입장료는 $5000 \times \left(1-\dfrac{30}{100}\right) \times 30 = 105000$(원)

이때 x명의 입장료가 30명의 단체 입장료보다 많아야 하므로

$5000x > 105000$ ∴ $x > 21$

따라서 **22명** 이상이면 30명의 단체 입장권을 사는 것이 유리하다.

● 입장료 5000원에서 30 %를 할인한 가격이다.

확인 07 A랜드의 입장료는 1인당 12000원이고, 20명 이상의 단체인 경우에는 입장료의 20 %를 할인해 준다고 한다. 20명 미만인 단체가 A랜드에 입장할 때, 몇 명 이상이면 20명의 단체 입장권을 사는 것이 유리한지 구하시오.

기본 08 정가, 원가에 대한 문제

원가가 6000원인 물건을 정가에서 20 % 할인하여 팔아서 원가의 30 % 이상의 이익을 얻으려고 한다. 이때 정가는 얼마 이상으로 정해야 하는지 구하시오.

① 원가가 a원인 상품에 b %의 이익을 붙인 가격
⇨ $\left(a+a \times \dfrac{b}{100}\right)$원
즉 $a\left(1+\dfrac{b}{100}\right)$원
② 정가가 x원인 상품을 k % 할인한 가격
⇨ $\left(x-x \times \dfrac{k}{100}\right)$원
즉 $x\left(1-\dfrac{k}{100}\right)$원

셀파 (이익)=(판매 가격)−(원가)

풀이 정가를 x원이라 하면 판매 가격은 정가에서 20 % 할인한 가격이므로

$x\left(1-\dfrac{20}{100}\right)=\dfrac{4}{5}x$(원)

원가 6000원의 30 %에 해당하는 이익은 $6000 \times \dfrac{30}{100}=1800$(원)

이때 (이익)=(판매 가격)−(원가)이고, 원가의 30 % 이상의 이익을 얻어야 하므로

$\dfrac{4}{5}x-6000 \geq 1800$

$\dfrac{4}{5}x \geq 7800$ ∴ $x \geq 9750$

따라서 정가는 **9750원** 이상으로 정해야 한다.

확인 08 원가가 4200원인 물건을 정가에서 30 % 할인하여 팔아서 원가의 20 % 이상의 이익을 얻으려고 한다. 이때 정가는 얼마 이상으로 정해야 하는지 구하시오.

기본 09 **거리, 속력, 시간에 대한 문제 - 도중에 속력을 바꾸는 경우**

집에서 10 km 떨어진 할머니 댁까지 자전거를 타고 가는데 처음에는 시속 8 km로 달리다가 도중에 시속 6 km로 달려서 1시간 30분 이내에 도착하였다. 이때 시속 8 km로 달린 거리는 몇 km 이상인지 구하시오.

셀파 (시속 8 km로 갈 때 걸린 시간)+(시속 6 km로 갈 때 걸린 시간)≤(1시간 30분)

풀이 시속 8 km로 달린 거리를 x km라 하면 시속 6 km로 달린 거리는 $(10-x)$ km이다.

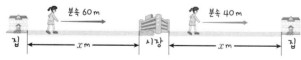

(시속 8 km로 달린 시간)$=\dfrac{x}{8}$(시간), (시속 6 km로 달린 시간)$=\dfrac{10-x}{6}$(시간)

이때 **①** 1시간 30분 이내에 도착하므로 $\dfrac{x}{8}+\dfrac{10-x}{6}\leq\dfrac{3}{2}$ ∴ $x\geq4$

따라서 시속 8 km로 달린 거리는 **4 km** 이상이다.

① (1시간 30분)
$=1\dfrac{30}{60}$(시간)$=1\dfrac{1}{2}$(시간)
$=\dfrac{3}{2}$(시간)

② 양변에 24를 곱하면
$3x+4(10-x)\leq36$
$3x+40-4x\leq36$
$-x\leq-4$
∴ $x\geq4$

확인 09 두 지점 A, B 사이의 거리는 440 km이다. 자동차로 A지점을 출발하여 시속 80 km로 달리다가 도중에 시속 100 km로 달려 5시간 이내에 B지점에 도착하였다. 시속 80 km로 달린 거리는 몇 km 이하인지 구하시오.

» My 셀파
(시속 80 km로 달린 시간)
+(시속 100 km로 달린 시간)
≤(5시간)

기본 10 **거리, 속력, 시간에 대한 문제 - 왕복하는 경우**

세미가 집에서 시장까지 갔다오는데 갈 때는 분속 60 m로 걷고, 돌아올 때는 분속 40 m로 걸었다. 재료를 사는 데 걸린 시간 5분을 포함하여 집으로 돌아오는 데 총 20분을 넘기지 않았다면 집에서 시장까지의 거리는 최대 몇 m인지 구하시오.

셀파 (시장까지 가는 데 걸린 시간)+(재료를 사는 데 걸린 시간)+(집까지 오는 데 걸린 시간)≤(20분)

풀이 집에서 시장까지의 거리를 x m라 하면

(갈 때 걸린 시간)$=\dfrac{x}{60}$(분), (올 때 걸린 시간)$=\dfrac{x}{40}$(분)

이때 재료를 사는 데 걸린 시간이 5분이므로 **①** $\dfrac{x}{60}+5+\dfrac{x}{40}\leq20$ ∴ $x\leq360$

따라서 집에서 시장까지의 거리는 최대 **360 m**이다.

① 양변에 120을 곱하면
$2x+600+3x\leq2400$
$5x\leq1800$
∴ $x\leq360$

확인 10 준영이는 영화관에서 영화 시작 전까지 1시간의 여유가 있어서 이 시간 동안 상점에서 물건을 사 오려고 한다. 물건을 사는 데 12분이 걸리고 시속 5 km로 걸을 때, 영화관에서 최대 몇 km 이내에 있는 상점을 다녀올 수 있는지 구하시오.

» My 셀파
(상점까지 가는 데 걸린 시간)+
(물건을 사는 데 걸린 시간)+
(영화관까지 오는 데 걸린 시간)
≤(1시간)

기본 11 농도에 대한 문제 – 물을 더 넣거나 증발시키는 경우

8 %의 소금물 300 g에 물을 더 넣어 6 % 이하의 소금물을 만들려고 한다. 이때 더 넣어야 하는 물의 양은 몇 g 이상인지 구하시오.

물을 x g 더 넣는다고 하고, 소금물의 농도에 대한 부등식을 세운다.

셀파 8 %의 소금물에 들어 있는 소금의 양과 물을 더 넣은 후의 소금의 양은 같다.

풀이 8 %의 소금물 300 g에 들어 있는 소금의 양은 $\dfrac{8}{100} \times 300 = 24$ (g)

물을 x g 더 넣는다고 하면

소금물의 양은 $(300+x)$ g이고 소금의 양은 24 g이므로

$$\dfrac{24}{300+x} \times 100 \leq 6$$

$$2400 \leq 6(300+x),\ 2400 \leq 1800 + 6x$$

$$-6x \leq -600 \qquad \therefore x \geq 100$$

따라서 더 넣어야 하는 물의 양은 **100 g** 이상이다.

🅐 (소금의 양)
$= \dfrac{(소금물의 농도)}{100} \times (소금물의 양)$

🅑 물만 더 넣었으므로 소금의 양은 변함이 없다.

확인 11 3 %의 소금물 400 g에서 물을 증발시켜 5 % 이상의 소금물을 만들려고 한다. 이때 증발시켜야 하는 물의 양은 몇 g 이상인지 구하시오.

>> My 셀파
증발시켜야 하는 물의 양을 x g이라 하고, 부등식을 세운다.

기본 12 농도에 대한 문제 – 두 소금물을 섞는 경우

5 %의 소금물 500 g과 10 %의 소금물을 섞어서 8 % 이하의 소금물을 만들려고 한다. 이때 10 %의 소금물은 최대 몇 g까지 섞을 수 있는지 구하시오.

10 %의 소금물을 x g 섞는다고 하고, 소금의 양에 대한 부등식을 세운다.

셀파 (5 %의 소금물에 들어 있는 소금의 양)+(10 %의 소금물에 들어 있는 소금의 양)
$\leq$(8 %의 소금물에 들어 있는 소금의 양)

풀이 10 %의 소금물을 x g 섞는다고 하면

$$\dfrac{5}{100} \times 500 + \dfrac{10}{100} \times x \leq \dfrac{8}{100} \times (500+x)$$

$$2500 + 10x \leq 8(500+x),\ 2500 + 10x \leq 4000 + 8x$$

$$2x \leq 1500 \qquad \therefore x \leq 750$$

따라서 10 %의 소금물은 최대 **750 g**까지 섞을 수 있다.

확인 12 3 %의 설탕물 120 g과 8 %의 설탕물을 섞어서 6 % 이상의 설탕물을 만들려고 한다. 이때 8 %의 설탕물을 몇 g 이상 섞어야 하는지 구하시오.

>> My 셀파
8 %의 설탕물을 x g 섞는다고 하고, 설탕의 양에 대한 부등식을 세운다.

실력 키우기

01 수에 대한 문제

연속하는 두 홀수가 있다. 작은 수의 3배에서 5를 뺀 것은 큰 수의 2배 이상이라 할 때, 두 홀수의 합 중에서 가장 작은 값을 구하시오.

02 평균에 대한 문제

진희는 세 번의 수학 시험에서 82점, 91점, 86점을 받았다. 네 번에 걸친 수학 시험의 평균이 87점 이상이 되려면 네 번째 수학 시험에서 몇 점 이상을 받아야 하는지 구하시오.

03 도형에 대한 문제

오른쪽 그림과 같이 밑변의 길이가 6 cm 인 삼각형의 넓이가 30 cm² 이상일 때, 삼각형의 높이는 몇 cm 이상이어야 하는지 구하시오.

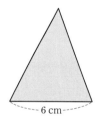

6 cm

04 예금액에 대한 문제   (서술형)

현재 형의 통장에는 25000원, 동생의 통장에는 20000원이 예금되어 있다. 다음 달부터 형은 매달 5000원씩, 동생은 매달 1500원씩 예금한다고 할 때, 형의 예금액이 동생의 예금액의 2배보다 많아지는 것은 몇 개월 후부터인지 구하시오.

05 최대 개수에 대한 문제

한 번에 500 kg까지 운반할 수 있는 엘리베이터에 몸무게가 50 kg인 사람이 한 개의 무게가 40 kg인 상자 여러 개를 실어 운반하려고 한다. 한 번에 최대 몇 개의 상자를 운반할 수 있는지 구하시오.

06 추가 요금에 대한 문제

다음 표는 어느 공영 주차장의 주차 요금을 나타낸 것이다. 주차 요금이 8000원 이하가 되게 하려면 최대 몇 분 동안 주차할 수 있는지 구하시오.

기본요금	추가 요금
30분 이내	30분 초과시
3000원	1분에 50원

07 유리한 방법을 선택하는 문제

어느 미술관의 입장료는 1인당 8000원이고, 50명 이상의 단체인 경우에는 입장료의 30 %를 할인해 준다고 한다. 50명 미만인 단체가 입장할 때, 몇 명 이상이면 50명의 단체 입장권을 사는 것이 유리한지 구하시오.

08 정가, 원가에 대한 문제

원가가 10000원인 청바지를 정가에서 50 % 할인하여 팔아서 원가의 50 % 이상의 이익을 얻으려고 한다. 이때 정가는 얼마 이상으로 정해야 하는지 구하시오.

09 거리, 속력, 시간에 대한 문제   〔서술형〕

승호는 자전거를 타는데 갈 때는 시속 40 km로 가고, 10분 쉬다가 올 때는 같은 길을 시속 30 km로 와서 2시간 30분 이내로 돌아오려고 한다. 이때 최대 몇 km 떨어진 지점까지 갔다 올 수 있는지 구하시오.

10 농도에 대한 문제

8 %의 소금물 300 g에 소금을 더 넣어 20 % 이상의 소금물을 만들려고 한다. 이때 더 넣어야 하는 소금의 양은 최소 몇 g인지 구하시오.

11 여러 가지 일차부등식의 활용 문제   〔융합형〕

n각형의 내각의 크기의 합이 700°보다 작을 때, 가장 큰 n의 값을 구하시오.

12 여러 가지 일차부등식의 활용 문제   〔융합형〕

오른쪽 표는 두 식품 A, B의 10 g당 열량을 나타낸 것이다. 두 식품 A, B를 합하여

식품	A	B
열량 (kcal)	30	50

200 g을 섭취하여 열량을 700 kcal 이상 얻으려고 할 때, 다음 물음에 답하시오.

(1) 두 식품 A, B의 1 g당 열량을 각각 구하시오.

(2) 섭취해야 하는 식품 A의 양은 최대 몇 g인지 구하시오.

13 여러 가지 일차부등식의 활용 문제   〔창의·융합〕

아래 그림과 같이 성냥개비를 사용하여 정삼각형을 만들어 나갈 때, 물음에 답하시오.

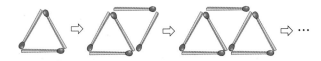

(1) 다음 ☐ 안에 공통으로 들어갈 수를 구하시오.

정삼각형의 개수	1	2	3	4
성냥개비의 개수	3	3+2	3+2+☐	3+2+☐+☐

⇨ 정삼각형이 1개씩 늘어날 때마다 성냥개비가 ☐개씩 늘어난다.

(2) 정삼각형을 x개 만들 때, 필요한 성냥개비의 개수를 x를 사용한 식으로 나타내시오.

(3) 성냥개비 140개로 정삼각형을 최대 몇 개 만들 수 있는지 구하시오.

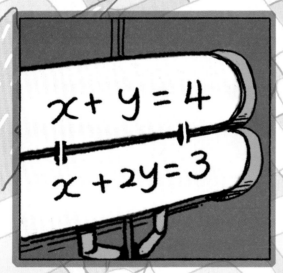

8 연립일차방정식과 그 해

Ⅳ | 연립일차방정식

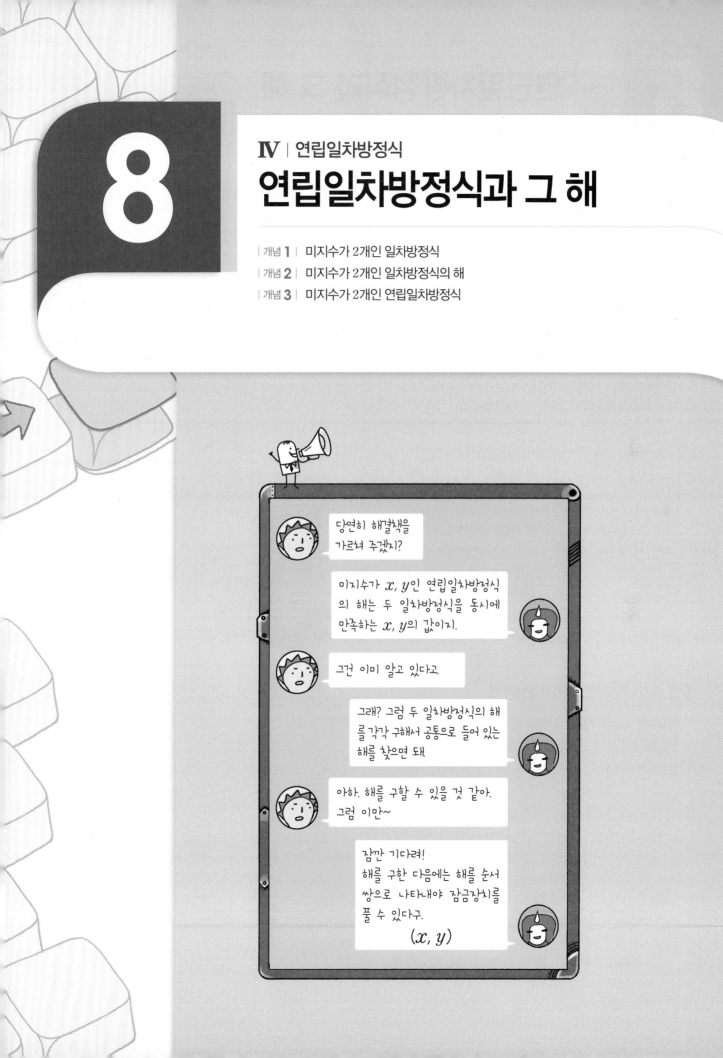

8 연립일차방정식과 그 해

1 미지수가 2개인 일차방정식

(1) 미지수가 2개인 일차방정식 미지수가 2개이고, 그 ˚차수가 모두 1인 방정식

미지수 x, y에 대한 일차방정식은 다음과 같이 나타낸다.

$$ax+by+c=0 \text{ (단, } a, b, c \text{는 상수, } a\neq0, b\boxed{}0)$$ $\neq$

(예) $\underset{\text{미지수 2개, 1차}}{2x+y-1=0}, \underset{\text{미지수 2개, 1차}}{3x+1=y}$

(2) 미지수가 2개인 일차방정식 찾기

1 등식인지 확인한다.

2 미지수가 $\boxed{}$개인지 확인한다.   2

3 두 미지수의 차수가 각각 $\boxed{}$인지 확인한다.   1

보기 다음 중에서 미지수가 2개인 일차방정식을 찾으시오.

  (1) $x+y$ (2) $x+2=0$ (3) $x^2+y-1=0$ (4) $x+y+1=0$

풀이 (1) $\underset{\underset{\text{일차식이다.}}{\uparrow}}{x+y} \Rightarrow$ 등식이 아니므로 일차방정식이 아니다.

     (2) $x+2=0 \Rightarrow$ 미지수가 1개인 일차방정식이다.

     (3) $x^2+y-1=0 \Rightarrow$ 미지수 x의 차수가 2이므로

               일차방정식이 아니다.

     (4) $x+y+1=0 \Rightarrow$ 미지수가 2개인 일차방정식이다.

     따라서 미지수가 2개인 일차방정식은 (4)이다.

• **차수**: 어떤 항에서 문자가 곱해진 개수

• $ax+by+c=0$에서 $a=0$ 또는 $b=0$이면 미지수가 없어지므로 미지수가 2개인 일차방정식이 될 수 없다.

2 미지수가 2개인 일차방정식의 해

(1) 미지수 x, y의 2개인 일차방정식의 해 미지수가 x, y의 2개인 일차방정식을 $\boxed{}$이 되게 하는 x, y의 값 또는 순서쌍 (x, y) 참

(2) 일차방정식을 푼다 일차방정식의 해를 모두 구하는 것

• 순서쌍 (p, q)가 일차방정식 $ax+by+c=0$의 해이다.

  $\Rightarrow x=p, y=q$를 $ax+by+c=0$에 대입했을 때 등식이 성립한다.

  $\Rightarrow ap+bq+c=0$

보기 다음 보기의 순서쌍 (x, y) 중에서 일차방정식 $2x+y-5=0$의 해를 모두 고르시오.

┤ 보기 ├

  ㉠ $(-1, 6)$ ㉡ $(1, 3)$ ㉢ $(2, 1)$

풀이 ㉠ $x=-1, y=6$을 $2x+y-5=0$에 대입하면 $2\times(-1)+6-5=-1\neq0$

     ㉡ $x=1, y=3$을 $2x+y-5=0$에 대입하면 $2\times1+3-5=0$

     ㉢ $x=2, y=1$을 $2x+y-5=0$에 대입하면 $2\times2+1-5=0$

     따라서 일차방정식 $2x+y-5=0$의 해는 ㉡, ㉢이다.

미지수가 1개인 일차방정식은 해가 1개뿐이지만 미지수가 2개인 일차방정식은 해가 여러 개일 수 있어.

| 개념 체크 |

1-1 미지수가 2개인 일차방정식 찾기

다음 식을 $ax+by+c=0$ 꼴로 나타내고, 미지수가 2개 인 일차방정식인지 말하시오.

(1) $x+2y=1$

(2) $2x-y=-x+1$

(3) $5x-3y=-4-3y$

셀파 $ax+by+c=0$ (a, b, c는 상수) 꼴에서 $a\neq0, b\neq0$이면 미지수 가 2개인 일차방정식이다.

연구 (1) $x+2y-1=0$ ⇨ 미지수가 2개인 일차방정식이다.

(2) $\boxed{}=0$ ⇨ 미지수가 $\boxed{}$개인 일차방정식이다.

(3) $\boxed{}=0$ ⇨ 미지수가 $\boxed{}$개인 일차방정식이다.

> 주어진 식에 x항, y항이 있다고 무조건 미지수가 2개인 일차방정식이라고 하면 안 돼.

| 따라 풀기 |

1-2 다음 중 미지수가 2개인 일차방정식인 것에는 ○표, 아닌 것 에는 ×표를 ( ) 안에 써넣으시오.

(1) $2x+3y=1$ ( )

(2) $x+y^2+3=0$ ( )

(3) $x+2y+2=3+x+y$ ( )

(4) $3x+y=-y$ ( )

2-1 미지수가 2개인 일차방정식의 해

x, y가 자연수일 때, 일차방정식 $2x+y=8$의 해를 순서 쌍 (x, y)로 나타내시오.

셀파 ① x에 1, 2, 3, …을 차례대로 대입하여 y의 값을 구한다.
② 구한 (x, y) 중에서 x, y가 모두 자연수인 것만을 고른다.

연구 $2x+y=8$에서 $y=8-2x$

이 식의 x에 1, 2, 3, …을 차례대로 대입하여 y의 값을 구하 면 다음 표와 같다.

x	1	2	3	4	5	…
y	6	$\boxed{}$	2	0	-2	…

↳ y의 값이 자연수가 아니다.

따라서 x, y가 자연수일 때, $2x+y=8$의 해는

$(1, 6), (2, \boxed{}), \boxed{}$

2-2 다음 일차방정식에 대하여 표를 완성하고, x, y가 자연수일 때, 해를 순서쌍 (x, y)로 나타내시오.

(1) $x+y=3$

x	1	2	3	…
y				…

(2) $x+2y=5$

x				…
y	1	2	3	…

> (2)와 같이 y의 계수의 절댓값이 x의 계수의 절댓값보다 더 클 때는 y에 1, 2, 3, …을 대입하는 것이 좋아.

요점 콕콕 • 미지수가 2개인 일차방정식 ⇨ $ax+by+c=0$ (단, a, b, c는 상수, $a\neq0, b\neq0$)
• x, y가 자연수일 때, 일차방정식 $ax+by+c=0$의 해 구하기
⇨ x 또는 y에 자연수 1, 2, 3, …을 차례대로 대입하여 나머지 미지수도 자연수가 되는 순서쌍 (x, y)를 찾는다.

8 ─ 연립일차방정식과 그 해

8 연립일차방정식과 그 해

3 미지수가 2개인 연립일차방정식

(1) **연립방정식** 두 개 이상의 방정식을 　 쌍으로 묶어서 나타낸 것　　한

(2) **미지수가 2개인 연립일차방정식** 미지수가 2개인 두 일차방정식을 한 쌍으로 묶어 놓은 것

예 $\begin{cases} x+y=4 \\ x+2y=3 \end{cases}$, $\begin{cases} y=2x-1 \\ x+y=1 \end{cases}$

참고 $\begin{cases} a+2b=1 \\ 2a-b=-3 \end{cases}$ 은 a, b에 대한 연립일차방정식이다. 즉 연립일차방정식이라고 해서 무조건 x, y에 대한 연립방정식인 것은 아니다.

(3) **미지수가 x, y의 2개인 연립일차방정식의 해** x, y에 대한 두 　 방정식을 <u>동시</u>　　일차
에 만족하는 x, y의 값 또는 순서쌍 (x, y)

(4) **연립방정식을 푼다** 연립방정식의 해를 구하는 것

(5) **연립방정식의 해를 구하는 방법**

[1] 각각의 일차방정식의 해를 구한다.

[2] [1]에서 구한 두 일차방정식의 해에서 　 으로 들어 있는 해를 찾는다.　　공통

예 x, y가 자연수일 때, $\begin{cases} x+y=5 \\ x-y=1 \end{cases}$ 의 해를 구해 보자.

$x+y=5$의 해를 순서쌍 (x, y)로 나타내면

$(1, 4), (2, 3), (3, 2), (4, \boxed{})$　　1

$x-y=1$의 해를 순서쌍 (x, y)로 나타내면

$(2, 1), (3, 2), (4, 3), (5, 4), \cdots$

따라서 <u>연립방정식의 해는</u> 　 이다.　　$(3, 2)$

보기 다음 연립방정식 중 x, y의 순서쌍 $(1, 3)$을 해로 갖는 것에는 ○표, 갖지 않는 것에는 ×표를 하시오.

(1) $\begin{cases} x+y=4 \\ 3x-y=1 \end{cases}$　　（　　　）

(2) $\begin{cases} x+2y=7 \\ 2x+y=5 \end{cases}$　　（　　　）

풀이 연립방정식의 해가 x, y의 순서쌍 $(1, 3)$이면 각 연립방정식에 $x=1, y=3$을 대입했을 때 등식이 모두 성립해야 한다.

(1) $\begin{cases} 1+3=4 \\ 3\times1-3\neq1 \end{cases}$ 이므로 주어진 연립방정식은 순서쌍 $(1, 3)$을 해로 갖지 않는다.　　∴ ×

(2) $\begin{cases} 1+2\times3=7 \\ 2\times1+3=5 \end{cases}$ 이므로 주어진 연립방정식은 순서쌍 $(1, 3)$을 해로 갖는다.　　∴ ○

용어 click

연립방정식 나란할 연(聯), 설립(立)으로, 방정식을 나란히 세워 놓은 것이다.

● 연립일차방정식의 해가 x, y의 순서쌍 $(\bullet, \blacktriangle)$이면 $x=\bullet$, $y=\blacktriangle$을 각 일차방정식에 대입했을 때, 두 일차방정식이 모두 참이다.

　예 연립방정식 $\begin{cases} 2x+y=4 \\ x-y=-1 \end{cases}$ 의 해가 $x=1, y=2$이면 이 값을 $2x+y=4$, $x-y=-1$에 대입했을 때, 두 일차방정식이 모두 참이다.

● 각 일차방정식의 해에 $(3, 2)$가 공통으로 있으므로 이 두 일차방정식으로 이루어진 연립방정식의 해는 $(3, 2)$이다.

| 개념 체크 |

3-1 미지수가 2개인 연립일차방정식의 해

x, y가 자연수일 때, 연립방정식 $\begin{cases} x+y=5 \\ 3x+y=9 \end{cases}$ 의 해를 구하려고 한다. 물음에 답하시오.

(1) 일차방정식 $x+y=5$에 대하여 다음 표를 완성하고, 해를 순서쌍 (x, y)로 나타내시오.

x	1	2	3	4	5	⋯
y						⋯

(2) 일차방정식 $3x+y=9$에 대하여 다음 표를 완성하고, 해를 순서쌍 (x, y)로 나타내시오.

x	1	2	3	4	5	⋯
y						⋯

(3) 주어진 연립방정식의 해를 순서쌍 (x, y)로 나타내시오.

셀파 연립일차방정식 $\begin{cases} ⊙ \\ ⓛ \end{cases}$의 해는 두 일차방정식 ⊙, ⓛ의 공통인 해이다.

연구 (1) $x+y=5$에서 $y=5-x$

x	1	2	3	4	5	⋯
y	4	☐	2	1	0	⋯

⇨ $x+y=5$의 해: $(1, 4)$, $(2, ☐)$, $(3, 2)$, $(4, 1)$

(2) $3x+y=9$에서 $y=9-3x$

x	1	2	3	4	5	⋯
y	☐	3	0	-3	-6	⋯

⇨ $3x+y=9$의 해: $(1, ☐)$, $(2, 3)$

(3) 두 일차방정식 $x+y=5$, $3x+y=9$를 동시에 만족하는 순서쌍 (x, y)는 ☐ 이다.

| 따라 풀기 |

3-2 x, y가 자연수일 때, 주어진 미지수가 2개인 연립일차방정식에 대하여 물음에 답하시오.

(1) $\begin{cases} x+y=4 & \cdots\cdots ⊙ \\ x-y=2 & \cdots\cdots ⓛ \end{cases}$

① 두 일차방정식 ⊙, ⓛ에 대하여 다음 표를 완성하시오.

⊙
x	1	2	3	4	⋯
y					⋯

ⓛ
x	1	2	3	4	⋯
y					⋯

② x, y가 자연수일 때, ⊙, ⓛ의 해를 순서쌍 (x, y)로 나타내시오.

⊙의 해: _____

ⓛ의 해: _____

③ 연립방정식의 해를 순서쌍 (x, y)로 나타내시오.

(2) $\begin{cases} 2x+y=8 & \cdots\cdots ⊙ \\ 3x-y=2 & \cdots\cdots ⓛ \end{cases}$

① 두 일차방정식 ⊙, ⓛ에 대하여 다음 표를 완성하시오.

⊙
x	1	2	3	4	⋯
y					⋯

ⓛ
x	1	2	3	4	⋯
y					⋯

② x, y가 자연수일 때, ⊙, ⓛ의 해를 순서쌍 (x, y)로 나타내시오.

⊙의 해: _____

ⓛ의 해: _____

③ 연립방정식의 해를 순서쌍 (x, y)로 나타내시오.

요점 콕콕 **연립일차방정식의 해** ⇨ 두 일차방정식을 동시에 만족하는 x, y의 값 또는 순서쌍 (x, y)

유형 익히기

기본 01 미지수가 2개인 일차방정식

다음 **보기**에서 미지수가 2개인 일차방정식을 모두 고르시오.

┌─ 보기 ┐
ㄱ $4x-1=2y$ ㄴ $xy+y=1$ ㄷ $2y+x=x+1$ ㄹ $3(x+y)-2=1$
└───────────────────────────────────┘

셀파 미지수가 2개인 일차방정식 ⇨ 미지수가 2개이고, 그 차수가 모두 1인 방정식

풀이 ㄱ $4x-2y-1=0$이므로 미지수가 2개인 일차방정식이다.
ㄴ $\underset{\vphantom{x}}{\underline{xy}}$는 x, y에 대하여 2차이므로 일차방정식이 아니다.
ㄷ $2y-1=0$이므로 미지수가 1개인 일차방정식이다.
ㄹ $3x+3y-3=0$이므로 미지수가 2개인 일차방정식이다.
따라서 미지수가 2개인 일차방정식은 ㄱ, ㄹ이다.

해법코드

주어진 식을 정리하였을 때
$ax+by+c=0$ (a, b, c는 상수,
$a \neq 0$, $b \neq 0$) 꼴이면 미지수가 2개
인 일차방정식이다.

확인 01 다음 중 미지수가 2개인 일차방정식이 **아닌** 것을 모두 고르면? (정답 2개)

① $x^2-3x-4=0$ ② $8x=-2y$ ③ $2x=2(x-y)-x$

④ $xy-x=y$ ⑤ $\dfrac{x}{2}-\dfrac{y}{3}=1$

● 방정식에 xy항이 있을 때 일차방
정식이라고 착각하지 말자. xy는
x에 대하여 1차, y에 대하여 1차
이지만 x, y에 대하여는 2차이다.

» My 셀파
$ax+by+c=0$ (a, b, c는 상수,
$a \neq 0$, $b \neq 0$) 꼴이 아닌 것을 찾는다.

기본 02 미지수가 2개인 일차방정식 세우기

다음 문장을 미지수 x, y에 대한 일차방정식으로 나타내시오.

┌───┐
문제를 맞히면 5점을 얻고, 틀리면 1점이 감점되는 시험에서 문제를 x개 맞히고, y개 틀려서
총 40점을 얻었다.
└───┘

셀파 (얻은 점수)−(감점된 점수)=(총점)

풀이 문제 x개를 맞혀 얻은 점수는 $5 \times x=5x$(점)
문제 y개를 틀려 감점된 점수는 $1 \times y=y$(점)
(얻은 점수)−(감점된 점수)=40(점)이므로 **$5x-y=40$**

해법코드

주어진 상황을 x, y에 대한 등식으로
나타낸다.

확인 02 다음 문장을 미지수가 2개인 일차방정식으로 나타내시오.

(1) 한 송이에 500원 하는 장미 x송이와 1000원 하는 튤립 y송이를 샀더니 7000원
이었다.

(2) 양궁 선수가 화살을 쏘아 10점짜리 과녁을 x회 맞히고, 8점짜리 과녁을 y회 맞
혀 84점을 얻었다.

» My 셀파
(1) (전체 가격)
   =(장미의 가격)+(튤립의 가격)

(2) (얻은 총 점수)
   =(10점짜리 과녁에서 얻은 점수)
   +(8점짜리 과녁에서 얻은 점수)

기본 03 미지수가 2개인 일차방정식의 해

다음 순서쌍 (x, y) 중 일차방정식 $2x-y=5$의 해인 것을 모두 고르면? (정답 2개)

① $\left(-\dfrac{1}{2}, -5\right)$ ② $(0, 5)$ ③ $(2, -1)$

④ $(3, 1)$ ⑤ $(5, 2)$

x, y의 순서쌍 (p, q)가 일차방정식 $ax+by+c=0$의 해이다.
⇨ $x=p$, $y=q$를 $ax+by+c=0$에 대입했을 때, 등식이 성립한다.
⇨ $ap+bq+c=0$

셀파 주어진 순서쌍의 x, y의 값을 $2x-y=5$에 대입하여 등식이 성립하는 것을 찾는다.

풀이 일차방정식 $2x-y=5$에

① $x=-\dfrac{1}{2}$, $y=-5$를 대입하면 $2 \times \left(-\dfrac{1}{2}\right)-(-5)=4 \neq 5$

② $x=0$, $y=5$를 대입하면 $2 \times 0-5=-5 \neq 5$

③ $x=2$, $y=-1$을 대입하면 $2 \times 2-(-1)=5$

④ $x=3$, $y=1$을 대입하면 $2 \times 3-1=5$

⑤ $x=5$, $y=2$를 대입하면 $2 \times 5-2=8 \neq 5$

따라서 일차방정식 $2x-y=5$의 해인 것은 ③, ④이다.

● 음수를 대입할 때는 괄호를 사용하여 계산 실수를 하지 않도록 주의한다.

확인 03 다음 일차방정식 중 $x=2$, $y=3$을 해로 갖는 것은?

① $5x+2y=10$ ② $-x+\dfrac{1}{3}y=2$ ③ $x=3y$

④ $4y=11-x$ ⑤ $x-3y=-7$

» My 셀파
$x=2$, $y=3$을 보기의 각 일차방정식에 대입하여 등식이 성립하는 것을 찾는다.

기본 04 x, y가 자연수일 때, 일차방정식의 해 구하기

x, y가 자연수일 때, 일차방정식 $3x+y=17$의 해는 모두 몇 개인지 구하시오.

x, y가 자연수일 때는 x(또는 y)에 $1, 2, 3, \cdots$을 차례대로 대입하여 y(또는 x)의 값이 자연수인 경우가 해이다.

셀파 x의 계수의 절댓값이 y의 계수의 절댓값보다 크므로 x에 $1, 2, 3, \cdots$을 차례대로 대입하여 y의 값이 자연수인 순서쌍 (x, y)를 찾는다.

풀이 $3x+y=17$에서 $y=17-3x$

이 식의 x에 $1, 2, 3, \cdots$을 차례대로 대입하여 y의 값을 구하면 다음 표와 같다.

x	1	2	3	4	5	6	$\cdots$
y	14	11	8	5	2	● -1	$\cdots$

따라서 x, y가 자연수일 때, 일차방정식 $3x+y=17$의 해 (x, y)는 $(1, 14)$, $(2, 11)$, $(3, 8)$, $(4, 5)$, $(5, 2)$의 **5개**이다.

● y의 값이 자연수가 아니므로 해가 아니다.
즉 $(6, -1)$은 해가 아니다.
● x의 값이 6 이상인 자연수이면 y의 값은 음수가 나온다.

Lecture 자연수 x, y에 대하여 $ax+by=c$의 해를 구할 때

(1) $|a| > |b|$이면 x에 $1, 2, 3, \cdots$을 차례대로 대입하여 y의 값이 자연수인 경우를 찾는다.

(2) $|a| < |b|$이면 y에 $1, 2, 3, \cdots$을 차례대로 대입하여 x의 값이 자연수인 경우를 찾는다.

확인 04 x, y가 자연수일 때, 일차방정식 $x+4y=15$의 해는 모두 몇 개인지 구하시오.

» My 셀파
y에 $1, 2, 3, \cdots$을 차례대로 대입하여 x의 값이 자연수인 경우를 찾는다.

8 연립일차방정식과 그 해

기본 05 일차방정식의 해 또는 계수가 문자로 주어질 때 미지수 구하기

일차방정식 $4x+ay+1=0$의 한 해가 $x=1$, $y=5$일 때, 상수 a의 값을 구하시오.

셀파 $x=1$, $y=5$를 주어진 일차방정식에 대입하면 등식이 성립한다.

풀이 $x=1$, $y=5$를 일차방정식 $4x+ay+1=0$에 대입하면
$4+5a+1=0$, $5a=-5$ ∴ $a=\mathbf{-1}$

참고 $a=-1$이므로 주어진 일차방정식은 $4x-y+1=0$이다.
이때 $x=1$, $y=5$를 $4x-y+1=0$에 대입하면 $4-5+1=0$이므로 등식이 성립하는 것을 확인할 수 있다.

확인 05

1. 일차방정식 $x+ay=9$의 한 해가 $x=3$, $y=2$일 때, 상수 a의 값을 구하시오.

2. x, y의 순서쌍 $(-1, k)$가 일차방정식 $2x-3y+8=0$의 해일 때, k의 값을 구하시오.

기본 06 연립방정식으로 나타내기

강아지 x마리와 오리 y마리를 합한 10마리의 다리 수를 세어 보았더니 30개이었다. 이것을 연립방정식으로 나타내면 $\begin{cases} x+ay=10 \\ bx+2y=c \end{cases}$일 때, 상수 a, b, c에 대하여 $a+b+c$의 값을 구하시오.

셀파 구하는 연립방정식은 $\begin{cases} (\text{동물 수에 대한 일차방정식}) \\ (\text{동물 다리 수에 대한 일차방정식}) \end{cases}$ 이다.

풀이 강아지와 오리를 합하면 10마리이므로 $x+y=10$
강아지 다리와 오리 다리를 합하면 모두 30개이므로 $4x+2y=30$
따라서 $\begin{cases} x+y=10 \\ 4x+2y=30 \end{cases}$ 이므로 $a=1$, $b=4$, $c=30$
∴ $a+b+c=1+4+30=\mathbf{35}$

확인 06 다음 문장을 미지수가 x, y인 연립방정식으로 나타내시오.

> 한 자루에 300원 하는 연필 x자루와 한 자루에 500원 하는 볼펜 y자루를 합하여 5자루를 사고 2100원을 지불하였다.

다음 연립방정식 중 x, y의 순서쌍 $(2, -1)$을 해로 갖는 것은?

① $\begin{cases} x-y=-4 \\ 3x+y=0 \end{cases}$ ② $\begin{cases} 2x+y=1 \\ x+5y=3 \end{cases}$ ③ $\begin{cases} x+y=5 \\ x-y=3 \end{cases}$

④ $\begin{cases} 2x-y=5 \\ x+2y=0 \end{cases}$ ⑤ $\begin{cases} x-3y=5 \\ 2x+y=7 \end{cases}$

해법코드

연립방정식의 해는 두 일차방정식을 동시에 만족하는 x, y의 값 또는 순서쌍 (x, y)이다.

셀파 $x=2, y=-1$을 각 연립방정식에 대입했을 때, 두 일차방정식이 모두 참인 것을 찾는다.

풀이 $x=2, y=-1$을 각 연립방정식에 대입하면

① $\begin{cases} 2-(-1)=3 \neq -4 \\ 3\times 2+(-1)=5 \neq 0 \end{cases}$ ② $\begin{cases} 2\times 2+(-1)=3 \neq 1 \\ 2+5\times(-1)=-3 \neq 3 \end{cases}$

③ $\begin{cases} 2+(-1)=1 \neq 5 \\ 2-(-1)=3 \end{cases}$ ④ $\begin{cases} 2\times 2-(-1)=5 \\ 2+2\times(-1)=0 \end{cases}$

⑤ $\begin{cases} 2-3\times(-1)=5 \\ 2\times 2+(-1)=3 \neq 7 \end{cases}$

따라서 순서쌍 $(2, -1)$을 해로 갖는 것은 ④이다.

연립방정식을 이루는 두 일차방정식 중 한 개만 만족하면 연립방정식의 해가 아니야.

꼭 두 일차방정식을 동시에 만족해야 해.

확인 07 다음 보기에서 $x=2, y=-6$을 해로 갖는 연립방정식을 모두 고르시오.

┤ 보기 ├

㉠ $\begin{cases} x-y=8 \\ 3x+y=0 \end{cases}$ ㉡ $\begin{cases} x-y=4 \\ x+y=-4 \end{cases}$

㉢ $\begin{cases} x+y=4 \\ x+2y=10 \end{cases}$ ㉣ $\begin{cases} x+2y=-10 \\ 2x+y=-2 \end{cases}$

» My 셀파

$x=2, y=-6$을 각 연립방정식에 대입했을 때, 두 일차방정식이 모두 참인 연립방정식을 찾는다.

연립방정식 $\begin{cases} x+y=a \\ 2x+by=10 \end{cases}$ 의 해가 $x=3, y=-2$일 때, 상수 a, b의 값을 각각 구하시오.

해법코드

연립방정식의 해가 $x=■, y=●$이다.
⇨ $x=■, y=●$를 각각 일차방정식에 대입하면 등식이 성립한다.

셀파 $x=3, y=-2$는 두 일차방정식 $x+y=a, 2x+by=10$을 동시에 만족한다.

풀이 $x=3, y=-2$를 $x+y=a$에 대입하면

$3+(-2)=a$ ∴ $a=1$

$x=3, y=-2$를 $2x+by=10$에 대입하면

$6-2b=10, -2b=4$ ∴ $b=-2$

확인 08 연립방정식 $\begin{cases} x+2y=7 \\ ax+y=14 \end{cases}$ 의 해가 x, y의 순서쌍 $(3, b-2)$일 때, 상수 a, b의 값을 각각 구하시오.

» My 셀파

$x=3, y=b-2$를 $x+2y=7$에 대입하여 b의 값을 먼저 구한다.

8 연립일차방정식과 그 해

실력 키우기

01 미지수가 2개인 일차방정식

다음 **보기**에서 미지수가 2개인 일차방정식을 모두 고르시오.

┤ 보기 ├

㉠ $2x = 4y + 5$ ㉡ $4x(y+3) = 5$

㉢ $x^2 + y = 7$ ㉣ $x(3y-2) = y + 3xy$

02 미지수가 2개인 일차방정식   〔서술형〕

등식 $-3x^2 + 2y - 7 + bx = ax^2 + 4y - 5x - 6$이 미지수가 2개인 일차방정식이 되기 위한 상수 a, b의 조건을 각각 구하시오.

03 미지수가 2개인 일차방정식 세우기

다음 문장을 x, y에 대한 식으로 나타낼 때, 미지수가 2개인 일차방정식이 **아닌** 것은?

① x의 3배는 y의 2배보다 1만큼 크다.

② 반지름의 길이가 x cm인 원의 넓이는 y cm²이다.

③ 1500원짜리 공책 x권과 1000원짜리 공책 y권을 사고 10000원을 지불하였다.

④ 가로, 세로의 길이가 각각 x cm, y cm인 직사각형의 둘레의 길이는 36 cm이다.

⑤ 시속 4 km로 x시간 걸은 후 시속 5 km로 y시간 걸을 때, 걸은 총 거리는 50 km이다.

04 미지수가 2개인 일차방정식의 해

다음 중 일차방정식 $4x - 2y = -8$의 해가 **아닌** 것은?

① $x = -3$, $y = -2$ ② $x = -2$, $y = 0$

③ $x = 0$, $y = 4$ ④ $x = 1$, $y = -2$

⑤ $x = 2$, $y = 8$

05 미지수가 2개인 일차방정식의 해

x, y가 자연수일 때, 미지수가 2개인 일차방정식 $3x + 2y = 18$에 대한 다음 설명 중 옳지 <u>않은</u> 것을 모두 고르면?

① $x = 2$이면 $y = 6$이다.

② $x = 4$이면 $y = 3$이다.

③ x, y의 순서쌍 $(6, 0)$은 해이다.

④ 해는 2개이다.

⑤ 해는 무수히 많다.

06 일차방정식의 해 또는 계수가 문자로 주어진 경우

일차방정식 $ax + y - 5 = 0$의 한 해가 $x = 2$, $y = 9$일 때, $x = k$, $y = 13$도 이 일차방정식의 해이다. 이때 상수 k의 값을 구하시오. (단, a는 상수)

07 미지수가 2개인 일차방정식　[융합형]

12명의 사람이 1인용 자전거 x대와 2인용 자전거 y대를 빌려 빈자리 없이 나누어 타려고 한다. 다음 물음에 답하시오.

(1) x, y에 대한 일차방정식을 세우시오.

(2) (1)의 해를 순서쌍 (x, y)로 나타내시오.
$$\text{(단, } x \neq 0, y \neq 0)$$

(3) 2인용 자전거는 최대 몇 대를 빌려야 하는지 구하시오.

08 연립방정식으로 나타내기

다음 문장을 x, y에 대한 연립방정식으로 나타내면
$\begin{cases} x+y=a \\ bx+cy=26 \end{cases}$ 일 때, 상수 a, b, c에 대하여 $a+b+c$의 값을 구하시오.

> 세발자전거 x대와 두발자전거 y대를 합한 자전거 10대의 바퀴 수를 세어 보니 26개이었다.

09 연립방정식의 해

다음 연립방정식 중 x, y의 순서쌍 $(3, 2)$를 해로 갖는 것은?

① $\begin{cases} 3x-y=7 \\ 2x+3y=-1 \end{cases}$　② $\begin{cases} x+y=5 \\ 2x+y=8 \end{cases}$

③ $\begin{cases} 2x+y=8 \\ 3x+y=5 \end{cases}$　④ $\begin{cases} x+3y=-1 \\ 2x-4y=-2 \end{cases}$

⑤ $\begin{cases} x-2y=6 \\ 5x+4y=3 \end{cases}$

10 연립방정식의 해

연립방정식 $\begin{cases} x+2y=5 \\ \boxed{} \end{cases}$ 의 해가 $x=-3$, $y=a$일 때, 다음 중 $\boxed{}$ 안에 들어갈 수 없는 일차방정식은?

① $x+y=1$　　② $2x-3y=6$

③ $-x-2y=-5$　④ $2x+y=-2$

⑤ $-3x-y=5$

11 연립방정식의 해 또는 계수가 문자로 주어진 경우

연립방정식 $\begin{cases} x-ay=15 \\ bx-7y=9 \end{cases}$ 의 해가 x, y의 순서쌍 $(-1, -2)$ 일 때, ab의 값을 구하시오. (단, a, b는 상수)

12 연립방정식의 해 또는 계수가 문자로 주어진 경우　[서술형]

연립방정식 $\begin{cases} 2x+y=8 \\ 2x-2y=-2a \end{cases}$ 를 만족하는 x의 값이 3일 때, 다음 물음에 답하시오.

(1) 주어진 연립방정식의 해를 순서쌍 (x, y)로 나타내시오.

(2) 상수 a의 값을 구하시오.

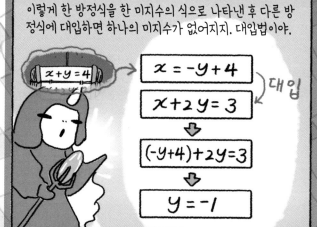

9

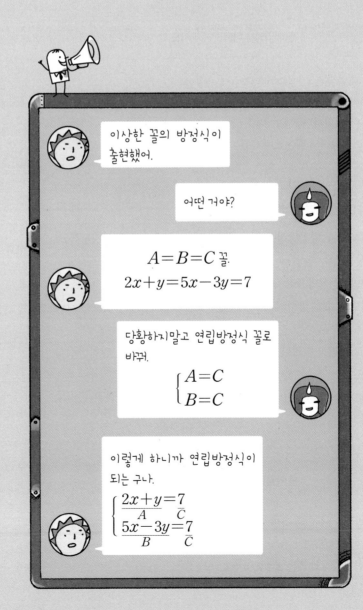

9 연립일차방정식의 풀이

1 대입법을 이용한 연립방정식의 풀이

(1) **대입법** 연립방정식의 두 일차방정식 중 한 방정식을 한 미지수의 식으로 나타 낸 다음, 이를 다른 방정식에 ⬚하여 연립방정식을 푸는 방법 　　대입

(2) **대입법을 이용한 연립방정식의 풀이**

① 두 방정식 중 한 방정식을 한 ⬚의 식으로 나타낸다. 　　미지수

② ①의 식을 다른 방정식에 대입하여 한 미지수를 <u>소거</u>한 다음, 일차방정식의 해를 구한다.

③ ②에서 구한 해를 ①의 식에 대입하여 다른 미지수의 값을 구한다.

➊ $x=(y$의 식$)$ 또는 $y=(x$의 식$)$ 으로 나타낸다.

➋ 소거: 미지수가 2개인 연립방정식에서 한 미지수를 없애는 것

보기 연립방정식 $\begin{cases} y=x+1 & \cdots ㉠ \\ x+2y=5 & \cdots ㉡ \end{cases}$ 를 대입법을 이용하여 푸시오.

풀이 ㉠을 ㉡에 대입하면 $x+2(x+1)=5$ ←y가 없어진다.

$\quad 3x+2=5, \; 3x=3 \quad \therefore \; x=1$

$\quad x=1$을 ㉠에 대입하면 $y=2$

　따라서 연립방정식의 해는 $\boldsymbol{x=1, \; y=2}$

➌
$$\begin{array}{r} A=B \\ +)\quad C=D \\ \hline A+C=B+D \end{array}$$
$$\begin{array}{r} A=B \\ -)\quad C=D \\ \hline A-C=B-D \end{array}$$

2 가감법을 이용한 연립방정식의 풀이

(1) **가감법** 연립방정식의 두 일차방정식을 <u>변끼리 더하거나 빼서</u> 한 미지수를 소 거하여 연립방정식을 푸는 방법

(2) **가감법을 이용한 연립방정식의 풀이**

① 각 방정식에 적당한 수를 곱하여 ⬚하려는 미지수의 계수의 절댓값이 같아 지도록 한다. 　　소거

② ①의 두 식을 ⬚끼리 더하거나 빼서 한 미지수를 소거한 다음, 일차방정식 의 해를 구한다. 　　변

③ ②에서 구한 해를 두 일차방정식 중 간단한 방정식에 대입하여 다른 미지수 의 값을 구한다.

➍ 두 방정식에서 x의 계수는 숫자 가 서로 다르고, y의 계수는 부호 만 서로 다르다.
　따라서 x를 없애는 것보다 y를 없애는 것이 더 편리하다.

➎ $x=2$를 ㉡에 대입해도 y의 값은 같다.
　즉 $2\times2+y=5$에서 $y=1$

보기 연립방정식 $\begin{cases} x-y=1 & \cdots ㉠ \\ 2x+y=5 & \cdots ㉡ \end{cases}$ 를 가감법을 이용하여 푸시오.

풀이 오른쪽과 같이 ㉠+㉡을 하면 $3x=6 \quad \therefore \; x=2$

$\quad x=2$를 ㉠에 대입하면 $2-y=1 \quad \therefore \; y=1$

　따라서 연립방정식의 해는 $\boldsymbol{x=2, \; y=1}$

$$\begin{array}{r} x\;-y\;=1 \\ +)\;2x\;+y\;=5 \\ \hline 3x=6 \end{array}$$
$\qquad\qquad$ →y가 없어진다.

연립방정식을 풀고 나서 구한 x, y의 값을 각 일차방정식에 대입하여 두 방정식이 모두 참이 되는지 확인해 봐.

| 개념 체크 |

1-1 대입법을 이용한 연립방정식의 풀이

연립방정식 $\begin{cases} x+2y=2 & \cdots\ ⊙ \\ 2x+3y=1 & \cdots\ ⓛ \end{cases}$ 을 대입법을 이용하여 푸시오.

셀파 ⊙을 $x=(y$의 식)으로 나타낸 다음, ⓛ에 대입한다.

연구 ⊙을 $x=(y$의 식)으로 나타내면

$x=\boxed{}$ $\quad\cdots\cdots$ ⓒ

ⓒ을 ⓛ에 대입하면

$2(\boxed{})+3y=1$

$-y=-3$ $\quad \therefore\ y=3$

$y=3$을 ⓒ에 대입하여 x의 값을 구하면

$x=\boxed{}$

따라서 연립방정식의 해는 $x=\boxed{}$, $y=3$

2-1 가감법을 이용한 연립방정식의 풀이

연립방정식 $\begin{cases} x+2y=2 & \cdots\ ⊙ \\ 2x+3y=1 & \cdots\ ⓛ \end{cases}$ 을 가감법을 이용하여 푸시오.

셀파 x의 계수 또는 y의 계수의 절댓값을 같게 한 다음, 한 미지수가 없어지도록 변끼리 더하거나 뺀다.

연구 미지수 x를 없애기 위해 ⊙×2$\boxed{}$ⓛ을 하면

$\qquad 2x+4y=4 \leftarrow ⊙\times2$

$\underline{\boxed{})\ 2x+3y=1} \leftarrow ⓛ$

$\qquad\qquad y=3$

$y=3$을 ⊙에 대입하여 x의 값을 구하면

$x=\boxed{}$

따라서 연립방정식의 해는 $x=\boxed{}$, $y=3$

| 따라 풀기 |

1-2 다음 연립방정식을 대입법을 이용하여 푸시오.

(1) $\begin{cases} x=2y+3 \\ 2x-y=-6 \end{cases}$

(2) $\begin{cases} y=3x+1 \\ 3x-2y=1 \end{cases}$

(3) $\begin{cases} x+3y=-3 \\ 5x+y=13 \end{cases}$

2-2 다음 연립방정식을 가감법을 이용하여 푸시오.

(1) $\begin{cases} 2x+y=1 \\ x-y=-4 \end{cases}$

(2) $\begin{cases} x-3y=8 \\ x-2y=6 \end{cases}$

(3) $\begin{cases} -2x+3y=-4 \\ x-4y=-3 \end{cases}$

요점 콕콕

- 연립방정식에서 한 일차방정식이 $x=(y$의 식) 또는 $y=(x$의 식) 꼴이면 대입법을 이용한다.
- 연립방정식에서 계수의 절댓값이 같은 미지수가 있으면 가감법을 이용하여 한 미지수를 소거한다.
  이때 계수의 부호가 다르면 두 식을 변끼리 더하고, 계수의 부호가 같으면 두 식을 변끼리 뺀다.

9 연립일차방정식의 풀이

3 복잡한 연립일차방정식의 풀이

(1) 괄호가 있는 연립방정식 분배법칙을 이용하여 괄호를 풀고 동류항끼리 정리한 다음 푼다.

例 $\begin{cases} 2(x-y)+3x=2 \\ 7x-3(2x-y)=14 \end{cases}$ ⇨ $\begin{cases} 2x-2y+3x=2 \\ 7x-6x\boxed{}3y=14 \end{cases}$ ⇨ $\begin{cases} 5x-2y=2 \\ x+3y=14 \end{cases}$ +

괄호를 푼다.　동류항끼리 정리한다.

(2) 계수가 소수인 연립방정식 양변에 10, 100, 1000, … 과 같이 10의 거듭제곱을 곱하여 계수를 $\boxed{}$로 고친 다음 푼다.　정수

例 $\begin{cases} 0.2x-0.3y=0.5 \quad \cdots ㉠ \\ 3x+0.1y=1.2 \quad \cdots ㉡ \end{cases}$ ⇨ $\begin{cases} 2x-3y=5 ←㉠× \boxed{} \\ \boxed{}x+y=12 ←㉡×10 \end{cases}$　10　30

(3) 계수가 분수인 연립방정식 양변에 분모의 $\boxed{}$공배수를 곱하여 계수를 정수로 고친 다음 푼다.　최소

例 $\begin{cases} \dfrac{1}{4}x+y=-2 \quad \cdots ㉠ \\ x-\dfrac{1}{2}y=1 \quad \cdots ㉡ \end{cases}$ ⇨ $\begin{cases} x+\boxed{}y=-8 ←㉠×4 \\ 2x-y=2 ←㉡×\boxed{} \end{cases}$　4　2

● 분배법칙
$a(b+c)=ab+ac$
이때 부호에 주의한다.
$-(a+b)=-a-b$ (○)
$-(a+b)=-a+b$ (×)

[보기] 연립방정식 $\begin{cases} 0.1x+0.2y=0.7 \quad \cdots ㉠ \\ \dfrac{x}{3}-\dfrac{y}{4}=\dfrac{1}{2} \quad \cdots ㉡ \end{cases}$ 을 푸시오.

풀이 ㉠의 양변에 10을 곱하고, ㉡의 양변에 분모의 최소공배수 12를 곱하면

$\begin{cases} (0.1x+0.2y)×10=0.7×10 \\ \left(\dfrac{x}{3}-\dfrac{y}{4}\right)×12=\dfrac{1}{2}×12 \end{cases}$ ⇨ $\begin{cases} x+2y=7 \quad \cdots ㉢ \\ 4x-3y=6 \quad \cdots ㉣ \end{cases}$

㉢×4－㉣을 하면

$\begin{array}{r} 4x+8y=28 ←㉢×4 \\ -)\ 4x-3y=6 \ \ ←㉣ \\ \hline 11y=22 \quad ∴ y=2 \end{array}$

$y=2$를 ㉢에 대입하면 $x+4=7$　$∴ x=3$

따라서 연립방정식의 해는 $x=3, y=2$

> 계수가 소수 또는 분수인
> 일차방정식에 적당한 수를
> 곱할 때는 양변의 모든 항에
> 곱해 주어야 해!

---

4 $A=B=C$ 꼴의 방정식의 풀이

$A=B=C$ 꼴의 방정식은 다음 세 연립방정식 중 하나를 선택하여 푼다.

$\begin{cases} A=B \\ A=C \end{cases}$ 또는 $\begin{cases} A=B \\ B=C \end{cases}$ 또는 $\begin{cases} A=C \\ \boxed{} \end{cases}$　$B=C$

이때 세 연립방정식의 해는 모두 같으므로 가장 간단한 것을 선택한다.

例 방정식 $2x+y=5x-3y=7$은 다음 세 연립방정식 중 하나를 선택하여 푼다.

$\begin{cases} 2x+y=5x-3y \\ 2x+y=7 \end{cases}$ 또는 $\begin{cases} 2x+y=\boxed{} \\ 5x-3y=7 \end{cases}$ 또는 $\begin{cases} 2x+y=7 \\ 5x-3y=7 \end{cases}$　$5x-3y$

● $A=B=C$ 꼴의 방정식에서 C가 상수이면 $\begin{cases} A=C \\ B=C \end{cases}$ 를 푸는 것이 가장 간단하다.
왼쪽의 例에서 계산이 가장 간단한 연립방정식은 $\begin{cases} 2x+y=7 \\ 5x-3y=7 \end{cases}$ 이다.

개념 익히기

| 개념 체크 |

3-1 복잡한 연립일차방정식의 풀이

연립방정식 $\begin{cases} \dfrac{x}{3} + \dfrac{y}{2} = \dfrac{7}{6} & \cdots \text{㉠} \\ 0.2x - 0.3y = 1.3 & \cdots \text{㉡} \end{cases}$ 을 푸시오.

셀파
- 계수가 소수인 경우 ⇨ 양변에 10의 거듭제곱을 곱한다.
- 계수가 분수인 경우 ⇨ 양변에 분모의 최소공배수를 곱한다.

연구 ㉠의 양변에 분모의 최소공배수 $\boxed{}$ 을 곱하면

$\boxed{} = 7$ ...... ㉢

㉡의 양변에 10을 곱하면

$\boxed{} = 13$ ...... ㉣

㉢+㉣을 하면 $4x = 20$ $\therefore x = 5$

$x = 5$를 ㉢에 대입하면 $10 + 3y = 7$

$3y = -3$ $\therefore y = \boxed{}$

4-1 $A = B = C$ 꼴의 방정식의 풀이

방정식 $2x - y = x + y = 3$에 대하여 다음 물음에 답하시오.

(1) 해가 같은 연립방정식 3개를 세우시오.
(2) 주어진 방정식의 해를 구하시오.

셀파 $A = B = C$ 꼴의 방정식은 A, B, C 중에서 2개씩 짝을 지어 연립방정식을 만들어 푼다.

연구 (1) $\begin{cases} 2x - y = x + y \\ 2x - y = 3 \end{cases}$, $\begin{cases} 2x - y = x + y \\ \boxed{} \end{cases}$, $\begin{cases} 2x - y = 3 \\ x + y = 3 \end{cases}$

(2) $\begin{cases} 2x - y = 3 & \cdots \text{㉠} \\ x + y = 3 & \cdots \text{㉡} \end{cases}$ 에서

㉠+㉡을 하면 $3x = 6$ $\therefore x = \boxed{}$

$x = 2$를 ㉡에 대입하면

$2 + y = 3$ $\therefore y = \boxed{}$

| 따라 풀기 |

3-2 다음 연립방정식을 푸시오.

(1) $\begin{cases} 0.5x + 0.3y = 0.5 \\ 0.2x - 0.1y = 0.2 \end{cases}$

(2) $\begin{cases} \dfrac{x}{3} + \dfrac{y}{2} = 1 \\ \dfrac{x}{4} + \dfrac{y}{3} = \dfrac{5}{6} \end{cases}$

4-2 다음 $\boxed{}$ 안에 알맞은 것을 써넣고, 주어진 방정식의 해를 구하시오.

(1) $2x + 3y = 4x + y = 10$

$\Rightarrow \begin{cases} 2x + 3y = 10 \\ \boxed{} = 10 \end{cases}$

(2) $3x - y = 5x + y = x - y + 8$

$\Rightarrow \begin{cases} 3x - y = 5x + y \\ 5x + y = \boxed{} \end{cases}$

요점 콕콕
- 괄호가 있는 연립방정식은 괄호를 풀고, 계수가 분수 또는 소수인 연립방정식은 계수를 정수로 고친 다음 푼다.
- $A = B = C$ 꼴의 방정식은 세 방정식 $A = B$, $A = C$, $B = C$ 중 2개를 연립하여 푼다.

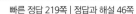

기본 01 대입법으로 연립방정식 풀기

연립방정식 $\begin{cases} x+2y=1 & \cdots ㉠ \\ 3x-2y=11 & \cdots ㉡ \end{cases}$ 을 대입법을 이용하여 푸시오.

셀파 $x+2y=1$을 $x=(y$의 식)으로 나타낸 다음, ㉡에 대입한다.

풀이 ㉠을 $x=(y$의 식)으로 나타내면 $x=-2y+1$ ······ ㉢

㉢을 ㉡에 대입하면 $3(-2y+1)-2y=11$

$-6y+3-2y=11$, $-8y=8$ ∴ $y=-1$

$y=-1$을 ㉢에 대입하면 $x=-2\times(-1)+1=3$

따라서 연립방정식의 해는 $\boldsymbol{x=3, y=-1}$

해법코드

한 방정식을
$x=(y$의 식) 또는 $y=(x$의 식)
으로 나타낸 다음, 다른 방정식에 대입한다.

❶ $x+2y=1$에서 좌변의 $2y$를 이항하면 '$x=(y$의 식)' 꼴이 된다.

❷ $y=-1$을 ㉠이나 ㉡보다는 변형한 식 ㉢에 대입하는 것이 계산하기 편리하다.

확인 01 다음 연립방정식을 대입법을 이용하여 푸시오.

(1) $\begin{cases} x=-y+5 \\ x=2y-7 \end{cases}$

(2) $\begin{cases} x-2y=-3 \\ 2x-3y=-5 \end{cases}$

» My 셀파

(2) $x-2y=-3$을 $x=(y$의 식)으로 나타낸 다음, 다른 방정식에 대입한다.

기본 02 가감법으로 연립방정식 풀기

연립방정식 $\begin{cases} 2x+5y=2 & \cdots ㉠ \\ x-3y=12 & \cdots ㉡ \end{cases}$ 를 가감법을 이용하여 푸시오.

셀파 ㉠$-$㉡$\times 2$를 계산하여 미지수 x를 없앤다.

풀이 ㉠$-$㉡$\times 2$를 하면

$$\begin{array}{r} 2x+5y=2 \quad \leftarrow ㉠ \\ -)\ 2x-6y=24 \quad \leftarrow ㉡\times 2 \\ \hline 11y=-22 \end{array}$$

∴ $y=-2$

$y=-2$를 ㉡에 대입하면

$x-3\times(-2)=12$ ∴ $x=6$

따라서 연립방정식의 해는 $\boldsymbol{x=6, y=-2}$

해법코드

x의 계수 또는 y의 계수의 절댓값을 같게 한 다음, 부호가 같으면 변끼리 빼고, 다르면 변끼리 더한다.

다른 풀이

y를 없애기 위해
㉠$\times 3+$㉡$\times 5$를 하면

$$\begin{array}{r} 6x+15y=6 \quad \cdots ㉠\times 3 \\ +)\ 5x-15y=60 \quad \cdots ㉡\times 5 \\ \hline 11x=66 \end{array}$$

∴ $x=6$

$x=6$을 ㉡에 대입하면 $6-3y=12$

$-3y=6$ ∴ $y=-2$

확인 02 다음 연립방정식을 가감법을 이용하여 푸시오.

(1) $\begin{cases} 2x-4y=9 \\ 3x-4y=10 \end{cases}$

(2) $\begin{cases} x+2y=7 \\ -3x+4y=-1 \end{cases}$

» My 셀파

(1) y의 계수의 절댓값이 같으므로 y를 없앤다.

(2) x의 계수의 절댓값을 같게 한 다음, x를 없앤다.

기본 **03** 괄호가 있는 연립방정식 풀기

해법코드

연립방정식 $\begin{cases} 2x-3(y+2)=4 & \cdots ㉠ \\ 3(x+y)=5(x-y) & \cdots ㉡ \end{cases}$ 를 푸시오.

분배법칙을 이용하여 괄호를 풀고, 동류항끼리 정리한 다음 연립방정식을 푼다.

셀파 괄호를 풀어 ●x+▲y=(상수) 꼴로 정리한다.

풀이 ㉠, ㉡의 괄호를 풀고 양변을 정리하면

$\begin{cases} 2x-3y-6=4 \\ 3x+3y=5x-5y \end{cases} \Rightarrow \begin{cases} 2x-3y=10 & \cdots ㉢ \\ -2x+8y=0 & \cdots ㉣ \end{cases}$

㉢+㉣을 하면 $5y=10$ ∴ $y=2$

$y=2$를 ㉢에 대입하면 $2x-3\times2=10, 2x=16$ ∴ $x=8$

따라서 연립방정식의 해는 $x=8,\ y=2$

참고

㉣에서 $2x=8y$, 즉 $x=4y$이므로 대입법으로 풀어도 된다.

확인 03 다음 연립방정식을 푸시오.

(1) $\begin{cases} 2(x-y)+5y=5 \\ x-3(x-2y)=22 \end{cases}$

(2) $\begin{cases} 6(x-y)-3=7x+y+2 \\ 7x+y-11=x-2(y+1) \end{cases}$

» My 셀파
괄호를 풀고 동류항끼리 정리한다.

기본 **04** 계수가 소수인 연립방정식 풀기

해법코드

연립방정식 $\begin{cases} 0.1x+0.2y=-0.6 & \cdots ㉠ \\ 0.3x-0.7y=-0.5 & \cdots ㉡ \end{cases}$ 를 푸시오.

계수가 소수이면 양변에 10, 100, 1000, …을 곱하여 계수를 정수로 고친 다음 연립방정식을 푼다.

셀파 양변에 10을 곱하여 계수를 정수로 고친다.

풀이 ㉠, ㉡의 양변에 각각 10을 곱하면 $\begin{cases} x+2y=-6 & \cdots ㉢ \\ 3x-7y=-5 & \cdots ㉣ \end{cases}$

㉢×3−㉣을 하면

$\begin{array}{r} 3x+6y=-18 \quad \leftarrow ㉢\times3 \\ -)\ 3x-7y=-5 \quad \leftarrow ㉣ \\ \hline 13y=-13 \end{array}$ ∴ $y=-1$

$y=-1$을 ㉢에 대입하면 $x+2\times(-1)=-6$ ∴ $x=-4$

따라서 연립방정식의 해는 $x=-4,\ y=-1$

● 양변에 100, 1000, …을 곱해도 되지만 10을 곱하는 것이 가장 간단하다.

확인 04 다음 연립방정식을 푸시오.

(1) $\begin{cases} 0.3x-y=0.3 \\ 0.2x-0.1y=0.2 \end{cases}$

(2) $\begin{cases} 0.1x-0.5y=0.9 \\ 0.02x+0.03y=0.44 \end{cases}$

» My 셀파
각 방정식에서 10의 거듭제곱을 양변의 모든 항에 곱하여 계수를 정수로 고친다.

계수가 분수인 연립방정식 풀기

연립방정식 $\begin{cases} \dfrac{3}{2}x + \dfrac{1}{8}y = -5 & \cdots ㉠ \\ \dfrac{1}{4}x + \dfrac{1}{6}y = \dfrac{1}{3} & \cdots ㉡ \end{cases}$ 을 푸시오.

해법코드

계수가 분수이면 양변에 분모의 최소공배수를 곱하여 계수를 정수로 고친 다음 연립방정식을 푼다.

셀파 ㉠의 양변에 8을 곱하고, ㉡의 양변에 12를 곱한다.

풀이 ㉠×8, ㉡×12를 하면 $\begin{cases} 12x + y = -40 & \cdots ㉢ \\ 3x + 2y = 4 & \cdots ㉣ \end{cases}$

㉢−㉣×4를 하면

$$
\begin{array}{r}
12x + y = -40 \quad \leftarrow ㉢ \\
-)\ 12x + 8y = 16 \quad \leftarrow ㉣ \times 4 \\
\hline
-7y = -56 \qquad \therefore y = 8
\end{array}
$$

$y=8$을 ㉢에 대입하면 $12x + 8 = -40$, $12x = -48$ $\qquad \therefore x = -4$

따라서 연립방정식의 해는 $x = -4$, $y = 8$

확인 05 다음 연립방정식을 푸시오.

(1) $\begin{cases} x - \dfrac{1}{3}y = -\dfrac{2}{3} \\ \dfrac{x-1}{2} + \dfrac{y+1}{3} = 1 \end{cases}$

(2) $\begin{cases} \dfrac{1}{2}(x+y) = x - 6 \\ \dfrac{3}{2}y = -(5 - 2x) \end{cases}$

≫ My 셀파

각 방정식에서 분모의 최소공배수를 양변의 모든 항에 곱하여 계수를 정수로 고친다.

$A = B = C$ 꼴의 방정식 풀기

방정식 $x + 2y - 2 = 3x + y + 2 = 4x + 2y + 1$을 푸시오.

해법코드

$A = B = C$ 꼴의 방정식

$\Rightarrow \begin{cases} A = B \\ A = C \end{cases}$ 또는 $\begin{cases} A = B \\ B = C \end{cases}$ 또는

$\begin{cases} A = C \\ B = C \end{cases}$ 중 하나를 선택하여 연립방정식을 푼다.

셀파 주어진 방정식을 계산하기 편리한 연립방정식으로 바꾼다.

풀이 $\begin{cases} A = B \\ B = C \end{cases}$ 꼴로 고치면 $\begin{cases} x + 2y - 2 = 3x + y + 2 \\ 3x + y + 2 = 4x + 2y + 1 \end{cases}$

동류항끼리 계산하여 정리하면 $\begin{cases} -2x + y = 4 & \cdots ㉠ \\ -x - y = -1 & \cdots ㉡ \end{cases}$

㉠+㉡을 하면 $-3x = 3$ $\qquad \therefore x = -1$

$x = -1$을 ㉡에 대입하면 $-(-1) - y = -1$, $-y = -2$ $\qquad \therefore y = 2$

따라서 방정식의 해는 $x = -1$, $y = 2$

확인 06 다음 방정식을 푸시오.

(1) $x - 3y = 2x - 5y = 1$

(2) $\dfrac{3x + 4y + 7}{2} = \dfrac{2y + 10}{3} = \dfrac{6x - 2y + 12}{5}$

≫ My 셀파

$A = B = C$ 꼴에서

(1) C가 상수이므로

$\begin{cases} A = C \\ B = C \end{cases}$ 꼴로 고친다.

(2) $\begin{cases} A = B \\ B = C \end{cases}$ 꼴로 고친다.

기본 07 연립방정식의 해를 알 때 미지수의 값 구하기

해법코드

연립방정식 $\begin{cases} ax-by=-1 \\ bx-ay=-8 \end{cases}$ 의 해가 $x=2, y=5$일 때, 상수 a, b의 값을 각각 구하시오.

연립방정식의 해가 주어지면 그 해를 두 방정식에 각각 대입하여 새로운 연립방정식을 만든 다음 푼다.

셀파 $x=2, y=5$를 두 일차방정식에 각각 대입하면 등식이 성립한다.

풀이 $\begin{cases} ax-by=-1 \\ bx-ay=-8 \end{cases}$ 에 $x=2, y=5$를 각각 대입하면

$\begin{cases} 2a-5b=-1 \\ 2b-5a=-8 \end{cases} \Rightarrow \begin{cases} 2a-5b=-1 & \cdots \text{㉠} \\ -5a+2b=-8 & \cdots \text{㉡} \end{cases}$

㉠ $\times 5 +$ ㉡ $\times 2$를 하면

$\begin{array}{r} 10a-25b=-5 \quad \leftarrow \text{㉠} \times 5 \\ +)\ -10a+\ 4b=-16 \quad \leftarrow \text{㉡} \times 2 \\ \hline -21b=-21 \qquad \therefore b=1 \end{array}$

$b=1$을 ㉠에 대입하면 $2a-5\times1=-1, 2a=4 \qquad \therefore a=2$

따라서 $a=2, b=1$

● a, b에 대한 연립방정식이 생긴다. 이때 그 연립방정식을 풀면 a, b의 값을 구할 수 있다.

확인 07 x, y의 순서쌍 $(3, -4)$가 연립방정식 $\begin{cases} ax+by=2 \\ bx-ay=11 \end{cases}$ 의 해일 때, 상수 a, b의 값을 각각 구하시오.

» **My 셀파**
$x=3, y=-4$를 두 일차방정식에 각각 대입하여 생기는 a, b에 대한 연립방정식을 푼다.

기본 08 해의 조건이 주어진 연립방정식

해법코드

연립방정식 $\begin{cases} 4x-y=4 \\ x+2y=14-a \end{cases}$ 를 만족하는 y의 값이 x의 값의 3배일 때, 상수 a의 값을 구하시오.

① y의 값이 x의 값의 a배이다.
  $\Rightarrow y=ax$
② y의 값이 x의 값보다 a만큼 크다.
  $\Rightarrow y=x+a$
③ y의 값이 x의 값보다 a만큼 작다.
  $\Rightarrow y=x-a$
④ x와 y의 값의 비가 $m:n$이다.
  $\Rightarrow x:y=m:n$

셀파 y의 값이 x의 값의 3배이므로 $y=3x$이다.

풀이 연립방정식 $\begin{cases} 4x-y=4 & \cdots \text{㉠} \\ x+2y=14-a & \cdots \text{㉡} \end{cases}$ 에서 $y=3x$이므로

$y=3x$를 ㉠에 대입하면 $4x-3x=4 \qquad \therefore x=4$

$x=4$를 $y=3x$에 대입하면 $y=3\times4=12$

$x=4, y=12$를 ㉡에 대입하면 $4+2\times12=14-a \qquad \therefore a=-14$

● 연립방정식 $\begin{cases} y=3x \\ 4x-y=4 \end{cases}$ 를 대입법을 이용하여 푸는 것과 같다.

확인 08 연립방정식 $\begin{cases} 2x+y=8 \\ x+3y=a+11 \end{cases}$ 을 만족하는 x와 y의 값의 비가 $1:2$일 때, 상수 a의 값을 구하시오.

» **My 셀파**
$x:y=1:2$이므로 $y=2x$
연립방정식 $\begin{cases} y=2x \\ 2x+y=8 \end{cases}$ 을 풀어 x, y의 값을 먼저 구한다.

두 연립방정식 $\begin{cases} ax+3y=4 & \cdots \text{㉠} \\ 4x-7y=-4 & \cdots \text{㉡} \end{cases}$, $\begin{cases} y=x+4 & \cdots \text{㉢} \\ 2x+by=12 & \cdots \text{㉣} \end{cases}$ 의 해가 서로 같을 때, 상수 a, b의 값을 각각 구하시오.

셀파 $\begin{cases} \text{㉠} \\ \text{㉡} \end{cases}$, $\begin{cases} \text{㉢} \\ \text{㉣} \end{cases}$ 의 해가 모두 (p, q)이면 $\begin{cases} \text{㉠} \\ \text{㉢} \end{cases}$, $\begin{cases} \text{㉠} \\ \text{㉣} \end{cases}$, $\begin{cases} \text{㉡} \\ \text{㉢} \end{cases}$, $\begin{cases} \text{㉡} \\ \text{㉣} \end{cases}$ 의 해도 모두 (p, q)이다.

풀이 주어진 두 연립방정식의 해가 서로 같으므로 그 해는 ㉡, ㉢을 연립하여 푼 것과 같다.

㉢을 ㉡에 대입하면 $4x-7(x+4)=-4$, $-3x=24$ $\quad \therefore x=-8$

$x=-8$을 ㉢에 대입하면 $y=-8+4=-4$

$ax+3y=4$에 $x=-8, y=-4$를 대입하면 $-8a+3\times(-4)=4$ $\quad \therefore a=-2$

$2x+by=12$에 $x=-8, y=-4$를 대입하면 $2\times(-8)-4b=12$ $\quad \therefore b=-7$

따라서 $a=-2, b=-7$

ⓐ $\begin{cases} 4x-7y=-4 & \cdots \text{㉡} \\ y=x+4 & \cdots \text{㉢} \end{cases}$

확인 09 두 연립방정식 $\begin{cases} x-y=3 \\ px+3y=11 \end{cases}$, $\begin{cases} 2x+y=12 \\ x-2y=q \end{cases}$ 의 해가 서로 같을 때, 상수 p, q의 값을 각각 구하시오.

» My 셀파
연립방정식 $\begin{cases} x-y=3 \\ 2x+y=12 \end{cases}$ 의 해를 구한다.

연립방정식 $\begin{cases} ax+by=8 \\ bx-ay=-4 \end{cases}$ 에서 잘못하여 a와 b를 서로 바꾸어 놓고 풀었더니 해가 $x=3$, $y=-1$이었다. 이때 처음 연립방정식의 해를 구하시오.

셀파 a와 b를 바꾼 연립방정식 $\begin{cases} bx+ay=8 \\ ax-by=-4 \end{cases}$ 의 해가 $x=3, y=-1$이다.

풀이 a와 b를 바꾼 연립방정식 $\begin{cases} bx+ay=8 \\ ax-by=-4 \end{cases}$ 에 $x=3, y=-1$을 대입하면

$\begin{cases} 3b-a=8 \\ 3a+b=-4 \end{cases}$ $\Rightarrow$ $\begin{cases} -a+3b=8 & \cdots \text{㉠} \\ 3a+b=-4 & \cdots \text{㉡} \end{cases}$

㉠$\times 3+$㉡을 하면 $10b=20$ $\quad \therefore b=2$

$b=2$를 ㉠에 대입하면 $-a+3\times 2=8$ $\quad \therefore a=-2$

즉 처음 연립방정식은 $\begin{cases} -2x+2y=8 & \cdots \text{㉢} \\ 2x+2y=-4 & \cdots \text{㉣} \end{cases}$

㉢$+$㉣을 하면 $4y=4$ $\quad \therefore y=1$

$y=1$을 ㉢에 대입하면 $-2x+2=8$ $\quad \therefore x=-3$

따라서 처음 연립방정식의 해는 $x=-3, y=1$

ⓐ $\begin{array}{r} -3a+9b=24 \\ +) \quad 3a+\ b=-4 \\ \hline 10b=20 \end{array}$

확인 10 연립방정식 $\begin{cases} ax+by=10 \\ bx+ay=-5 \end{cases}$ 에서 잘못하여 a와 b를 서로 바꾸어 놓고 풀었더니 해가 $x=1, y=4$이었다. 이때 처음 연립방정식의 해를 구하시오.

» My 셀파
a와 b를 바꾼 연립방정식 $\begin{cases} bx+ay=10 \\ ax+by=-5 \end{cases}$ 에 $x=1, y=4$를 대입하여 a, b의 값을 먼저 구한다.

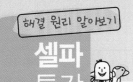

해가 무수히 많거나 해가 없는 연립방정식

Q 연립방정식이면 해가 무조건 한 쌍일까? 연립방정식 $\begin{cases} x+y=1 & \cdots ㉠ \\ 2x+2y=2 & \cdots ㉡ \end{cases}$의 경우를 살

펴보자.

A 미지수 x를 없애기 위해 ㉠×2를 하면 $\begin{cases} 2x+2y=2 & \cdots ㉢ \\ 2x+2y=2 & \cdots ㉡ \end{cases}$로 ㉢과 ㉡은 같아진다.

따라서 ㉠의 모든 해는 ㉡의 모든 해이고 주어진 연립방정식의 해가 된다.

이때 ㉠은 미지수가 2개인 일차방정식이고 미지수가 2개인 일차방정식의 해는 무수히 많으므로 연립방정식이라도 두 일차방정식이 같은 방정식이라면 해는 무수히 많다.

즉 미지수 한 개를 없애기 위해 방정식을 변형했을 때, 두 식이 일치하면 그 연립방정식의 해는 무수히 많다.

Q 그럼 연립방정식 $\begin{cases} x+2y=1 & \cdots ㉣ \\ 2x+4y=1 & \cdots ㉤ \end{cases}$의 경우는 어떨까?

A 미지수 x를 없애기 위해 ㉣×2를 하면 $\begin{cases} 2x+4y=2 & \cdots ㉥ \\ 2x+4y=1 & \cdots ㉤ \end{cases}$로 ㉥과 ㉤의 x, y의

계수는 각각 같고 상수항은 다르다. 이때 $2x+4y$의 값이 2가 되게 하면서 1이 되게 하는 x, y의 값은 존재하지 않으므로 주어진 연립방정식의 해는 없다.

즉 미지수 한 개를 없애기 위해 방정식을 변형했을 때, x, y의 계수는 각각 같고 상수항이 다르면 그 연립방정식은 해가 없다.

이상을 정리하면 다음과 같다.

> 연립방정식 $\begin{cases} ax+by=c \\ a'x+b'y=c' \end{cases}$에서 x, y의 계수 중 하나를 같게 만들 때
> ❶ 두 방정식이 일치하면 연립방정식의 해는 무수히 많다.
> ❷ 두 방정식의 x, y의 계수가 각각 같고 상수항이 다르면 연립방정식의 해는 없다.

참고 연립방정식 $\begin{cases} ax+by=c & \cdots ㉠ \\ a'x+b'y=c' & \cdots ㉡ \end{cases}$에서

(1) $\dfrac{a}{a'}=\dfrac{b}{b'}=\dfrac{c}{c'}$이면 연립방정식의 해는 무수히 많다.

(2) $\dfrac{a}{a'}=\dfrac{b}{b'}\ne\dfrac{c}{c'}$이면 연립방정식의 해는 없다.

㉢ ㉢−㉡을 하면
$$\begin{array}{r} 2x+2y=2 \\ -)\ 2x+2y=2 \\ \hline 0\times x+0\times y=0 \end{array}$$
즉 x, y에 어떤 값을 대입해도 항상 $0=0$이므로 해는 무수히 많다.

㉡ 연립방정식 $\begin{cases} x+y=1 \\ 2x+2y=2 \end{cases}$에서
x, y의 계수와 상수항의 비를 비교하면 $\dfrac{1}{2}=\dfrac{1}{2}=\dfrac{1}{2}$
⇨ 이때 해는 무수히 많다.

㉤ 연립방정식 $\begin{cases} x+2y=1 \\ 2x+4y=1 \end{cases}$에서
x, y의 계수와 상수항의 비를 비교하면 $\dfrac{1}{2}=\dfrac{2}{4}\ne\dfrac{1}{1}$
⇨ 이때 해는 없다.

Note 연립방정식을 이루는 두 일차방정식에서 x의 계수, y의 계수 중 어느 하나를 택하여 그 수가 같아지도록 변형했을 때
❶ 두 일차방정식이 일치하면 ⇨ 그 연립방정식의 해는 무수히 많다.
❷ x, y의 계수는 각각 같고 상수항이 다르면 ⇨ 그 연립방정식의 해는 없다.

연립방정식 $\begin{cases} x-3y=a & \cdots ㉠ \\ 4x+by=20 & \cdots ㉡ \end{cases}$ 의 해가 무수히 많을 때, 상수 a, b의 값을 각각 구하시오.

> 한 일차방정식을 변형했을 때, 두 일차방정식이 일치하면 연립방정식의 해는 무수히 많다.

셀파 x의 계수가 같아지도록 식을 변형한다.

풀이 x의 계수가 같아지도록 ㉠×4를 하면 $4x-12y=4a$ ······ ㉢

해가 무수히 많으려면 ㉡, ㉢이 일치해야 하므로

$b=-12, 20=4a$ ∴ $\boldsymbol{a=5,\ b=-12}$

다른 풀이 해가 무수히 많으려면 $\dfrac{1}{4}=\dfrac{-3}{b}=\dfrac{a}{20}$이어야 하므로

$\dfrac{1}{4}=\dfrac{-3}{b}$에서 $b=-12$

$\dfrac{1}{4}=\dfrac{a}{20}$에서 $4a=20$ ∴ $a=5$

확인 11 다음 연립방정식 중 해가 무수히 많은 것은?

① $\begin{cases} x+y=4 \\ 2x+y=3 \end{cases}$ ② $\begin{cases} x+4y=2 \\ 3x+12y=5 \end{cases}$ ③ $\begin{cases} x-2y=3 \\ 3x-6y=6 \end{cases}$

④ $\begin{cases} 3x+2y=1 \\ 6x+2y=3 \end{cases}$ ⑤ $\begin{cases} 2x-3y=5 \\ 4x-6y=10 \end{cases}$

> **» My 셀파**
> 한 일차방정식을 변형했을 때, 두 일차방정식이 일치하면 연립방정식의 해는 무수히 많다.

연립방정식 $\begin{cases} ax+3y=2 & \cdots ㉠ \\ 2x+6y=b & \cdots ㉡ \end{cases}$ 의 해가 없을 때, 상수 a, b의 조건을 구하시오.

> 한 일차방정식을 변형했을 때, 두 일차방정식에서 x, y의 계수는 각각 같고 상수항이 다르면 연립방정식의 해는 없다.

셀파 y의 계수가 같아지도록 식을 변형한다.

풀이 y의 계수를 같게 하기 위해 ㉠×2를 하면 $2ax+6y=4$ ······ ㉢

해가 없으려면 ㉡, ㉢의 x의 계수, y의 계수는 각각 같고, 상수항이 달라야 하므로

$2=2a, b\neq4$ ∴ $\boldsymbol{a=1,\ b\neq4}$

다른 풀이 해가 없으려면 $\dfrac{a}{2}=\dfrac{3}{6}\neq\dfrac{2}{b}$이어야 하므로

$\dfrac{a}{2}=\dfrac{3}{6}$에서 $6a=6$ ∴ $a=1$

$\dfrac{3}{6}\neq\dfrac{2}{b}$에서 $3b\neq12$ ∴ $b\neq4$

확인 12 연립방정식 $\begin{cases} 3x+4y=b \\ 9x+ay=15 \end{cases}$ 의 해가 없을 때, 상수 a, b의 조건을 구하시오.

> **» My 셀파**
> x의 계수가 같아지도록 식을 변형하여 x의 계수, y의 계수, 상수항을 각각 비교한다.

연립일차방정식의 풀이

1 다음 연립방정식을 푸시오.

(1) $\begin{cases} 5x-y=11 \\ -x+y=1 \end{cases}$

(2) $\begin{cases} x=y+3 \\ 3x+2y=-11 \end{cases}$

(3) $\begin{cases} 3y=2x-6 \\ -4x+3y=8 \end{cases}$

(4) $\begin{cases} x+2y=8 \\ 4x+3y=12 \end{cases}$

(5) $\begin{cases} 4x-2y=4 \\ -7x+3y=-8 \end{cases}$

복잡한 연립일차방정식의 풀이

2 다음 연립방정식을 푸시오.

(1) $\begin{cases} x+3(y-1)=15 \\ 2(x+2)+y=20 \end{cases}$

(2) $\begin{cases} 2(x+1)+y=4x-3(y-1) \\ 4x-3y+3=2(x+y)+1 \end{cases}$

(3) $\begin{cases} 0.5x-y=2 \\ 0.03x-0.12y=0.06 \end{cases}$

(4) $\begin{cases} \dfrac{x}{3}+\dfrac{y}{4}=\dfrac{17}{12} \\ 2x-\dfrac{y-1}{3}=\dfrac{10}{3} \end{cases}$

(5) $\begin{cases} 0.1x+0.2y=0.5 \\ \dfrac{5}{2}x-y=\dfrac{1}{2} \end{cases}$

(6) $\begin{cases} 3(2x-y)-4(3x-4y)=-5 \\ \dfrac{x-4y}{3}-\dfrac{x+5}{2}=\dfrac{3}{4} \end{cases}$

$A=B=C$ 꼴의 방정식의 풀이

3 다음 방정식을 푸시오.

(1) $2x+3y=4x+y=3$

(2) $x+y-2=4x+2y+1=3x-y-16$

(3) $\dfrac{x-y}{3}=\dfrac{3x-y}{2}=2$

실력 키우기

01 대입법을 이용한 연립방정식의 풀이

다음은 연립방정식 $\begin{cases} 2x-5y=24 & \cdots \text{㉠} \\ 3x+y=2 & \cdots \text{㉡} \end{cases}$ 를 대입법을 이용

하여 푸는 과정이다. (가)~(라)에 알맞은 것을 써넣으시오.

㉡을 $y=(x$의 식)으로 나타내면

$$\boxed{\quad \text{(가)} \quad} \qquad \cdots\cdots \text{㉢}$$

㉢을 ㉠에 대입하여 정리하면

$$17x=\boxed{\text{(나)}} \qquad \therefore x=\boxed{\text{(다)}}$$

$x=\boxed{\text{(다)}}$ 를 ㉢에 대입하면 $y=\boxed{\text{(라)}}$

02 가감법을 이용한 연립방정식의 풀이

연립방정식 $\begin{cases} 4x+3y=11 & \cdots \text{㉠} \\ 3x+2y=8 & \cdots \text{㉡} \end{cases}$ 에서 y를 없애려고 할 때,

필요한 식은?

① ㉠×2+㉡×3　　　　② ㉠×2−㉡×3

③ ㉠×3+㉡×4　　　　④ ㉠×3−㉡×4

⑤ ㉠×8−㉡×11

03 연립방정식의 풀이　　　　(서술형)

연립방정식 $\begin{cases} 3x=y-2 \\ x-y=10 \end{cases}$ 의 해가 일차방정식 $x-2y=a$를

만족할 때, 다음 물음에 답하시오.

(1) 주어진 연립방정식의 해를 구하시오.

(2) 상수 a의 값을 구하시오.

04 복잡한 연립방정식의 풀이

연립방정식 $\begin{cases} 0.6x+1.2y=3.2 \\ \dfrac{x-1}{4}+3(y+2)=5 \end{cases}$ 를 푸시오.

05 복잡한 연립방정식의 풀이　　　　(서술형)

연립방정식 $\begin{cases} (x+3):(2y+1)=3:5 \\ 0.2x+0.3y=0.6 \end{cases}$ 을 푸시오.

06 $A=B=C$ 꼴의 방정식의 풀이

방정식 $\dfrac{x+21}{4}=\dfrac{y}{2}=\dfrac{x+y}{3}$ 를 푸시오.

07 연립방정식의 해를 알 때 미지수의 값 구하기

연립방정식 $\begin{cases} ax+by=7 \\ bx+ay=13 \end{cases}$ 의 해가 $x=5,\ y=-1$일 때,

$2a+b$의 값을 구하시오. (단, $a,\ b$는 상수)

08 해의 조건이 주어진 연립방정식

연립방정식 $\begin{cases} 3x+y=7 \\ 2x-ay=9 \end{cases}$ 를 만족하는 x의 값이 y의 값보다 15만큼 작을 때, 상수 a의 값을 구하시오.

09 해가 서로 같은 두 연립방정식에서 미지수의 값 구하기

두 연립방정식 $\begin{cases} 4x+3y=5 \\ ax+by=13 \end{cases}$, $\begin{cases} ax-2by=-2 \\ 3x-5y=11 \end{cases}$ 의 해가 서로 같을 때, ab의 값을 구하시오. (단, a, b는 상수)

10 계수를 잘못 보고 구한 해 ⟨서술형⟩

연립방정식 $\begin{cases} 3x+ay=-5 \\ bx+3y=8 \end{cases}$ 을 푸는데 민호는 a를 잘못 보고 풀어서 $x=-2$, $y=4$를 얻었고, 민영이는 b를 잘못 보고 풀어서 $x=-3$, $y=-1$을 얻었다. 다음 물음에 답하시오.

(1) 상수 a, b의 값을 각각 구하시오.

(2) 처음 연립방정식의 해를 구하시오.

11 해가 특수한 연립방정식

다음 연립방정식 중 해가 없는 것은?

① $\begin{cases} x+y=4 \\ 2x+y=3 \end{cases}$

② $\begin{cases} 3x+5y=25 \\ 2x-2y=9 \end{cases}$

③ $\begin{cases} x-2y=7 \\ 3x+y=14 \end{cases}$

④ $\begin{cases} 3x+y=5 \\ 6x+2y=7 \end{cases}$

⑤ $\begin{cases} 3x+4y=5 \\ 9x+12y=15 \end{cases}$

12 해가 특수한 연립방정식

연립방정식 $\begin{cases} x-y=a \\ 2x+3by=12 \end{cases}$ 의 해가 무수히 많을 때, $\dfrac{a}{b}$의 값을 구하시오. (단, a, b는 상수)

13 해와 계수가 문자로 주어질 때 ⟨창의·융합⟩

다음 그림은 선으로 연결된 두 일차방정식을 동시에 만족하는 해를 순서쌍 (x, y)로 나타낸 것이다. 이때 상수 a, b, c, d, e에 대하여 $a+b+c+5d+10e$의 값을 구하시오.

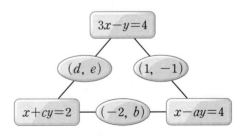

10

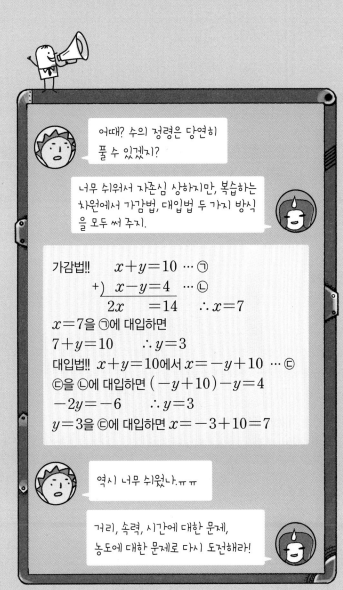

10 연립일차방정식의 활용

1 연립방정식의 활용 문제 푸는 방법

연립방정식의 활용 문제는 다음과 같은 순서로 푼다.

1 미지수 x, y 정하기 ⇨ 문제의 뜻을 파악하고 무엇을 [⊙]미지수 x, y로 놓을지 정한다.

2 연립방정식 세우기 ⇨ 문제의 뜻에 맞게 x, y에 대한 [   ]을 세운다.   연립방정식

3 연립방정식 풀기 ⇨ 연립방정식을 풀어 x, [ ]의 값을 구한다. y

4 확인하기 ⇨ 구한 x, y의 값이 문제의 뜻에 맞는지 [ ]한다.   확인

참고 구하는 것이 나이, 학생 수, 개수, 가격인 경우에는 해가 자연수이어야 하고,
길이, 거리인 경우에는 해가 양수이어야 한다.

보기 합이 10이고 차가 4인 두 자연수를 구하시오.
              ①   ②

풀이 1 미지수 x, y 정하기 ⇨ 큰 수를 x, 작은 수를 y라 하자.

2 [⊙]연립방정식 세우기 ⇨ $\begin{cases} x+y=10 & \cdots \text{㉠} \leftarrow ① \\ x-y=4 & \cdots \text{㉡} \leftarrow ② \end{cases}$

3 연립방정식 풀기 ⇨ ㉠+㉡을 하면 $2x=14$ $\therefore x=7$

             $x=7$을 ㉠에 대입하면 $7+y=10$ $\therefore y=3$

             따라서 두 자연수는 **3**, **7**이다.

4 확인하기 ⇨ 두 수의 합은 $7+3=10$, 차는 $7-3=4$이므로 구한 해는 문제의 뜻에 맞다.

2 여러 가지 활용 문제

(1) **자연수에 대한 문제**

두 자리 자연수에서 십의 자리 숫자를 x, 일의 자리 숫자를 y라 할 때

① [⊙](처음 수)$=$[ ]$x+y$ 10

② (십의 자리 숫자와 일의 자리 숫자를 바꾼 수)$=10y+x$

(2) **나이에 대한 문제**

① 현재 나이가 x세인 사람의 a년 후의 나이 ⇨ $(x+$[ ]$)$세 a

② 현재 나이가 x세인 사람의 b년 전의 나이 ⇨ $(x-b)$세

(3) **증가와 감소에 대한 문제**

① 수량 x가 a % 증가한 후의 전체 양 ⇨ $x+x\times\dfrac{a}{100}$
                                   증가량

② 수량 x가 b % 감소한 후의 전체 양 ⇨ $x-x\times\dfrac{b}{100}$
                                   감소량

Q 활용 문제의 뜻을 파악할 때는 어떤 내용을 고려해야 할까?

A ① 구하려는 것이 무엇인지?
    ② 알고 있는 수량이 무엇인지?
    ③ 구하려는 것과 알고 있는 수량 사이에는 어떤 등식이 성립하는지?
를 고려하는 것이 중요하다.

⊙ 보통 구하려는 것을 x, y로 놓는다.

⊙ 등식 관계에 있는 것을 2개 찾는다. 즉
두 수의 합이 10이다.
⇨ 등식 ㉠
두 수의 차가 4이다.
⇨ 등식 ㉡

미지수가 x, y로 2개니까 방정식도 2개를 세워야 x, y의 값을 구할 수 있어.

⊙ 차는 양수이므로 큰 수에서 작은 수를 뺀다.

⊙ 예를 들어 두 자리 자연수 25는
$25=10\times2+5$
로 나타낼 수 있다.

| 개념 체크 |

1-1 연립방정식의 활용 문제 푸는 방법

오리와 사슴이 모두 합하여 10마리 있다. 다리 수의 합이 36일 때, 오리와 사슴은 각각 몇 마리인지 구하시오.

셀파 $\begin{cases} \text{(전체 동물의 수에 대한 일차방정식)} \\ \text{(전체 동물의 다리 수에 대한 일차방정식)} \end{cases}$ 으로 연립방정식을 세운다.

연구 ① 미지수 정하기 ⇨ 오리 수를 x, 사슴 수를 y로 놓는다.

② 연립방정식 세우기

⇨

	오리	사슴	합계
수	x	y	
다리 수	$2x$		36

∴ $\begin{cases} x+y=\boxed{} \\ 2x+\boxed{}=36 \end{cases}$

③ 연립방정식 풀기 ⇨ ②의 연립방정식을 풀면 $x=2, y=8$

2-1 자연수에 대한 문제

두 자리 자연수가 있다. 각 자리의 숫자의 합은 5이고, 십의 자리 숫자와 일의 자리 숫자를 바꾼 수는 처음 수보다 9만큼 크다고 할 때, 처음 수를 구하시오.

셀파 십의 자리 숫자가 a, 일의 자리 숫자가 b인 두 자리 자연수 ⇨ $10a+b$

연구 ① 처음 수의 십의 자리 숫자를 x, 일의 자리 숫자를 y로 놓는다.

②

	십의 자리	일의 자리	두 자리 자연수
처음 수	x	y	$10x+y$
바꾼 수	y	x	

∴ $\begin{cases} x+y=\boxed{} \\ \boxed{}=(10x+y)+9 \end{cases}$

③ ②의 연립방정식을 풀면 $x=2, y=3$

| 따라 풀기 |

1-2
자동차와 자전거가 모두 합하여 48대 있다. 바퀴 수가 모두 180개일 때, 물음에 답하시오.

(단, 자동차 바퀴는 4개, 자전거 바퀴는 2개이다.)

(1) 자동차 수를 x, 자전거 수를 y라 할 때, 다음 표를 완성하시오.

	자동차	자전거	합계
수	x	y	48
바퀴 수			

(2) x, y에 대한 연립방정식을 세우시오.

(3) (2)에서 세운 연립방정식을 풀어 자동차와 자전거는 각각 몇 대인지 구하시오.

2-2
각 자리의 숫자의 합이 6인 두 자리 자연수에서 십의 자리 숫자와 일의 자리 숫자를 바꾼 수는 처음 수보다 18만큼 작다고 할 때, 물음에 답하시오.

(1) 처음 수의 십의 자리 숫자를 x, 일의 자리 숫자를 y라 할 때, 다음 표를 완성하시오.

	십의 자리	일의 자리	두 자리 자연수
처음 수	x	y	
바꾼 수	y		

(2) x, y에 대한 연립방정식을 세우시오.

(3) (2)에서 세운 연립방정식을 풀어 처음 수를 구하시오.

요점 콕콕 **연립방정식의 활용 문제 푸는 방법**
① 미지수 정하기 ⇨ ② 연립방정식 세우기 ⇨ ③ 연립방정식 풀기 ⇨ ④ 확인하기

3 거리, 속력, 시간에 대한 문제

① (거리)=(속력)×(시간)　② (속력)=$\dfrac{(거리)}{(\boxed{})}$　③ (시간)=$\dfrac{(거리)}{(속력)}$　　시간

⇨ 거리, 속력, 시간에 대한 문제는 $\begin{cases} (거리에\ 대한\ 일차방정식) \\ (시간에\ 대한\ 일차방정식) \end{cases}$ 으로 연립방정식을 세우는 것이 대부분이다.

참고 거리, 속력, 시간에 대한 식을 세울 때 단위는 반드시 통일시킨다.
〈속력〉　〈시간〉　〈거리〉
시속 km ⇨ 시 ⇨ km
분속 m ⇨ 분 ⇨ m
초속 m ⇨ 초 ⇨ m
● 시간과 분
① x시간 ⇨ $60x$분
② x분 ⇨ $\dfrac{x}{60}$시간

보기 전체 거리가 10 km인 등산로를 올라갈 때는 시속 2 km로 걷고, 내려올 때는 시속 3 km로 걸었더니 총 4시간이 걸렸다. 올라간 거리를 x km, 내려온 거리를 y km라 할 때, x, y에 대한 연립방정식을 세우시오.

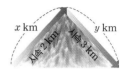

x km　y km
시속 2 km　시속 3 km

풀이

	올라갈 때	내려올 때	전체
거리	x km	y km	10 km
속력	시속 2 km	시속 3 km	
ⓐ시간	$\dfrac{x}{2}$시간	$\dfrac{y}{3}$시간	4시간

→ 거리에 대한 식: $x+y=10$

→ 시간에 대한 식: $\dfrac{x}{2}+\dfrac{y}{3}=4$

$$\therefore \begin{cases} x+y=10 \\ \dfrac{x}{2}+\dfrac{y}{3}=4 \end{cases}$$

ⓐ (시간)=$\dfrac{(거리)}{(속력)}$임을 이용한다.

4 농도에 대한 문제

① (소금물의 농도)=$\dfrac{(소금의\ 양)}{(소금물의\ 양)}×\boxed{}$ (%)　　100

② (소금의 양)=$\dfrac{(소금물의\ 농도)}{100}×(소금물의\ \boxed{})$　　양

⇨ 소금물의 농도에 대한 문제는 $\begin{cases} (소금물의\ 양에\ 대한\ 일차방정식) \\ (소금의\ 양에\ 대한\ 일차방정식) \end{cases}$ 으로 연립방정식을 세우는 것이 대부분이다.

● 소금물에 물을 더 넣거나 소금물에서 물을 증발시킬 때는 전체 소금물의 양이나 농도는 변하지만 소금의 양은 변하지 않음을 이용하여 연립방정식을 세운다.

보기 5 %의 소금물 x g과 7 %의 소금물 y g을 섞어서 6 %의 소금물 300 g을 만들려고 한다. x, y에 대한 연립방정식을 세우시오.

풀이　소금물의 양 ⇨

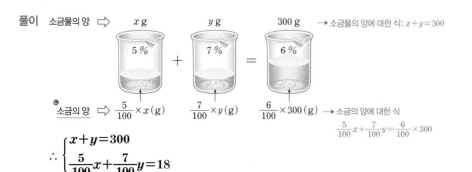

x g　y g　300 g
5 %　7 %　6 %

→ 소금물의 양에 대한 식: $x+y=300$

ⓑ소금의 양 ⇨ $\dfrac{5}{100}×x\,(g)$　$\dfrac{7}{100}×y\,(g)$　$\dfrac{6}{100}×300\,(g)$

→ 소금의 양에 대한 식
$$\dfrac{5}{100}x+\dfrac{7}{100}y=\dfrac{6}{100}×300$$

$$\therefore \begin{cases} x+y=300 \\ \dfrac{5}{100}x+\dfrac{7}{100}y=18 \end{cases}$$

ⓑ (소금의 양)
$=\dfrac{(소금물의\ 농도)}{100}×(소금물의양)$
임을 이용한다.

따라 풀면서
개념 익히기

| 개념 체크 |

3-1 거리, 속력, 시간에 대한 문제

지우가 등산을 하는데 올라갈 때는 시속 3 km로 걷고, 내려올 때는 올라갈 때보다 5 km 더 먼 길을 시속 4 km 로 걸었더니 총 3시간이 걸렸다. 올라간 거리와 내려온 거리를 각각 구하시오.

셀파 $\begin{cases} (거리에 대한 일차방정식) \\ (시간에 대한 일차방정식) \end{cases}$ 으로 연립방정식을 세운다.

연구 올라간 거리를 x km, 내려온 거리를 y km라 할 때

	올라갈 때	내려올 때
거리	x km	y km
속력	시속 3 km	시속 4 km
시간	$\dfrac{x}{3}$ 시간	☐ 시간

$\Rightarrow \begin{cases} y = x + \boxed{} \\ \dfrac{x}{3} + \boxed{} = 3 \end{cases}$ $\therefore x = 3, y = 8$

4-1 농도에 대한 문제

5 %의 소금물과 8 %의 소금물을 섞어서 7 %의 소금물 900 g을 만들려고 한다. 5 %의 소금물의 양과 8 %의 소금물의 양을 각각 구하시오.

셀파 $\begin{cases} (소금물의 양에 대한 일차방정식) \\ (소금의 양에 대한 일차방정식) \end{cases}$ 으로 연립방정식을 세운다.

연구 5 %의 소금물의 양을 x g, 8 %의 소금물의 양을 y g이라 할 때

	5 %의 소금물	8 %의 소금물	7 %의 소금물
소금물의 양	x g	y g	900 g
소금의 양	$\dfrac{5}{100}x$ g	☐ g	$\left(\dfrac{7}{100} \times 900\right)$ g

$\Rightarrow \begin{cases} x + y = 900 \\ \dfrac{5}{100}x + \boxed{} = \boxed{} \end{cases}$ $\therefore x = 300, y = 600$

| 따라 풀기 |

3-2
민준이가 등산을 하는데 올라갈 때는 시속 1 km로 걷고, 내려올 때는 올라갈 때보다 3 km 더 먼 길을 시속 3 km로 걸었더니 총 5시간이 걸렸다. 물음에 답하시오.

(1) 올라간 거리를 x km, 내려온 거리를 y km라 할 때, 다음 표를 완성하시오.

	올라갈 때	내려올 때
거리	x km	y km
속력	시속 1 km	시속 3 km
시간		

(2) x, y에 대한 연립방정식을 세우시오.

(3) 올라간 거리와 내려온 거리를 각각 구하시오.

4-2
11 %의 소금물과 20 %의 소금물을 섞어서 17 %의 소금물 300 g을 만들려고 한다. 물음에 답하시오.

(1) 11 %의 소금물의 양을 x g, 20 %의 소금물의 양을 y g 이라 할 때, 다음 표를 완성하시오.

	11 %의 소금물	20 %의 소금물	17 %의 소금물
소금물의 양	x g	y g	
소금의 양	$\dfrac{11}{100}x$ g		

(2) x, y에 대한 연립방정식을 세우시오.

(3) 11 %의 소금물의 양과 20 %의 소금물의 양을 각각 구하시오.

요점 콕콕

• (거리) = (속력) × (시간)

• (소금물의 농도) = $\dfrac{(소금의 양)}{(소금물의 양)} \times 100$ (%)

유형 익히기

기본 01 수에 대한 문제

두 자리 자연수가 있다. 이 자연수는 각 자리의 숫자의 합의 3배이고, 십의 자리 숫자와 일의 자리 숫자를 바꾼 수는 처음 수보다 45만큼 크다고 할 때, 처음 수를 구하시오.

해법코드

십의 자리 숫자가 x, 일의 자리 숫자가 y인 두 자리 자연수
$\Rightarrow 10x+y$

셀파 처음 수 x ⨯ y $\Rightarrow 10x+y$
        바꾼 수 y ⨯ x $\Rightarrow 10y+x$

풀이 처음 수의 십의 자리 숫자를 x, 일의 자리 숫자를 y라 하면

$$\begin{cases} 10x+y=3(x+y) & \text{(두 자리 자연수)}=3\times\text{(각 자리의 숫자의 합)} \\ 10y+x=(10x+y)+45 & \text{(바꾼 수)}=\text{(처음 수)}+45 \end{cases}$$

즉 $\begin{cases} 7x-2y=0 & \cdots \text{㉠} \\ x-y=-5 & \cdots \text{㉡} \end{cases}$

㉠, ㉡을 연립하여 풀면 $x=2$, $y=7$

따라서 처음 수는 **27**이다.

● ㉠$-$㉡$\times 2$를 하면
$$\begin{array}{r} 7x-2y=0 \\ -)\ 2x-2y=-10 \\ \hline 5x\ \ \ \ \ =10 \end{array}$$
$\therefore x=2$
$x=2$를 ㉡에 대입하면
$2-y=-5 \quad \therefore y=7$

확인 01 각 자리의 숫자의 합이 11인 두 자리 자연수에서 십의 자리 숫자와 일의 자리 숫자를 바꾼 수는 처음 수의 2배보다 20만큼 작다고 한다. 이때 처음 수를 구하시오.

» My 셀파
$\begin{cases} \text{(각 자리의 숫자의 합)}=11 \\ \text{(바꾼 수)}=2\times\text{(처음 수)}-20 \end{cases}$
으로 연립방정식을 세운다.

기본 02 나이에 대한 문제

현재 아버지와 딸의 나이의 차는 31세이다. 15년 후에는 아버지의 나이가 딸의 나이의 3배보다 3세 더 적다고 할 때, 현재 아버지와 딸의 나이를 각각 구하시오.

해법코드

현재 x세인 사람의
① a년 전의 나이 $\Rightarrow (x-a)$세
② b년 후의 나이 $\Rightarrow (x+b)$세

셀파 현재 x세인 사람의 15년 후의 나이는 $(x+15)$세이다.

풀이 현재 아버지의 나이를 x세, 딸의 나이를 y세라 하면

$$\begin{cases} x-y=31 & \text{현재 아버지와 딸의 나이의 차는 31세} \\ x+15=3(y+15)-3 & \text{(15년 후의 아버지의 나이)}=3\times\text{(15년 후의 딸의 나이)}-3 \end{cases}$$

즉 $\begin{cases} x-y=31 & \cdots \text{㉠} \\ x-3y=27 & \cdots \text{㉡} \end{cases}$

㉠, ㉡을 연립하여 풀면 $x=33$, $y=2$

따라서 현재 **아버지의 나이는 33세, 딸의 나이는 2세**이다.

● ㉠$-$㉡을 하면
$2y=4 \quad \therefore y=2$
$y=2$를 ㉠에 대입하면
$x-2=31 \quad \therefore x=33$

확인 02 현재 형과 동생의 나이의 합은 30세이고, 8년 전에는 형의 나이가 동생의 나이의 2배보다 2세 더 많았다고 한다. 현재 형의 나이를 구하시오.

» My 셀파
$\begin{cases} \text{(형의 나이)}+\text{(동생의 나이)}=30 \\ \text{(8년 전의 형의 나이)} \\ \quad =2\times\text{(8년 전의 동생의 나이)}+2 \end{cases}$
로 연립방정식을 세운다.

기본 03 가격, 개수에 대한 문제

한 개에 900원 하는 사과와 한 개에 400원 하는 귤을 합하여 8개 사고 4700원을 지불하였다. 이때 사과와 귤을 각각 몇 개씩 샀는지 구하시오.

a원짜리 물건 x개, b원짜리 물건 y개를 샀을 때의 가격
$\Rightarrow (ax+by)$원

셀파 구입한 사과의 개수를 x, 귤의 개수를 y로 놓고 연립방정식을 세운다.

풀이 구입한 사과의 개수를 x, 귤의 개수를 y라 하면

$$\begin{cases} x+y=8 \\ 900x+400y=4700 \end{cases}$$

> 사과와 귤을 합하여 8개 샀다.
> 총 4700원을 지불하였다.

즉 $\begin{cases} x+y=8 & \cdots ㉠ \\ 9x+4y=47 & \cdots ㉡ \end{cases}$

㉠, ㉡을 연립하여 풀면 $x=3$, $y=5$

따라서 **사과**는 **3개**, **귤**은 **5개** 샀다.

❶ ㉠$\times 4-$㉡을 하면
$$\begin{array}{r} 4x+4y=32 \\ -)\ 9x+4y=47 \\ \hline -5x\quad\ =-15 \end{array}$$
$\therefore\ x=3$
$x=3$을 ㉠에 대입하면
$3+y=8 \quad \therefore\ y=5$

확인 03 400원짜리 기념품과 700원짜리 기념품을 합하여 12개 사고 6300원을 지불하였다. 이때 400원짜리 기념품과 700원짜리 기념품을 각각 몇 개씩 샀는지 구하시오.

» My 셀파
$\begin{cases} (\text{구입한 기념품의 총 개수})=12 \\ (\text{지불한 총 금액})=6300 \end{cases}$
으로 연립방정식을 세운다.

기본 04 도형에 대한 문제

가로의 길이가 세로의 길이보다 6 cm 더 긴 직사각형이 있다. 이 직사각형의 둘레의 길이가 20 cm일 때, 이 직사각형의 가로의 길이와 세로의 길이를 각각 구하시오.

(직사각형의 둘레의 길이)
$=2\times\{(\text{가로의 길이})+(\text{세로의 길이})\}$

셀파 직사각형의 가로의 길이를 x cm, 세로의 길이를 y cm로 놓고 연립방정식을 세운다.

풀이 직사각형의 가로의 길이를 x cm, 세로의 길이를 y cm라 하면

$$\begin{cases} x=y+6 \\ 2(x+y)=20 \end{cases}$$

> 가로의 길이가 세로의 길이보다 6 cm 더 길다.
> 직사각형의 둘레의 길이가 20 cm이다.

즉 $\begin{cases} x=y+6 & \cdots ㉠ \\ x+y=10 & \cdots ㉡ \end{cases}$

㉠을 ㉡에 대입하면 $(y+6)+y=10$, $2y=4 \qquad \therefore\ y=2$

$y=2$를 ㉠에 대입하면 $x=2+6=8$

따라서 직사각형의 **가로의 길이**는 **8 cm**, **세로의 길이**는 **2 cm**이다.

❶ 한 일차방정식이 '$x=\sim$' 꼴이므로 대입법을 이용하는 것이 더 편리하다.

확인 04 둘레의 길이가 110 cm인 직사각형이 있다. 이 직사각형의 가로의 길이를 4 cm 길게 하고 세로의 길이를 5 cm 짧게 하면 정사각형이 된다고 한다. 처음 직사각형의 가로의 길이와 세로의 길이를 각각 구하시오.

» My 셀파
정사각형은 가로의 길이와 세로의 길이가 같다.

기본 05 증가, 감소에 대한 문제

어느 중학교의 작년의 전체 학생 수는 700명이었다. 올해는 작년보다 남학생 수는 3% 증가하고, 여학생 수는 7% 감소하여 전체적으로 9명이 감소하였을 때, 올해의 남학생 수를 구하시오.

A에서 $a\%$ 증가하였을 때

⇨ 증가량: $A \times \dfrac{a}{100}$

⇨ 증가한 후의 양: $A\left(1+\dfrac{a}{100}\right)$

A에서 $b\%$ 감소하였을 때

⇨ 감소량: $A \times \dfrac{b}{100}$

⇨ 감소한 후의 양: $A\left(1-\dfrac{b}{100}\right)$

셀파 $\begin{cases} \text{(작년의 전체 학생 수에 대한 일차방정식)} \\ \text{(증가한 남학생 수와 감소한 여학생 수에 대한 일차방정식)} \end{cases}$ 으로 연립방정식을 세운다.

풀이 작년의 남학생 수를 x명, 여학생 수를 y명이라 하면 $x+y=700$

(남학생 수의 증가량) $-$ (여학생 수의 감소량) $=-9$이므로 $\dfrac{3}{100}x-\dfrac{7}{100}y=-9$

즉 $\begin{cases} x+y=700 \\ \dfrac{3}{100}x-\dfrac{7}{100}y=-9 \end{cases}$ ⇨ $\begin{cases} x+y=700 & \cdots ㉠ \\ 3x-7y=-900 & \cdots ㉡ \end{cases}$

㉠, ㉡을 연립하여 풀면 $x=400$, $y=300$

따라서 작년의 남학생 수가 400명이므로

(올해의 남학생 수) $=400 \times \left(1+\dfrac{3}{100}\right)=$ **412(명)**

➊ ㉠$\times 3 - $㉡을 하면

$\quad 3x+3y=2100$
$-)\ 3x-7y=-900$
$\overline{\qquad\quad 10y=3000}$

$\therefore y=300$

$y=300$을 ㉠에 대입하면

$x+300=700$ $\quad \therefore x=400$

확인 05 어느 학교의 작년의 전체 학생 수는 600명이었는데 올해는 작년에 비해 남학생 수는 8% 감소하고, 여학생 수는 20% 증가하여 전체 학생 수가 622명이 되었다. 이때 올해의 여학생 수를 구하시오.

» My 셀파
$\begin{cases} \text{(작년의 전체 학생 수에 대한 일차} \\ \text{방정식)} \\ \text{(올해의 전체 학생 수에 대한 일차} \\ \text{방정식)} \end{cases}$
으로 연립방정식을 세운다.

기본 06 거리, 속력, 시간에 대한 문제 (1) – 도중에 속력이 바뀌는 경우

A지점에서 B지점을 거쳐 C지점까지 총 20 km의 거리를 A지점에서 B지점까지는 시속 2 km, B지점에서 C지점까지는 시속 3 km로 걸었더니 총 8시간이 걸렸다. A지점에서 B지점까지의 거리와 B지점에서 C지점까지의 거리를 각각 구하시오.

$\begin{cases} \text{(거리에 대한 일차방정식)} \\ \text{(시간에 대한 일차방정식)} \end{cases}$
으로 연립방정식을 세운다.

이때 (시간) $= \dfrac{\text{(거리)}}{\text{(속력)}}$ 임을 이용한다.

셀파 $\begin{cases} \text{(A지점에서 C지점까지의 거리)} =20\ (\text{km}) \\ \text{(A지점에서 C지점까지 가는 데 걸린 시간)} =8(\text{시간}) \end{cases}$ 으로 연립방정식을 세운다.

풀이 A지점에서 B지점까지의 거리를 x km, B지점에서 C지점까지의 거리를 y km라 하면

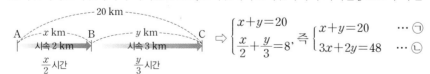

$\begin{cases} x+y=20 \\ \dfrac{x}{2}+\dfrac{y}{3}=8 \end{cases}$, 즉 $\begin{cases} x+y=20 & \cdots ㉠ \\ 3x+2y=48 & \cdots ㉡ \end{cases}$

㉠, ㉡을 연립하여 풀면 $x=8$, $y=12$

따라서 **A지점에서 B지점까지의 거리는 8 km**, **B지점에서 C지점까지의 거리는 12 km**이다.

➊ ㉠$\times 2 - $㉡을 하면

$\quad 2x+2y=40$
$-)\ 3x+2y=48$
$\overline{\quad -x \qquad\ =-8}$

$\therefore x=8$

$x=8$을 ㉠에 대입하면

$8+y=20$ $\quad \therefore y=12$

확인 06 집에서 9 km 떨어진 약속 장소까지 가는데 처음에는 시속 3 km로 걷다가 도중에 시속 4 km로 걸었더니 총 2시간 30분이 걸렸다. 이때 시속 3 km로 걸어서 간 거리를 구하시오.

» My 셀파
2시간 30분 $=\left(2+\dfrac{1}{2}\right)$시간
$\qquad\qquad =\dfrac{5}{2}$시간

기본 07 거리, 속력, 시간에 대한 문제 (2) – 마주 보고 출발하는 경우

해법코드

20 km 떨어진 두 지점에서 A, B가 동시에 마주 보고 출발하여 도중에 만났다. A는 시속 3 km, B는 시속 7 km로 움직였을 때, A, B가 움직인 거리를 각각 구하시오.

동시에 출발하여 도중에 만났으므로 A와 B가 움직인 시간은 같다.

이때 (시간)$=\dfrac{(거리)}{(속력)}$임을 이용한다.

셀파
$\begin{cases} (A, B가\ 이동한\ 거리의\ 합)=(두\ 지점\ 사이의\ 거리) \\ (A가\ 이동할\ 때\ 걸린\ 시간)=(B가\ 이동할\ 때\ 걸린\ 시간) \end{cases}$ 으로 연립방정식을 세운다.

풀이 A가 움직인 거리를 x km, B가 움직인 거리를 y km라 하면

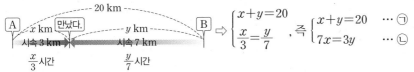

$\Rightarrow \begin{cases} x+y=20 \\ \dfrac{x}{3}=\dfrac{y}{7} \end{cases}$, 즉 $\begin{cases} x+y=20 & \cdots ㉠ \\ 7x=3y & \cdots ㉡ \end{cases}$

● ㉠에서 $y=20-x$ ...... ㉢
㉢을 ㉡에 대입하면
$7x=3(20-x)$, $10x=60$
$\therefore x=6$
$x=6$을 ㉢에 대입하면
$y=14$

㉠, ㉡을 연립하여 풀면 $x=6$, $y=14$
따라서 **A가 움직인 거리는 6 km, B가 움직인 거리는 14 km**이다.

확인 07 24 km 떨어진 두 지점에서 희정이와 민호가 동시에 마주 보고 출발하여 도중에 만났다. 희정이는 시속 3 km, 민호는 시속 5 km로 걸었을 때, 두 사람이 만날 때까지 걸린 시간을 구하시오.

» My 셀파
희정이와 민호가 움직인 시간은 같음을 이용한다.

10 연립일차방정식의 활용

기본 08 거리, 속력, 시간에 대한 문제 (3) – 시간 차를 두고 출발하는 경우

해법코드

동생이 자전거를 타고 시속 12 km로 집을 출발한 지 15분 후에 동생에게 잊은 물건을 전해 주기 위해 형이 자전거를 타고 시속 21 km로 따라갔다. 형이 출발한 지 몇 분 후에 동생을 만나는지 구하시오.

동생과 형이 움직인 거리가 같다는 것과 (거리)=(속력)×(시간)임을 이용한다.

셀파 동생이 출발한 지 15분 후에 형이 출발하였다. ⇨ 동생이 형보다 15분 더 많이 움직였다.

풀이 동생이 출발한 지 x분 후에, 형이 출발한 지 y분 후에 서로 만났다고 하면

$\begin{cases} x=y+15 & \text{← 동생이 형보다 15분 더 많이 움직였다.} \\ 12\times\dfrac{x}{60}=21\times\dfrac{y}{60} & \text{← 동생과 형이 움직인 거리는 같다.} \end{cases}$

● 속력이 시속이므로 '분'을 '시간'으로 통일시킨다. 즉 식을 세울 때 x분을 $\dfrac{x}{60}$시간으로 고친다.

즉 $\begin{cases} x=y+15 & \cdots ㉠ \\ 4x=7y & \cdots ㉡ \end{cases}$

● ㉠을 ㉡에 대입하면
$4(y+15)=7y$, $3y=60$
$\therefore y=20$
$y=20$을 ㉠에 대입하면
$x=20+15=35$

㉠, ㉡을 연립하여 풀면 $x=35$, $y=20$
따라서 **형이 출발한 지 20분 후에 동생을 만나게 된다.**

확인 08 민지는 어떤 산책로를 분속 30 m로 걷고, 민서는 민지가 출발한 지 10분 후에 분속 50 m로 같은 길로 따라 걸었다. 민지와 민서가 만나게 되는 것은 민지가 출발한 지 몇 분 후인지 구하시오.

» My 셀파
민지와 민서가 간 거리는 같음을 이용한다.

기본 09 농도에 대한 문제 (1) – 소금물, 소금의 양

해법코드

5 %의 소금물과 9 %의 소금물을 섞어서 6 %의 소금물 200 g을 만들려고 한다. 이때 5 % 의 소금물과 9 %의 소금물을 각각 몇 g씩 섞어야 하는지 구하시오.

$\begin{cases} (\text{소금물의 양에 대한 일차방정식}) \\ (\text{소금의 양에 대한 일차방정식}) \end{cases}$ 으로 연립방정식을 세운다.

셀파 $(\text{소금의 양}) = \dfrac{(\text{소금물의 농도})}{100} \times (\text{소금물의 양})$

풀이 5 %의 소금물을 x g, 9 %의 소금물을 y g 섞는다고 하면

소금물의 양 ⇒ x g

소금의 양 ⇒ $\dfrac{5}{100} \times x$ (g) $\dfrac{9}{100} \times y$ (g) $\dfrac{6}{100} \times 200$ (g)

$\Rightarrow \begin{cases} x+y=200 & \cdots \text{㉠} \\ \dfrac{5}{100}x + \dfrac{9}{100}y = 12 & \cdots \text{㉡} \end{cases}$

㉡의 양변에 100을 곱하면 $5x+9y=1200$ ...... ㉢

㉠, ㉢을 연립하여 풀면 $x=150$, $y=50$

따라서 섞어야 하는 **5 %의 소금물의 양**은 **150 g**, **9 %의 소금물의 양**은 **50 g**이다.

➊ ㉠×5−㉢을 하면
$\begin{array}{r} 5x+5y=1000 \\ -\ )\ 5x+9y=1200 \\ \hline -4y=-200 \end{array}$
$\therefore y=50$
$y=50$을 ㉠에 대입하면
$x+50=200$ $\therefore x=150$

확인 09 6 %의 설탕물과 15 %의 설탕물을 섞었더니 12 %의 설탕물 1500 g이 되었다.
이때 6 %의 설탕물과 15 %의 설탕물을 각각 몇 g씩 섞었는지 구하시오.

≫ My 셀파
6 %의 설탕물의 양을 x g, 15 %의 설탕물의 양을 y g으로 놓고, 연립방정식을 세운다.

기본 10 농도에 대한 문제 (2) – 소금물의 농도

해법코드

농도가 다른 두 소금물 A, B가 있다. 소금물 A를 200 g, 소금물 B를 400 g 섞으면 4 %의 소금물이 되고, 소금물 A를 200 g, 소금물 B를 100 g 섞으면 3 %의 소금물이 된다고 한다. 이때 두 소금물 A, B의 농도를 각각 구하시오.

두 소금물을 섞을 때
① 섞기 전 두 소금물의 양의 합과 섞은 후 소금물의 양은 같다.
② 섞기 전 두 소금물에서 소금의 양의 합과 섞은 후 소금물에서 소금의 양이 같다.

셀파 농도가 다른 두 소금물을 섞을 때 소금의 양은 변하지 않음을 이용하여 연립방정식을 세운다.

풀이 소금물 A의 농도를 x %, 소금물 B의 농도를 y %라 하면
(소금물 A 200 g의 소금의 양) + (소금물 B 400 g의 소금의 양)
= (4 %의 소금물 600 g의 소금의 양)이므로

$\dfrac{x}{100} \times 200 + \dfrac{y}{100} \times 400 = \dfrac{4}{100} \times 600$, 즉 $2x+4y=24$

(소금물 A 200 g의 소금의 양) + (소금물 B 100 g의 소금의 양)
= (3 %의 소금물 300 g의 소금의 양)이므로

$\dfrac{x}{100} \times 200 + \dfrac{y}{100} \times 100 = \dfrac{3}{100} \times 300$, 즉 $2x+y=9$

즉 $\begin{cases} 2x+4y=24 \\ 2x+y=9 \end{cases}$ $\therefore x=2$, $y=5$

따라서 **소금물 A의 농도**는 **2 %**, **소금물 B의 농도**는 **5 %**이다.

➊ $\begin{cases} 2x+4y=24 & \cdots \text{㉠} \\ 2x+y=9 & \cdots \text{㉡} \end{cases}$에서
㉠−㉡을 하면 $3y=15$
$\therefore y=5$
$y=5$를 ㉡에 대입하면
$2x+5=9$, $2x=4$
$\therefore x=2$

확인 10 농도가 다른 두 소금물 A, B를 각각 100 g씩 섞으면 10 %의 소금물이 되고, 소금물 A를 300 g, 소금물 B를 100 g 섞으면 9 %의 소금물이 된다. 이때 두 소금물 A, B의 농도를 각각 구하시오.

≫ My 셀파
소금물 A의 농도를 x %, 소금물 B의 농도를 y %로 놓고, 각각의 소금의 양을 구한다.

발전 **11** 다리 또는 터널을 통과하는 기차

일정한 속력으로 달리고 있는 기차가 3600 m 길이의 다리를 완전히 통과하는 데 3분이 걸리고, 1000 m 길이의 터널을 완전히 통과하는 데 1분이 걸린다고 한다. 이때 기차의 길이와 속력을 각각 구하시오.

기차가 일정한 속력으로 다리 또는 터널을 완전히 통과할 때
⇨ (이동한 거리)=(다리 또는 터널의 길이)+(기차의 길이)

셀파 { (기차가 3600 m 길이의 다리를 완전히 통과하는 경우에 대한 일차방정식) } 으로 연립방정식을 세운다.
{ (기차가 1000 m 길이의 터널을 완전히 통과하는 경우에 대한 일차방정식) }

기차가 다리나 터널을 완전히 통과해야 하니까 기차 일부가 다리나 터널 안에 있어서는 안 돼!

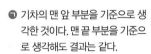

풀이 기차의 길이를 x m, 기차의 속력을 분속 y m라 하자.

(ⅰ) 기차가 다리를 완전히 통과하는 경우

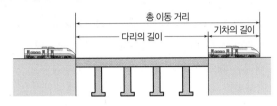

기차가 다리에 진입하는 순간부터 다리를 완전히 통과하는 순간까지 기차가 움직인 거리는 ^ᄀ위 그림처럼 (다리의 길이)+(기차의 길이)이고, 이 거리를 속력이 분속 y m인 기차가 3분 동안 움직였으므로 <u>3600+x=y×3</u>

● 기차의 맨 앞 부분을 기준으로 생각한 것이다. 맨 끝 부분을 기준으로 생각해도 결과는 같다.

(ⅱ) 기차가 터널을 완전히 통과하는 경우

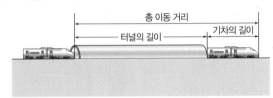

기차가 터널에 진입하는 순간부터 터널을 완전히 통과하는 순간까지 기차가 움직인 거리는 위 그림처럼 (터널의 길이)+(기차의 길이)이고, 이 거리를 속력이 분속 y m인 기차가 1분 동안 움직였으므로 1000+x=y×1

● 기차가 분속 y m로 3분 동안 이동했으므로
(움직인 거리)=(속력)×(시간)
$=y×3$

(ⅰ), (ⅱ)에서 $\begin{cases} 3600+x=3y & \cdots ㉠ \\ 1000+x=y & \cdots ㉡ \end{cases}$

㉠−㉡을 하면 $2600=2y$ ∴ $y=1300$

$y=1300$을 ㉡에 대입하면

$1000+x=1300$ ∴ $x=300$

따라서 기차의 **길이**는 **300 m**, **속력**은 **분속 1300 m**이다.

● 기차가 분속 y m로 1분 동안 이동했으므로
(움직인 거리)=(속력)×(시간)
$=y×1$

확인 11 일정한 속력으로 달리는 기차가 있다. 이 기차가 800 m 길이의 터널을 완전히 통과하는 데 23초가 걸렸고, 400 m 길이의 다리를 완전히 통과하는 데 13초가 걸렸다고 한다. 이때 기차의 길이와 속력을 각각 구하시오.

≫ My 셀파
기차가 일정한 속력으로 터널 또는 다리를 완전히 통과할 때
(이동한 거리)
=(터널 또는 다리의 길이)+(기차의 길이)

10 연립일차방정식의 활용

강물과 배의 속력에 대한 문제

Q 다음 문제를 살펴보면 배의 속력이 일정하고 같은 거리를 이동했는데, 강을 거슬러 올라갈 때와 강을 따라 내려올 때 걸린 시간이 다르다. 왜 그럴까?

> 속력이 일정한 배를 타고 16 km 떨어진 선착장에 다녀오려고 한다. 강을 거슬러 올라가는 데 4시간, 강을 따라 내려오는 데 2시간이 걸렸다고 할 때, 흐르지 않는 물에서의 배의 속력과 강물의 속력을 각각 구하시오. (단, 강물의 속력은 일정하다.)

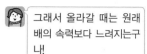
배가 강을 거슬러 올라갈 때는 배의 진행 방향과 강물이 흐르는 방향이 반대니까 강물이 배가 나아가는 것을 방해해.

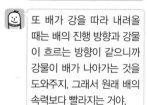
그래서 올라갈 때는 원래 배의 속력보다 느려지는구나!

A 흐르지 않는 물에서의 배의 속력은 일정하게 유지할 수 있지만, 흐르는 물 때문에 강을 거슬러 올라갈 때와 강을 따라 내려올 때의 속력이 다르다. 즉 물이 흐르는 속력 때문에 배의 속력이 빨라지거나 느려질 수 있다.

〈강을 거슬러 올라갈 때〉

〈강을 따라 내려올 때〉

또 배가 강을 따라 내려올 때는 배의 진행 방향과 강물이 흐르는 방향이 같으니까 강물이 배가 나아가는 것을 도와주지. 그래서 원래 배의 속력보다 빨라지는 거야.

따라서 흐르지 않는 물에서의 배의 속력을 시속 x km, 강물의 속력을 시속 y km 라 하면 배가 강을 거슬러 올라갈 때의 배의 속력은 시속 $(x-y)$ km, 강을 따라 내려올 때의 배의 속력은 시속 $(x+y)$ km가 된다.

㉠ 강을 거슬러 올라간 거리와 강을 따라 내려온 거리는 각각 16 km 로 같다. 이때
(거리)＝(속력)×(시간)
임을 이용한다.

Q 그럼 위의 문제를 풀어 보자.

A 강을 거슬러 올라갈 때의 배의 속력은 시속 $(x-y)$ km이고 4시간이 걸리므로
강을 거슬러 올라간 거리는 $4(x-y)=16$ ∴ $x-y=4$
강을 따라 내려올 때의 배의 속력은 시속 $(x+y)$ km이고 2시간이 걸리므로
강을 따라 내려온 거리는 $2(x+y)=16$ ∴ $x+y=8$
즉 $\begin{cases} x-y=4 & \cdots ㉠ \\ x+y=8 & \cdots ㉡ \end{cases}$
㉠, ㉡을 연립하여 풀면 $x=6, y=2$
따라서 흐르지 않는 물에서의 배의 속력은 시속 6 km이고, 강물의 속력은 시속 2 km이다.

㉡ ㉠+㉡을 하면
$2x=12$ ∴ $x=6$
$x=6$을 ㉡에 대입하면
$6+y=8$ ∴ $y=2$

Note
• 강물이 흐르는 방향과 배의 진행 방향이 같을 때 ➡ (배의 속력)＝(흐르지 않는 물에서의 배의 속력)＋(강물의 속력)
• 강물이 흐르는 방향과 배의 진행 방향이 반대일 때 ➡ (배의 속력)＝(흐르지 않는 물에서의 배의 속력)－(강물의 속력)

속력이 일정한 배를 타고 길이가 15 km인 강을 왕복하려고 한다. 강을 거슬러 올라가는 데 90분, 강을 따라 내려오는 데 50분이 걸린다고 할 때, 강물의 속력을 구하시오.

(단, 강물의 속력은 일정하다.)

① (강을 거슬러 올라갈 때의 배의 속력)=(흐르지 않는 물에서의 배의 속력)−(강물의 속력)
② (강을 따라 내려올 때의 배의 속력)=(흐르지 않는 물에서의 배의 속력)+(강물의 속력)

셀파 흐르지 않는 물에서의 배의 속력을 시속 x km, 강물의 속력을 시속 y km로 놓는다.

풀이 흐르지 않는 물에서의 배의 속력을 시속 x km, 강물의 속력을 시속 y km라 하면 배가 강을 거슬러 올라갈 때의 배의 속력은 시속 $(x-y)$ km, 강을 따라 내려올 때의 배의 속력은 시속 $(x+y)$ km이다.

이때 길이가 15 km인 강을 거슬러 올라가는 데 90분, 즉 $\frac{90}{60}=\frac{3}{2}$시간이 걸리므로

$\frac{3}{2}(x-y)=15$, 즉 $x-y=10$ ...... ㉠

또 길이가 15 km인 강을 따라 내려오는 데 50분, 즉 $\frac{50}{60}=\frac{5}{6}$시간이 걸리므로

$\frac{5}{6}(x+y)=15$, 즉 $x+y=18$ ...... ㉡

㉠, ㉡을 연립하여 풀면 $x=14$, $y=4$

따라서 강물의 속력은 **시속 4 km**이다.

◉ ㉠+㉡을 하면
$2x=28$ ∴ $x=14$
$x=14$를 ㉡에 대입하면
$14+y=18$ ∴ $y=4$

확인 12 속력이 일정한 배로 18 km 떨어진 곳에 다녀오려고 한다. 강을 거슬러 올라가는 데 3시간, 강을 따라 내려오는 데 1시간이 걸린다고 할 때, 흐르지 않는 물에서의 배의 속력과 강물의 속력을 각각 구하시오. (단, 강물의 속력은 일정하다.)

» My 셀파
흐르지 않는 물에서의 배의 속력을 시속 x km, 강물의 속력을 시속 y km로 놓고, 강을 거슬러 올라갈 때와 강을 따라 내려올 때의 배의 속력을 각각 구한다.

A, B 두 사람이 함께하면 6일 만에 마칠 수 있는 일을 A가 3일 동안 하고 남은 일은 B가 12일 동안 하여 모두 마쳤다. 이 일을 B가 혼자 하면 며칠이 걸리는지 구하시오.

① 전체 일의 양을 1로 놓는다.
② 한 사람이 하루에 할 수 있는 일의 양을 각각 x, y로 놓는다.

셀파 전체 일의 양을 1로 놓는다.

풀이 전체 일의 양을 1이라 하고 A가 하루에 할 수 있는 일의 양을 x, B가 하루에 할 수 있는 일의 양을 y라 하면

$\begin{cases} 6x+6y=1 & \cdots ㉠ \\ 3x+12y=1 & \cdots ㉡ \end{cases}$

㉠, ㉡을 연립하여 풀면 $x=\frac{1}{9}$, $y=\frac{1}{18}$

따라서 B는 하루에 $\frac{1}{18}$만큼 일을 하므로 혼자 하면 **18일**이 걸린다.

전체 일의 양을 1로 놓는 것이 이 문제의 포인트야!

◉ ㉠×2−㉡을 하면
$\begin{array}{r} 12x+12y=2 \\ -)\ \ 3x+12y=1 \\ \hline 9x\qquad =1 \end{array}$

∴ $x=\frac{1}{9}$

$x=\frac{1}{9}$을 ㉠에 대입하면

$\frac{6}{9}+6y=1$, $6y=\frac{1}{3}$

∴ $y=\frac{1}{18}$

확인 13 초은이와 도현이가 함께하면 12일 만에 마칠 수 있는 일을 초은이가 8일 동안 하고 남은 일은 도현이가 24일 동안 하여 모두 마쳤다. 이 일을 초은이가 혼자 하면 며칠이 걸리는지 구하시오.

» My 셀파
초은이와 도현이가 하루에 할 수 있는 일의 양을 각각 x, y로 놓고 연립방정식을 세운다.

10 | 연립일차방정식의 활용

실력 키우기

01 수에 대한 문제　　　　　　　　　　　　`창의력`

다음은 인성이네 학교 수학실 비밀번호에 대한 설명이다. 수학실 비밀번호를 구하시오.

> 수학실 비밀번호는 네 자리 자연수 ☐☐☐☐이다.
> 끝의 두 자리 수는 52이고 각 자리의 숫자의 합은 12이다.
> 또 맨 앞자리 숫자는 두 번째 자리 숫자보다 1 큰 수이다.

02 나이에 대한 문제

현재 어머니와 아들의 나이의 합은 49세이고, 12년 후에는 어머니의 나이가 아들의 나이의 3배보다 7세 더 적다고 한다. 이때 6년 후의 어머니와 아들의 나이를 각각 구하시오.

03 가격, 개수에 대한 문제　　　　　　　　`융합형`

다음은 17세기경 조선 시대 수학자였던 홍정하가 쓴 "구일집"에 나온 방정식에 대한 문제이다. 문제를 읽고 답을 구하시오.

> 말 두 마리와 소 한 마리 값을 합하면 100냥이다.
> 또 말 한 마리와 소 두 마리의 값을 합하면 92냥이다.
> 말과 소 한 마리의 값은 각각 얼마일까?

04 도형에 대한 문제

둘레의 길이가 30 cm인 직사각형이 있다. 이 직사각형의 가로의 길이를 2배 늘이고, 세로의 길이를 4 cm 늘였더니 둘레의 길이가 48 cm가 되었다. 처음 직사각형의 넓이를 구하시오.

05 연립방정식의 활용 문제　　　　　　　　`서술형`

준서와 성하가 가위바위보를 하여 이긴 사람은 3계단씩 올라가고, 진 사람은 2계단씩 내려가기로 하였다. 얼마 후 준서는 처음 위치보다 40계단, 성하는 15계단을 올라가 있었을 때, 물음에 답하시오. (단, 비기는 경우는 없다.)

(1) 다음 표를 완성하시오.

	이긴 횟수	진 횟수	위치 변화
준서	x	y	$+40$
성하			

(2) x, y에 대한 연립방정식을 세우시오.

(3) 준서가 이긴 횟수를 구하시오.

06 증가, 감소에 대한 문제

이번 달 A도시 쓰레기 배출량은 지난달보다 6 % 증가하고, B도시는 지난달보다 12 % 감소하여 두 도시의 쓰레기 배출량의 합이 600톤으로 지난달과 같았다. 두 도시 A, B의 이번 달 쓰레기 배출량은 각각 몇 톤인지 구하시오.

07 거리, 속력, 시간에 대한 문제

이준이는 직선거리가 50 m인 수영장에서 수영을 하는데, 처음에는 초속 1 m의 자유형으로 수영하다가 도중에 초속 0.6 m의 평영으로 수영하여 반대편까지 가는 데 총 1분 2초가 걸렸다. 이때 자유형으로 수영한 거리를 구하시오.

08 농도에 대한 문제

5 %의 소금물과 10 %의 소금물을 섞어서 농도가 6 %인 소금물 300 g을 만들려고 한다. 이때 섞어야 할 5 %의 소금물의 양을 구하시오.

09 일에 대한 문제

어떤 물탱크에 두 호스 A, B를 사용하여 물을 가득 채우려고 한다. 호스 A를 8분 동안 사용한 다음 호스 B를 2분 동안 사용하면 물탱크를 가득 채울 수 있고, 또 두 호스 A, B를 동시에 사용하면 4분 만에 물탱크를 가득 채울 수 있다고 한다. 호스 A만 사용하여 물탱크를 가득 채우는 데 걸리는 시간은 몇 분인지 구하시오.

10 거리, 속력, 시간에 대한 문제   창의력

일정한 속력으로 달리고 있는 기차가 510 m 길이의 다리를 완전히 통과할 때 40초가 걸렸고, 1290 m 길이의 터널을 통과할 때는 1분 20초 동안 완전히 보이지 않았다. 이때 기차의 길이와 속력을 각각 구하시오.

11 거리, 속력, 시간에 대한 문제   서술형

둘레의 길이가 1.5 km인 호수를 형과 동생이 같은 지점에서 동시에 출발하여 반대 방향으로 돌면 15분 후에 처음으로 만나고, 같은 방향으로 돌면 50분 후에 처음으로 만난다고 한다. 형의 속력을 분속 x m, 동생의 속력을 분속 y m라 할 때, 다음 물음에 답하시오. (단, 형이 동생보다 빠르다.)

(1) 반대 방향으로 돌 때, 두 사람이 움직인 거리의 합을 x, y에 대한 일차방정식으로 나타내시오.

(2) 같은 방향으로 돌 때, 두 사람이 움직인 거리의 차를 x, y에 대한 일차방정식으로 나타내시오.

(3) 형과 동생의 속력을 각각 구하시오.

12 연립방정식의 활용 문제

A는 구리를 15 %, 주석을 15 % 포함한 합금이고, B는 구리를 10 %, 주석을 30 % 포함한 합금이다. 이 두 종류의 합금을 녹여서 구리를 20 g, 주석을 30 g 얻으려고 할 때, 합금 A는 몇 g이 필요한지 구하시오.

11

1. 함수의 뜻과 일차함수

1 함수의 뜻

(1) **변수** 여러 가지로 변하는 값을 갖는 문자

(2) **상수** 변수와 달리 [   ]한 값을 갖는 수나 문자   일정

> **참고** 보통 변수는 문자 $x, y, z, \cdots$로 나타내고 상수는 문자 $a, b, c, \cdots$로 나타낸다.

(3) **함수** 두 변수 x, y에 대하여 x의 값이 변함에 따라 y의 값이 [   ]씩 정해지는   하나
대응 관계가 있을 때, y를 x의 함수라 한다.

> **용어 click**
 함수 상자 함(函), 수 수(數)로 상자 안에 들어가는 x의 값에 따라 오직 하나의 y의 값이 결정되는 관계

[보기] 두 변수 x, y 사이의 관계가 다음과 같을 때, y가 x의 함수인지 말하시오.

(1) 자연수 x의 약수 y (2) 자연수 x의 약수의 개수 y

풀이 (1) 두 변수 x, y 사이의 대응 관계를 표로 나타내면 다음과 같다.

x	1	2	3	4	$\cdots$
y	1	1, 2	1, 3	1, 2, 4	$\cdots$

⇨ x의 값 하나에 y의 값이 두 개, 세 개로 정해지는 경우가 있으므로 함수가 아니다.

(2) 두 변수 x, y 사이의 대응 관계를 표로 나타내면 다음과 같다.

x	1	2	3	4	$\cdots$
y	1	2	2	3	$\cdots$

⇨ x의 값 하나에 y의 값이 오직 하나로 정해지므로 함수이다.

2 함수의 대표적인 예

(1) 두 변수 x, y 사이가 정비례 관계, 즉 $y=ax(a\neq0)$인 경우

예 $y=2x$ ⇨
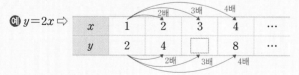
6

(2) 두 변수 x, y 사이가 반비례 관계, 즉 $y=\dfrac{a}{x}(a\neq0)$인 경우

예 $y=\dfrac{12}{x}$ ⇨
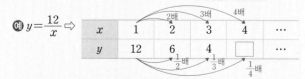
3

(3) 두 변수 x, y 사이의 관계식이 $y=(x의\ [\quad])$, 즉   일차식
$y=ax+b(a\neq0)$인 경우

예 $y=x+1$ ⇨

x	1	2	3	4	$\cdots$
y	2	3	4	5	$\cdots$

> **개념 다시 보기**
> - **정비례 관계** 두 변수 x, y에 대하여 x의 값이 2배, 3배, 4배, $\cdots$로 변함에 따라 y의 값이 2배, 3배, 4배, $\cdots$로 변하는 관계
> - **반비례 관계** 두 변수 x, y에 대하여 x의 값이 2배, 3배, 4배, $\cdots$로 변함에 따라 y의 값이 $\dfrac{1}{2}$배, $\dfrac{1}{3}$배, $\dfrac{1}{4}$배, $\cdots$로 변하는 관계

개념 익히기

| 개념 체크 |

1-1 함수의 뜻

다음 표를 보고 y가 x의 함수인지 말하시오.

(1)

x	1	2	3	4	5
y	1	1	1	2	2

(2)

x	1	2	3	4	5
y	없다.	1	1	1, 2	1, 3

셀파 x의 값 하나에 y의 값이
┌ 오직 하나씩 정해지면 ⇨ 함수이다.
└ 정해지지 않거나 두 개 이상 정해지면 ⇨ 함수가 아니다.

연구 (1) x의 값이 변함에 따라 y의 값이 [ ]씩 정해지므로 y는 x의 [ ].

(2) x의 값 하나에 y의 값이 정해지지 않거나 [ ] 개인 경우가 있으므로 y는 x의 함수가 아니다.

2-1 함수의 대표적인 예

한 자루에 500원인 연필 x자루의 가격을 y원이라 할 때, 다음 물음에 답하시오.

(1) 아래 표를 완성하시오.

x(자루)	1	2	3	4	⋯
y(원)	500				⋯

(2) y는 x의 함수인지 말하시오.
(3) x와 y 사이의 관계식을 구하시오.

셀파 두 변수 x, y의 관계식이 $y = ax \, (a \neq 0)$ 꼴이면 y는 x의 함수이다.

연구 (1)

x(자루)	1	2	3	4	⋯
y(원)	500	1000	[ ]	2000	⋯

(2) x의 값이 변함에 따라 y의 값이 하나씩 정해지므로 y는 x의 [ ].

(3) x와 y 사이의 관계식은 $y = [\ ] x$

| 따라 풀기 |

1-2 두 변수 x, y 사이의 관계가 다음과 같을 때, 아래 표를 완성하고 y가 x의 함수인지 말하시오.

(1) x의 절댓값 y

x	-2	-1	0	1	2
y					

(2) x의 배수 y

x	1	2	3	4	5
y					

2-2 넓이가 24 cm²인 직사각형의 가로의 길이가 x cm, 세로의 길이가 y cm일 때, 다음 물음에 답하시오.

(1) 아래 표를 완성하시오.

x (cm)	1	2	3	4	6
y (cm)	24				

(2) y는 x의 함수인지 말하시오.

(3) x와 y 사이의 관계식을 구하시오.

 · x의 값 하나에 y의 값이 하나씩 정해지면 y는 x의 함수이다.
 · 두 변수 x, y 사이의 관계식이 $y = ax \, (a \neq 0), y = \dfrac{a}{x} \, (a \neq 0), y = ax + b \, (a \neq 0)$ 꼴이면 y는 x의 함수이다.

11 일차함수와 그래프 (1)

3 함숫값

(1) **함수의 표현** y가 x의 함수일 때, 기호로 $y=f(x)$와 같이 나타낸다.

   예 $y=2x$를 $f(x)=2x$로 나타낼 수 있다.

(2) **함숫값**   함수 $y=f(x)$에서 x의 값이 정해지면 그에 따라 정해지는 $\boxed{}$ 의 값,

   즉 $f(x)$를 x의 함숫값이라 한다.

   예 $f(x)=2x$에서 $x=3$일 때의 함숫값을 구하면

$$x=\boxed{}\text{을 대입}$$

$$f(\underset{x\ \text{대신}\ 3}{x})=2x \Rightarrow f(3)=2\times 3=\underset{x=3\text{일 때의 함숫값}}{\boxed{}}$$

   참고 함수 $y=f(x)$에서

$$f(a) \Rightarrow x=a\text{일 때의 함숫값}$$
$$\Rightarrow x=a\text{일 때의 }y\text{의 값}$$
$$\Rightarrow f(x)\text{에 }x\text{ 대신 }a\text{를 대입하여 얻은 값}$$

(오른쪽 표: y / 3 / 6)

용어 click 👆

$y=f(x)$ $y=f(x)$에서 f는 함수를 뜻하는 영어 function의 첫 글자를 기호로 나타낸 것이다.

● 대입: 문자를 사용한 식에서 문자를 어떤 수로 바꾸어 넣는 것

[보기] 함수 $y=f(x)$가 다음과 같을 때, $f(2)$의 값을 구하시오.

   (1) $f(x)=2x+1$ (2) $f(x)=\dfrac{4}{x}$

   풀이   (1) $f(x)=2x+1$에서 $f(2)=2\times 2+1=\mathbf{5}$

         (2) $f(x)=\dfrac{4}{x}$에서 $f(2)=\dfrac{4}{2}=\mathbf{2}$

4 일차함수의 뜻

함수 $y=f(x)$에서 y가 x에 대한 $\boxed{}$, 즉

   $y=ax+b\,(a,\,b\text{는 상수},\ a\boxed{}0)$

로 나타날 때, 함수 f를 x에 대한 일차함수라 한다.

   예 $y=x-1,\ y=-2x \Rightarrow y=(x\text{에 대한 일차식})$이므로 $\boxed{}$이다.

     $y=x^2+1 \Rightarrow x^2+1$이 x에 대한 $\boxed{}$이므로 일차함수가 아니다.

(오른쪽: 일차식 / $\neq$ / 일차함수 / 이차식)

참고

$a,\,b$가 상수이고, $a\neq 0$일 때

① $ax+b$
   $\Rightarrow x$에 대한 일차식

② $ax+b=0$
   $\Rightarrow x$에 대한 일차방정식

③ $ax+b>0$
   $\Rightarrow x$에 대한 일차부등식

④ $y=ax+b$
   $\Rightarrow y$는 x에 대한 일차함수

[보기] 한 자루에 600원인 볼펜 x자루와 한 개에 3000원인 필통 1개를 구입한 총 금액이 y원일 때, 다음 물음에 답하시오.

   (1) y를 x의 식으로 나타내시오.

   (2) y는 x에 대한 일차함수인지 말하시오.

   풀이   (1) 한 자루에 600원인 볼펜 x자루의 가격은 $600x$원이므로

          y를 x의 식으로 나타내면 $\mathbf{y=600x+3000}$

       (2) $600x+3000$은 x에 대한 일차식이므로 $y=600x+3000$은 x에 대한 일차함수이다.

| 개념 체크 |

3-1 함숫값

함수 $f(x)=2x-1$에 대하여 다음을 구하시오.

(1) $x=1$일 때의 함숫값

(2) $x=-3$일 때의 함숫값

셀파 $f(x)$의 식에 x 대신 a를 대입하여 계산한다.

연구 (1) $f(1)=2\times\boxed{}-1=\boxed{}$

(2) $f(-3)=2\times(\boxed{})-1=\boxed{}$

| 따라 풀기 |

3-2 다음 함수에 대하여 $f(-2)$의 값을 구하시오.

(1) $f(x)=-2x$

(2) $f(x)=\dfrac{6}{x}$

(3) $f(x)=3x+2$

음수를 대입할 때는
반드시 괄호를 사용해야 돼.

4-1 일차함수의 뜻

다음 중 y가 x에 대한 일차함수인 것에는 ○표, 아닌 것에는 ×표를 ( ) 안에 써넣으시오.

(1) $y=5x-30$ ( )

(2) $y=\dfrac{x}{3}+2$ ( )

(3) $y=-(x+3)+x$ ( )

(4) $y=x^2-x(x+1)$ ( )

셀파 $y=ax+b\,(a,\,b$는 상수, $a\neq0)$ 꼴이면 y는 x에 대한 일차함수이다.

연구 (1) $y=(x$에 대한 일차식$)$이므로 일차함수이다.

(2) $y=(x$에 대한 일차식$)$이므로 일차함수이다.

(3) 우변의 괄호를 풀어 정리하면 $y=\boxed{}$

즉 y는 x에 대한 $\boxed{}$.

(4) 우변의 괄호를 풀어 정리하면 $y=\boxed{}$

즉 y는 x에 대한 $\boxed{}$.

4-2 다음 중 y가 x에 대한 일차함수인 것에는 ○표, 아닌 것에는 ×표를 ( ) 안에 써넣으시오.

(1) $y=\dfrac{5}{x}$ ( )

(2) $y=-\dfrac{3}{4}x+1$ ( )

(3) $y=3$ ( )

(4) $y=2x^2-x(2x+5)$ ( )

4-3 전체 쪽수가 80쪽인 시집에서 x쪽을 읽고 남은 쪽수를 y라 할 때, 다음 물음에 답하시오.

(1) y를 x의 식으로 나타내시오.

(2) y가 x에 대한 일차함수인지 말하시오.

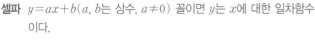

• 함수 $y=f(x)$에서 $f(a)$ ⇨ $x=a$일 때의 함숫값 ⇨ $x=a$일 때의 y의 값 ⇨ $f(x)$에 x 대신 a를 대입하여 얻은 값

• y가 x에 대한 일차함수이면 $y=ax+b\,(a,\,b$는 상수, $a\neq0)$ 꼴이다.

11
일차함수와 그래프 (1)

기본 01 함수 찾기

다음 **보기**에서 y가 x의 함수인 것을 모두 고르시오.

┤ 보기 ├
㉠ 자연수 x보다 작은 자연수 y
㉡ 자연수 x의 소인수 y
㉢ 한 개에 300원인 지우개 x개의 가격 y원
㉣ 넓이가 40 cm²이고 밑변의 길이가 x cm인 삼각형의 높이 y cm

셀파 y가 x의 함수가 되려면 x의 값이 변함에 따라 y의 값이 하나씩 정해져야 한다.

풀이 ㉠ $x=3$일 때, $y=1, 2$의 두 개로 정해지므로 함수가 아니다.

㉡ $x=6$일 때, $y=2, 3$의 두 개로 정해지므로 함수가 아니다.

㉢ $y=300x$이므로 함수이다.

㉣ $\dfrac{1}{2}xy=40$ ∴ $y=\dfrac{80}{x}$ ⇨ 함수이다.

따라서 y가 x의 함수인 것은 ㉢, ㉣이다.

확인 01 다음 **보기**에서 y가 x의 함수가 <u>아닌</u> 것을 고르시오.

┤ 보기 ├
㉠ 자연수 x를 5로 나누었을 때의 나머지 y
㉡ 한 변의 길이가 x cm인 정삼각형의 둘레의 길이 y cm
㉢ 둘레의 길이가 x cm인 직사각형의 넓이 y cm²

기본 02 함숫값

함수 $f(x)=-3x+1$에 대하여 $f(-1)+2f(1)$의 값을 구하시오.

셀파 $f(x)$의 식에 x 대신 $-1, 1$을 각각 대입한다.

풀이 $f(-1)=-3\times(-1)+1=4$

$f(1)=-3\times1+1=-2$

∴ $f(-1)+2f(1)=4+2\times(-2)=4+(-4)=\boldsymbol{0}$

확인 02 **1.** 함수 $f(x)=2x-3$에 대하여 $3f(2)+f(-1)$의 값을 구하시오.

2. 함수 $f(x)=-\dfrac{12}{x}$에 대하여 $f(-4)-f(6)$의 값을 구하시오.

기본 03 일차함수 찾기

다음 중 y가 x에 대한 일차함수인 것을 모두 고르면? (정답 2개)

① $y=x(x-2)$
② $y=\dfrac{x}{2}+1$
③ $y=\dfrac{2}{x}-1$
④ $x+y=x-1$
⑤ $y+x=2x-1$

주어진 식에서 y항만 좌변에 남기고 나머지 항은 모두 우변으로 이항하여 정리한다. 이때
$y=ax+b(a, b$는 상수, $a\neq0)$
꼴이면 y는 x에 대한 일차함수이다.

셀파 y항은 좌변으로, 나머지 항은 우변으로 이항하여 간단히 정리하였을 때, $y=(x$에 대한 일차식$)$인 것을 찾는다.

풀이 ① $y=x(x-2)=x^2-2x$에서 x^2-2x는 이차식이므로 일차함수가 아니다.

② $y=\dfrac{x}{2}+1=\dfrac{1}{2}x+1$이므로 일차함수이다.

③ $y=\dfrac{2}{x}-1$에서 $\dfrac{2}{x}$의 분모에 x가 있으므로 일차함수가 아니다.

④ $x+y=x-1$에서 ❶$y=-1$이므로 일차함수가 아니다.

⑤ $y+x=2x-1$에서 $y=x-1$이므로 일차함수이다.

따라서 y가 x에 대한 일차함수인 것은 ②, ⑤이다.

❶ $y=ax+b$에서 $a=0$이므로 일차함수가 아니다.

확인 03 다음 중 y가 x에 대한 일차함수가 <u>아닌</u> 것은?

① $x-y=1-y$
② $2x+y-1=0$
③ $y=x(x+2)-x^2$
④ $y+1=\dfrac{x+1}{3}$
⑤ $y^2+2y=x+y^2+3$

≫ My 셀파
이항하여 정리한 식이
$y=ax+b(a\neq0)$
꼴이 아닌 것을 찾는다.

기본 04 일차함수의 함숫값

일차함수 $f(x)=ax+3$에 대하여 $f(2)=-1$일 때, $f(3)+f(-1)$의 값을 구하시오.

(단, a는 상수)

일차함수 $f(x)=ax+b$에서 $x=p$일 때 함숫값 구하기
$\Rightarrow f(x)$에 $x=p$를 대입한다.
$\Rightarrow f(p)=ap+b$

셀파 $f(2)=-1$을 이용하여 상수 a의 값을 먼저 구한다.

풀이 $f(x)=ax+3$에서 $f(2)=-1$이므로
$f(2)=2a+3=-1$, $2a=-4$ $\therefore a=-2$
따라서 $f(x)=-2x+3$이므로
$f(3)=-2\times3+3=-3$, $f(-1)=-2\times(-1)+3=5$
$\therefore f(3)+f(-1)=-3+5=2$

확인 04 일차함수 $f(x)=-x+a$에 대하여 $f(-9)=12$, $f(b)=1$일 때, $a-b$의 값을 구하시오. (단, a는 상수)

≫ My 셀파
일차함수 $y=f(x)$에서 $f(a)=b$이다. $\Rightarrow y=f(x)$에 x 대신 a를 대입하고 y 대신 b를 대입하면 등식이 성립한다.

2. 일차함수의 그래프

1 일차함수 $y=ax+b$의 그래프 (1)

(1) **일차함수 $y=ax+b(a\neq0)$의 그래프** x의 값의 범위가 수 전체일 때, 일차함수 $y=ax+b$의 그래프는 직선으로 나타난다.

(2) **두 점을 이용하여 일차함수 $y=ax+b(a\neq0)$의 그래프 그리기**

① 주어진 일차함수의 그래프가 지나는 서로 다른 두 점을 찾는다.

② ①에서 찾은 두 점을 좌표평면 위에 나타내고 [   ]으로 연결한다.   직선

[설명] 일차함수 $y=2x+1$에서 x의 값에 따른 y의 값을 구하면 오른쪽 표와 같다.

x	$\cdots$	-2	-1	0	1	2	$\cdots$
y	$\cdots$	-3	-1	1	3	5	$\cdots$

오른쪽 표에서 얻어지는 순서쌍 (x, y)를 좌표로 하는 점을 좌표평면 위에 나타내면 오른쪽 그림의 점과 같고, x의 값의 간격을 점점 작게 하여 얻어지는 순서쌍들을 좌표평면 위에 나타내면 그래프는 점점 직선에 가까워진다.

따라서 x의 값의 범위가 수 전체일 때, 일차함수 $y=2x+1$의 그래프는 오른쪽 그림과 같이 직선이 된다.

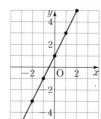

개념 다시 보기

그래프 그리기
서로 관계가 있는 두 변수 x, y의 순서쌍 (x, y)를 좌표평면 위에 모두 나타낸다.

- 두 점을 지나는 직선은 하나뿐이므로 일차함수의 그래프를 그릴 때 그래프가 지나는 여러 점을 찾을 필요 없이 서로 다른 두 점을 찾아 그 그래프를 그릴 수 있다.

- 일차함수 $y=ax+b(a\neq0)$의 그래프는
  ① x의 값이 몇 개의 수로 정해진 경우에는 점으로 나타난다.
  ② x의 값이 정해지지 않은 경우에는 직선으로 나타난다.

- x의 값이 정해지지 않은 경우에는 x의 값의 범위를 수 전체로 생각한다.

2 일차함수 $y=ax+b$의 그래프 (2)

(1) **평행이동** 한 도형을 일정한 방향으로 일정한 [   ]만큼 옮기는 것   거리

(2) 일차함수 $y=ax+b$의 그래프는 일차함수 $y=ax$의 그래프를 y축의 방향으로 b만큼 평행이동한 직선이다.

$$y=ax \xrightarrow[\text{b만큼 평행이동}]{\text{y축의 방향으로}} y=ax+\boxed{}$$

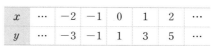

[예] 일차함수 $y=2x-3$의 그래프는 일차함수 $y=2x$의 그래프를 y축의 방향으로 -3만큼 평행이동한 직선이다.

개념 다시 보기

일차함수 $y=ax(a\neq0)$의 그래프
① 원점을 지난다.
② $a>0$일 때 오른쪽 위로, $a<0$일 때 오른쪽 아래로 향하는 직선이다.

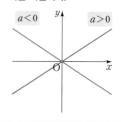

[설명] 두 일차함수 $y=2x$, $y=2x+3$에 대하여 x의 값에 따른 y의 값을 각각 구하면 다음 표와 같다.

x	$\cdots$	-2	-1	0	1	2	$\cdots$
$2x$	$\cdots$	-4	-2	0	2	4	$\cdots$
$2x+3$	$\cdots$	-1	1	3	5	7	$\cdots$

같은 x의 값에 대하여 $2x+3$의 값은 $2x$의 값보다 항상 3만큼 크다.

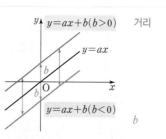

⇨ 일차함수 $y=2x+3$의 그래프는 일차함수 $y=2x$의 그래프를 y축의 방향으로 3만큼 평행이동한 것과 같다.

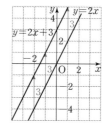

- 평행이동은 옮기기만 한 것이므로 모양은 변하지 않는다.

$$\text{직선} \xrightarrow{\text{평행이동}} \text{직선}$$

| 개념 체크 |

1-1 대응표를 이용한 일차함수 $y=ax+b$의 그래프

일차함수 $y=-2x+1$의 그래프를 그리시오.

셀파 몇 개의 순서쌍을 좌표로 하는 점을 좌표평면 위에 나타내고 직선으로 연결한다.

연구 x의 값에 따른 y의 값을 구하면 다음 표와 같다.

x	$\cdots$	-2	-1	0	1	2	$\cdots$
y	$\cdots$	5		1	-1	-3	$\cdots$

위의 표에서 얻어지는 순서쌍 (x, y)를 좌표로 하는 점을 좌표평면 위에 나타내면 오른쪽 그림의 점과 같다.

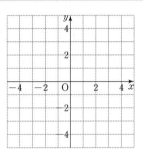

따라서 x의 값의 범위가 수 전체일 때, 일차함수 $y=-2x+1$의 그래프는 오른쪽 그림과 같이 이 점들을 모두 지나는 □이다.

2-1 평행이동을 이용한 일차함수 $y=ax+b$의 그래프

일차함수 $y=x$의 그래프를 이용하여 다음 일차함수의 그래프를 오른쪽 좌표평면 위에 나타내시오.

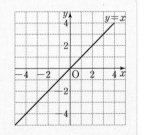

(1) $y=x+1$

(2) $y=x-1$

셀파 일차함수 $y=ax+b$의 그래프는 일차함수 $y=ax$의 그래프를 y축의 방향으로 b만큼 평행이동한 직선이다.

연구 (1) $y=x+1$의 그래프는 $y=x$의 그래프를 y축의 방향으로 □만큼 평행이동한 직선이다.

(2) $y=x-1$의 그래프는 $y=x$의 그래프를 y축의 방향으로 □만큼 평행이동한 직선이다.

| 따라 풀기 |

1-2 일차함수 $y=\frac{1}{2}x+1$에 대하여 다음 표를 완성하고, x의 값의 범위가 수 전체일 때 그래프를 좌표평면 위에 나타내시오.

x	$\cdots$	-4	-2	0	2	4	$\cdots$
y	$\cdots$						$\cdots$

2-2 일차함수 $y=\frac{2}{3}x$의 그래프를 이용하여 다음 일차함수의 그래프를 좌표평면 위에 나타내시오.

(1) $y=\frac{2}{3}x+3$

(2) $y=\frac{2}{3}x-2$

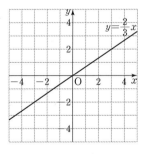

요점 콕콕
- x의 값의 범위가 수 전체일 때, 일차함수 $y=ax+b$의 그래프는 직선으로 나타난다.
- 일차함수 $y=ax+b$의 그래프는 일차함수 $y=ax$의 그래프를 y축의 방향으로 b만큼 평행이동한 직선이다.

2. 일차함수의 그래프

3 일차함수의 그래프의 x절편과 y절편

(1) 일차함수의 그래프의 x절편, y절편

  ① x절편   함수의 그래프가 x축과 만나는 점의 x좌표

    ⇨ $y=\boxed{}$일 때 x의 값

  ② y절편   함수의 그래프가 y축과 만나는 점의 y좌표

    ⇨ $x=0$일 때 y의 값

  ⑩ 일차함수 $y=ax+b$의 그래프에서

    $y=0$을 대입하면 $0=ax+b$ ∴ $x=-\dfrac{b}{a}$ ⇨ x절편: $-\dfrac{b}{a}$

    $x=0$을 대입하면 $y=a\times0+b=b$ ⇨ y절편: $\boxed{}$

(2) x절편, y절편을 이용하여 일차함수의 그래프 그리기

  ①x절편, y절편을 구하여 그래프가 x축, y축과 만나는 두 점을 좌표평면 위에

   나타낸다.   → $(x$절편$,0),(0,\boxed{})$

  ②①의 두 점을 직선으로 연결한다.

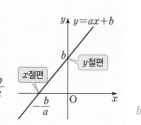

개념 다시 보기 🔍

$P(a,\ b)$
x좌표 ↰   ↱ y좌표

일차함수 $y=ax+b$의 그래프에서 y절편은 항상 상수항인 b와 같아.

[보기] 오른쪽 그림에서 두 직선 (1), (2)의 x절편과 y절편을 각각 구하시오.

[풀이] 직선 (1)은 x축과 점 $(-1,0)$에서 만난다. 또 y축과 점 $(0,2)$에서

    만난다.   ∴ x절편: -1, y절편: 2

    직선 (2)는 x축과 점 $(-3,0)$에서 만난다. 또 y축과 점 $(0,-4)$

    에서 만난다.   ∴ x절편: -3, y절편: -4

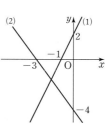

---

4 일차함수의 그래프의 기울기

(1) 기울기 x의 값의 증가량에 대한 y의 값의 증가량의 $\boxed{}$

(2) 일차함수 $y=ax+b$의 그래프에서

$$(\text{기울기})=\dfrac{(y\text{의 값의 증가량})}{(x\text{의 값의 증가량})}=a \rightarrow \text{항상 일정}$$

  ⑩ 일차함수의 그래프에서 x의 값이 1에서 3까지 증가할 때,

    y의 값은 0에서 4까지 증가하면

$$(\text{기울기})=\dfrac{(y\text{의 값의 증가량})}{(x\text{의 값의 증가량})}=\dfrac{4-0}{3-1}=\boxed{}$$

(3) 기울기와 y절편을 이용하여 일차함수의 그래프 그리기

  ①y절편을 이용하여 그래프가 y축과 만나는 점을 좌표평면 위에 나타낸다.

  ②①의 점에서 $\boxed{}$만큼 이동한 점을 찾는다. →$(0,y$절편$)$

  ③①, ②의 두 점을 직선으로 연결한다.

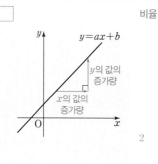

[참고]

두 점 $(x_1,y_1),(x_2,y_2)$를 지나는 일차함수의 그래프에서

$$(\text{기울기})=\dfrac{y_2-y_1}{x_2-x_1}=\dfrac{y_1-y_2}{x_1-x_2}$$

🅐 일차함수 $y=ax+b$의 그래프에서 기울기 a는 x의 값이 1만큼 증가할 때, y의 값이 증가하는 양을 나타낸다.

[보기] 오른쪽 일차함수의 그래프에서 기울기를 구하려고 한다. $\boxed{}$ 안에 알맞은 수를 써넣고, 기울기를 구하시오.

[풀이] x의 값의 증가량이 $+4$, y의 값의 증가량이 -3이므로

$$(\text{기울기})=\dfrac{-3}{4}=-\dfrac{3}{4}$$

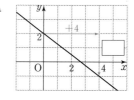

| 개념 체크 |

3-1 일차함수의 그래프의 x절편과 y절편

일차함수 $y=2x-6$의 그래프의 x절편과 y절편을 각각 구하시오.

셀파 x절편 ⇨ x축과 만나는 점의 x좌표 ⇨ $y=0$일 때 x의 값
y절편 ⇨ y축과 만나는 점의 y좌표 ⇨ $x=0$일 때 y의 값

연구 $y=2x-6$에 $y=\boxed{}$을 대입하면
$0=2x-6$ ∴ $x=\boxed{}$
또 $y=2x-6$에 $x=\boxed{}$을 대입하면
$y=2\times0-6=-6$
따라서 x절편은 $\boxed{}$, y절편은 -6이다.

4-1 일차함수의 그래프의 기울기

1. 오른쪽 일차함수의 그래프에서 기울기를 구하시오.

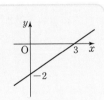

2. 다음 두 점을 지나는 일차함수의 그래프의 기울기를 구하시오.

(1) $(-1, 2)$, $(2, 5)$ (2) $(-3, 2)$, $(3, 5)$

셀파 (기울기)$=\dfrac{(y\text{의 값의 증가량})}{(x\text{의 값의 증가량})}$

연구 1. x의 값이 3만큼 증가할 때, y의 값은 $\boxed{}$만큼 증가하므로
(기울기)$=\boxed{}$

2. (1) (기울기)$=\dfrac{5-2}{2-(-1)}=\boxed{}$

(2) (기울기)$=\dfrac{\boxed{}-\boxed{}}{3-(\boxed{})}=\boxed{}$

| 따라 풀기 |

3-2 다음 일차함수의 그래프의 x절편과 y절편을 각각 구하시오.

(1) $y=x-3$

(2) $y=-5x+5$

(3) $y=\dfrac{2}{3}x-4$

4-2 오른쪽 일차함수의 그래프에서 기울기를 구하시오.

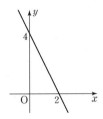

4-3 다음 두 점을 지나는 일차함수의 그래프의 기울기를 구하시오.

(1) $(-1, -1)$, $(3, 3)$

(2) $(2, 0)$, $(0, -6)$

11 일차함수와 그래프 (1)

요점 콕콕

• 일차함수 $y=ax+b$의 그래프에서 $y=0$일 때 $x=-\dfrac{b}{a}$, $x=0$일 때 $y=b$ ⇨ x절편: $-\dfrac{b}{a}$, y절편: b

• (기울기)$=\dfrac{(y\text{의 값의 증가량})}{(x\text{의 값의 증가량})}$

집중 연습

일차함수 $y=ax+b$의 그래프 그리기

빠른 정답 221쪽 | 정답과 해설 62쪽

그래프가 지나는 두 점을 이용하여 그래프 그리기

아래 **보기**는 일차함수 $y=\dfrac{3}{2}x+1$의 그래프를 다음 순서대로 그린 것이다.

> ① 일차함수의 식을 만족하는 두 점의 좌표를 찾는다.
> ② ①에서 찾은 두 점을 좌표평면 위에 나타내고, 그 두 점을 직선으로 연결한다.

┃ 보기 ┃

① $x=0$일 때 $y=1$, $x=2$일 때 $y=4$ 이므로 두 점 $(0, 1)$, $(2, 4)$를 지난다.

② 두 점 $(0, 1)$, $(2, 4)$를 좌표평면 위에 나타내고, 그 두 점을 직선으로 연결한다.

평행이동을 이용하여 그래프 그리기

아래 **보기**는 일차함수 $y=x+2$의 그래프를 다음 순서대로 그린 것이다.

> ① 일차함수 $y=x$의 그래프를 그린다.
> ② 일차함수 $y=x$의 그래프를 y축의 방향으로 2만큼 평행이동한다.

┃ 보기 ┃

① $y=x$의 그래프는 원점과 점 $(1, 1)$을 지나므로 그 두 점을 직선으로 연결한다.

② $y=x$의 그래프를 y축의 방향으로 2만큼 평행이동한 것이 $y=x+2$의 그래프이다.

1 위 방법으로 다음 일차함수의 그래프를 그리시오.

(1) $y=x-2$

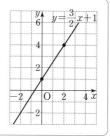

(2) $y=-3x+2$

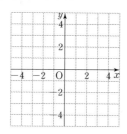

(3) $y=\dfrac{1}{4}x-3$

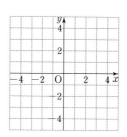

2 위 방법으로 다음 일차함수의 그래프를 그리시오.

(1) $y=-3x-4$

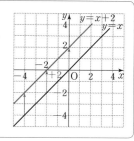

(2) $y=\dfrac{1}{2}x+3$

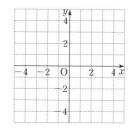

(3) $y=\dfrac{3}{2}x-2$

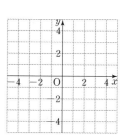

x절편, y절편을 이용하여 그래프 그리기

아래 **보기**는 일차함수 $y=-\dfrac{1}{2}x-1$의 그래프를 다음 순서대로 그린 것이다.

> ① x절편, y절편을 구한다.
> ↳ x축과 만나는 점의 x좌표
> ② 두 점 $(x$절편$, 0), (0, y$절편$)$을 좌표평면 위에 나타내고,
> 그 두 점을 직선으로 연결한다. ↳ y축과 만나는 점의 y좌표

┌ **보기** ┐
① x절편은 -2, y절편은 -1이다.

② 두 점 $(-2, 0), (0, -1)$을 좌표평면 위에 나타내고, 그 두 점을 직선으로 연결한다.

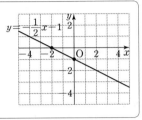
└─────────┘

3 위 방법으로 다음 일차함수의 그래프를 그리시오.

(1) $y=3x+6$

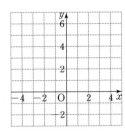

(2) $y=-2x+4$

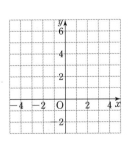

(3) $y=\dfrac{2}{3}x+2$

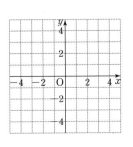

기울기와 y절편을 이용하여 그래프 그리기

아래 **보기**는 일차함수 $y=2x-3$의 그래프를 다음 순서대로 그린 것이다.

> ① y축과 만나는 점 $(0, y$절편$)$을 좌표평면 위에 나타낸다.
> ② 점 $(0, y$절편$)$에서 기울기만큼 이동한 점을 찾는다.
> ③ ①, ②의 두 점을 직선으로 연결한다.

┌ **보기** ┐
① y절편이 -3이므로 점 $(0, -3)$을 좌표평면 위에 나타낸다.

② 기울기가 2이므로 점 $(0, -3)$에서 x의 값이 1만큼 증가할 때, y의 값이 2만큼 증가하는 점의 좌표는 $(1, -1)$이다.

③ 두 점 $(0, -3), (1, -1)$을 직선으로 연결한다.

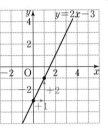
└─────────┘

4 위 방법으로 다음 일차함수의 그래프를 그리시오.

(1) $y=-2x+3$

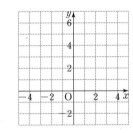

(2) $y=\dfrac{3}{4}x-2$

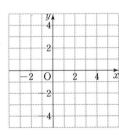

(3) $y=-\dfrac{2}{3}x+1$

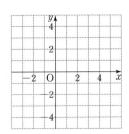

기본 01 일차함수의 그래프 위의 점

다음 중 일차함수 $y=-2x+5$의 그래프 위의 점이 <u>아닌</u> 것은?

① $(-1, 7)$ ② $\left(-\dfrac{1}{2}, 6\right)$ ③ $\left(\dfrac{3}{2}, 2\right)$ ④ $\left(\dfrac{1}{4}, \dfrac{11}{2}\right)$ ⑤ $(3, -1)$

해법코드
점 (p, q)가 일차함수 $y=ax+b$의 그래프 위에 있다.
⇨ 일차함수 $y=ax+b$의 그래프가 점 (p, q)를 지난다.
⇨ $q=ap+b$이다.

셀파 $y=-2x+5$에 각 보기의 점의 좌표를 대입했을 때 등식이 성립하면 그 점은 일차함수 $y=-2x+5$의 그래프 위의 점이다.

풀이 ① $-2\times(-1)+5=7$ ② $-2\times\left(-\dfrac{1}{2}\right)+5=6$ ③ $-2\times\dfrac{3}{2}+5=2$

④ $-2\times\dfrac{1}{4}+5=\dfrac{9}{2}\neq\dfrac{11}{2}$ ⑤ $-2\times3+5=-1$

따라서 일차함수 $y=-2x+5$의 그래프 위의 점이 아닌 것은 ④이다.

확인 01

1. 점 $(k, 4)$가 일차함수 $y=3x-5$의 그래프 위에 있을 때, k의 값을 구하시오.

2. 일차함수 $y=-\dfrac{1}{2}x+a$의 그래프가 두 점 $(-2, 3)$, $(b, -3)$을 지날 때, $a+b$의 값을 구하시오. (단, a는 상수)

≫ My 셀파

1. $y=3x-5$에 $x=k$, $y=4$를 대입한다.

2. $y=-\dfrac{1}{2}x+a$에 $x=-2$, $y=3$을 대입하여 상수 a의 값부터 구한다.

기본 02 일차함수의 그래프의 평행이동

일차함수 $y=2x+3$의 그래프를 y축의 방향으로 -5만큼 평행이동하였더니 $y=ax+b$의 그래프가 되었다. 이때 상수 a, b의 값을 각각 구하시오.

해법코드
일차함수 $y=ax$의 그래프를 y축의 방향으로 b만큼 평행이동
⇨ $y=ax+b$

셀파 $y=2x+3$ $\xrightarrow[-5만큼 평행이동]{y축의 방향으로}$ $y=2x+3-5$

풀이 일차함수 $y=2x+3$의 그래프를 y축의 방향으로 -5만큼 평행이동한 그래프의 식은
$y=2x+3-5$ ∴ $y=2x-2$
이때 $y=ax+b$와 $y=2x-2$가 같은 식이므로 $\boldsymbol{a=2, b=-2}$

참고 ❶ 일차함수 $y=ax$의 그래프를 y축의 방향으로 k만큼 평행이동하면
$\underbrace{y=ax}_{그대로}$ $\qquad$ $y=ax\underbrace{+k}_{평행이동한 k만큼 더한다.}$

❷ 일차함수 $y=ax+b$의 그래프를 y축의 방향으로 k만큼 평행이동하면
$\underbrace{y=ax+b}_{그대로}$ $\qquad$ $y=\underbrace{ax+b}+\underbrace{k}_{평행이동한 k만큼 더한다.}$

확인 02 일차함수 $y=-2x+8$의 그래프를 y축의 방향으로 k만큼 평행이동하면 점 $(2, 3)$을 지난다. 이때 상수 k의 값을 구하시오.

≫ My 셀파
$y=-2x+8$ $\xrightarrow[k만큼 평행이동]{y축의 방향으로}$
$y=-2x+8+k$

기본 03 일차함수의 그래프의 x절편과 y절편

일차함수 $y=-\dfrac{2}{3}x+2$의 그래프에서 x절편을 a, y절편을 b라 할 때, $a+b$의 값을 구하시오.

일차함수 $y=ax+b$의 그래프에서
• x절편 ⇨ $y=0$일 때 x의 값
$$⇨ -\dfrac{b}{a}$$
• y절편 ⇨ $x=0$일 때 y의 값
$$⇨ b$$

셀파 $y=-\dfrac{2}{3}x+2$에서 $y=0$일 때 x의 값, $x=0$일 때 y의 값을 구한다.

풀이 $y=-\dfrac{2}{3}x+2$에 $y=0$을 대입하면 $0=-\dfrac{2}{3}x+2$

$\dfrac{2}{3}x=2$ $\quad\therefore x=3$, 즉 $a=3$

$y=-\dfrac{2}{3}x+2$에 $x=0$을 대입하면 $y=2$, 즉 $b=2$

$\therefore a+b=3+2=\mathbf{5}$

확인 03 일차함수 $y=\dfrac{3}{4}x+6$의 그래프가 오른쪽 그림과 같을 때, $a+b$의 값을 구하시오.

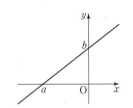

≫ My 셀파
a, b는 각각 일차함수 $y=\dfrac{3}{4}x+6$의 그래프의 x절편, y절편이다.

11
일차함수와 그래프 (1)

기본 04 x절편과 y절편을 이용하여 미지수의 값 구하기

일차함수 $y=ax+b$의 그래프는 x절편이 -2이고 y절편이 -4일 때, $a-b$의 값을 구하시오. (단, a, b는 상수)

일차함수 $y=ax+b$의 그래프의 x절편이 m, y절편이 n이다.
⇨ 그래프가 두 점 $(m, 0)$, $(0, n)$을 지난다.
⇨ $0=am+b$, $n=b$

셀파 x절편이 -2이므로 점 $(-2, 0)$을 지나고, y절편이 -4이므로 점 $(0, -4)$를 지난다.

풀이 일차함수 $y=ax+b$의 그래프의 y절편이 -4이므로 $b=-4$

$\therefore y=ax-4$

이때 이 그래프의 x절편이 -2이므로

$y=ax-4$에 $x=-2$, $y=0$을 대입하면

$0=-2a-4$, $2a=-4$ $\quad\therefore a=-2$

$\therefore a-b=-2-(-4)=\mathbf{2}$

❶ y절편은 그래프가 y축과 만나는 점의 y좌표이다.
따라서 y절편은 $x=0$일 때 y의 값이다.

❷ x절편은 그래프가 x축과 만나는 점의 x좌표이다.
따라서 x절편은 $y=0$일 때 x의 값이다.

확인 04 일차함수 $y=-3x+k$의 그래프의 x절편이 $\dfrac{2}{3}$일 때, y절편을 구하시오. (단, k는 상수)

≫ My 셀파
x절편이 $\dfrac{2}{3}$이다.
⇨ 그래프가 점 $\left(\dfrac{2}{3}, 0\right)$을 지난다.

해법코드

일차함수 $y=ax+3$의 그래프는 x의 값이 4만큼 증가할 때, y의 값은 6만큼 증가한다. 다음을 구하시오.

(1) 상수 a의 값

(2) x의 값이 -1에서 2까지 증가할 때, y의 값의 증가량

일차함수 $y=ax+b$의 그래프에서 기울기

$\Rightarrow \dfrac{(y\text{의 값의 증가량})}{(x\text{의 값의 증가량})}=a$

셀파 일차함수 $y=ax+b$에서 x의 계수 a는 그래프의 기울기를 나타낸다.

풀이 (1) x의 값이 4만큼 증가할 때, y의 값이 6만큼 증가하므로

$$(\text{기울기})=\dfrac{(y\text{의 값의 증가량})}{(x\text{의 값의 증가량})}=\dfrac{6}{4}=\dfrac{3}{2} \qquad \therefore a=\dfrac{3}{2}$$

(2) x의 값이 -1에서 2까지 증가하면 x의 값의 증가량은 3이므로

$$\dfrac{(y\text{의 값의 증가량})}{3}=\dfrac{3}{2}\text{에서}$$

$$(y\text{의 값의 증가량})=\dfrac{3}{2}\times 3=\dfrac{9}{2}$$

❶ $(x\text{의 값의 증가량})=2-(-1)$
$=3$

확인 05 x절편이 $-\dfrac{3}{2}$인 일차함수 $y=ax+1$의 그래프에서 x의 값이 9만큼 증가할 때, y의 값은 -3에서 k까지 증가한다. 이때 $3a+k$의 값을 구하시오. (단, a는 상수)

≫ My 셀파
일차함수 $y=ax+1$의 그래프가 점 $\left(-\dfrac{3}{2}, 0\right)$을 지나는 것을 이용하여 상수 a의 값부터 구한다.

해법코드

두 점 $(3, -2)$, $(-1, k)$를 지나는 일차함수의 그래프의 기울기가 2일 때, k의 값을 구하시오.

$(\text{기울기})=\dfrac{(y\text{의 값의 증가량})}{(x\text{의 값의 증가량})}$

셀파 두 점 (x_1, y_1), (x_2, y_2) $(x_1 \neq x_2)$를 지나는 일차함수의 그래프의 기울기 $\Rightarrow \dfrac{y_2-y_1}{x_2-x_1}$

풀이 두 점 $(3, -2)$, $(-1, k)$를 지나는 일차함수의 그래프의 기울기가 2이므로

$$\dfrac{k-(-2)}{-1-3}=2\text{에서} \quad \dfrac{k+2}{-4}=2$$

$$k+2=-8 \qquad \therefore k=-10$$

≫ 오답 피하기
그래프가 지나는 두 점이 주어진 경우, 기울기를 구할 때는 빼는 순서에 주의한다.

❹ 두 점 $(-1, 2)$, $(2, 5)$에 대하여

$\dfrac{(y_{\text{뒤}}-y_{\text{앞}})}{(x_{\text{앞}}-x_{\text{뒤}})}=\dfrac{5-2}{-1-2}$
$=-1 \qquad (\times)$

$\dfrac{(y_{\text{앞}}-y_{\text{뒤}})}{(x_{\text{앞}}-x_{\text{뒤}})}=\dfrac{2-5}{-1-2}$
$=1 \qquad (\bigcirc)$

확인 06 두 점 $(-2, 2)$, $(2, 7)$을 지나는 일차함수의 그래프에서 x의 값이 -1에서 1까지 증가할 때, y의 값의 증가량을 구하시오.

≫ My 셀파
두 점 $(-2, 2)$, $(2, 7)$을 지나는 직선의 기울기를 구한다.

기본 07 일차함수의 그래프의 기울기와 x절편, y절편

일차함수 $y=3x+1$의 그래프를 y축의 방향으로 -3만큼 평행이동한 그래프의 기울기를 a, x절편을 b, y절편을 c라 할 때, a, b, c의 값을 각각 구하시오.

일차함수 $y=ax+b$의 그래프에서
· 기울기 ⇨ a
· x절편 ⇨ $-\dfrac{b}{a}$
· y절편 ⇨ b

셀파 평행이동한 그래프의 식을 구한다.

풀이 일차함수 $y=3x+1$의 그래프를 y축의 방향으로 -3만큼 평행이동한 그래프의 식은

$y=3x+1-3$ ∴ $y=3x-2$

$y=3x-2$의 그래프의 기울기는 3, y절편은 -2이므로 **$a=3$, $c=-2$**

x절편이 b이므로 $0=3b-2$에서 **$b=\dfrac{2}{3}$**

▣ $y=3x-2$에 $x=b$, $y=0$을 대입한다.

확인 07 일차함수 $y=\dfrac{3}{5}x+2$의 그래프의 y절편을 a, 일차함수 $y=6x-5$의 그래프의 기울기를 b라 할 때, 일차함수 $y=ax+b$의 그래프의 x절편을 구하시오.

» My 셀파
일차함수 $y=ax+b$의 그래프에서
기울기: a, x절편: $-\dfrac{b}{a}$, y절편: b

기본 08 일차함수의 그래프 그리기

다음 중 일차함수 $y=\dfrac{1}{2}x-4$의 그래프는?

①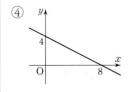

②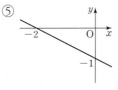

③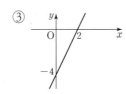

④

⑤

일차함수 $y=ax+b$의 그래프는 다음과 같은 방법으로 구할 수 있다.
[방법 1] x절편 $-\dfrac{b}{a}$, y절편 b를 이용한다.
[방법 2] 기울기 a, y절편 b를 이용한다.

셀파 x절편과 y절편을 이용하여 두 점 $(x$절편, $0)$, $(0, y$절편$)$을 지나는 직선을 찾는다.

풀이 $y=\dfrac{1}{2}x-4$에 $y=0$을 대입하면 $0=\dfrac{1}{2}x-4$, $\dfrac{1}{2}x=4$ ∴ $x=8$

또 $y=\dfrac{1}{2}x-4$에 $x=0$을 대입하면 $y=-4$

따라서 일차함수 $y=\dfrac{1}{2}x-4$의 그래프의 x절편은 8, y절편은 -4이므로 그 그래프는 ①이다.

▣ 두 점 $(8, 0)$, $(0, -4)$를 지난다.

확인 08 다음 일차함수의 그래프 중 제2사분면을 지나지 <u>않는</u> 것은?

① $y=\dfrac{1}{2}x+3$ ② $y=-\dfrac{1}{3}x+2$ ③ $y=2x-1$

④ $y=-x-4$ ⑤ $y=3x+4$

» My 셀파
x절편, y절편을 이용하여 각 보기의 일차함수의 그래프를 그려 본다.

11 일차함수와 그래프 (1)

세 점 $(0, 2)$, $(1, a)$, $(-3, 6)$이 한 직선 위에 있을 때, a의 값을 구하시오.

셀파 세 점이 한 직선 위에 있으면 어떤 두 점을 선택해도 기울기는 같다.

풀이 두 점 $(0, 2)$, $(1, a)$를 지나는 직선의 기울기는

$$\frac{a-2}{1-0}=a-2 \qquad \cdots\cdots \text{㉠}$$

두 점 $(0, 2)$, $(-3, 6)$을 지나는 직선의 기울기는

$$\frac{6-2}{-3-0}=-\frac{4}{3} \qquad \cdots\cdots \text{㉡}$$

이때 ㉠, ㉡이 같으므로 $a-2=-\dfrac{4}{3}$ $\qquad \therefore a=\dfrac{2}{3}$

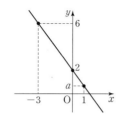

확인 09 오른쪽 그림과 같이 세 점 A, B, C가 한 직선 위에 있을 때, a의 값을 구하시오.

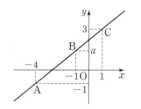

≫ My 셀파
두 점 $A(-4, -1)$, $C(1, 3)$을 지나는 직선의 기울기를 구한다.

일차함수 $y=\dfrac{1}{2}x+4$의 그래프와 x축 및 y축으로 둘러싸인 도형의 넓이를 구하시오.

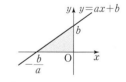
셀파 일차함수 $y=\dfrac{1}{2}x+4$의 그래프를 그린다.

풀이 $y=\dfrac{1}{2}x+4$에 $y=0$을 대입하면 $x=-8$

또 $y=\dfrac{1}{2}x+4$에 $x=0$을 대입하면 $y=4$

따라서 일차함수 $y=\dfrac{1}{2}x+4$의 그래프의 x절편은 -8,

y절편은 4이므로 구하는 도형의 넓이는

$$\frac{1}{2} \times |-8| \times 4 = \mathbf{16}$$

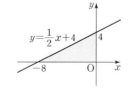

확인 10 오른쪽 그림과 같이 일차함수 $y=\dfrac{3}{4}x-3$의 그래프와 x축 및 y축으로 둘러싸인 도형의 넓이를 구하시오.

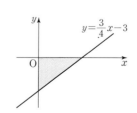

≫ My 셀파
일차함수 $y=\dfrac{3}{4}x-3$의 그래프에서 x절편과 y절편을 구한다.

실력 키우기

01 함수의 뜻

다음 중 y가 x의 함수가 <u>아닌</u> 것을 모두 고르면? (정답 2개)

① $xy = -2$

② $x + y = 5$

③ $y = ($자연수 x의 배수$)$

④ $y = ($자연수 x와 서로소인 자연수$)$

⑤ $y = ($자연수 x를 2로 나눈 나머지$)$

02 함수의 뜻과 함숫값   [서술형]

한 개의 무게가 30 g인 과자 x개의 무게를 y g이라 할 때, 다음 물음에 답하시오.

(1) 아래 표를 완성하시오.

x(개)	1	2	3	4	⋯
y (g)					⋯

(2) x와 y 사이의 관계식을 구하시오.

(3) $y = f(x)$일 때, $f(10)$의 값을 구하시오.

03 함숫값   [창의·융합]

오른쪽 그림과 같이 x를 넣으면
$y = -x + a$가 나오는 상자가 있다.
이 상자에 -2를 넣으면 6이 나온다고
할 때, 4를 넣으면 나오는 수를 구하시
오. (단, a는 상수)

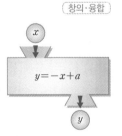

04 함숫값

함수 $f(x) = ($자연수 x의 약수의 개수$)$에 대하여
$f(10) + f(18)$의 값을 구하시오.

05 일차함수의 뜻

$y = x(x-1) + ax^2 + bx + 3$이 x에 대한 일차함수가 되도록
하는 상수 a, b의 조건을 구하시오.

06 일차함수의 뜻

다음은 각 학생들이 오늘 있었던 일을 말한 것이다. y가 x에
대한 일차함수가 <u>아닌</u> 내용을 말한 학생을 말하시오.

 준수 한 끼에 x kcal씩 세 끼를 먹었더니 오늘 섭취한 열량은 총 y kcal야.

 은정 분속 x m로 y분 동안 걸어서 100 m 떨어진 도서관에 갔어.

 승호 가로의 길이가 x cm, 세로의 길이가 y cm이고 둘레의 길이가 40 cm인 직사각형 모양의 휴대폰을 샀어.

 미영 사탕 100개를 친구들 x명에게 5개씩 나누어 주었더니 y개가 남았어.

11 일차함수와 그래프 (1)

07 일차함수의 함숫값 　　　　　　　　 [융합형]

일차함수 $f(x)=ax-b$에 대하여 $f(-1)=-4$, $f(3)=4$
일 때, 상수 a, b의 값을 각각 구하시오.

08 일차함수의 그래프 위의 점

일차함수 $y=\dfrac{1}{2}x+a$의 그래프가 두 점 $(2, -2)$, $(k, -4)$
를 지날 때, k의 값을 구하시오. (단, a는 상수)

09 일차함수의 그래프의 평행이동

일차함수 $y=3ax-2$의 그래프를 y축의 방향으로 -2만큼
평행이동하였더니 $y=12x+b$의 그래프와 일치하였다. 상
수 a, b에 대하여 $a+b$의 값을 구하시오.

10 일차함수의 그래프의 평행이동과 절편

일차함수 $y=ax-1$의 그래프를 y축의 방향으로 4만큼 평행
이동한 그래프의 x절편이 -1일 때, 상수 a의 값을 구하시
오.

11 일차함수의 그래프의 기울기

다음 일차함수의 그래프 중 x의 값이 -1에서 2까지 증가할
때, y의 값은 5만큼 감소하는 것은?

① $y=\dfrac{3}{5}x+3$ 　　　　② $y=-\dfrac{3}{5}x-3$

③ $y=3x-5$ 　　　　　　④ $y=\dfrac{5}{3}x-3$

⑤ $y=-\dfrac{5}{3}x-3$

12 두 점을 지나는 일차함수의 그래프의 기울기 　　 [서술형]

오른쪽 그림과 같은 일차함수
$y=ax+b$의 그래프에서 y의 값이
6만큼 감소할 때, x의 값의 증가량
을 구하시오. (단, a, b는 상수)

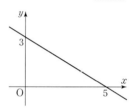

13 일차함수의 그래프의 기울기 　　 [서술형] [창의력]

일차함수 $f(x)=ax+b$의 그래프 위의 두 점 $(p, f(p))$,
$(q, f(q))$에 대하여 $\dfrac{f(p)-f(q)}{p-q}=-4$, $f(1)=1$일 때,
다음 물음에 답하시오. (단, a, b는 상수, $p \neq q$)

(1) $\dfrac{f(p)-f(q)}{p-q}=-4$를 이용하여 상수 a의 값을 구하시오.

(2) $f(1)=1$을 이용하여 상수 b의 값을 구하시오.

(3) $f(2)$의 값을 구하시오.

14 일차함수의 그래프의 기울기와 x절편, y절편

일차함수 $y=4x-12$의 그래프를 y축의 방향으로 4만큼 평행이동한 그래프의 기울기를 a, x절편을 b, y절편을 c라 할 때, $a+b+c$의 값을 구하시오.

15 일차함수의 그래프

다음 중 일차함수 $y=4x-1$의 그래프에 대한 설명으로 옳지 <u>않은</u> 것은?

① y절편이 -1이다.

② x절편이 $\dfrac{1}{4}$이다.

③ 점 $(1, 3)$을 지난다.

④ 제2, 3, 4사분면을 지난다.

⑤ $y=4x+2$의 그래프를 y축의 방향으로 -3만큼 평행이동한 것이다.

16 일차함수의 그래프

다음 일차함수의 그래프 중 제1사분면을 지나지 <u>않는</u> 것은?

① $y=3x-1$　　　　② $y=-2x+1$

③ $y=2x+1$　　　　④ $y=-x-3$

⑤ $y=4x+2$

17 세 점이 한 직선 위에 있을 조건　　（융합형）

여름 무렵 동쪽 하늘에서 볼 수 있는 별자리인 독수리자리를 구성하는 주요 별은 9개이다. 이 중 세 개의 별 $A(-1, 2a)$, $B(1, 1)$, $C(3, a-4)$가 오른쪽 그림과 같이 일직선을 이룰 때, a의 값을 구하시오.

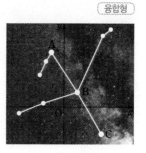

18 일차함수의 그래프와 좌표축으로 둘러싸인 도형의 넓이

오른쪽 그림과 같이 일차함수 $y=ax+12$의 그래프가 x축과 만나는 점을 A, y축과 만나는 점을 B라 하자. 삼각형 AOB의 넓이가 24일 때, 양수 a의 값을 구하시오. (단, O는 원점이다.)

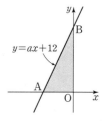

19 일차함수의 그래프와 좌표축으로 둘러싸인 도형의 넓이　　（서술형）

다음 그림과 같이 두 일차함수 $y=\dfrac{3}{2}x+3$, $y=-\dfrac{1}{2}x+3$의 그래프와 x축으로 둘러싸인 도형의 넓이를 구하시오.

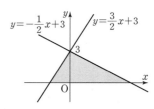

12

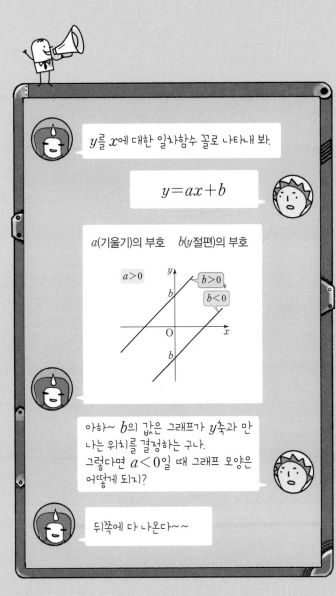

12 일차함수와 그래프 (2)

1 일차함수 $y=ax+b$의 그래프의 성질

(1) a(기울기)의 부호: 그래프의 모양 결정

　① $a>0$일 때

　　x의 값이 증가하면 y의 값도 $\boxed{}$한다.

　　⇨ 그래프는 오른쪽 위로 향하는 직선

　② $a<0$일 때

　　x의 값이 증가하면 y의 값은 감소한다.

　　⇨ 그래프는 오른쪽 $\boxed{}$로 향하는 직선

　참고 $|a|$가 클수록 그래프는 y축에 가까워진다.

(2) $b(y$절편$)$의 부호: 그래프가 y축과 만나는 부분 결정

　① $b>0$일 때

　　y축과 $\boxed{}$의 부분에서 만난다. → y절편이 양수

　② $b<0$일 때

　　y축과 음의 부분에서 만난다. → y절편이 $\boxed{}$

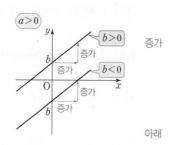

증가

아래

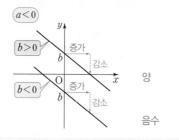

양

음수

🔵 기울기의 절댓값이 클수록 직선의 경사가 심해진다.

　예 $y=-2x$, $y=x$, $y=\frac{1}{2}x$

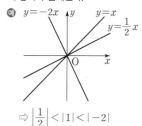

　⇨ $\left|\dfrac{1}{2}\right|<|1|<|-2|$

🔵 $b=0$이면 일차함수 $y=ax+b$의 그래프는 원점을 지난다.

보기 다음 일차함수 중 그 그래프가 오른쪽 위로 향하는 것을 모두 찾으시오.

　(1) $y=x-1$　　　　(2) $y=-x+1$　　　　(3) $y=2x+2$

풀이 기울기가 양수이면 그래프가 오른쪽 위로 향한다.

　　따라서 기울기가 양수인 (1), (3)의 그래프가 오른쪽 위로 향한다.

🔵 일차함수 $y=ax+b$의 그래프에서 기울기는 a이다.
　(1) (기울기)$=1$
　(2) (기울기)$=-1$
　(3) (기울기)$=2$

2 일차함수의 그래프의 평행과 일치

(1) 기울기가 같은 두 일차함수의 그래프는 서로 $\boxed{}$하거나 일치한다.

　두 일차함수 $y=ax+b$와 $y=cx+d$의 그래프에서

　❶ $a=c$, $b\boxed{}d$ ⇨ 두 그래프는 서로 평행하다.

　❷ $a=c$, $b=d$ ⇨ 두 그래프는 일치한다.

　참고 기울기가 서로 다른 두 일차함수의 그래프는 한 점에서 만난다.

(2) 서로 평행한 두 일차함수의 그래프의 $\boxed{}$는 같다.

평행

≠

기울기

참고
두 직선 l, m의 위치 관계
❶ 한 점에서 만난다.

❷ 평행하다. (만나지 않는다.)

❸ 일치한다.

보기 다음 일차함수 중 그 그래프가 $y=2x+1$의 그래프와 평행한 것을 찾으시오.

　(1) $y=x+1$　　　　(2) $y=-2x+3$　　　　(3) $y=2x$

풀이 그래프의 기울기가 2이면서 y절편이 1이 아닌 것을 찾으면 (3)이다.

따라 풀면서 개념 익히기

| 개념 체크 |

1-1 일차함수 $y=ax+b$의 그래프의 성질

그래프가 다음을 만족하는 일차함수를 **보기**에서 모두 고르시오.

| 보기 |
> ㉠ $y=3x+2$ ㉡ $y=\dfrac{1}{4}x-3$
>
> ㉢ $y=-5x-2$ ㉣ $y=-\dfrac{1}{2}x+3$

(1) x의 값이 증가하면 y의 값은 감소하는 직선

(2) 오른쪽 위로 향하는 직선

(3) y축과 음의 부분에서 만나는 직선

셀파 기울기와 y절편의 부호를 파악한다.

연구 (1) x의 값이 증가하면 y의 값은 감소하는 직선은
(기울기) ☐ 0이다.

(2) 오른쪽 위로 향하는 직선은 (기울기) ☐ 0이다.

(3) y축과 음의 부분에서 만나는 직선은 (y절편) ☐ 0이다.

2-1 일차함수의 그래프의 평행과 일치

다음 **보기**의 일차함수의 그래프에 대하여 물음에 답하시오.

| 보기 |
> ㉠ $y=-3x-3$ ㉡ $y=3x+1$
>
> ㉢ $y=3x-5$ ㉣ $y=-3(1+x)$

(1) 서로 평행한 것끼리 짝 지으시오.

(2) 일치하는 것끼리 짝 지으시오.

셀파 보기의 일차함수의 그래프의 기울기와 y절편을 각각 비교한다.

연구 (1) 두 일차함수의 그래프가 서로 평행하려면 ☐ 가 같고 ☐ 은 달라야 한다.

(2) 두 일차함수의 그래프가 일치하려면 기울기와 y절편이 각각 같아야 한다.

| 따라 풀기 |

1-2 다음은 일차함수 $y=-2x+3$의 그래프에 대한 설명이다. ( ) 안에 주어진 것 중 옳은 것에 ○표를 하시오.

> 일차함수 $y=-2x+3$의 그래프는 기울기가 (양수, 음수) 이므로 x의 값이 증가할 때 y의 값은 (증가, 감소)하고, 오른쪽 (위, 아래)로 향하는 직선이다.
> 또 y절편이 (양수, 음수)이므로 y축과 (양, 음)의 부분에서 만난다.

2-2 다음 보기의 일차함수의 그래프에 대하여 물음에 답하시오.

| 보기 |
> ㉠ $y=-\dfrac{1}{2}x+1$ ㉡ $y=2(x+1)+3$
>
> ㉢ $y=2x+5$ ㉣ $y=-\dfrac{1}{2}x+3$
>
> ㉤ $y=\dfrac{1}{2}x-1$ ㉥ $y=\dfrac{3}{2}x+3$

(1) 서로 평행한 것끼리 짝 지으시오.

(2) 일치하는 것끼리 짝 지으시오.

요점 콕콕 • 일차함수 $y=ax+b$에서 a의 부호는 그래프의 모양을 결정하고, b의 부호는 그래프가 y축과 만나는 부분을 결정한다.
• 기울기가 같은 두 일차함수의 그래프는 서로 평행하거나 일치한다.

12 일차함수와 그래프 (2)

3 일차함수의 식 구하기

(1) 기울기와 y절편이 주어질 때

기울기가 a이고 y절편이 b인 직선을 그래프로 하는

일차함수의 식은 $y=ax+\boxed{}$

$$y=ax+b$$
기울기 y절편

b

예 기울기가 -2이고 y절편이 1인 직선을 그래프로 하는

일차함수의 식은 $y=-2x+1$

(2) 기울기와 한 점의 좌표가 주어질 때 기울기가 a이고 점 (x_1, y_1)을 지나는 직선을

그래프로 하는 일차함수의 식은 다음과 같은 순서로 구한다.

⬛ 일차함수의 식을 $y=\boxed{}x+b$로 놓는다.

a

⬛ ⬛의 식에 $x=x_1, y=\boxed{}$을 대입하여 b의 값을 구한다.

y_1

예 기울기가 2이고 점 $(3, -1)$을 지나는 직선을 그래프로 하는 일차함수의 식을 구해 보자.

⬛ 구하는 일차함수의 식을 $y=2x+b$로 놓는다.

⬛ $y=2x+b$에 $x=3, y=-1$을 대입하면 $-1=2\times3+b$ ∴ $b=-7$

∴ $y=2x-7$

● 기울기는 알고 있으므로 주어진 한 점의 좌표를 이용해 y절편을 구한다.

(3) 서로 다른 두 점의 좌표가 주어질 때 서로 다른 두 점 $(x_1, y_1), (x_2, y_2)(x_1\neq x_2)$

를 지나는 직선을 그래프로 하는 일차함수의 식은 다음과 같은 순서로 구한다.

⬛ 기울기 a를 구한다. ⇨ $a=\dfrac{\boxed{}}{x_2-x_1}$

y_2-y_1

⬛ $y=ax+b$에 두 점 중 한 점의 좌표를 대입하여 b의 값을 구한다.

예 두 점 $(1, 3), (2, 5)$를 지나는 직선을 그래프로 하는 일차함수의 식을 구해 보자.

⬛ (기울기) $=\dfrac{5-3}{2-1}=2$

⬛ 구하는 일차함수의 식을 $y=2x+b$로 놓고, 이 식에 $x=1, y=3$을 대입하면

$3=2\times1+b$ ∴ $b=1$

∴ $y=2x+1$

참고 x절편이 m, y절편이 n인 직선을 그래프로 하는 일차함수의 식은 다음과 같은 순서로 구한다. (단, $m\neq0$)

⬛ 두 점 $(m, 0), (\boxed{}, n)$을 지나므로 (기울기) $=\dfrac{n-0}{0-m}=-\dfrac{n}{m}$

0

⬛ y절편이 n이므로 구하는 일차함수의 식은 $y=-\dfrac{n}{m}x+n$

● 서로 다른 두 점을 지나는 직선을 그래프로 하는 일차함수의 식은 $y=ax+b$에 두 점이 좌표를 각각 대입하여 얻은 a, b에 대한 연립방정식을 풀어 구할 수도 있다.

예 $y=ax+b$에 $x=1, y=3$을 대입하면

$3=a+b$ ⋯ ①

$y=ax+b$에 $x=2, y=5$를 대입하면

$5=2a+b$ ⋯ ②

①−②를 하면

$-a=-2$ ∴ $a=2$

$a=2$를 ①에 대입하면

$3=2+b$ ∴ $b=1$

∴ $y=2x+1$

4 일차함수의 활용

⬛ 변수 정하기 ⇨ 문제의 뜻에 맞게 변하는 두 양을 변수 x, y로 놓는다.

⬛ 함수의 식 구하기 ⇨ 두 변수 x, y 사이의 관계를 일차함수 $y=\boxed{}$로 나타

낸다.

$ax+b$

⬛ 답 구하기 ⇨ 함숫값이나 그래프를 이용하여 구하려는 $\boxed{}$을 찾는다.

값

⬛ 확인하기 ⇨ 구한 값이 문제의 $\boxed{}$에 맞는지 확인한다.

뜻

● 먼저 변하는 양을 x로 놓고, x의 값에 따라 변하는 양을 y로 놓는다. 예를 들어 시간이 지남에 따라 나무가 자란다면 경과 시간을 x, 나무의 높이를 y로 정한다.

| 개념 체크 |

3-1 일차함수의 식 구하기

다음과 같은 직선을 그래프로 하는 일차함수의 식을 구하시오.

(1) 기울기가 1이고 점 $(1, -2)$를 지나는 직선

(2) 두 점 $(1, -2)$, $(3, 4)$를 지나는 직선

셀파 일차함수 $y=ax+b$에서 a, b의 값을 각각 구한다.

연구 (1) ① 구하는 일차함수의 식을 $y=x+b$로 놓는다.

② ①의 식에 $x=1$, $y=\boxed{}$를 대입하면

$\boxed{}=1+b$ ∴ $b=\boxed{}$

∴ $y=x-3$

(2) ① (기울기)$=\dfrac{\boxed{}}{3-1}=3$

② 구하는 일차함수의 식을 $y=\boxed{}x+b$로 놓고,

이 식에 $x=1$, $y=-2$를 대입하면

$-2=\boxed{}\times1+b$ ∴ $b=\boxed{}$

∴ $y=3x-5$

4-1 일차함수의 활용

주전자에 현재 온도가 20 ℃인 물이 들어 있다. 이 물을 가열하면 1분마다 5 ℃씩 온도가 올라간다. 물의 온도가 70 ℃가 되는 것은 물을 가열한 지 몇 분 후인지 구하시오.

셀파 변하는 양을 x로 놓고, x의 값에 따라 변하는 양을 y로 놓는다.

연구 ① 가열한 지 x분 후의 물의 온도를 y ℃라 하자.

② 1분마다 물의 온도가 5 ℃씩 올라가므로 x분이 지나면 $\boxed{}$ ℃ 올라간다. 이때 처음 온도가 20 ℃이므로

$y=20+\boxed{}$

③ ②의 식에 $y=70$을 대입하면

$70=20+5x$ ∴ $x=\boxed{}$

따라서 물을 가열한 지 $\boxed{}$분 후에 물의 온도가 70 ℃가 된다.

| 따라 풀기 |

3-2 다음과 같은 직선을 그래프로 하는 일차함수의 식을 구하시오.

(1) 기울기가 $\dfrac{1}{3}$이고 y절편이 -2인 직선

(2) 기울기가 4이고 y축과 점 $\left(0, \dfrac{1}{2}\right)$에서 만나는 직선

(3) 기울기가 -2이고 점 $(-1, 1)$을 지나는 직선

3-3 다음 두 점을 지나는 직선을 그래프로 하는 일차함수의 식을 구하시오.

(1) $(1, -1)$, $(4, 5)$

(2) $(-5, 0)$, $(0, 2)$

4-2 지면에서 10 km 높이 이내이면 높이가 100 m 높아질 때마다 기온이 0.6 ℃씩 내려간다고 한다. 지면의 기온이 20 ℃이고 높이가 x km인 곳의 기온을 y ℃라 할 때, 다음 물음에 답하시오.

(1) y를 x의 식으로 나타내시오.

(2) 높이가 0.5 km인 곳의 기온을 구하시오.

(3) 기온이 8 ℃인 곳은 지면으로부터 몇 km 높이에 있는지 구하시오.

요점 콕콕
• 기울기가 a이고 y절편이 b인 직선을 그래프로 하는 일차함수의 식 ⇨ $y=ax+b$
• 일차함수의 활용 문제 ⇨ 변하는 두 양 중 먼저 변하는 양을 x로 놓고, x의 값에 따라 변하는 양을 y로 놓는다.

기본 01 일차함수 $y=ax+b$의 그래프의 성질

다음 중 일차함수 $y=2x-4$의 그래프에 대한 설명으로 옳지 <u>않은</u> 것은?

① 점 $(1, -2)$를 지난다. ② y절편은 x절편의 2배이다.

③ 제1, 3, 4사분면을 지난다. ④ 오른쪽 위로 향하는 직선이다.

⑤ y축과 음의 부분에서 만난다.

셀파 $y=2x-4$의 그래프에서 기울기는 2이고 y절편은 -4이다.

풀이 ① $y=2x-4$에 $x=1$, $y=-2$를 대입하면 $-2=2\times1-4$

$0=2x-4$에서 ← ② x절편은 2이고 y절편은 -4이므로 $(y$절편$)=-2\times(x$절편$)$
$x=2$

③ 일차함수 $y=2x-4$의 그래프는 오른쪽 그림과 같으므로

　제1, 3, 4사분면을 지난다.

따라서 옳지 않은 것은 ②이다.

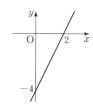

해법코드

일차함수 $y=ax+b$의 그래프는
❶ $a>0$이면 오른쪽 위로 향하는 직선이고 $a<0$이면 오른쪽 아래로 향하는 직선이다.
❷ $b>0$이면 y축과 양의 부분에서 만나고 $b<0$이면 y축과 음의 부분에서 만난다.

참고
④ 기울기가 양수이므로 그래프는 오른쪽 위로 향하는 직선이다.
⑤ y절편이 음수이므로 y축과 음의 부분에서 만난다.

확인 01 다음 중 일차함수 $y=\dfrac{3}{4}x-3$의 그래프에 대한 설명으로 옳지 <u>않은</u> 것은?

① 기울기는 $\dfrac{3}{4}$이다. ② x절편은 4, y절편은 -3이다.

③ 제1사분면을 지나지 않는다. ④ x의 값이 증가할 때 y의 값도 증가한다.

⑤ 일차함수 $y=\dfrac{3}{4}x$의 그래프를 y축의 방향으로 -3만큼 평행이동한 것이다.

》 My 셀파
일차함수 $y=ax+b$의 그래프에서
❶ a의 부호 ➡ 그래프의 모양 결정
❷ b의 부호 ➡ 그래프가 y축과 만나는 부분을 결정

기본 02 $y=ax+b$의 그래프에서 $|a|$의 의미

다음 일차함수 중 그래프가 y축에 가장 가까운 것은?

① $y=3x+1$　② $y=\dfrac{1}{2}x-3$　③ $y=-\dfrac{3}{2}x+3$

④ $y=-2x-4$　⑤ $y=-5x+2$

셀파 $y=ax+b$에서 a의 절댓값을 비교한다.

풀이 $y=ax+b$의 그래프는 $|a|$가 클수록 y축에 가깝다.

이때 $\left|\dfrac{1}{2}\right|<\left|-\dfrac{3}{2}\right|<|-2|<|3|<|-5|$이므로

그래프가 y축에 가장 가까운 것은 ⑤이다.

해법코드

일차함수 $y=ax+b$의 그래프는
❶ $|a|$가 클수록 y축에 가깝다.
❷ $|a|$가 작을수록 x축에 가깝다.

❶ 어떤 수의 절댓값은 부호 $+$, $-$를 떼어낸 수이다.
$\left|\dfrac{1}{2}\right|=\dfrac{1}{2}$, $\left|-\dfrac{3}{2}\right|=\dfrac{3}{2}$,
$|-2|=2$, $|3|=3$, $|-5|=5$

확인 02 다음 일차함수 중 그래프가 x축에 가장 가까운 것은?

① $y=2x-5$　② $y=3x+1$　③ $y=-\dfrac{3}{2}x+5$

④ $y=-5x+2$　⑤ $y=\dfrac{1}{3}x$

》 My 셀파
기울기의 절댓값이 작을수록 x축에 가깝다.

기본 03 일차함수 $y=ax+b$의 그래프와 a, b의 부호 (1)

$a>0$, $b<0$일 때, 그래프가 제1사분면을 지나지 않는 일차함수를 **보기**에서 고르시오.

┌ 보기 ┐
ⓐ $y=ax+b$　　　ⓑ $y=ax-b$　　　ⓒ $y=-ax+b$　　　ⓓ $y=-ax-b$

일차함수 $y=ax+b$의 그래프가 지나는 사분면
❶ $a>0$, $b>0$ ⇨ 제1, 2, 3사분면
❷ $a>0$, $b<0$ ⇨ 제1, 3, 4사분면
❸ $a<0$, $b>0$ ⇨ 제1, 2, 4사분면
❹ $a<0$, $b<0$ ⇨ 제2, 3, 4사분면

셀파 보기의 각 그래프의 기울기와 y절편의 부호를 각각 구하여 대략적인 모양의 그래프를 그려 본다.

풀이 ⓐ $a>0$, $b<0$이므로 $y=ax+b$의 그래프는 제1, 3, 4사분면을 지난다. [그림 1]
ⓑ $a>0$, $-b>0$이므로 $y=ax-b$의 그래프는 제1, 2, 3사분면을 지난다. [그림 2]
ⓒ $-a<0$, $b<0$이므로 $y=-ax+b$의 그래프는 제2, 3, 4사분면을 지난다. [그림 3]
ⓓ $-a<0$, $-b>0$이므로 $y=-ax-b$의 그래프는 제1, 2, 4사분면을 지난다. [그림 4]
따라서 그래프가 제1사분면을 지나지 않는 일차함수는 ⓒ이다.

ⓐ $b<0$이므로 $-b>0$

ⓑ $a>0$이므로 $-a<0$

참고

[그림 1]　　[그림 2]　　[그림 3]　　[그림 4]

확인 03 $ab<0$, $a-b>0$일 때, 일차함수 $y=ax+b$의 그래프가 지나지 않는 사분면을 구하시오.

» **My 셀파**
기울기 a와 y절편 b의 부호를 각각 구하여 대략적인 모양의 그래프를 그려 본다.

기본 04 일차함수 $y=ax+b$의 그래프와 a, b의 부호 (2)

일차함수 $y=ax-b$의 그래프가 오른쪽 그림과 같을 때, 상수 a, b의 부호를 각각 구하시오.

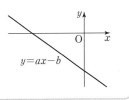

일차함수 $y=ax+b$의 그래프가
❶ 오른쪽 위로 향하면 $a>0$
　오른쪽 아래로 향하면 $a<0$
❷ y축과 양의 부분에서 만나면 $b>0$
　y축과 음의 부분에서 만나면 $b<0$

셀파 그래프의 모양으로 기울기의 부호를 확인하고, y축과 만나는 점의 위치로 y절편의 부호를 확인한다.

풀이 그래프가 오른쪽 아래로 향하는 직선이므로 $a<0$
y축과 음의 부분에서 만나므로 $-b<0$　∴ $b>0$

확인 04 일차함수 $y=-ax-b$의 그래프가 오른쪽 그림과 같을 때, 상수 a, b의 부호를 각각 구하시오.

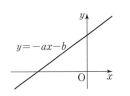

» **My 셀파**
주어진 그래프는 오른쪽 위로 향하는 직선이고, y축과 양의 부분에서 만난다.

기본 05 일차함수의 그래프의 평행

일차함수 $y=ax+3$의 그래프는 일차함수 $y=-x-\dfrac{1}{2}$의 그래프와 평행하고 점 $(p, -2)$를 지난다. 이때 상수 a, p의 값을 각각 구하시오.

셀파 두 일차함수의 그래프가 서로 평행하다. $\Rightarrow$ 기울기가 같고 y절편은 다르다.

풀이 두 일차함수 $y=ax+3$, $y=-x-\dfrac{1}{2}$의 그래프가 서로 평행하므로 기울기가 같다.

$\therefore a=-1$

이때 $y=-x+3$의 그래프가 점 $(p, -2)$를 지나므로

$-2=-p+3$ $\therefore p=5$

ⓐ 일차함수의 식에서 그래프의 기울기를 나타내는 것은 x의 계수이다.

ⓑ $y=-x+3$에 $x=p$, $y=-2$를 대입하면 등식이 성립한다.

확인 05

1. 두 점 $(-1, 4)$, $(a, 0)$을 지나는 직선이 일차함수 $y=\dfrac{2}{3}x+5$의 그래프와 평행할 때, a의 값을 구하시오.

» My 셀파
1. 두 점 $(-1, 4)$, $(a, 0)$을 지나는 직선의 기울기 $\Rightarrow \dfrac{0-4}{a-(-1)}$

2. 일차함수 $y=ax-1$의 그래프는 오른쪽 그림의 직선과 평행하고 점 $(p, 4)$를 지난다. 이때 ap의 값을 구하시오.
(단, a는 상수)

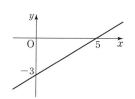

2. 주어진 그림의 직선의 기울기를 구한다.

기본 06 일차함수의 그래프의 일치

일차함수 $y=ax+1$의 그래프를 y축의 방향으로 3만큼 평행이동하면 일차함수 $y=-2x+b$의 그래프와 일치한다. 이때 상수 a, b의 값을 각각 구하시오.

셀파 두 일차함수의 그래프가 일치한다. $\Rightarrow$ 기울기와 y절편이 각각 같다.

풀이 일차함수 $y=ax+1$의 그래프를 y축의 방향으로 3만큼 평행이동한 그래프의 식은

$y=ax+1+3$ $\therefore y=ax+4$

이때 일차함수 $y=ax+4$의 그래프와 일차함수 $y=-2x+b$의 그래프가 일치하므로

$a=-2, b=4$

확인 06 두 일차함수 $y=2x+\dfrac{m}{2}$, $y=-nx-1$의 그래프가 일치할 때, 상수 m, n의 값을 각각 구하시오.

» My 셀파
두 일차함수의 그래프가 일치하면 기울기와 y절편이 각각 같다.

일차함수의 식을 구하는 방법

Q 직선의 기울기와 y절편을 안다면 그 직선을 그래프로 하는 일차함수의 식은
$y = ($기울기$)x + ($y절편$)$으로 구할 수 있다.

그러나 일차함수의 식을 구하는 대부분의 문제는 <u>기울기가 a, y절편이 b라고 정직하게 제
시하지는 않는다.</u> 따라서 문제의 표현을 보고 기울기와 y절편을 구해야 한다.
먼저 기울기를 나타내는 경우를 알아보면 다음과 같다.

> ❶ 일차함수 $y = 2x$의 그래프와 평행하다. ⇨ 직선의 기울기가 2이다.
> ❷ x의 값이 1만큼 증가할 때 y의 값은 2만큼 증가한다.
> ⇨ 직선의 기울기가 2이다.

그럼 y절편은 어떻게 구할까?

A y절편을 구하는 방법은 간단하다. 문제에 그래프가 지나는 점이 주어졌을 것이다.
그 점의 좌표를 $y = ax + b$에 대입하여 b의 값을 구하면 된다.

> **보기**
>
> x의 값이 4만큼 증가할 때 y의 값이 6만큼 감소하고, 점 $(0, 3)$을 지나는 직선을 그래
> 프로 하는 일차함수의 식을 구하시오.
>
> **풀이** x의 값이 4만큼 증가하므로 x의 값의 증가량은 4이고, y의 값이 6만큼 감소하므
> 로 y의 값의 증가량은 -6이다.
>
> $$\therefore (\text{기울기}) = \frac{(y\text{의 값의 증가량})}{(x\text{의 값의 증가량})} = \frac{-6}{4} = -\frac{3}{2}$$ ◁ 기울기를 구했다.
>
> 구하는 일차함수의 식을 $y = -\dfrac{3}{2}x + b$로 놓고, 점 $(0, 3)$의 좌표를 대입하면
>
> $3 = -\dfrac{3}{2} \times 0 + b$ $\therefore b = 3$ ◁ y절편을 구했다.
>
> 따라서 구하는 일차함수의 식은 $y = -\dfrac{3}{2}x + 3$

◐ 기울기가 2이고 y절편이 5인 직
선을 그래프로 하는 일차함수의
식을 구하시오. ⇨ $y = 2x + 5$

◑ 두 직선이 서로 평행하면 기울기
가 같음을 이용하여 직선의 기울
기를 구할 수 있다.

◒ x의 값이 1만큼 증가한다.
⇨ 증가량이 1이다.
y의 값이 2만큼 증가한다.
⇨ 증가량이 2이다.
$$\therefore (\text{기울기}) = \frac{(y\text{의 값의 증가량})}{(x\text{의 값의 증가량})}$$
$$= \frac{2}{1} = 2$$

◓ 감소한다는 표현이 있으면
증가량은 $-$이다.
⑩ y의 값이 2만큼 감소한다.
⇨ 증가량이 -2이다.

◔ 점 $(0, 3)$처럼 x좌표가 0인 점이
주어지면 좌표를 대입하지 않고
도 y절편이 3임을 알 수 있다.

◕ y절편이 b이다.
⇨ $x = 0$일 때 y의 값이 b이다.
⇨ 점 $(0, b)$를 지난다.

Note 그래프를 그렸을 때, 직선이 되는 일차함수의 식을 구하는 핵심은 '기울기'와 'y절편'이다.

다음 직선을 그래프로 하는 일차함수의 식을 구하시오.

(1) 기울기가 $-\dfrac{3}{4}$이고, 일차함수 $y=x-1$의 그래프와 y축 위에서 만나는 직선

(2) 일차함수 $y=-3x+2$의 그래프와 평행하고, y절편이 -2인 직선

해법코드

(1) 일차함수 $y=x-1$의 그래프와 y축 위에서 만난다.
⇨ y절편이 같다.

(2) 일차함수 $y=-3x+2$의 그래프와 평행하다.
⇨ 기울기가 같다.

셀파 기울기가 a이고 y절편이 b인 직선을 그래프로 하는 일차함수의 식 ⇨ $y=ax+b$

풀이 (1) 일차함수 $y=x-1$의 그래프와 y축 위에서 만나므로 구하는 직선의 y절편은 -1이다.

즉 기울기가 $-\dfrac{3}{4}$이고 y절편이 -1인 직선을 그래프로 하는 일차함수의 식은

$$y=-\dfrac{3}{4}x-1$$

(2) 일차함수 $y=-3x+2$의 그래프와 평행하므로 구하는 직선의 기울기는 -3이다.

즉 기울기가 -3이고 y절편이 -2인 직선을 그래프로 하는 일차함수의 식은

$$y=-3x-2$$

확인 07 일차함수 $y=-2x+1$의 그래프와 평행하고, 일차함수 $y=-5x+3$의 그래프와 y축 위에서 만나는 직선을 그래프로 하는 일차함수의 식을 구하시오.

» My 셀파
구하는 직선의 기울기와 y절편을 각각 구한다.

일차함수 $y=\dfrac{2}{3}x-1$의 그래프와 평행하고, 점 $(3, 6)$을 지나는 직선을 그래프로 하는 일차함수의 식을 구하시오.

해법코드

1 기울기가 a인 직선을 그래프로 하는 일차함수의 식을 $y=ax+b$로 놓는다.

2 한 점의 좌표를 대입하여 b의 값을 구한다.

셀파 서로 평행한 두 직선의 기울기는 같다.

풀이 일차함수 $y=\dfrac{2}{3}x-1$의 그래프와 평행하므로 구하는 직선의 기울기는 $\dfrac{2}{3}$이다.

이때 구하는 일차함수의 식을 $y=\dfrac{2}{3}x+b$로 놓고, $x=3, y=6$을 대입하면

$$6=\dfrac{2}{3}\times 3+b, \; 2+b=6 \qquad \therefore b=4$$

따라서 구하는 일차함수의 식은 $y=\dfrac{2}{3}x+4$

확인 08 x의 값이 6만큼 증가할 때 y의 값은 2만큼 감소하고, 점 $(-3, 3)$을 지나는 직선을 그래프로 하는 일차함수의 식을 구하시오.

» My 셀파
$(\text{기울기})=\dfrac{(y\text{의 값의 증가량})}{(x\text{의 값의 증가량})}$

기본 09 서로 다른 두 점의 좌표가 주어질 때, 일차함수의 식 구하기

두 점 $(-2, 1)$, $(1, -3)$을 지나는 직선의 x절편을 구하시오.

셀파 두 점 (x_1, y_1), $(x_2, y_2)(x_1 \neq x_2)$를 지나는 직선의 기울기 $\Rightarrow \dfrac{y_2-y_1}{x_2-x_1}$

풀이 $(\text{기울기}) = \dfrac{-3-1}{1-(-2)} = \dfrac{-4}{3} = -\dfrac{4}{3}$

구하는 일차함수의 식을 $y = -\dfrac{4}{3}x + b$로 놓고, ⓐ $x=-2$, $y=1$을 대입하면

$1 = -\dfrac{4}{3} \times (-2) + b$, $1 = \dfrac{8}{3} + b$ $\quad \therefore b = -\dfrac{5}{3}$

따라서 구하는 일차함수의 식은 $y = -\dfrac{4}{3}x - \dfrac{5}{3}$

이 식에 $y=0$을 대입하면 $0 = -\dfrac{4}{3}x - \dfrac{5}{3}$, $\dfrac{4}{3}x = -\dfrac{5}{3}$

$\therefore x = -\dfrac{5}{4}$, 즉 x절편: $-\dfrac{5}{4}$

ⓐ 점 $(1, -3)$의 좌표를 대입해도 된다. 즉
$-3 = -\dfrac{4}{3} \times 1 + b$
$\therefore b = -3 + \dfrac{4}{3} = -\dfrac{5}{3}$

확인 09 오른쪽 그림과 같은 직선을 그래프로 하는 일차함수의 식을 구하시오.

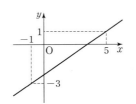

» My 셀파
주어진 그래프는 두 점 $(-1, -3)$, $(5, 1)$을 지나는 직선이다.

기본 10 x절편과 y절편이 주어질 때, 일차함수의 식 구하기

x절편이 -2, y절편이 4인 직선이 점 $(2m+1, m)$을 지날 때, m의 값을 구하시오.

x절편이 m, y절편이 n인 직선은 두 점 $(m, 0)$, $(0, n)$을 지난다.

셀파 구하는 직선은 두 점 $(-2, 0)$, $(0, 4)$를 지난다.

풀이 ⓐ x절편이 -2, y절편이 4인 직선은 두 점 $(-2, 0)$, $(0, 4)$를 지나므로

$(\text{기울기}) = \dfrac{4-0}{0-(-2)} = \dfrac{4}{2} = 2$

따라서 기울기가 2이고 y절편이 4이므로 구하는 일차함수의 식은 $y = 2x + 4$

이때 이 직선이 ⓑ 점 $(2m+1, m)$을 지나므로

$m = 2(2m+1) + 4$, $3m = -6$ $\quad \therefore m = -2$

ⓐ x절편과 y절편을 알면 그래프가 지나는 두 점을 아는 것이므로 기울기를 구할 수 있다.

ⓑ $y=2x+4$에 $x=2m+1$, $y=m$을 대입한다.

확인 10 일차함수 $y = 5x - 6$의 그래프와 y축 위에서 만나고, x절편이 4인 직선을 그래프로 하는 일차함수의 식을 구하시오.

» My 셀파
두 직선이 y축 위에서 만나므로 두 직선의 y절편은 같다.

길이가 25 cm인 양초에 불을 붙이면 양초의 길이가 15분마다 1 cm씩 짧아진다고 한다.
불을 붙인 지 x분 후의 양초의 길이를 y cm라 할 때, 다음 물음에 답하시오.

(1) x와 y 사이의 관계식을 구하시오.

(2) 불을 붙인 지 1시간 후의 양초의 길이를 구하시오.

(3) 양초가 모두 타는 데 걸리는 시간을 구하시오.

15분마다 1 cm씩 짧아진다.
⇨ 15분 동안 양초가 1 cm 탄다.
⇨ 1분 동안 $\frac{1}{15}$ cm 탄다.
⇨ x분 동안 $\frac{1}{15}x$ cm 탄다.

셀파 (x분 동안 타고 남은 양초의 길이)＝(처음 양초의 길이)－(x분 동안 탄 양초의 길이)

풀이 (1) 양초가 15분 동안 1 cm 타므로 1분 동안 $\frac{1}{15}$ cm 탄다.

따라서 x분 동안 타고 남은 양초의 길이 y cm는

$$y = 25 - \frac{1}{15}x$$

● 처음 양초의 길이는 25 cm이고, x분 동안 탄 양초의 길이는 $\frac{1}{15}x$ cm이다.

(2) 불을 붙인 지 1시간, 즉 60분 후의 양초의 길이는

$y = 25 - \frac{1}{15}x$에 $x = 60$을 대입하면

$y = 25 - \frac{1}{15} \times 60 = 21$

따라서 불을 붙인 지 1시간 후의 양초의 길이는 **21 cm**이다.

● x와 y 사이의 관계식에서 시간 x의 단위가 분이므로 시간은 분으로 단위를 통일한다.

(3) 양초가 모두 타면 남은 양초의 길이는 0 cm이므로

$y = 25 - \frac{1}{15}x$에 $y = 0$을 대입하면

$0 = 25 - \frac{1}{15}x$, $\frac{1}{15}x = 25$ ∴ $x = 375$

따라서 양초가 모두 타는 데 375분, 즉 **6시간 15분**이 걸린다.

● 1시간＝60분이고
$375 = 6 \times 60 + 150$이므로
375분＝6시간 15분

확인 11

1. 다음 표는 무게가 x g인 추를 매달았을 때의 용수철의 길이 y cm를 나타낸 것이다.

x (g)	0	5	10	15
y (cm)	18	21	24	27

무게가 40 g인 추를 매달았을 때, 용수철의 길이를 구하시오.

» My 셀파

1. 표에서 추를 매달지 않은 처음 용수철의 길이는 18 cm이고, 매단 추의 무게가 5 g 늘어날 때마다 용수철의 길이는 3 cm씩 늘어난다는 것을 알 수 있다.

2. 200 L의 물이 들어 있는 물탱크에서 2분마다 10 L씩 일정한 양의 물을 내보낸다. 물탱크에 50 L의 물이 남는 것은 물을 내보내기 시작한 지 몇 분 후인지 구하시오.

2. 2분마다 10 L씩 물을 내보낸다.
⇨ 1분 동안 5 L의 물을 내보낸다.
⇨ x분 동안 $5x$ L의 물을 내보낸다.

오른쪽 그림과 같은 직사각형 ABCD에서 점 P는 점 B를 출발하여 변 BC를 따라 점 C까지 매초 3 cm의 속력으로 움직인다고 한다. 점 P가 점 B를 출발한 지 x초 후의 사다리꼴 APCD의 넓이를 y cm^{2}라 할 때, 다음 물음에 답하시오.

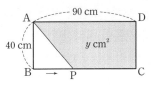
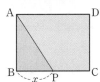

(1) y를 x의 식으로 나타내시오.

(2) 사다리꼴 APCD의 넓이가 2400 cm^{2}가 되는 것은 점 P가 점 B를 출발한 지 몇 초 후인지 구하시오.

셀파 1초에 3 cm씩 움직이므로 x초 동안 $3x$ cm 움직인다.

풀이 (1) x초 후의 $\overline{BP}$의 길이는 $3x$ cm이므로

$\overline{PC} = \overline{BC} - \overline{BP} = 90 - 3x$ (cm)

따라서 x초 후의 사다리꼴 APCD의 넓이 y cm^{2}는

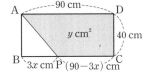

$$y = \frac{1}{2} \times (\overline{AD} + \overline{PC}) \times \overline{CD}$$

$$= \frac{1}{2} \times \{90 + (90 - 3x)\} \times 40$$

$$= 3600 - 60x$$

∴ $y = 3600 - 60x$

(2) 사다리꼴 APCD의 넓이가 2400 cm^{2}이므로

$y = 3600 - 60x$에 $y = 2400$을 대입하면

$2400 = 3600 - 60x$, $60x = 1200$ ∴ $x = 20$

따라서 점 P가 점 B를 출발한 지 **20초** 후에 사다리꼴 APCD의 넓이가 2400 cm^{2}가 된다.

다음 그림의 직사각형 ABCD에서 점 P가 $\overline{BC}$ 위를 움직일 때

① 삼각형 ABP의 넓이를 y라 하면

$$y = \frac{1}{2} \times \overline{AB} \times x$$

② 사다리꼴 APCD의 넓이를 y라 하면

$$y = \frac{1}{2} \times \{\overline{AD} + (\overline{BC} - x)\} \times \overline{AB}$$

☺ (사다리꼴의 넓이)

$= \frac{1}{2} \times \{($윗변의 길이$)$
$+ ($아랫변의 길이$)\} \times ($높이$)$

확인 12 오른쪽 그림과 같은 정사각형 ABCD에서 점 P는 점 C를 출발하여 변 BC를 따라 점 B까지 매초 1 cm씩 움직인다. 점 P가 점 C를 출발한 지 x초 후의 사다리꼴 ABPD의 넓이를 y cm^{2}라 할 때, 다음 물음에 답하시오.

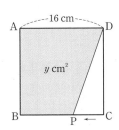

(1) y를 x의 식으로 나타내시오.

(2) 사다리꼴 ABPD의 넓이가 144 cm^{2}가 되는 것은 점 P가 점 C를 출발한 지 몇 초 후인지 구하시오.

» My 셀파

(1) 1초에 1 cm씩 움직이므로 x초 동안 x cm 움직인다.

(2) (1)에서 $y = 144$일 때 x의 값을 구한다.

해발 고도 10 km까지의 대류권에서는 오른쪽 그림과 같이 해발 고도가 높아질수록 기온이 내려간다고 한다. 해발 고도가 x km인 지점의 기온을 y ℃라 할 때, 오른쪽 그림에서 해발 고도가 0 km인 지점의 기온은 26 ℃, 해발 고도가 10 km인 지점의 기온은 -39 ℃이다. 다음 물음에 답하시오.

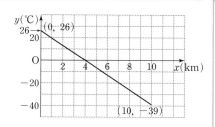

(1) y를 x의 식으로 나타내시오.

(2) 해발 고도가 6 km인 지점의 기온을 구하시오.

(3) 기온이 0 ℃인 지점의 해발 고도를 구하시오.

(1) 그래프가 두 점 $(0, 26)$, $(10, -39)$를 지남을 이용한다.
(2) $x=6$일 때, y의 값을 구한다.
(3) $y=0$일 때, x의 값을 구한다.

셀파 그래프가 지나는 점을 이용하여 일차함수의 식을 구한다.

풀이 (1) 그래프가 두 점 $(0, 26)$, $(10, -39)$를 지나므로

$$(기울기) = \frac{-39-26}{10-0} = \frac{-65}{10} = -\frac{13}{2}$$

구하는 일차함수의 식을 $y=-\frac{13}{2}x+b$라 하면 점 $(0, 26)$을 지나므로

$$26 = -\frac{13}{2} \times 0 + b \qquad \therefore b=26$$

$$\therefore \boldsymbol{y = -\frac{13}{2}x + 26}$$

🅐 두 점 (x_1, y_1), (x_2, y_2)를 지나는 직선의 기울기는
$$\frac{y_2-y_1}{x_2-x_1} \text{ 또는 } \frac{y_1-y_2}{x_1-x_2}$$

(2) $y=-\frac{13}{2}x+26$에 $x=6$을 대입하면

$$y = -\frac{13}{2} \times 6 + 26 = -13$$

따라서 해발 고도가 6 km인 지점의 기온은 $\boldsymbol{-13}$ ℃이다.

(3) $y=-\frac{13}{2}x+26$에 $y=0$을 대입하면

$$0 = -\frac{13}{2}x + 26 \qquad \therefore x=4$$

따라서 기온이 0 ℃인 지점의 해발 고도는 **4 km**이다.

🅑 실제로 그래프를 보면 $y=0$일 때의 x의 값은 4이다.

확인 13 오른쪽 그림은 어느 택배 회사에서 무게가 x kg인 물건의 배송 가격을 y원이라 할 때, x와 y 사이의 관계를 그래프로 나타낸 것이다. 다음 물음에 답하시오.

(1) y를 x의 식으로 나타내시오.

(2) 무게가 20 kg인 물건의 배송 가격을 구하시오.

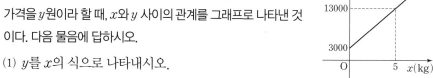

» **My 셀파**
(1) 그래프가 두 점 $(0, 3000)$, $(5, 13000)$을 지남을 이용한다.
(2) $x=20$일 때, y의 값을 구한다.

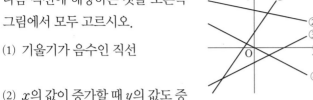

실력 키우기

01 일차함수의 그래프의 성질

다음 직선에 해당하는 것을 오른쪽 그림에서 모두 고르시오.

(1) 기울기가 음수인 직선

(2) x의 값이 증가할 때 y의 값도 증가하는 직선

(3) 기울기의 절댓값이 가장 큰 직선

02 일차함수의 그래프의 성질

다음 중 일차함수 $y=2x-6$의 그래프에 대한 설명으로 옳은 것을 모두 고르면? (정답 2개)

① y축과의 교점의 좌표는 $(0, -6)$이다.
② x절편은 2이다.
③ 일차함수 $y=2x+1$의 그래프와 평행하다.
④ 제1, 2, 4사분면을 지난다.
⑤ x의 값이 1만큼 증가할 때 y의 값은 2만큼 감소한다.

03 일차함수의 그래프의 성질

일차함수 $y=ax+b$의 그래프가 오른쪽 그림과 같을 때, 다음 중 상수 a의 값이 될 수 있는 것은?

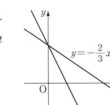

① -2
② $-\dfrac{1}{2}$
③ $-\dfrac{2}{5}$
④ $\dfrac{3}{4}$
⑤ 2

04 일차함수의 그래프의 성질

일차함수 $y=ax-b$의 그래프가 오른쪽 그림과 같을 때, 다음 중 일차함수 $y=bx+a$의 그래프로 알맞은 것은? (단, a, b는 상수)

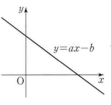

05 일차함수의 그래프의 성질

일차함수 $y=ax+b$의 그래프가 제 1, 2, 4 사분면을 모두 지날 때, 다음 중 옳지 <u>않은</u> 것은? (단, a, b는 상수)

① $ab<0$
② $\dfrac{a}{b}<0$
③ $a-b<0$
④ $ab^2>0$
⑤ $a^2+b>0$

06 일차함수의 그래프의 성질   서술형

일차함수 $y=-abx+a-b$의 그래프가 오른쪽 그림과 같을 때, 일차함수 $y=ax+b$의 그래프가 지나지 않는 사분면을 구하시오.

(단, a, b는 상수)

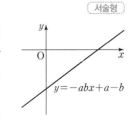

07 일차함수의 그래프의 평행과 일치   서술형

다음 조건을 모두 만족하는 상수 a, b에 대하여 $a+b$의 값을 구하시오.

> (가) 두 일차함수 $y=-3x+2$, $y=(a+1)x+4$의 그래프는 서로 평행하다.
> (나) 두 일차함수 $y=2x-a+3$, $y=2x+3b-5$의 그래프는 일치한다.

08 일차함수의 식 구하기

다음 두 학생이 일차함수 $y=ax+b$의 그래프에 대하여 설명을 하고 있다. 이 두 학생이 설명한 일차함수의 그래프의 식을 구하시오.

> 민호: x의 값이 2에서 5까지 증가할 때 y의 값은 4만큼 감소해.
> 은서: 일차함수 $y=-\dfrac{1}{2}x+3$의 그래프와 x절편이 같아.

09 일차함수의 식 구하기

다음은 두 점 $(1, 2)$, $(4, 8)$을 지나는 직선을 그래프로 하는 일차함수의 식을 구하는 과정이다. 처음으로 잘못된 부분을 찾고, 옳은 답을 구하시오.

> x의 값이 1에서 4까지 3만큼 증가할 때,
> ① y의 값은 2에서 8까지 6만큼 증가하므로
> ② (기울기) $=\dfrac{3}{6}=\dfrac{1}{2}$
> 이때 구하는 ③ 일차함수의 식을 $y=\dfrac{1}{2}x+b$라 하면 이 그래프가 점 $(4, 8)$을 지나므로
> ④ $8=\dfrac{1}{2}\times 4+b$ ∴ $b=6$
> 따라서 구하는 일차함수의 식은 ⑤ $y=\dfrac{1}{2}x+6$이다.

10 일차함수의 식 구하기

두 점 $(-1, -2)$, $(2, -5)$를 지나는 직선을 y축의 방향으로 2만큼 평행이동하면 점 $(p, -4)$를 지난다. 이때 p의 값을 구하시오.

11 일차함수의 식 구하기

일차함수 $y=\dfrac{1}{3}x+2$의 그래프와 x축 위에서 만나고, 일차함수 $y=-\dfrac{3}{2}x+1$의 그래프와 y축 위에서 만나는 직선을 그래프로 하는 일차함수의 식을 구하시오.

12 일차함수의 식 구하기   서술형

일차함수 $y=ax+b$ (a, b는 상수)의 그래프를 그리는데, 민서는 기울기를 잘못 보아 두 점 $(0, -1)$, $(2, 5)$를 지나는 직선을 그렸고, 창민이는 y절편을 잘못 보아 두 점 $(2, 3)$, $(4, 1)$을 지나는 직선을 그렸다. 다음 물음에 답하시오.

(1) 민서가 그린 직선을 그래프로 하는 일차함수의 식을 구하시오.

(2) 창민이가 그린 직선을 그래프로 하는 일차함수의 식을 구하시오.

(3) 상수 a, b의 값을 각각 구하시오.

13 일차함수의 활용

공기 중에서 소리의 속력은 기온이 0 ℃일 때 초속 331 m이고, 기온이 5 ℃ 올라갈 때마다 초속 3 m씩 증가한다고 한다. 소리의 속력이 초속 340 m일 때의 기온을 구하시오.

14 일차함수의 활용 〔융합형〕

어떤 환자가 1분에 4 mL씩 일정하게 들어가는 링거 주사를 맞고 있는데, 주사를 맞기 시작한 지 1시간 후에 남아 있는 주사약의 양이 360 mL이었다. 오후 1시에 주사를 맞기 시작했다면 주사를 다 맞는 시각을 구하시오.

15 일차함수의 활용

오른쪽 그림에서 점 P는 점 B를 출발하여 점 C까지 매초 2 cm의 속력으로 변 BC 위를 움직인다. 점 P가 점 B를 출발한 지 몇 초 후에 △ABP와 △DPC의 넓이의 합이 70 cm²가 되는지 구하시오.

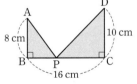

16 일차함수의 활용

오른쪽 그림은 길이가 20 cm인 양초에 불을 붙인 지 x시간 후에 남은 양초의 길이를 y cm라 할 때, x와 y 사이의 관계를 그래프로 나타낸 것이다. 다음 물음에 답하시오.

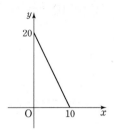

(1) y를 x의 식으로 나타내시오.

(2) 불을 붙인 지 7시간 후에 남은 양초의 길이를 구하시오.

(3) 불을 붙인 지 몇 시간 후에 남은 양초의 길이가 2 cm가 되는지 구하시오.

17 일차함수의 활용 〔창의력〕

길이와 모양이 같은 성냥개비로 아래 그림과 같이 정사각형을 한 방향으로 연결하여 만드는 활동을 하고 있다. 정사각형의 개수를 x, 정사각형을 만드는 데 사용한 성냥개비의 개수를 y라 할 때, 물음에 답하시오.

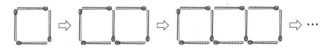

(1) 다음 표의 ㉠, ㉡에 알맞은 수를 각각 구하시오.

x	1	2	3	4	5
y	4	7	㉠	13	㉡

(2) 위의 표를 이용하여 x와 y 사이의 관계를 식으로 나타내었더니 $y=ax+b$일 때, 상수 a, b의 값을 각각 구하시오.

(3) 정사각형 10개를 만들려면 몇 개의 성냥개비가 필요한지 구하시오.

13

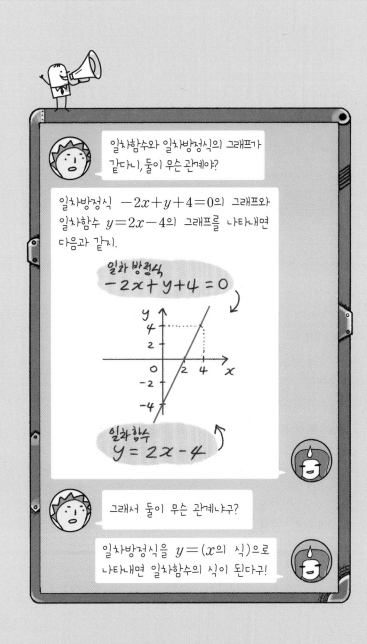

13 일차함수와 일차방정식

1 일차함수와 일차방정식

(1) 미지수가 2개인 일차방정식의 그래프

일차방정식 $ax+by+c=0$ (a, b, c는 상수, $a\neq0$, $b\neq0$)의 해 (x, y)를 좌표평면 위에 나타내면 ☐이 되고, 이 직선을 일차방정식의 그래프라 한다.

> 직선

(2) 일차방정식의 그래프와 일차함수의 그래프

미지수가 2개인 일차방정식 $ax+by+c=0$ (a, b, c는 상수, $a\neq0$, $b\neq0$)의 그래프는 일차함수 $y=-\dfrac{a}{b}x-\dfrac{c}{b}$의 그래프와 같다.

● 일차방정식의 그래프 그리기
① x, y의 값이 자연수 또는 정수일 때, 그래프는 점으로 나타난다.
② x, y의 값의 범위가 수 전체일 때, 그래프는 직선이 된다.

[설명]   • 일차방정식 $-2x+y+3=0$의 그래프

 $\Rightarrow$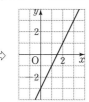

[x, y의 값이 정수]   [x, y의 값의 범위가 수 전체]

• 일차함수 $y=2x-3$의 그래프

ⓐ x, y의 값이 구체적으로 주어지지 않으면 x, y의 값의 범위는 모든 수로 생각한다.

일차방정식
$-2x+y+3=0$
$\xrightarrow[\text{직선의 방정식}]{\text{그래프}}$
$\xleftarrow[\text{일차함수의 식}]{\text{그래프}}$
일차함수
$y=2x-3$

ⓑ $ax+by+c=0$ ($a\neq0$, $b\neq0$)을 $y=(x$의 식) 꼴로 나타낸 것이다.

2 직선의 방정식

(1) 방정식 $x=p(p\neq0)$의 그래프

점 $(p, 0)$을 지나고 y축에 평행한(x축에 ☐인) 직선

(2) 방정식 $y=q(q\neq0)$의 그래프

점 $(0, ☐)$를 지나고 x축에 평행한 (y축에 수직)인 직선

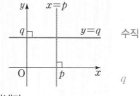

> 수직

[참고] 방정식 $x=0$의 그래프는 y축을, 방정식 $y=0$의 그래프는 x축을 나타낸다.

(3) 직선의 방정식 x, y의 값의 범위가 수 전체일 때, 일차방정식 $ax+by+c=0$ (a, b, c는 상수, $a\neq0$ 또는 ☐)을 직선의 방정식이라 한다.

> $b\neq0$

Q $x=p, y=q$도 함수인가요?
A $x=p$ ➡ x의 값이 p일 때 y의 값이 여러 개로 정해지므로 함수가 아니다.
$y=q$ ➡ x의 값 하나에 y의 값은 항상 q 하나로만 정해지므로 함수이다. 단, 일차함수는 아니다.

[설명] (1) $x=p(p$는 상수$)$의 그래프: y가 어떤 값을 갖더라도 x의 값은 항상 p이다. 즉 $x=p$의 그래프는 $\cdots$, 점 $(p, -1)$, $\cdots$, 점 $(p, 0)$, $\cdots$, 점 $(p, 1)$, $\cdots$, 점 $(p, 2)$, $\cdots$를 모두 지난다.

(2) $y=q(q$는 상수$)$의 그래프: x가 어떤 값을 갖더라도 y의 값은 항상 q이다. 즉 $y=q$의 그래프는 $\cdots$, 점 $(-1, q)$, $\cdots$, 점 $(0, q)$, $\cdots$, 점 $(1, q)$, $\cdots$, 점 $(2, q)$, $\cdots$를 모두 지난다.

개념 익히기

| 개념 체크 |

1-1 일차함수와 일차방정식

일차방정식 $x+2y-4=0$을 일차함수 $y=ax+b$ 꼴로 나타내고, 그래프를 그리시오.

셀파 $x+2y-4=0$을 $y=(x$의 식$)$으로 나타낸다.

연구 $x+2y-4=0$에서 $2y=-x+4$

$\therefore y=\boxed{}x+\boxed{}$

이때 x절편은 $\boxed{}$, y절편은 2이므로 그래프를 그리면 오른쪽 그림과 같다.

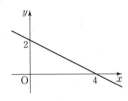

| 따라 풀기 |

1-2 다음 일차방정식을 일차함수 $y=ax+b$ 꼴로 나타내고, 그 그래프를 좌표평면 위에 나타내시오.

(1) $2x+y-3=0 \Rightarrow$ _____

(2) $-3x+y+5=0 \Rightarrow$ _____

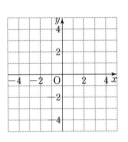

2-1 방정식 $x=p$, $y=q$의 그래프

다음 일차방정식의 그래프를 그리시오.

(1) $x-1=0$　　　(2) $2y+10=0$

셀파 $x=p$의 그래프 $\Rightarrow$ 점 $(p,0)$을 지나고 y축에 평행한 직선
$y=q$의 그래프 $\Rightarrow$ 점 $(0,q)$를 지나고 x축에 평행한 직선

연구 (1) $x-1=0$에서 $x=1$이므로 그래프는 오른쪽 그림과 같이 점 $(\boxed{},0)$을 지나고 y축에 평행한 직선이다.

(2) $2y+10=0$에서 $y=\boxed{}$이므로 그래프는 오른쪽 그림과 같이 점 $(0,-5)$를 지나고 $\boxed{}$축에 평행한 직선이다.

2-2 다음 일차방정식의 그래프를 그리시오.

(1) $x=-2$

(2) $2y-8=0$

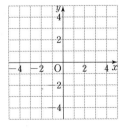

• 미지수가 2개인 일차방정식은 $y=ax+b$ 꼴로 나타낼 수 있다.
• 일차방정식 $x=p$의 그래프는 y축에 평행한 직선이다. 또 일차방정식 $y=q$의 그래프는 x축에 평행한 직선이다.

3 두 일차함수의 그래프와 연립일차방정식의 해

연립방정식 $\begin{cases} ax+by+c=0 \\ a'x+b'y+c'=0 \end{cases}$ 의 해는 두 일차방정
식 $ax+by+c=0$, $a'x+b'y+c'=0$의 그래프의
$\boxed{}$의 좌표와 같다.

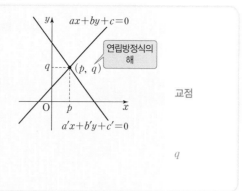

교점

$\boxed{\text{연립방정식의 해} \atop x=p, \; y=\boxed{}} \rightleftarrows \boxed{\text{두 일차함수의 그래 프의 교점의 좌표} \atop (p, q)}$

㉠ $\begin{cases} x+y-3=0 \\ -x+y-1=0 \end{cases}$

즉 $\begin{cases} x+y=3 & \cdots ㉠ \\ -x+y=1 & \cdots ㉡ \end{cases}$ 에서

㉠+㉡을 하면

$2y=4$ ∴ $y=2$

$y=2$를 ㉠에 대입하면

$x+2=3$ ∴ $x=1$

보기 오른쪽 그래프를 이용하여 연립방정식 $\begin{cases} x+y-3=0 \\ -x+y-1=0 \end{cases}$ 의 해를 구하시오.

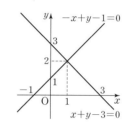

풀이 두 일차방정식 $x+y-3=0$, $-x+y-1=0$의 그래프의 교점
의 좌표가 $(1, 2)$이므로 연립방정식 $\begin{cases} x+y-3=0 \\ -x+y-1=0 \end{cases}$ 의 해는

$\boldsymbol{x=1, \; y=2}$이다.

㉡ 두 직선 $y=ax+b$,
$y=a'x+b'$에서
❶ $a \neq a'$ ⇨ 한 점에서 만난다.
❷ $a=a', b \neq b'$ ⇨ 평행하다.
❸ $a=a', b=b'$ ⇨ 일치한다.

4 연립일차방정식의 해의 개수와 그래프

연립방정식 $\begin{cases} ax+by+c=0 \\ a'x+b'y+c'=0 \end{cases}$ 의 해의 $\boxed{}$는 두 일차방정식 $ax+by+c=0$,   개수

$a'x+b'y+c'=0$의 그래프의 교점의 개수와 같다.

두 그래프의 위치 관계	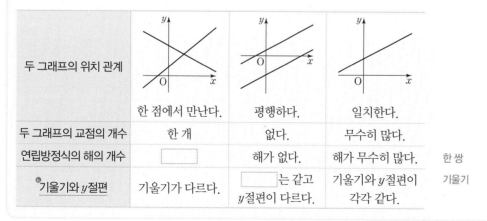		
	한 점에서 만난다.	평행하다.	일치한다.
두 그래프의 교점의 개수	한 개	없다.	무수히 많다.
연립방정식의 해의 개수	$\boxed{}$	해가 없다.	해가 무수히 많다.
기울기와 y절편	기울기가 다르다.	$\boxed{}$는 같고 y절편이 다르다.	기울기와 y절편이 각각 같다.

한 쌍

기울기

㉢ $y=(x$의 식)으로 나타내면

$\begin{cases} y=-\dfrac{a}{b}x-\dfrac{c}{b} \\ y=-\dfrac{a'}{b'}x-\dfrac{c'}{b'} \end{cases}$

위의 일차함수의 식에서 기울기
와 y절편을 각각 비교하면
① 기울기가 같다.

⇨ $-\dfrac{a}{b}=-\dfrac{a'}{b'}$

∴ $\dfrac{a}{a'}=\dfrac{b}{b'}$

② y절편이 같다.

⇨ $-\dfrac{c}{b}=-\dfrac{c'}{b'}$

∴ $\dfrac{c}{c'}=\dfrac{b}{b'}$

참고 연립방정식 $\begin{cases} ax+by+c=0 \\ a'x+b'y+c'=0 \end{cases}$ 에서 ❶ $\dfrac{a}{a'} \neq \dfrac{b}{b'}$ ⇨ 한 쌍의 해를 가진다.

❷ $\dfrac{a}{a'}=\dfrac{b}{b'} \neq \dfrac{c}{c'}$ ⇨ 해가 없다.

❸ $\dfrac{a}{a'}=\dfrac{b}{b'}=\dfrac{c}{c'}$ ⇨ 해가 무수히 많다.

따라 풀면서 개념 익히기

| 개념 체크 |

3-1 두 일차함수의 그래프와 연립일차방정식의 해

연립방정식 $\begin{cases} x+y=5 \\ 2x-y=-2 \end{cases}$ 의 각 일차방정식의 그래프를 좌표평면 위에 그리고, 그 그래프를 이용하여 연립방정식의 해를 구하시오.

셀파 두 일차방정식의 그래프의 교점의 좌표가 연립방정식의 해이다.

연구 $y=(x$의 식)으로 나타내면

$\begin{cases} y=\boxed{} \\ y=\boxed{} \end{cases}$

각 일차방정식의 그래프를 그리면 오른쪽 그림과 같으므로 교점의 좌표는 $\boxed{}$ 이다.

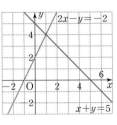

| 따라 풀기 |

3-2 연립방정식 $\begin{cases} 3x-y=-2 \\ 2x-3y=8 \end{cases}$ 의 해를 그래프를 이용하여 구하려고 한다. 다음 물음에 답하시오.

(1) 두 일차방정식 $3x-y=-2$, $2x-3y=8$의 그래프를 오른쪽 좌표평면 위에 나타내시오.

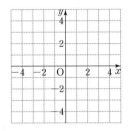

(2) 두 그래프의 교점의 좌표를 구하시오.

(3) 연립방정식의 해를 구하시오.

4-1 연립일차방정식의 해의 개수와 그래프

연립방정식 $\begin{cases} x-3y+2=0 \\ -2x+6y+1=0 \end{cases}$ 의 해의 개수를 다음 순서대로 구하시오.

(1) 두 일차방정식을 $y=ax+b$ 꼴로 각각 고치시오.

(2) (1)에서 구한 두 일차방정식의 그래프의 위치 관계를 말하시오.

(3) 연립방정식의 해의 개수를 구하시오.

셀파 두 직선의 교점의 개수와 연립방정식의 해의 개수는 같다.

연구 (1) $y=(x$의 식)으로 나타내면 $\begin{cases} y=\dfrac{1}{3}x+\dfrac{2}{3} \\ y=\dfrac{1}{3}x-\boxed{} \end{cases}$

(2) 두 직선 $y=\dfrac{1}{3}x+\dfrac{2}{3}$, $y=\dfrac{1}{3}x-\boxed{}$ 은 기울기가 같고 y절편은 다르므로 $\boxed{}$ 하다.

(3) 두 직선이 평행하므로 두 직선의 방정식으로 이루어진 연립방정식의 해는 없다. 즉 해의 개수는 $\boxed{}$ 이다.

4-2 보기의 연립방정식 중 다음에 해당하는 것을 고르시오.

┤ 보기 ├

㉠ $\begin{cases} x-3y+1=0 \\ -2x+6y-2=0 \end{cases}$　㉡ $\begin{cases} 2x-y+1=0 \\ -x+y-1=0 \end{cases}$

㉢ $\begin{cases} x+y-2=0 \\ 3x+3y-4=0 \end{cases}$

(1) 해가 한 쌍인 연립방정식

(2) 해가 무수히 많은 연립방정식

(3) 해가 없는 연립방정식

요점 콕콕 연립방정식 $\begin{cases} ax+by+c=0 \\ a'x+b'y+c'=0 \end{cases}$ 의 해는 두 일차방정식 $ax+by+c=0$, $a'x+b'y+c'=0$의 그래프의 교점의 좌표와 같다.

기본 01 일차함수와 일차방정식

해법코드

다음 중 일차방정식 $-2x+y-3=0$의 그래프에 대한 설명으로 옳은 것은?

① 점 $(1, -5)$를 지난다.

② x절편은 $\dfrac{3}{2}$이다.

③ y절편은 3이다.

④ 직선 $y=-2x$와 평행하다.

⑤ 제3사분면을 지나지 않는다.

일차방정식 $ax+by+c=0$의 그래프는 일차함수 $y=-\dfrac{a}{b}x-\dfrac{c}{b}$의 그래프와 같다.

➡ 기울기: $-\dfrac{a}{b}$, y절편: $-\dfrac{c}{b}$

셀파 $-2x+y-3=0$을 $y=(x$의 식$)$으로 나타낸다.

풀이 $-2x+y-3=0$을 $y=(x$의 식$)$으로 나타내면 ➊ $y=2x+3$

① $y=2x+3$에 $x=1$, $y=-5$를 대입하면 $-5\neq2\times1+3$

② x절편은 $-\dfrac{3}{2}$이다.

④ 직선 $y=2x$와 평행하다.

⑤ 그래프는 오른쪽 그림과 같으므로 제4사분면을 지나지 않는다.

따라서 옳은 것은 ③이다.

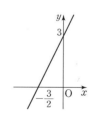

➊ $y=2x+3$의 그래프에서 기울기는 2이고, y절편은 3이다.

확인 01 일차방정식 $3x-4y+2=0$의 그래프의 기울기를 a, x절편을 b, y절편을 c라 할 때, $4abc$의 값을 구하시오.

» My 셀파
일차방정식을 $y=(x$의 식$)$으로 나타낸다.

기본 02 일차방정식의 그래프 위의 점 (1)

해법코드

일차방정식 $ax-y=5$의 그래프가 두 점 $(-1, -7)$, $(b, 3)$을 지날 때, a, b의 값을 각각 구하시오. (단, a는 상수)

일차방정식의 해를 좌표평면 위에 나타낸 것이 일차방정식의 그래프이므로 그래프 위의 모든 점의 좌표는 일차방정식의 해가 된다.

셀파 점 (p, q)가 일차방정식 $ax+by+c=0$의 그래프 위의 점이다.
➡ $x=p$, $y=q$를 $ax+by+c=0$에 대입하면 등식이 성립한다.

풀이 $ax-y=5$에 $x=-1$, $y=-7$을 대입하면
$a\times(-1)-(-7)=5$, $-a+7=5$ ∴ $a=2$
일차방정식 $2x-y=5$의 그래프가 점 $(b, 3)$을 지나므로
$2b-3=5$, $2b=8$ ∴ $b=4$
따라서 $a=2$, $b=4$

➊ $2x-y=5$에 $x=b$, $y=3$을 대입하면 등식이 성립한다.

확인 02 다음 중 일차방정식 $3x+2y-7=0$의 그래프 위의 점이 <u>아닌</u> 것은?

① $(-3, 8)$

② $(3, -1)$

③ $\left(-\dfrac{1}{2}, \dfrac{17}{4}\right)$

④ $(1, 5)$

⑤ $\left(-2, \dfrac{13}{2}\right)$

» My 셀파
각 점의 좌표를 $3x+2y-7=0$에 대입했을 때, 등식이 성립하면 일차방정식 $3x+2y-7=0$의 그래프 위의 점이다.

기본 03 일차방정식의 그래프 위의 점 (2)

일차방정식 $ax+by-4=0$의 그래프가 오른쪽 그림과
같을 때, $3a+b$의 값을 구하시오. (단, a, b는 상수)

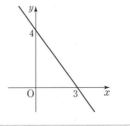

해법코드

주어진 그래프가 지나는 점의 좌표
를 일차방정식에 대입한다.

셀파 주어진 그래프는 두 점 $(3, 0)$, $(0, 4)$를 지난다.

풀이 $ax+by-4=0$에 $x=3$, $y=0$을 대입하면 $3a-4=0$ $\therefore a=\dfrac{4}{3}$

$ax+by-4=0$에 $x=0$, $y=4$를 대입하면 $4b-4=0$ $\therefore b=1$

$\therefore 3a+b=3\times\dfrac{4}{3}+1=\boldsymbol{5}$

다른 풀이

그래프가 두 점 $(3, 0)$, $(0, 4)$를 지나므로 기울기는 $\dfrac{4-0}{0-3}=-\dfrac{4}{3}$

즉 기울기가 $-\dfrac{4}{3}$이고 y절편이 4인

직선의 방정식은

$y=-\dfrac{4}{3}x+4$, 즉 $\dfrac{4}{3}x+y-4=0$

$\therefore a=\dfrac{4}{3}$, $b=1$

확인 03 일차방정식 $ax-3y+b=0$의 그래프가 오른쪽 그림과
같을 때, $a+b$의 값을 구하시오. (단, a, b는 상수)

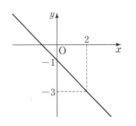

≫ My 셀파

두 점 $(0, -1)$, $(2, -3)$의 좌표를
일차방정식 $ax-3y+b=0$에 대입
한다.

기본 04 일차방정식 $ax+by+c=0$의 그래프와 a, b, c의 부호

일차방정식 $ax-by+5=0$의 그래프가 오른쪽 그림과 같을 때,
상수 a, b의 부호를 각각 구하시오.

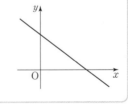

해법코드

일차방정식 $ax+by+c=0$의 그
래프

$\Rightarrow$ 일차함수 $y=-\dfrac{a}{b}x-\dfrac{c}{b}$의 그래
프

• $-\dfrac{a}{b}$의 부호 $\Rightarrow$ 그래프의 모양 결
정

• $-\dfrac{c}{b}$의 부호 $\Rightarrow$ 그래프가 y축과
만나는 부분 결정

셀파 주어진 그래프의 기울기의 부호와 y절편의 부호를 각각 확인한다.

풀이 $ax-by+5=0$을 $y=(x$의 식$)$으로 나타내면 $y=\dfrac{a}{b}x+\dfrac{5}{b}$

그래프가 오른쪽 아래로 향하는 직선이므로 $\dfrac{a}{b}<0$ $\cdots\cdots$ ㉠

y축과 양의 부분에서 만나므로 $\dfrac{5}{b}>0$ $\therefore b>0$

㉠에서 $b>0$이므로 $a<0$

따라서 $\boldsymbol{a<0}$, $\boldsymbol{b>0}$

$\boxed{a}$ $y=\dfrac{a}{b}x+\dfrac{5}{b}$의 그래프에서 기울

기는 $\dfrac{a}{b}$이고, y절편은 $\dfrac{5}{b}$이다.

확인 04 일차방정식 $-x+ay+b=0$의 그래프가 오른쪽 그림과 같을 때,
상수 a, b의 부호를 각각 구하시오.

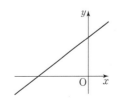

≫ My 셀파

주어진 그래프의 기울기의 부호와
y절편의 부호를 각각 확인한다.

기본 05 좌표축에 평행한 직선의 방정식

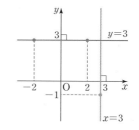

다음 직선의 방정식을 구하시오.

(1) 점 $(3, -1)$을 지나고 y축에 평행한 직선

(2) 두 점 $(-2, 3)$, $(2, 3)$을 지나는 직선

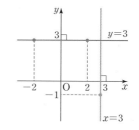

해법코드
- x축에 평행한(y축에 수직인) 직선의 방정식 ➡ $y=q$ 꼴
- y축에 평행한(x축에 수직인) 직선의 방정식 ➡ $x=p$ 꼴

셀파
(1) y축에 평행한 직선의 방정식은 $x=p$ 꼴이다.
(2) 주어진 두 점을 지나는 직선을 그려 본다.

풀이
(1) y축에 평행하므로 구하는 직선의 방정식은 $x=p$ 꼴이다. 이 직선이 점 $(3, -1)$을 지나므로 구하는 직선의 방정식은 $x=3$

(2) 두 점 $(-2, 3)$, $(2, 3)$을 지나는 직선은 오른쪽 그림과 같이 x축에 평행하므로 구하는 직선의 방정식은 $y=q$ 꼴이다. 이 직선이 점 $(-2, 3)$을 지나므로 구하는 직선의 방정식은 $y=3$

❶ 서로 다른 두 점 (a, b), (c, d)를 지나는 직선은 $a=c$이면 y축에 평행하고, $b=d$이면 x축에 평행하다.

확인 05 다음 직선의 방정식을 구하시오.

(1) 점 $(-2, 5)$를 지나고 x축에 평행한 직선

(2) 점 $(3, -4)$를 지나고 y축에 수직인 직선

(3) 두 점 $(1, -1)$, $(1, 2)$를 지나는 직선

≫ My 셀파
(2) y축에 수직인 직선은 x축에 평행한 직선이므로 직선의 방정식은 $y=k$ 꼴이다.

기본 06 좌표축에 평행한 직선에서 미지수 구하기

두 점 $(-4, -2a)$, $(3, 3a+5)$를 지나는 직선이 x축에 평행할 때, a의 값을 구하시오.

해법코드
- y축에 평행한 직선
  ➡ 직선 위의 모든 점의 x좌표가 같다.
  ➡ 직선의 방정식은 $x=p$ 꼴
- x축에 평행한 직선
  ➡ 직선 위의 모든 점의 y좌표가 같다.
  ➡ 직선의 방정식은 $y=q$ 꼴

셀파 x축에 평행한 직선의 방정식은 $y=q$ 꼴이다.

풀이 x축에 평행한 직선의 방정식은 $y=q$ 꼴이므로 두 점 $(-4, -2a)$, $(3, 3a+5)$의 y좌표가 같아야 한다. 즉 $-2a=3a+5$

$-5a=5$ $\therefore a=-1$

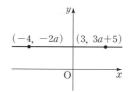

참고 $a=-1$일 때, 이 직선은 두 점 $(-4, 2)$, $(3, 2)$를 지나므로 주어진 직선의 방정식은 $y=2$이다.

확인 06 서로 다른 두 점 $(a-2, b+1)$, $(3a-2, 3-b)$를 지나는 직선에 대하여 다음을 구하시오.

(1) x축에 평행하기 위한 조건

(2) y축에 평행하기 위한 조건

≫ My 셀파
서로 다른 두 점 (a, b), (c, d)를 지나는 직선이
❶ x축에 평행하려면
  ➡ $a \neq c$, $b=d$
❷ y축에 평행하려면
  ➡ $a=c$, $b \neq d$

기본 07 연립방정식의 해와 그래프

오른쪽 그림은 연립방정식 $\begin{cases} ax+y=5 \\ x+by=-4 \end{cases}$ 를 풀기 위해
두 일차방정식의 그래프를 그린 것이다. 이때 상수 a, b
의 값을 각각 구하시오.

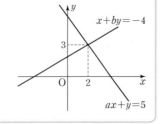

해법코드

두 일차방정식 $ax+by+c=0$,
$a'x+b'y+c'=0$의 그래프의 교
점의 좌표가 (p, q)이다.
연립방정식 $\begin{cases} ax+by+c=0 \\ a'x+b'y+c'=0 \end{cases}$의
해는 $x=p, y=q$이다.

셀파 두 그래프에서 교점의 좌표가 $(2, 3)$이므로 주어진 연립방정식의 해는 $x=2, y=3$이다.

풀이 두 일차방정식의 그래프의 교점의 좌표이 $(2, 3)$이므로
$x=2, y=3$을 $ax+y=5$에 대입하면 $2a+3=5, 2a=2$ $\therefore a=1$
$x=2, y=3$을 $x+by=-4$에 대입하면 $2+3b=-4, 3b=-6$ $\therefore b=-2$
따라서 $a=1, b=-2$

❶ 두 직선 모두 점 $(2, 3)$을 지나므
로 $x=2, y=3$을 주어진 두 일차
방정식에 각각 대입하면 등식이
성립한다.

확인 07 두 일차방정식 $x-y=-1, 2x+y=a$의 그래프가
오른쪽 그림과 같을 때, 상수 a의 값을 구하시오.

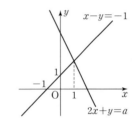

≫ My 셀파
두 일차함수의 그래프의 교점의 좌
표를 $(1, b)$로 놓고, 일차방정식
$x-y=-1$에서 b의 값을 먼저 구
한다.

기본 08 두 직선의 교점을 지나는 직선의 방정식

두 직선 $2x-y=5$, $x+y=-2$의 교점을 지나고, 직선 $4x+2y=3$과 평행한 직선의 방정
식을 구하시오.

해법코드

두 직선의 교점을 지나는 직선의 방
정식 구하기
① 두 직선의 교점의 좌표를 구한다.
② 기울기가 a일 때, $y=ax+b$에
교점의 좌표를 대입하여 b의 값을
구한다.

셀파 (두 직선의 교점의 좌표)=(두 직선의 방정식으로 이루어진 연립방정식의 해)

풀이 연립방정식 $\begin{cases} 2x-y=5 \\ x+y=-2 \end{cases}$를 풀면 $x=1, y=-3$이므로

두 직선의 교점의 좌표는 $(1, -3)$이다.

한편 $4x+2y=3$에서 $y=-2x+\dfrac{3}{2}$이므로 기울기는 -2이다.

따라서 $y=-2x+b$에 $x=1, y=-3$을 대입하면
$-3=-2+b$ $\therefore b=-1$
$\therefore y=-2x-1$

❶ $\begin{cases} 2x-y=5 & \cdots ㉠ \\ x+y=-2 & \cdots ㉡ \end{cases}$에서
㉠+㉡을 하면
$3x=3$ $\therefore x=1$
$x=1$을 ㉡에 대입하면
$1+y=-2$ $\therefore y=-3$

확인 08 두 직선 $x-y+2=0, 2x-y-1=0$의 교점을 지나고, y축에 평행한 직선의 방정식을 구
하시오.

≫ My 셀파
y축에 평행한 직선의 방정식은
$x=p$ 꼴이다.

해법코드

세 직선 $4x-6y+3=0$, $x-2y+1=0$, $7x+ay-2=0$이 한 점에서 만날 때, 상수 a의 값을 구하시오.

> 세 직선이 한 점에서 만날 때, 그 점은 세 직선 중 두 직선의 교점과 같다.

셀파 세 직선 중 미지수가 없는 두 직선의 교점을 나머지 한 직선이 지난다.

풀이 연립방정식 $\begin{cases} 4x-6y+3=0 \\ x-2y+1=0 \end{cases}$을 풀면 $x=0$, $y=\dfrac{1}{2}$이므로

두 직선의 교점의 좌표는 $\left(0, \dfrac{1}{2}\right)$이다.

이때 직선 $7x+ay-2=0$이 점 $\left(0, \dfrac{1}{2}\right)$을 지나므로

$7x+ay-2=0$에 $x=0$, $y=\dfrac{1}{2}$을 대입하면

$0+\dfrac{1}{2}a-2=0$, $\dfrac{1}{2}a=2$ $\therefore a=4$

> ● $\begin{cases} 4x-6y=-3 & \cdots ㉠ \\ x-2y=-1 & \cdots ㉡ \end{cases}$에서
> ㉠$-$㉡$\times 3$을 하면
> $\begin{array}{r} 4x-6y=-3 \\ -)\ 3x-6y=-3 \\ \hline x\qquad\ =0 \end{array}$
> $x=0$을 ㉡에 대입하면
> $-2y=-1$ $\therefore y=\dfrac{1}{2}$

확인 09 세 직선 $x=3$, $2x-y+5=0$, $ax+y-2=0$이 한 점에서 만날 때, 상수 a의 값을 구하시오.

> » My 셀파
> 두 직선 $x=3$, $2x-y+5=0$의 교점의 좌표를 구한다.

해법코드

연립방정식 $\begin{cases} ax+y-5=0 \\ 2x-y+b=0 \end{cases}$의 해에 대하여 다음을 만족하는 상수 a, b의 조건을 구하시오.

(1) 해가 한 쌍이다.   (2) 해가 무수히 많다.   (3) 해가 없다.

> 연립방정식을 이루는 두 일차방정식의 그래프의 교점의 개수가 연립방정식의 해의 개수와 같다.

셀파 두 직선의 기울기와 y절편을 각각 비교한다.

풀이 $ax+y-5=0$에서 $y=-ax+5$, $2x-y+b=0$에서 $y=2x+b$

(1) 해가 한 쌍이려면 ●두 그래프가 한 점에서 만나야 하므로
  $-a\neq 2$ $\therefore a\neq -2$

(2) 해가 무수히 많으려면 ●두 그래프가 일치해야 하므로
  $-a=2$, $5=b$ $\therefore a=-2$, $b=5$

(3) 해가 없으려면 ●두 그래프가 평행해야 하므로
  $-a=2$, $5\neq b$ $\therefore a=-2$, $b\neq 5$

> ● 두 그래프의 기울기가 달라야 한다.
>
> ● 기울기와 y절편이 각각 같아야 한다.
>
> ● 기울기는 같고 y절편은 달라야 한다.

다른 풀이

(1) $\dfrac{a}{2}\neq\dfrac{1}{-1}$이어야 하므로 $a\neq -2$

(2) $\dfrac{a}{2}=\dfrac{1}{-1}=\dfrac{-5}{b}$이어야 하므로 $\dfrac{a}{2}=\dfrac{1}{-1}$에서 $a=-2$, $\dfrac{1}{-1}=\dfrac{-5}{b}$에서 $b=5$

(3) $\dfrac{a}{2}=\dfrac{1}{-1}\neq\dfrac{-5}{b}$이어야 하므로 $\dfrac{a}{2}=\dfrac{1}{-1}$에서 $a=-2$, $\dfrac{1}{-1}\neq\dfrac{-5}{b}$에서 $b\neq 5$

확인 10 연립방정식 $\begin{cases} 2x+3y-6=0 \\ ax-2y-3=0 \end{cases}$의 해가 없을 때, 상수 a의 값을 구하시오.

> » My 셀파
> 연립방정식의 해가 없다.
> ⇨ 두 일차방정식의 그래프가 평행하다.
> ⇨ 기울기는 같고 y절편이 다르다.

발전 11 좌표축에 평행한 직선으로 둘러싸인 도형의 넓이

네 직선 $x=1$, $y=-3$, $x+2=0$, $y-1=0$으로 둘러싸인 도형의 넓이를 구하시오.

셀파 네 방정식의 그래프를 좌표평면 위에 그려 본다.

풀이 $x+2=0$에서 $x=-2$

$y-1=0$에서 $y=1$

따라서 네 직선은 오른쪽 그림과 같으므로 구하는 도형의 넓이는

$\{1-(-2)\} \times \{1-(-3)\}=3 \times 4=$**12**

해법코드

좌표축에 평행한 네 직선으로 둘러싸인 도형은 직사각형이다.

❶ 네 직선으로 둘러싸인 도형은 직사각형이므로

(넓이)=(가로의 길이)
$\qquad\qquad$×(세로의 길이)

❷ 변의 길이는 양수이므로 큰 수에서 작은 수를 뺀다.

확인 11 네 직선 $x+a=0$, $x=4$, $2y+4=0$, $y=3$으로 둘러싸인 도형의 넓이가 25일 때, 양수 a의 값을 구하시오.

» My 셀파

네 직선 $x=-a$, $x=4$, $y=-2$, $y=3$을 좌표평면 위에 그려 본다. 이때 $a>0$이므로 $-a<0$이다.

발전 12 세 직선으로 둘러싸인 도형의 넓이

오른쪽 그림과 같이 두 직선 $y=2x$, $y=-x+9$와 x축으로 둘러싸인 도형의 넓이를 구하시오.

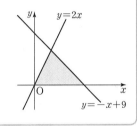

셀파 두 직선 $y=2x$, $y=-x+9$의 교점의 좌표를 구한다.

풀이 연립방정식 $\begin{cases} y=2x \\ y=-x+9 \end{cases}$를 풀면 $x=3$, $y=6$이므로

두 직선의 교점의 좌표는 $(3, 6)$이다.

또 직선 $y=-x+9$의 x절편은 9이므로 그래프를 오른쪽 그림과 같이 나타낼 수 있다.

이때 삼각형의 밑변의 길이는 9이고, 높이는 6이다.

$\therefore$ (삼각형의 넓이)$=\dfrac{1}{2} \times 9 \times 6=$**27**

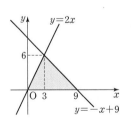

해법코드

주어진 도형은 삼각형이다. 이때 두 직선의 교점의 y좌표가 삼각형의 높이이고, 직선 $y=-x+9$의 x절편이 삼각형의 밑변의 길이이다.

❶ $\begin{cases} y=2x & \cdots \text{㉠} \\ y=-x+9 & \cdots \text{㉡} \end{cases}$에서

㉠을 ㉡에 대입하면

$2x=-x+9$

$3x=9 \qquad \therefore x=3$

$x=3$을 ㉠에 대입하면

$y=6$

❷ $y=-x+9$에 $y=0$을 대입하면

$0=-x+9 \qquad \therefore x=9$

확인 12 두 직선 $y=\dfrac{3}{2}x+3$, $y=-\dfrac{1}{2}x-1$과 y축으로 둘러싸인 도형의 넓이를 구하시오.

» My 셀파

좌표평면 위에 그래프를 그려 넓이를 구해야 하는 도형을 확인한다.

집에서 4 km 떨어진 학교까지 동생은 걸어서 가고, 형은 동생이 출발한 지 10분 후에 자전거를 타고 간다. 두 사람이 집에서 출발하여 간 거리를 나타낸 그래프가 오른쪽 그림과 같을 때, 다음 물음에 답하시오.

(1) 두 직선의 방정식을 각각 구하시오.

(2) 동생이 출발한 지 몇 분 후에 동생과 형이 만나는지 구하시오.

(3) 집으로부터 몇 km 떨어진 지점에서 동생과 형이 만나는지 구하시오.

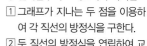

두 일차함수의 그래프가 주어지면
① 그래프가 지나는 두 점을 이용하여 각 직선의 방정식을 구한다.
② 두 직선의 방정식을 연립하여 교점의 좌표를 구한다.

셀파 형과 동생이 만날 때의 시간과 거리 ⇨ 두 그래프의 교점의 좌표를 구한다.

풀이 (1) 형이 간 거리를 나타내는 직선은 두 점 $(10, 0)$, $(30, 4)$를 지나므로

직선의 기울기는 $\dfrac{4-0}{30-10} = \dfrac{4}{20} = \dfrac{1}{5}$

$y = \dfrac{1}{5}x + b$에 $x = 10$, $y = 0$을 대입하면 $0 = 2 + b$ $\therefore b = -2$

$\therefore y = \dfrac{1}{5}x - 2$

동생이 간 거리를 나타내는 직선은 두 점 $(0, 0)$, $(40, 4)$를 지나므로

직선의 기울기는 $\dfrac{4-0}{40-0} = \dfrac{1}{10}$

$\therefore y = \dfrac{1}{10}x$

(2) 연립방정식 $\begin{cases} y = \dfrac{1}{5}x - 2 \\ y = \dfrac{1}{10}x \end{cases}$ 를 풀면 $\dfrac{1}{5}x - 2 = \dfrac{1}{10}x$에서 $\dfrac{1}{10}x = 2$ $\therefore x = 20$

따라서 동생이 출발한 지 **20분** 후에 동생과 형이 만난다.

(3) $x = 20$을 $y = \dfrac{1}{10}x$에 대입하면 $y = \dfrac{1}{10} \times 20$ $\therefore y = 2$

따라서 집으로부터 **2 km** 떨어진 지점에서 동생과 형이 만난다.

❶ 동생의 그래프는 원점을 지나는 직선이므로 직선의 방정식은 $y = ax \, (a \neq 0)$ 꼴이다.
이 식에 $x = 40$, $y = 4$를 대입하여 a의 값을 구해도 된다.
즉 $4 = 40a$에서 $a = \dfrac{1}{10}$

확인 13 오른쪽 그림은 물이 각각 56 L, 75 L가 들어 있는 두 물통 A, B에서 동시에 물을 내보내기 시작하여 시간이 지남에 따라 물통에 남아 있는 물의 양을 그래프로 나타낸 것이다. 다음 물음에 답하시오.

(1) 두 직선의 방정식을 각각 구하시오.

(2) 두 물통 A, B에 남아 있는 물의 양이 같아지는 것은 물을 내보내기 시작한 지 몇 분 후인지 구하시오.

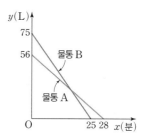

≫ My 셀파
주어진 그래프에서 x축은 시간을, y축은 남아 있는 물의 양을 나타낸다.
(i) 물통 A의 그래프는 두 점 $(0, 56)$, $(28, 0)$을 지나는 직선이다.
(ii) 물통 B의 그래프는 두 점 $(0, 75)$, $(25, 0)$을 지나는 직선이다.

발전 14 직선이 선분과 만날 조건

오른쪽 그림과 같이 좌표평면 위에 두 점 $A(1, 3)$, $B(2, 1)$이 있다. 직선 $y=ax-1$이 선분 AB와 만나도록 하는 상수 a의 값의 범위를 구하시오.

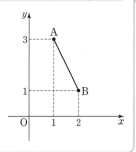

직선 $y=ax+b$가 선분 AB와 만날 때

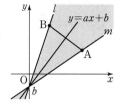

상수 a의 값의 범위
⇨ (직선 m의 기울기) $\leq a$
$\leq$ (직선 l의 기울기)

셀파 직선 $y=ax-1$이 선분의 양 끝 점을 지날 때를 알아본다.

풀이 ⓐ직선 $y=ax-1$의 y절편은 -1이다.

직선 $y=ax-1$이 선분 AB와 만나려면 a의 값은 직선 $y=ax-1$이 오른쪽 그림의

(i)과 같이 점 $A(1, 3)$을 지날 때보다 작거나 같고

(ii)와 같이 점 $B(2, 1)$을 지날 때보다 크거나 같아야 한다.

(i) 직선 $y=ax-1$이 점 $A(1, 3)$을 지날 때

$3=a-1$ ∴ $a=4$

(ii) 직선 $y=ax-1$이 점 $B(2, 1)$을 지날 때

$1=2a-1$, $2a=2$ ∴ $a=1$

(i), (ii)에서 구하는 a의 값의 범위는 **$1 \leq a \leq 4$**

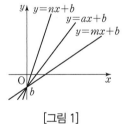

ⓐ 직선 $y=ax-1$은 a의 값에 관계없이 점 $(0, -1)$을 지난다.

Lecture [그림 1] 직선 $y=ax+b$가 두 직선 $y=mx+b$, $y=nx+b (m>0, n>0)$의 사이에 있을 때, 상수 a의 값의 범위는 ⓑ$m<a<n$이다.

[그림 2] 직선 $y=ax+b$가 직선 $y=mx+b (m>0)$ 위의 점 A와 직선 $y=nx+b (n>0)$ 위의 점 B를 이은 선분 AB와 만날 때, 상수 a의 값의 범위는 ⓒ$m \leq a \leq n$이다.

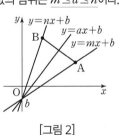

[그림 1]   [그림 2]

ⓑ 직선 $y=mx+b$와 직선 $y=nx+b$의 사이에 있으므로 직선 $y=ax+b$가 직선 $y=mx+b$ 또는 직선 $y=nx+b$와 일치하는 경우는 제외한다.

> 직선 $y=ax+b (a \neq 0)$가 하나의 사분면 위의 선분 AB와 만날 때, 상수 a의 값의 범위를 구하는 순서
> ① 점 $(0, b)$를 지나고 선분 AB와 만나도록 직선을 그린다.
> ② 직선 $y=ax+b$가 두 점 A, B 중 어느 점을 지날 때 a의 값이 가장 크고, 어느 점을 지날 때 a의 값이 가장 작은지 판단한다.

ⓒ 직선 $y=ax+b$가 두 점 A, B를 지나도 되므로 직선 $y=ax+b$가 직선 $y=mx+b$ 또는 직선 $y=nx+b$와 일치하는 경우도 포함한다.

확인 14 오른쪽 그림과 같이 좌표평면 위에 두 점 $A(-3, 2)$, $B(-2, 4)$가 있다. 직선 $y=ax+1$이 선분 AB와 만나도록 하는 상수 a의 값의 범위를 구하시오.

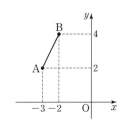

>> My 셀파
직선 $y=ax+1$이 점 A를 지날 때의 a의 값과 점 B를 지날 때의 a의 값을 각각 구한다.

발전 15 넓이를 이등분하는 직선의 방정식

오른쪽 그림과 같이 일차방정식 $x-2y+8=0$의 그래프가
x축, y축과 만나는 점을 각각 A, B라 하자.
직선 $y=ax+4$가 삼각형 OAB의 넓이를 이등분할 때, 상수
a의 값을 구하시오. (단, O는 원점이다.)

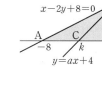

넓이를 이등분하는 직선이 지나는
점의 좌표를 구한다.

셀파 직선 $y=ax+4$가 x축과 만나는 점을 C라 하고, $\triangle BCO=\dfrac{1}{2}\triangle AOB$임을 이용한다.

풀이 일차방정식 $x-2y+8=0$의 그래프의 x절편은 -8, y절편은
4이므로 A$(-8, 0)$, B$(0, 4)$

$$\therefore \triangle AOB=\frac{1}{2}\times\overline{AO}\times\overline{BO}$$
$$=\frac{1}{2}\times\{0-(-8)\}\times(4-0)$$
$$=\frac{1}{2}\times8\times4=16$$

직선 $y=ax+4$와 x축의 교점을 C라 하면

$$\triangle BCO=\frac{1}{2}\triangle AOB=8$$

따라서 점 C의 x좌표를 k라 하면 $\triangle BCO=8$에서

$$\frac{1}{2}\times(0-k)\times4=8 \qquad \therefore k=-4$$

즉 직선 $y=ax+4$가 점 C$(-4, 0)$을 지나므로

$$0=-4a+4 \qquad \therefore a=1$$

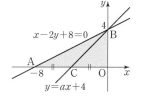

다른 풀이 오른쪽 그림에서 두 선분 AC, CO를 각각 밑변으로 놓으면
두 삼각형 ACB, COB의 높이는 모두 선분 BO의 길이로 같
으므로 두 삼각형의 넓이가 같으려면 두 선분 AC, CO의 길
이가 같으면 된다.
즉 점 C가 선분 AO의 중점임을 이용하면 된다.
점 A의 x좌표가 -8이므로 점 C의 x좌표는 -4이다.
따라서 직선 $y=ax+4$가 점 C$(-4, 0)$을 지나므로

$$0=-4a+4 \qquad \therefore a=1$$

ⓐ $x-2y+8=0$에 $y=0$을 대입
하면
$x+8=0 \quad \therefore x=-8$
즉 x절편은 -8이다.
$x-2y+8=0$에 $x=0$을 대입
하면
$-2y+8=0 \quad \therefore y=4$
즉 y절편은 4이다.

ⓑ $\overline{AO}=$ (점 O의 x좌표)
  $\quad$ $-$ (점 A의 x좌표)
  $\overline{BO}=$ (점 B의 y좌표)
  $\quad$ $-$ (점 O의 y좌표)

ⓒ 높이가 같은 두 삼각형의 넓이가
같으면 두 삼각형의 밑변의 길이
가 서로 같음을 이용한 것이다.

두 삼각형의
넓이는 같다.

높이

밑변의 중점

확인 15 오른쪽 그림과 같이 두 직선 $y=x+1$, $y=-2x+10$과
x축으로 둘러싸인 삼각형 PAB가 있다. 직선 $y=ax+b$
가 점 P를 지나면서 삼각형 PAB의 넓이를 이등분할 때,
상수 a, b의 값을 각각 구하시오.

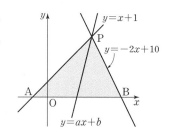

» My 셀파
직선 $y=ax+b$와 x축의 교점을 C
라 하고
$\triangle PCB=\dfrac{1}{2}\triangle PAB$
임을 이용한다.

실력 키우기

01 일차함수와 일차방정식

일차방정식 $-x+3y-6=0$의 그래프가 일차함수 $y=\dfrac{a}{3}x+b$의 그래프와 일치할 때, $a+b$의 값을 구하시오.

(단, a, b는 자연수)

02 일차방정식의 그래프

다음 중 일차방정식 $3x-2y+6=0$의 그래프는?

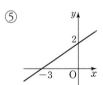

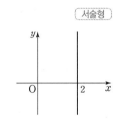

03 일차방정식의 그래프

다음 중 일차방정식 $3x+y-2=0$의 그래프에 대한 설명으로 옳지 <u>않은</u> 것을 모두 고르면? (정답 2개)

① y절편은 -2이다.

② 점 $(-2, 8)$을 지난다.

③ 제3사분면을 지나지 않는다.

④ x의 값이 증가할 때 y의 값도 증가한다.

⑤ 일차함수 $y=-3x$의 그래프와 평행하다.

04 좌표축에 평행한 직선의 방정식

두 점 $(2, a-1)$, $(-1, 2a-5)$를 지나고 y축에 수직인 직선의 방정식을 구하시오.

05 좌표축에 평행한 직선의 방정식

다음 **보기**에서 점 $(1, 2)$를 지나고 y축에 평행한 직선에 대한 설명으로 옳은 것을 모두 고르시오.

┤ 보기 ├

㉠ 점 $(1, 0)$을 지난다.

㉡ 점 $(3, 2)$를 지난다.

㉢ 직선 $y=1$과 수직으로 만난다.

㉣ 제1사분면과 제2사분면을 지난다.

06 좌표축에 평행한 직선의 방정식   서술형

방정식 $ax+by+1=0$의 그래프가 오른쪽 그림과 같을 때, 상수 a, b에 대하여 $b-2a$의 값을 구하시오.

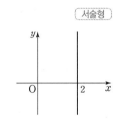

07 일차방정식 $ax+by+c=0$의 그래프와 a, b, c의 부호

일차방정식 $ax-by+c=0$의 그래 프가 오른쪽 그림과 같을 때, $ax+cy-b=0$의 그래프가 지나는 사분면을 모두 구하시오.

(단, a, b, c는 상수)

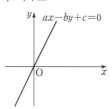

08 연립방정식의 해와 그래프

오른쪽 그림은 연립방정식 $\begin{cases} x+y-a=0 \\ 2x-3y-b=0 \end{cases}$ 의 해를 구하기 위해 두 일차방정식의 그래프를 그린 것이다. $\overline{AB}$의 길이를 구하 시오. (단, a, b는 상수)

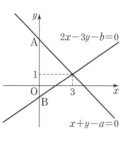

09 한 점에서 만나는 세 직선   〔서술형〕

다음 네 직선이 한 점에서 만나도록 하는 상수 a, b의 값을 각 각 구하시오.

$3x-5y=-8,$	$2ax+y=b$
$ax+2y=b,$	$x+3y=2$

10 연립방정식의 해의 개수와 그래프

연립방정식 $\begin{cases} (a-1)x+y=2 \\ 2x-3y=3 \end{cases}$ 의 해가 없을 때, 상수 a의 값 을 구하시오.

11 연립방정식의 해의 개수와 그래프   〔창의력〕

연립방정식 $\begin{cases} (2-k)x+2y=0 \\ (3k-4)x-3y=0 \end{cases}$ 의 해가 2개 이상일 때, 상 수 k의 값을 구하시오.

12 좌표축에 평행한 직선으로 둘러싸인 도형의 넓이

네 방정식 $y-2=0, 2(y+1)+4=0, 2x=3, x-a=0$의 그래프로 둘러싸인 도형의 넓이가 10일 때, 상수 a의 값을 구 하시오. $\left(\text{단}, a>\dfrac{3}{2}\right)$

13 세 직선으로 둘러싸인 도형의 넓이

오른쪽 그림과 같이 두 직선 $y=x-2$, $y=a(x-2)$와 y축으로 둘러싸인 도형의 넓이가 3일 때, 상수 a의 값을 구하시오. (단, $a<0$)

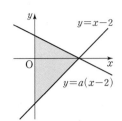

14 직선이 선분과 만날 조건 　　　　서술형

오른쪽 그림과 같이 세 점 A$(1, 4)$, B$(3, -2)$, C$(5, 1)$을 꼭짓점으로 하는 삼각형 ABC가 있다. 다음 물음에 답하시오.

(1) 직선 $y=ax+1$이 꼭짓점 A, B, C를 지날 때의 상수 a의 값을 각각 구하시오.

(2) 직선 $y=ax+1$이 삼각형 ABC와 두 점에서 만나도록 하는 상수 a의 값의 범위를 구하시오.

15 넓이를 이등분하는 직선의 방정식

직선 $y=ax+b$가 오른쪽 그림과 같이 두 직선 $y=3x+9$, $y=-\dfrac{1}{3}x-1$의 교점을 지나면서 두 직선과 y축으로 둘러싸인 도형의 넓이를 이등분할 때, 상수 a, b의 값을 각각 구하시오.

16 한 점에서 만나는 세 직선 　　　　창의력

세 직선 $y=x-1$, $y=-2x+5$, $y=ax$에 의하여 삼각형이 만들어지지 않도록 하는 상수 a의 값의 합을 구하시오.

17 그래프를 이용한 문제 해결 　　　　창의·융합

똑같은 모자를 두 인터넷 쇼핑몰 A마켓, B마켓에서 아래와 같이 판매하고 있다.

상품	가격	배송비	판매자
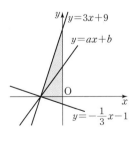	6000원	무료배송	A마켓
	5400원	2400원 (구매 개수에 관계없음)	B마켓

모자 x개를 주문했을 때 지불해야 하는 총 금액을 y원이라 할 때, 다음 물음에 답하시오.

(1) 두 인터넷 쇼핑몰 A마켓, B마켓에 대하여 y를 x에 대한 일차함수의 식으로 각각 나타내고, 그래프를 좌표평면 위에 그리시오.

(2) 주문하는 모자의 개수가 몇 개를 초과해야 B마켓에서 사는 것이 더 유리한지 말하시오.

빠른
정답

1 유리수의 소수 표현

따라 풀면서 개념 익히기
본문 9, 11쪽

1-1 (1) 0.125, 유한소수 (2) 0.166⋯, 무한소수

1-2 (1) 0.25, 유한 (2) 0.111⋯, 무한
(3) 0.375, 유한 (4) 0.2727⋯, 무한

2-1 (1) 순환마디: 04, $0.\dot{0}\dot{4}$ (2) 순환마디: 341, $1.3\dot{4}\dot{1}$
(3) 순환마디: 5, $2.01\dot{5}$ (4) 순환마디: 29, $0.6\dot{2}\dot{9}$

2-2 (1) 순환마디: 6, $0.\dot{6}$ (2) 순환마디: 5, $0.4\dot{5}$
(3) 순환마디: 511, $0.\dot{5}1\dot{1}$ (4) 순환마디: 27, $7.\dot{2}\dot{7}$

3-1 (1) $\frac{3}{10}$, $10=2\times5$ (2) $\frac{8}{25}$, $25=5^2$
(3) $\frac{57}{200}$, $200=2^3\times5^2$ (4) $\frac{3}{80}$, $80=2^4\times5$

3-2 (1) $\frac{7}{10}$, $10=2\times5$ (2) $\frac{1}{4}$, $4=2^2$
(3) $\frac{93}{20}$, $20=2^2\times5$ (4) $\frac{79}{250}$, $250=2\times5^3$

4-1 (1) 유한 (2) 순환

4-2 (1) 유한 (2) 유한 (3) 순환 (4) 유한

보고 또 보고 유형 익히기 – 확인 문제
본문 12~16쪽

01 ③ **02** (1) $0.\dot{5}$ (2) $0.\dot{3}\dot{9}$ (3) $0.3\dot{6}$ **03** ④

04 ㉠, ㉡, ㉢ **05** 14 **06** 63 **07** ③

08 ⑤ **09** (1) 2 (2) 4 **10** $x=42, y=5$

실력 키우기
본문 17~19쪽

01 ⑤ **02** ⑤ **03** 3 **04** ②

05 $0.1\dot{5}$ **06** ②, ③ **07** 99

08 (1) 3의 배수이어야 한다. (2) 7의 배수이어야 한다. (3) 42

09 ③ **10** 32 **11** (1) 6 (2) 7

12 $a=77, b=20$ **13** 2개 **14** ②

15 18 **16** ㉠, ㉡ **17** 시

2 순환소수의 분수 표현

따라 풀면서 개념 익히기
본문 23, 25쪽

1-1 (1) $\frac{23}{99}$ (2) $\frac{11}{25}$

1-2 (1) 100, 99, 99, $\frac{7}{11}$ (2) 10, 9, 9
(3) 100, 90, 90, $\frac{71}{30}$ (4) 1000, 990, 990, $\frac{49}{198}$

2-1 (1) $\frac{448}{333}$ (2) $\frac{239}{990}$

2-2 (1) $\frac{35}{111}$ (2) $\frac{1}{45}$ (3) $\frac{73}{450}$ (4) $\frac{101}{45}$

3-1 ㉠, ㉡, ㉣

3-2 ㉡, ㉣, ㉺

보고 또 보고 유형 익히기 – 확인 문제
본문 26~29쪽

01 ⑤ **02** ㉢ **03** ㉣ **04** ③, ④

05 1. $1.\dot{3}\dot{7}$ 2. $1.\dot{6}$ **06** ㉠, ㉣ **07** 8개

08 $0.1\dot{5}$

실력 키우기
본문 30~31쪽

01 (가) 10 (나) 1000 (다) 990 (라) 369 (마) 41

02 ④ **03** ③ **04** $\frac{27}{5}$ **05** 4

06 ⑤ **07** ② **08** 5개 **09** $0.\dot{1}\dot{2}$

10 ③ **11** 27

12 (1) $\frac{13}{99}$, 13 (2) $\frac{11}{90}$, 90 (3) $0.1\dot{4}$ **13** $\frac{79}{198}$

3 단항식의 계산

1. 지수법칙

본문 35, 37쪽

따라 풀면서 개념 익히기

1-1 (1) 2^8 (2) x^6 (3) a^8 (4) a^5b^3

1-2 (1) 3^6 (2) b^7 (3) x^{11} (4) x^6y^8

2-1 (1) 2^9 (2) x^{10} (3) x^{36} (4) a^{18}

2-2 (1) 5^{12} (2) a^{21} (3) a^{12} (4) x^{14}

3-1 (1) 2^2 (2) 1 (3) $\dfrac{1}{a^5}$ (4) $\dfrac{1}{a}$

3-2 (1) 3^3 (2) 1 (3) $\dfrac{1}{x^2}$ (4) 1

4-1 (1) $a^{12}b^4$ (2) $8a^6$ (3) $\dfrac{y^9}{x^6}$ (4) $\dfrac{y^{12}}{16}$

4-2 (1) a^6b^6 (2) $9b^6$ (3) $-\dfrac{x^6}{y^3}$ (4) $\dfrac{9y^2}{4x^4}$

풀고 또 풀고 집중 연습

본문 38쪽

1 (1) 2^{10} (2) a^7 (3) b^8 (4) a^5b^6

2 (1) x^{12} (2) a^{16} (3) $a^{11}b^{15}$ (4) $x^{10}y^7$

3 (1) x^5 (2) $\dfrac{1}{a^6}$ (3) y^9 (4) x^3

4 (1) x^5y^{15} (2) $-8x^6$ (3) $\dfrac{25y^4}{x^2}$ (4) $\dfrac{a^{12}}{16b^8}$

보고 또 보고 유형 익히기 – 확인 문제

본문 39~43쪽

01 (1) 7 (2) 6 (3) 2 (4) 6 **02** 1. $x^{11}y^{15}$ 2. 3

03 ③ **04** (1) $a=3, b=125$ (2) $a=2, b=64$

05 (1) 5 (2) 8 (3) 5 (4) 7 **06** 1. 2^{11} 2. 7

07 (1) 15자리 (2) 10자리 **08** 1. ② 2. ③

2. 단항식의 곱셈과 나눗셈

따라 풀면서 개념 익히기

본문 45쪽

1-1 (1) $8x^2y^3$ (2) $-\dfrac{10b^2}{a}$

1-2 (1) $24xy^4$ (2) $-\dfrac{3}{8}x^3y^5$

1-3 (1) $-20b$ (2) $\dfrac{3x}{8y^4}$

2-1 $8a^2b^2$

2-2 (1) $2a^2b^3$ (2) $9x^2y^3$ (3) $20x^2y^4$ (4) $\dfrac{6b^{10}}{a^3}$

보고 또 보고 유형 익히기 – 확인 문제

본문 46~48쪽

01 (1) $6x^3y^4$ (2) $-3x^7y^5$ **02** 3

03 (1) $24x^4y^4$ (2) $-\dfrac{8y^7}{x^4}$

04 (1) $\dfrac{3}{4}a^2b$ (2) $-4x^2y$ (3) $24x^3y^2$

05 8 **06** $9a^2b$

풀고 또 풀고 집중 연습

본문 49쪽

1 (1) $12a^6b^3$ (2) $6x^3y^4$ (3) $10x^5y^3$ (4) $6x^9y^7$

2 (1) $\dfrac{3}{ab^2}$ (2) $\dfrac{10}{y}$ (3) $-\dfrac{1}{4x^4}$ (4) $25y$

3 (1) $6a^2b^2$ (2) $\dfrac{a^4b^2}{4}$ (3) $-\dfrac{4}{3}a$ (4) $\dfrac{8}{3x^5y^5}$

 (5) $\dfrac{a}{72}$ (6) $\dfrac{x}{2y^4}$ (7) $-\dfrac{x^5y^5}{24}$ (8) $-\dfrac{3}{8}b^2$

실력 키우기

본문 50~51쪽

01 ④ **02** ③ **03** $A=3^7, B=3^2$

04 40 **05** 7 **06** ② **07** ②, ⑤

08 (나) $-25x^5y^4$, (다) $-\dfrac{200x^8}{y^2}$ **09** $6ab^2$

10 (1) $-4x^2y$ (2) $128x^5y^3$ **11** 12 **12** $6ab^2$

13 $\dfrac{8}{3}$배 **14** 2^{13}장

4 다항식의 계산

1. 다항식의 덧셈과 뺄셈

따라 풀면서 개념 익히기 　본문 55쪽

1-1 $(1)\ 6x+4y$ 　$(2)\ -10x+y$

1-2 $(1)\ 3a+3b$ 　$(2)\ 5x+2y$ 　$(3)\ 3a+b$ 　$(4)\ 6x-9y$

2-1 $(1)\ 4a^2-2a+2$ 　$(2)\ x^2-x+1$

2-2 $(1)\ 11a^2+2a-1$ 　$(2)\ 4x^2-5x+6$
　　$(3)\ -3a^2-3a+3$ 　$(4)\ -x^2-13x+16$

보고 또 보고 유형 익히기 – 확인 문제　본문 56~58쪽

01 $(1)\ x+2y$ 　$(2)\ 2x-9y+3$

02 $(1)\ 3x+6y$ 　$(2)\ 13y$

03 $(1)\ -\dfrac{1}{6}a+\dfrac{13}{12}b$ 　$(2)\ \dfrac{-10x+5y}{6}$

04 $(1)\ 2a^2+2a-2$ 　$(2)\ -a-3$

05 $(1)\ -6a-3b+6$ 　$(2)\ -5x^2+2x-1$

06 $-8x^2+18x+11$

풀고 또 풀고 집중 연습　본문 59쪽

1 $(1)\ 6a-b$ 　$(2)\ -y-1$ 　$(3)\ 3x-11y$
　$(4)\ 6a-6b$ 　$(5)\ -5x+5y-5$ 　$(6)\ -3a-15b-2$

2 $(1)\ 5x^2+1$ 　$(2)\ 2x^2+x+9$ 　$(3)\ 2x^2-7x+9$ 　$(4)\ 5x^2-9x+4$

3 $(1)\ 3a+b$ 　$(2)\ 3x+y$ 　$(3)\ -3x^2-x+6$ 　$(4)\ 3x^2+6x-2$

4 $(1)\ \dfrac{4}{3}x-\dfrac{1}{6}y$ 　$(2)\ \dfrac{11}{15}x-\dfrac{2}{15}y$ 　$(3)\ \dfrac{x-2y}{2}$
　$(4)\ \dfrac{11x-26y}{12}$ 　$(5)\ \dfrac{-x^2+7x-17}{6}$

2. 단항식과 다항식의 곱셈과 나눗셈

따라 풀면서 개념 익히기　본문 61쪽

1-1 $(1)\ -12a^2-3ab+15a$ 　$(2)\ 3x-6$

1-2 $(1)\ -5x^2+3xy$ 　$(2)\ 4x^3-6x^2$ 　$(3)\ 3a-2b$ 　$(4)\ -3a+9$

2-1 $2xy$

2-2 $(1)\ 8a-b$ 　$(2)\ x^2y-8x$ 　$(3)\ -12x$

보고 또 보고 유형 익히기 – 확인 문제　본문 62~65쪽

01 $(1)\ 4x^2+2xy-3x$ 　$(2)\ -20a^2b+15a^2b^2+10ab^2$

02 $(1)\ \dfrac{2}{y}-4+3y$ 　$(2)\ 8ab^2-4b$

03 $(1)\ 6$ 　$(2)\ 9x$ 　$(3)\ -5xy^2$ 　**04** $3x^2y-2xy+2y^2$

05 $3x^3+x^2$ 　　　　　　　**06** $(1)\ 10$ 　$(2)\ 1$

07 $(1)\ \dfrac{7x-4y}{6}$ 　$(2)\ -3x+3y$ 　**08** 11

풀고 또 풀고 집중 연습　본문 66쪽

1 $(1)\ 6a^2-3a$ 　$(2)\ -6x^2+24xy$ 　$(3)\ 2a^3-6a^2+4a$
　$(4)\ 2xy-3x^2$ 　$(5)\ 9x^3+3x^2y-6xy^2$

2 $(1)\ 3+4y$ 　$(2)\ -5a^2+\dfrac{10}{3}b^3$ 　$(3)\ 2x-3y$
　$(4)\ 8x-6y$ 　$(5)\ -4x^2y+8x$

3 $(1)\ -6x^2+4xy$ 　$(2)\ -8a^2+3ab$ 　$(3)\ -2a-2b$
　$(4)\ 3x-7y$ 　$(5)\ -2x+1$

4 $(1)\ 3xy-6x$ 　$(2)\ -5xy^2$ 　$(3)\ -3a+6b$
　$(4)\ -\dfrac{4}{3}x^2-\dfrac{1}{2}xy$ 　$(5)\ 4a^2b-3a^2$

실력 키우기　본문 67~69쪽

01 $a=8,\ b=-8$ 　　**02** $-\dfrac{3}{2}$ 　　**03** ③

04 -3 　　**05** $x-7y$ 　　**06** $(1)\ -3x^2+6x$ 　$(2)\ 11x-2$

07 $-x^2+13x-2$ 　　**08** ③

09 (나), $-4a+3$ 　　**10** $2x^3y^3$ 　　**11** 35

12 $5ab-4$ 　　**13** $(1)\ a-8b$ 　$(2)\ 3$ 　　**14** $-x-y+3$

15 $19x+28$

16 $(1)\ A=-3x^2-x+3,\ B=4x^2-2x$ 　$(2)\ x^2-3x+3$

17 $\dfrac{11}{2}ab-\dfrac{3}{2}a^2$

18 $(1)\ 24a^5b^2+12a^4b^3$ 　$(2)\ 6a^3bh$ 　$(3)\ 12a^2b+6ab^2$

5 부등식의 뜻과 성질

따라 풀면서 개념 익히기 본문 73, 75쪽

1-1 (1) ○ (2) × (3) ○ (4) ×

1-2 (1) ○ (2) × (3) ○ (4) ×

2-1 0, 1, 2

2-2

x의 값	좌변	부등호	우변	참, 거짓
1	$1+1=2$	$<$	4	거짓
2	$2+1=3$	$<$	4	거짓
3	$3+1=4$	$=$	4	참
4	$4+1=5$	$>$	4	참

3-1 (1) $<$ (2) $>$ (3) $>$

3-2 (1) $\geq$ (2) $\geq$ (3) $\geq$ (4) $\leq$

4-1 (1) $>$ (2) $\leq$ (3) $>$

4-2 (1) $>$ (2) $\leq$ (3) $<$ (4) $\leq$

보고 또 보고 유형 익히기 – 확인 문제 본문 76~78쪽

01 ㉢, ㉣   **02** (1) $x-3<5$ (2) $3x+500\leq3000$

03 ④   **04** ②   **05** ③

06 (1) $-18\leq5x+2\leq2$ (2) $-1\leq-2x-1\leq7$

실력 키우기 본문 80~81쪽

01 2개   **02** ②   **03** ④   **04** ④

05 3   **06** ⑤   **07** ⑤   **08** ③

09 (1) (가) -2, (나) 5 (2) 4

10 (1) $-2\leq x<2$ (2) $-2<-3x+4\leq10$

11 ③   **12** ②

6 일차부등식의 풀이

따라 풀면서 개념 익히기 본문 85, 87쪽

1-1 (1) ○ (2) × (3) ○

1-2 (1) × (2) ○ (3) × (4) ○

2-1

2-2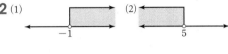

3-1 $x<3$

3-2 (1) $x>-1$ (2) $x\leq-7$ (3) $x\geq3$

4-1 (1) $x<3$ (2) $x\geq1$ (3) $x\leq-2$

4-2 (1) $x<9$ (2) $x\geq\dfrac{5}{2}$ (3) $x>10$ (4) $x<-40$

(5) $x\leq24$ (6) $x>2$

보고 또 보고 유형 익히기 – 확인 문제 본문 88~92쪽

01 ③

02 (1) $x\geq16$,

(2) $x<-5$,

03 (1) $x\leq-5$ (2) $x<4$ (3) $x>0$ (4) $x\geq-10$

04 (1) $x\leq35$ (2) $x>\dfrac{7}{2}$ (3) $x>-20$ (4) $x\leq7$

05 -2 **06** 3   **07** 1. $x>-\dfrac{3}{a}$ 2. $x>5$

08 $-16\leq a<-11$

풀고 또 풀고 집중 연습 본문 93쪽

1 (1) $x\geq-1$ (2) $x>4$ (3) $x\geq4$ (4) $x\leq2$

2 (1) $x<-11$ (2) $x<10$ (3) $x\geq3$

3 (1) $x<3$ (2) $x\leq-1$ (3) $x\geq-\dfrac{7}{8}$

4 (1) $x<1$ (2) $x\geq2$ (3) $x>-16$ (4) $x\geq-\dfrac{1}{3}$

01 ③   **02** (개) ㉠, (나) ㉢   **03** ④

04 -6 **05** -5 **06** 4 **07** ③

08 -3 **09** 7 **10** $x>1$ **11** $x\geq\dfrac{9}{5}$

12 $x\leq\dfrac{1}{ab}$

13 (1) $x\leq\dfrac{-a-3}{2}$ (2)

(3) $-9<a\leq-7$

14 $a\leq7$

---

7 일차부등식의 활용

1-1 $16, 17$

1-2 (1) $2x+5<3(x+1)$ (2) $x>2$ (3) $3, 4$

2-1 5개

2-2 (1) $12-x$, $300(12-x)$ (2) $500x+300(12-x)\leq5000$
     (3) $x\leq7$ (4) 7권

3-1 1200 m

3-2 (1) $(x+3)$ km, $\dfrac{x+3}{4}$시간   (2) $\dfrac{x}{2}+\dfrac{x+3}{4}\leq3$ (3) 3 km

4-1 100 g

4-2 (1) $36, 36$ (2) $\dfrac{36}{600-x}\times100\geq9$ (3) 200 g

01 24   **02** 12 cm   **03** 11개월   **04** 7송이

05 13장   **06** 4봉지   **07** 17명   **08** 7200원

09 240 km   **10** 2 km   **11** 160 g   **12** 180 g

---

01 20   **02** 89점   **03** 10 cm   **04** 8개월

05 11개   **06** 130분   **07** 36명   **08** 30000원

09 40 km   **10** 45 g   **11** 5

12 (1) 식품 A: 3 kcal, 식품 B: 5 kcal   (2) 150 g

13 (1) 2   (2) $2x+1$ (3) 69개

---

8 연립일차방정식과 그 해

1-1 (1) $x+2y-1=0$, 미지수가 2개인 일차방정식이다.
     (2) $3x-y-1=0$, 미지수가 2개인 일차방정식이다.
     (3) $5x+4=0$, 미지수가 2개인 일차방정식이 아니다.

1-2 (1) ○   (2) ×   (3) ×   (4) ○

2-1 $(1, 6), (2, 4), (3, 2)$

2-2 (1) $2, 1, 0$ / $(1, 2), (2, 1)$ (2) $3, 1, -1$ / $(3, 1), (1, 2)$

3-1 (1) $4, 3, 2, 1, 0$ / $(1, 4), (2, 3), (3, 2), (4, 1)$
     (2) $6, 3, 0, -3, -6$ / $(1, 6), (2, 3)$
     (3) $(2, 3)$

3-2 (1) ① ㉠: $3, 2, 1, 0$, ㉡: $-1, 0, 1, 2$
       ② ㉠: $(1, 3), (2, 2), (3, 1)$, ㉡: $(3, 1), (4, 2), \cdots$
       ③ $(3, 1)$

     (2) ① ㉠: $6, 4, 2, 0$, ㉡: $1, 4, 7, 10$
       ② ㉠: $(1, 6), (2, 4), (3, 2)$
         ㉡: $(1, 1), (2, 4), (3, 7), (4, 10), \cdots$
       ③ $(2, 4)$

01 ①, ④   **02** (1) $500x+1000y=7000$ (2) $10x+8y=84$

03 ⑤   **04** 3개   **05** 1. 3   2. 2

06 $\begin{cases} x+y=5 \\ 300x+500y=2100 \end{cases}$ **07** ㉠, ㉣   **08** $a=4, b=4$

 **실력 키우기** 본문 120~121쪽

01 ㉠, ㉣　　**02** $a=-3, b\neq-5$　　**03** ②

04 ④　　**05** ③, ⑤　　**06** 4

07 (1) $x+2y=12$　(2) $(2,5), (4,4), (6,3), (8,2), (10,1)$
　　(3) 5대

08 15　　**09** ②　　**10** ②　　**11** 40

12 (1) $(3,2)$　(2) -1

9 연립일차방정식의 풀이

따라 풀면서 개념 익히기 본문 125, 127쪽

1-1 $x=-4, y=3$

1-2 (1) $x=-5, y=-4$　(2) $x=-1, y=-2$　(3) $x=3, y=-2$

2-1 $x=-4, y=3$

2-2 (1) $x=-1, y=3$　(2) $x=2, y=-2$　(3) $x=5, y=2$

3-1 $x=5, y=-1$

3-2 (1) $x=1, y=0$　(2) $x=6, y=-2$

4-1 (1) $\begin{cases}2x-y=x+y\\2x-y=3\end{cases}$, $\begin{cases}2x-y=x+y\\x+y=3\end{cases}$, $\begin{cases}2x-y=3\\x+y=3\end{cases}$
　　(2) $x=2, y=1$

4-2 (1) $4x+y$ / $x=2, y=2$　(2) $x-y+8$ / $x=4, y=-4$

보고 또 보고 유형 익히기 – 확인 문제 본문 128~134쪽

01 (1) $x=1, y=4$　　(2) $x=-1, y=1$

02 (1) $x=1, y=-\dfrac{7}{4}$　　(2) $x=3, y=2$

03 (1) $x=-2, y=3$　　(2) $x=2, y=-1$

04 (1) $x=1, y=0$　　(2) $x=19, y=2$

05 (1) $x=\dfrac{1}{3}, y=3$　　(2) $x=-26, y=-38$

06 (1) $x=-2, y=-1$　　(2) $x=\dfrac{1}{3}, y=-\dfrac{1}{2}$

07 $a=2, b=1$　　**08** 3　　**09** $p=1, q=1$

10 $x=4, y=1$　　**11** ⑤　　**12** $a=12, b\neq5$

풀고 또 풀고 집중 연습 본문 135쪽

1 (1) $x=3, y=4$　(2) $x=-1, y=-4$　(3) $x=-7, y=-\dfrac{20}{3}$
　(4) $x=0, y=4$　(5) $x=2, y=2$

2 (1) $x=6, y=4$　(2) $x=\dfrac{3}{2}, y=1$　(3) $x=6, y=1$
　(4) $x=2, y=3$　(5) $x=1, y=2$　(6) $x=-\dfrac{7}{2}, y=-2$

3 (1) $x=\dfrac{3}{5}, y=\dfrac{3}{5}$　(2) $x=1, y=-6$　(3) $x=-1, y=-7$

 **실력 키우기** 본문 136~137쪽

01 (가) $y=-3x+2$　(나) 34　(다) 2　(라) -4　　**02** ②

03 (1) $x=-6, y=-16$　(2) 26

04 $x=7, y=-\dfrac{5}{6}$　　　　**05** $x=0, y=2$

06 $x=7, y=14$　　**07** 7　　**08** -1

09 -20　　**10** (1) $a=-4, b=2$　(2) $x=1, y=2$

11 ④　　**12** -9　　**13** 1

10 연립일차방정식의 활용

따라 풀면서 개념 익히기 본문 141, 143쪽

1-1 오리: 2마리, 사슴: 8마리

1-2 (1) $4x$, $2y$, 180　(2) $\begin{cases}x+y=48\\4x+2y=180\end{cases}$
　　(3) 자동차: 42대, 자전거: 6대

2-1 23

2-2 (1) $10x+y$, x, $10y+x$　(2) $\begin{cases}x+y=6\\10y+x=(10x+y)-18\end{cases}$
　　(3) 42

3-1 올라간 거리: 3 km, 내려온 거리: 8 km

3-2 (1) x시간, $\dfrac{y}{3}$시간   (2) $\begin{cases} y = x + 3 \\ x + \dfrac{y}{3} = 5 \end{cases}$

(3) 올라간 거리: 3 km, 내려온 거리: 6 km

4-1 5 %의 소금물의 양: 300 g, 8 %의 소금물의 양: 600 g

4-2 (1) 300 g, $\dfrac{20}{100}y$ g, 51 g   (2) $\begin{cases} x + y = 300 \\ \dfrac{11}{100}x + \dfrac{20}{100}y = 51 \end{cases}$

(3) 11 %의 소금물의 양: 100 g, 20 %의 소금물의 양: 200 g

보고 또 보고 **유형** 익히기 – 확인 문제   본문 144~151쪽

01 47   **02** 18세

03 400원짜리 기념품: 7개, 700원짜리 기념품: 5개

04 가로의 길이: 23 cm, 세로의 길이: 32 cm

05 300명   **06** 3 km   **07** 3시간   **08** 25분

09 6 %의 설탕물: 500 g, 15 %의 설탕물: 1000 g

10 소금물 A: 8 %, 소금물 B: 12 %

11 길이: 120 m, 속력: 초속 40 m

12 흐르지 않는 물에서의 배의 속력: 시속 12 km
강물의 속력: 시속 6 km

13 16일

실력 키우기   본문 152~153쪽

01 3252   **02** 어머니: 47세, 아들: 14세

03 말 한 마리 값: 36냥, 소 한 마리 값: 28냥   **04** 50 cm²

05 (1) y, x, $+15$ (2) $\begin{cases} 3x - 2y = 40 \\ -2x + 3y = 15 \end{cases}$ (3) 30

06 A도시: 424톤, B도시: 176톤   **07** 32 m

08 240 g   **09** 12분   **10** 길이: 90 m, 속력: 초속 15 m

11 (1) $15x + 15y = 1500$ (2) $50x - 50y = 1500$
(3) 형의 속력: 분속 65 m, 동생의 속력: 분속 35 m

12 100 g

11 일차함수와 그래프 (1)

1. 함수의 뜻과 일차함수

따라 풀면서 **개념** 익히기   본문 157, 159쪽

1-1 (1) 함수이다.   (2) 함수가 아니다.

1-2 (1)

x	-2	-1	0	1	2
y	2	1	0	1	2

, 함수이다.

(2)

x	1	2	3	4	5
y	1, 2, 3, ⋯	2, 4, 6, ⋯	3, 6, 9, ⋯	4, 8, 12, ⋯	5, 10, 15, ⋯

함수가 아니다.

2-1 (1) 1000, 1500, 2000   (2) 함수이다.   (3) $y = 500x$

2-2 (1) 12, 8, 6, 4   (2) 함수이다.   (3) $y = \dfrac{24}{x}$

3-1 (1) 1   (2) -7

3-2 (1) 4   (2) -3 (3) -4

4-1 (1) ○   (2) ○   (3) ×   (4) ○

4-2 (1) ×   (2) ○   (3) ×   (4) ○

4-3 (1) $y = 80 - x$ (2) 일차함수이다.

보고 또 보고 **유형** 익히기 – 확인 문제   본문 160~161쪽

01 ㉢   **02** 1. -2 2. 5   **03** ①

04 1

2. 일차함수의 그래프

따라 풀면서 **개념** 익히기   본문 163, 165쪽

1-1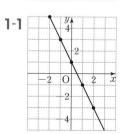

1-2 $-1, 0, 1, 2, 3$ /

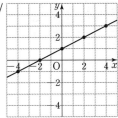

2-1

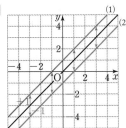

2-2

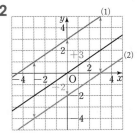

(3)

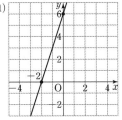

3-1 x절편: 3, y절편: -6

3-2 (1) x절편: 3, y절편: -3 (2) x절편: 1, y절편: 5

(3) x절편: 6, y절편: -4

3 (1)

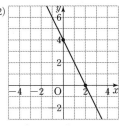

(2)

(3)

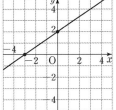

4-1 **1.** $\dfrac{2}{3}$ **2.** (1) 1 (2) $\dfrac{1}{2}$ **4-2** -2

4-3 (1) 1 (2) 3

4 (1)

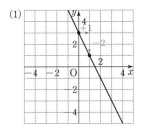

(2)

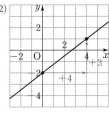

(3)

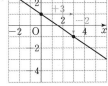

풀고 또 풀고 **집중 연습**

본문 166~167쪽

1 (1)

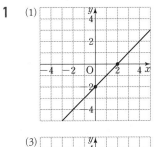

(2)

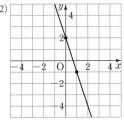

(3)

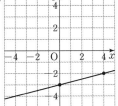

2 (1)

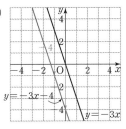

(2)

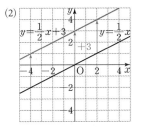

보고 또 보고 **유형 익히기 – 확인 문제**

본문 168~172쪽

01 **1.** 3 **2.** 12 **02** -1 **03** -2 **04** 2

05 5 **06** $\dfrac{5}{2}$ **07** -3 **08** ③

09 $\dfrac{7}{5}$ **10** 6

01 ③, ④　　**02** (1) 30, 60, 90, 120 (2) $y=30x$ (3) 300

03 0　　**04** 10　　**05** $a=-1, b\neq1$

06 은정　　**07** $a=2, b=2$　　**08** -2

09 0　　**10** 3　　**11** ⑤　　**12** 10

13 (1) -4 (2) 5 (3) -3　　**14** -2　　**15** ④

16 ④　　**17** 2　　**18** 3　　**19** 12

12 일차함수와 그래프 (2)

1-1 (1) ㉢, ㉣　(2) ㉠, ㉡　(3) ㉡, ㉢

1-2 음수, 감소, 아래, 양수, 양

2-1 (1) ㉡, ㉢　(2) ㉠, ㉣

2-2 (1) ㉠, ㉣　(2) ㉡, ㉢

3-1 (1) $y=x-3$　(2) $y=3x-5$

3-2 (1) $y=\dfrac{1}{3}x-2$　(2) $y=4x+\dfrac{1}{2}$　(3) $y=-2x-1$

3-3 (1) $y=2x-3$　(2) $y=-\dfrac{2}{5}x+2$

4-1 10분

4-2 (1) $y=20-6x$　(2) 17 ℃　(3) 2 km

01 ③　　**02** ⑤　　**03** 제2사분면

04 $a<0, b<0$　　**05** 1. -7　2. 5

06 $m=-2, n=-2$　　**07** $y=-2x+3$

08 $y=-\dfrac{1}{3}x+2$　　**09** $y=\dfrac{2}{3}x-\dfrac{7}{3}$

10 $y=\dfrac{3}{2}x-6$　　**11** 1. 42 cm　2. 30분

12 (1) $y=256-8x$　(2) 14초

13 (1) $y=2000x+3000$　(2) 43000원

01 (1) ②, ④　(2) ①, ③　(3) ①　　**02** ①, ③　　**03** ①

04 ③　　**05** ④　　**06** 제3사분면

07 0　　**08** $y=-\dfrac{4}{3}x+8$　　**09** ②, $y=2x$

10 3　　**11** $y=\dfrac{1}{6}x+1$

12 (1) $y=3x-1$　(2) $y=-x+5$　(3) $a=-1, b=-1$

13 15 ℃　　**14** 오후 3시 30분　　**15** 5초

16 (1) $y=-2x+20$　(2) 6 cm　(3) 9시간

17 (1) ㉠ 10, ㉡ 16　(2) $a=3, b=1$　(3) 31개

13 일차함수와 일차방정식

1-1 $y=-\dfrac{1}{2}x+2$,
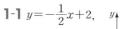
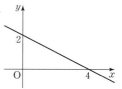

1-2 (1) $y=-2x+3$　(2) $y=3x-5$
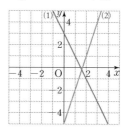

2-1 (1)　　(2)

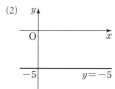

2-2

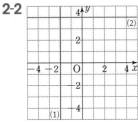

3-1 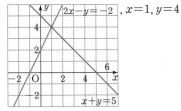 , $x=1, y=4$

3-2 (1)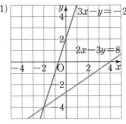

(2) $(-2, -4)$ (3) $x=-2, y=-4$

4-1 (1) $\begin{cases} y = \dfrac{1}{3}x + \dfrac{2}{3} \\ y = \dfrac{1}{3}x - \dfrac{1}{6} \end{cases}$ (2) 평행하다. (3) 0

4-2 (1) ㉡ (2) ㉠ (3) ㉢

01 3 **02** ② **03** ①, ④ **04** $y=3$

05 ㉠, ㉢ **06** 1 **07** 제1사분면, 제4사분면

08 5 **09** $a=-1, b=3$ **10** $\dfrac{1}{3}$

11 $\dfrac{2}{3}$ **12** $\dfrac{7}{2}$ **13** $-\dfrac{1}{2}$

14 (1) A: 3, B: -1, C: 0 (2) $-1 < a < 3$

15 $a = \dfrac{4}{3}, b=4$ **16** $-\dfrac{1}{2}$

17 (1) A마켓: $y=6000x$, B마켓: $y=5400x+2400$

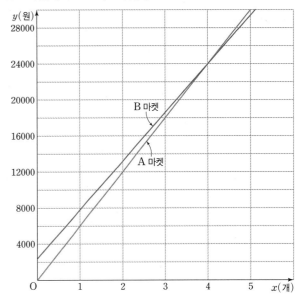

(2) 4개

01 -1 **02** ④ **03** -6 **04** $a>0, b<0$

05 (1) $y=5$ (2) $y=-4$ (3) $x=1$

06 (1) $a \neq 0, b=1$ (2) $a=0, b \neq 1$ **07** 4

08 $x=3$ **09** -3 **10** $-\dfrac{4}{3}$ **11** 1

12 4

13 (1) 물통 A: $y=-2x+56$, 물통 B: $y=-3x+75$ (2) 19분

14 $-\dfrac{3}{2} \leq a \leq -\dfrac{1}{3}$ **15** $a=4, b=-8$

정답과
해설

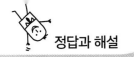
Ⅰ. 유리수와 순환소수

1 유리수의 소수 표현

본문 | 9, 11쪽

1-1 답 (1) 0.125, 유한소수 (2) 0.166…, 무한소수

(1) $1 \div 8 = 0.125$

⇨ 소수점 아래의 0이 아닌 숫자가
$\boxed{3}$ 개, 즉 유한 번 나타나므로
유한소수이다.

$$\begin{array}{r} 0.125 \\ 8\overline{)1} \\ \underline{8} \\ 20 \\ \underline{16} \\ 40 \\ \underline{40} \\ 0 \end{array}$$

(2) $1 \div 6 = 0.166\cdots$

⇨ 소수점 아래의 0이 아닌 숫자가
무한 번 나타나므로 $\boxed{\text{무한소수}}$
이다.

$$\begin{array}{r} 0.166\cdots \\ 6\overline{)1} \\ \underline{6} \\ 40 \\ \underline{36} \\ 40 \\ \underline{36} \\ 4 \\ \vdots \end{array}$$

1-2 답 (1) 0.25, 유한 (2) 0.111…, 무한
(3) 0.375, 유한 (4) 0.2727…, 무한

(1) $\dfrac{1}{4} = 1 \div 4 = 0.25$ ⇨ 유한소수

(2) $\dfrac{1}{9} = 1 \div 9 = 0.111\cdots$ ⇨ 무한소수

(3) $\dfrac{3}{8} = 3 \div 8 = 0.375$ ⇨ 유한소수

(4) $\dfrac{3}{11} = 3 \div 11 = 0.2727\cdots$ ⇨ 무한소수

2-1 답 (1) 순환마디: 04, $0.\dot{0}\dot{4}$ (2) 순환마디: 341, $1.\dot{3}4\dot{1}$
(3) 순환마디: 5, $2.01\dot{5}$ (4) 순환마디: 29, $0.6\dot{2}\dot{9}$

(1) 0.040404… ⇨ 소수점 아래 첫째 자리부터 0, 4가 차례대로 반복되므로 순환마디는 04이다.
∴ $0.\dot{0}\dot{4}$

(2) 1.341341341… ⇨ 소수점 아래 첫째 자리부터 3, 4, 1이 차례대로 반복되므로 순환마디는 341이다.
∴ $\boxed{1.\dot{3}4\dot{1}}$

(3) 2.015555… ⇨ 소수점 아래 셋째 자리부터 5가 반복되므로 순환마디는 5이다.
∴ $2.01\dot{5}$

(4) 0.6292929… ⇨ 소수점 아래 둘째 자리부터 2, 9가 차례대로 반복되므로 순환마디는 $\boxed{29}$ 이다.
∴ $\boxed{0.6\dot{2}\dot{9}}$

2-2 답 (1) 순환마디: 6, $0.\dot{6}$ (2) 순환마디: 5, $0.4\dot{5}$
(3) 순환마디: 511, $0.\dot{5}1\dot{1}$ (4) 순환마디: 27, $7.\dot{2}\dot{7}$

(1) 0.666… ⇨ 소수점 아래 첫째 자리부터 6이 반복되므로 순환마디는 6이다. ∴ $0.\dot{6}$

(2) 0.4555… ⇨ 소수점 아래 둘째 자리부터 5가 반복되므로 순환마디는 5이다. ∴ $0.4\dot{5}$

(3) 0.511511511… ⇨ 소수점 아래 첫째 자리부터 5, 1, 1이 차례대로 반복되므로 순환마디는 511이다. ∴ $0.\dot{5}1\dot{1}$

(4) 7.272727… ⇨ 소수점 아래 첫째 자리부터 2, 7이 차례대로 반복되므로 순환마디는 27이다. ∴ $7.\dot{2}\dot{7}$

3-1 답 (1) $\dfrac{3}{10}$, $10 = 2 \times 5$ (2) $\dfrac{8}{25}$, $25 = 5^2$
(3) $\dfrac{57}{200}$, $200 = 2^3 \times 5^2$ (4) $\dfrac{3}{80}$, $80 = 2^4 \times 5$

(1) $0.3 = \dfrac{3}{10} = \dfrac{3}{2 \times 5}$

(2) $0.32 = \dfrac{32}{100} = \dfrac{8}{25} = \dfrac{8}{\boxed{5^2}}$

(3) $0.285 = \dfrac{\boxed{285}}{1000} = \dfrac{\boxed{57}}{200} = \dfrac{57}{\boxed{2^3 \times 5^2}}$

(4) $0.0375 = \dfrac{\boxed{375}}{\boxed{10000}} = \dfrac{3}{\boxed{80}} = \dfrac{3}{\boxed{2^4 \times 5}}$

3-2 답 (1) $\dfrac{7}{10}$, $10 = 2 \times 5$ (2) $\dfrac{1}{4}$, $4 = 2^2$
(3) $\dfrac{93}{20}$, $20 = 2^2 \times 5$ (4) $\dfrac{79}{250}$, $250 = 2 \times 5^3$

(1) $0.7 = \dfrac{7}{10} = \dfrac{7}{2 \times 5}$

(2) $0.25 = \dfrac{25}{100} = \dfrac{1}{4} = \dfrac{1}{2^2}$

(3) $4.65 = \dfrac{465}{100} = \dfrac{93}{20} = \dfrac{93}{2^2 \times 5}$

(4) $0.316 = \dfrac{316}{1000} = \dfrac{79}{250} = \dfrac{79}{2 \times 5^3}$

4-1 답 (1) 유한 (2) 순환

(1) $\dfrac{15}{2 \times 3 \times 5^2} = \dfrac{1}{2 \times 5}$ ⇨ 분모의 소인수가 2와 $\boxed{5}$ 뿐이므로 $\boxed{\text{유한}}$소수로 나타낼 수 있다.

(2) $\dfrac{21}{90} = \dfrac{7}{30} = \dfrac{7}{\boxed{2 \times 3 \times 5}}$ ⇨ 분모의 소인수 중에 $\boxed{3}$ 이 있으므로 $\boxed{\text{순환}}$소수로만 나타낼 수 있다.

4-2 답 (1) 유한 (2) 유한 (3) 순환 (4) 유한

(1) $\dfrac{3}{2 \times 5}$ ⇨ 분모의 소인수가 2와 5뿐이므로 유한소수로 나타낼 수 있다.

(2) $\dfrac{14}{2^2 \times 7} = \dfrac{1}{2}$ ⇨ 분모의 소인수가 2뿐이므로 유한소수로 나타낼 수 있다.

(3) $\dfrac{4}{22} = \dfrac{2}{11}$ ⇨ 분모의 소인수가 11이므로 순환소수로만 나타낼 수 있다.

(4) $\dfrac{27}{180} = \dfrac{3}{20} = \dfrac{3}{2^2 \times 5}$ ⇨ 분모의 소인수가 2와 5뿐이므로 유한소수로 나타낼 수 있다.

ⓒ $\dfrac{35}{490} = \dfrac{1}{14} = \dfrac{1}{2 \times 7}$ 　　ⓔ $\dfrac{81}{540} = \dfrac{3}{20} = \dfrac{3}{2^2 \times 5}$

ⓜ $\dfrac{42}{2100} = \dfrac{1}{50} = \dfrac{1}{2 \times 5^2}$

따라서 분모에 2와 5 이외의 소인수가 있으면 순환소수로만 나타낼 수 있으므로 ㉠, ㉡, ㉢이다.

---

01 답 ③

셀파 순환소수는 소수점 아래에서 순환마디를 찾아 순환마디의 양 끝 숫자 위에 점을 찍어 나타낸다.

③ 1.818181···의 순환마디는 81이므로
1.818181··· = $1.\dot{8}\dot{1}$

02 답 (1) $0.\dot{5}$ (2) $0.\dot{3}\dot{9}$ (3) $0.3\dot{6}$

셀파 (분자)÷(분모)를 하여 소수점 아래에서 반복되는 부분을 찾는다.

(1) $\dfrac{5}{9} = 5 \div 9 = 0.555\cdots = 0.\dot{5}$

(2) $\dfrac{13}{33} = 13 \div 33 = 0.393939\cdots = 0.\dot{3}\dot{9}$

(3) $\dfrac{11}{30} = 11 \div 30 = 0.3666\cdots = 0.3\dot{6}$

03 답 ④

셀파 분모가 $2^3 \times 5$이므로 5^2을 곱하여 소인수 2와 5의 지수를 같게 만든다.

$\dfrac{3}{40} = \dfrac{3}{2^3 \times 5} = \dfrac{3 \times \boxed{① 5^2}}{2^3 \times 5 \times \boxed{② 5^2}} = \dfrac{\boxed{③ 75}}{\boxed{④ 1000}} = \boxed{⑤ 0.075}$

04 답 ㉠, ㉡, ㉢

셀파 기약분수로 나타내었을 때, 분모에 2와 5 이외의 소인수가 있으면 순환소수로만 나타낼 수 있다.

㉠ $\dfrac{7}{60} = \dfrac{7}{2^2 \times 3 \times 5}$ 　　㉡ $\dfrac{3}{140} = \dfrac{3}{2^2 \times 5 \times 7}$

05 답 14

셀파 $\dfrac{3}{105}$을 기약분수로 고치고 분모를 소인수분해한다.

$\dfrac{3}{105} = \dfrac{1}{35} = \dfrac{1}{5 \times 7}$이므로 $\dfrac{1}{5 \times 7} \times x$가 유한소수로 나타내어지려면 x는 7의 배수이어야 한다.

7의 배수 중 가장 작은 두 자리 자연수는 14이므로 $x = 14$

▮확인▮ $x = 14$이면 $\dfrac{3}{105} \times x = \dfrac{1}{5 \times 7} \times 14 = \dfrac{2}{5} = 0.4$ ← 유한소수

06 답 63

셀파 $\dfrac{13}{45}, \dfrac{8}{70}$을 각각 기약분수로 고치고 분모를 소인수분해한다.

$\dfrac{13}{45} = \dfrac{13}{3^2 \times 5}$이므로 $\dfrac{13}{3^2 \times 5} \times a$가 유한소수로 나타내어지려면 a는 3^2, 즉 9의 배수이어야 한다.

또 $\dfrac{8}{70} = \dfrac{4}{35} = \dfrac{4}{5 \times 7}$이므로 $\dfrac{4}{5 \times 7} \times a$가 유한소수로 나타내어지려면 a는 7의 배수이어야 한다.

따라서 a는 7과 9의 공배수, 즉 63의 배수이므로 이 중 가장 작은 자연수는 63이다.

07 답 ③

셀파 x의 값을 대입하여 약분하였을 때, 분모의 소인수가 2 또는 5만 남게 되면 유한소수로 나타낼 수 있다.

$\dfrac{21}{2^2 \times x}$에 보기의 수를 각각 대입하면

① $x = 3$일 때, $\dfrac{21}{2^2 \times 3} = \dfrac{7}{2^2}$

② $x = 7$일 때, $\dfrac{21}{2^2 \times 7} = \dfrac{3}{2^2}$

③ $x = 9$일 때, $\dfrac{21}{2^2 \times 9} = \dfrac{7}{2^2 \times 3}$

④ $x = 12$일 때, $\dfrac{21}{2^2 \times 12} = \dfrac{7}{2^2 \times 4} = \dfrac{7}{2^4}$

⑤ $x = 15$일 때, $\dfrac{21}{2^2 \times 15} = \dfrac{7}{2^2 \times 5}$

따라서 분모의 소인수가 2 또는 5뿐이면 유한소수로 나타낼 수 있으므로 x의 값이 될 수 없는 것은 ③이다.

08 답 ⑤

셀파 x의 값을 대입하여 약분하였을 때, 분모에 2와 5 이외의 소인수가 있으면 순환소수로만 나타낼 수 있다.

$\dfrac{21}{2^2 \times 5 \times x}$에 보기의 수를 각각 대입하면

① $x=2$일 때, $\dfrac{21}{2^2 \times 5 \times 2} = \dfrac{21}{2^3 \times 5}$

② $x=3$일 때, $\dfrac{21}{2^2 \times 5 \times 3} = \dfrac{7}{2^2 \times 5}$

③ $x=6$일 때, $\dfrac{21}{2^2 \times 5 \times 6} = \dfrac{7}{2^3 \times 5}$

④ $x=7$일 때, $\dfrac{21}{2^2 \times 5 \times 7} = \dfrac{3}{2^2 \times 5}$

⑤ $x=9$일 때, $\dfrac{21}{2^2 \times 5 \times 9} = \dfrac{7}{2^2 \times 3 \times 5}$

따라서 분모에 2와 5 이외의 소인수가 있으면 순환소수로만 나타낼 수 있으므로 x의 값이 될 수 있는 것은 ⑤이다.

09 답 (1) 2 (2) 4

셀파 순환마디에서 규칙을 찾는다.

(1) $\dfrac{14}{33} = 14 \div 33 = 0.424242\cdots = 0.\dot{4}\dot{2}$이므로 순환마디의 숫자는 4, 2의 2개이다.

이때 $100 = 2 \times 50$에서 소수점 아래 100번째 자리의 숫자는 순환마디의 마지막 숫자인 2이다.

(2) $19 \div 55 = 0.3454545\cdots = 0.3\dot{4}\dot{5}$이므로 순환마디의 숫자는 4, 5의 2개이고, 소수점 아래 첫째 자리의 숫자 3은 순환하지 않는다.

이때 $100 = (1 + 2 \times 49) + 1$에서 소수점 아래 100번째 자리의 숫자는 순환마디의 첫 번째 숫자인 4이다.

▌참고 ▌ (1) $0.\underset{\substack{\uparrow \\ \text{2개씩 50번 반복}}}{4242\cdots42}\cdots$

(2) $0.3\underset{\substack{\uparrow \qquad \qquad \uparrow \\ \text{1번째} \qquad \text{100번째}}}{\underset{\text{2개씩 49번 반복}}{4545\cdots45}}45\cdots$

10 답 $x=42$, $y=5$

셀파 분모 70을 소인수분해한다.

$\dfrac{x}{70} = \dfrac{x}{2 \times 5 \times 7}$를 유한소수로 나타낼 수 있으려면 x는 7의 배수이어야 한다.

또 $\dfrac{x}{70}$를 기약분수로 나타내면 $\dfrac{3}{y}$이므로 x는 3의 배수이다.

따라서 x는 3과 7의 공배수, 즉 21의 배수이다. → 21, 42, 63, ⋯

이때 $30 < x < 50$이므로 $x = 42$

$\dfrac{42}{70} = \dfrac{2 \times 3 \times 7}{2 \times 5 \times 7} = \dfrac{3}{5}$이고, $\dfrac{3}{5} = \dfrac{3}{y}$에서 $y=5$

01 답 ⑤

셀파 유한소수: 소수점 아래의 0이 아닌 숫자가 유한 번 나타나는 소수
무한소수: 소수점 아래의 0이 아닌 숫자가 무한 번 나타나는 소수

④ $\dfrac{3}{8} = 0.375$이므로 소수로 나타내면 유한소수이다.

⑤ $\dfrac{7}{16} = 0.4375$이므로 소수로 나타내면 유한소수이다.

02 답 ⑤

셀파 소수점 아래에서 처음으로 반복되는 순환마디를 찾아 순환마디의 양 끝 숫자 위에 점을 찍는다.

① $0.010101\cdots = 0.\dot{0}\dot{1}$

② $1.721721\cdots = 1.\dot{7}2\dot{1}$

③ $0.423423\cdots = 0.\dot{4}2\dot{3}$

④ $3.072072\cdots = 3.0\dot{7}\dot{2}$

03 답 3

셀파 분수를 소수로 나타낸 다음, 소수점 아래에서 순환마디를 찾는다.

❶ x의 값 구하기 [40 %]

$\dfrac{5}{11} = 0.454545\cdots = 0.\dot{4}\dot{5}$이므로 순환마디의 숫자는 4, 5의 2개이다.

∴ $x=2$

❷ y의 값 구하기 [40 %]

$\dfrac{14}{9} = 1.555\cdots = 1.\dot{5}$이므로 순환마디의 숫자는 5의 1개이다.

∴ $y=1$

❸ $x+y$의 값 구하기 [20 %]

∴ $x+y=3$

04 답 ②

셀파 분모를 10의 거듭제곱으로 만들어 소수로 고친다.

$\dfrac{3}{8} = \dfrac{3}{2^3} = \dfrac{3 \times 5^3}{2^3 \times 5^3} = \dfrac{375}{1000} = 0.375$

∴ ①$=3$, ②$=5^3$, ③$=5^3$, ④$=375$, ⑤$=0.375$

05 답 0.15

셀파 기약분수로 나타내었을 때, 분모의 소인수가 2 또는 5뿐이면 유한소수로 나타낼 수 있다.

각 방에 적힌 분수를 기약분수로 나타낸 다음, 분모를 소인수분해하면 다음과 같다.

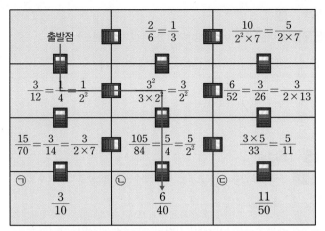

이때 주어진 방법대로 유한소수로 나타낼 수 있는 분수가 적힌 방으로 이동하면 다음과 같다.

출발점 $\rightarrow \dfrac{3}{12} \rightarrow \dfrac{3^2}{3\times 2^2} \rightarrow \dfrac{105}{84} \rightarrow$ ⓒ $\dfrac{6}{40}$

따라서 $\dfrac{6}{40}$을 소수로 나타내면

$\dfrac{6}{40}=\dfrac{3}{20}=\dfrac{3}{2^2\times 5}=\dfrac{3\times 5}{2^2\times 5^2}=\dfrac{15}{100}=0.15$

06 답 ②, ③

셀파 기약분수로 고치고 분모의 소인수를 살펴본다.

① $\dfrac{3}{75}=\dfrac{1}{25}=\dfrac{1}{5^2}$ ② $\dfrac{20}{2^2\times 3\times 5}=\dfrac{1}{3}$

③ $\dfrac{14}{5\times 7^2}=\dfrac{2}{5\times 7}$ ④ $\dfrac{13}{260}=\dfrac{1}{20}=\dfrac{1}{2^2\times 5}$

⑤ $\dfrac{3^2}{2^2\times 3\times 5^2}=\dfrac{3}{2^2\times 5^2}$

따라서 분모에 2와 5 이외의 소인수가 있으면 순환소수로만 나타낼 수 있으므로 ②, ③이다.

LECTURE 주어진 분수를 소수로 나타내면 유한소수? 순환소수?

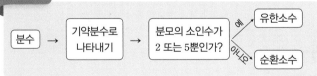

07 답 99

셀파 분모를 소인수분해하였을 때, 2와 5 이외의 소인수는 약분되어야 한다.

$\dfrac{7}{220}=\dfrac{7}{2^2\times 5\times 11}$이므로 $\dfrac{7}{2^2\times 5\times 11}\times x$가 유한소수로 나타내어지려면 x는 11의 배수이어야 한다.

따라서 x의 값이 될 수 있는 자연수 중 가장 큰 두 자리 수는 99이다.

08 답 (1) 3의 배수이어야 한다. (2) 7의 배수이어야 한다.
　　　　 (3) 42

셀파 주어진 두 분수를 기약분수로 고치고 분모를 소인수분해한다.

⓵ $\dfrac{6}{45}$에 곱해야 할 자연수 A의 조건 구하기 [35 %]

(1) $\dfrac{6}{45}=\dfrac{2}{15}=\dfrac{2}{3\times 5}$이므로 $\dfrac{2}{3\times 5}\times A$가 유한소수로 나타내어지려면 A는 3의 배수이어야 한다.

⓶ $\dfrac{5}{56}$에 곱해야 할 자연수 A의 조건 구하기 [35 %]

(2) $\dfrac{5}{56}=\dfrac{5}{2^3\times 7}$이므로 $\dfrac{5}{2^3\times 7}\times A$가 유한소수로 나타내어지려면 A는 7의 배수이어야 한다.

⓷ 가장 작은 짝수 A의 값 구하기 [30 %]

(3) (1), (2)에 의하여 A는 3과 7의 공배수, 즉 21의 배수이므로 21의 배수 중 가장 작은 짝수는 42이다.

09 답 ③

셀파 $\dfrac{21}{2^2\times 3\times x}=\dfrac{7}{2^2\times x}$의 x에 보기의 수를 각각 대입하여 분모의 소인수를 살펴본다.

$\dfrac{21}{2^2\times 3\times x}=\dfrac{7}{2^2\times x}$의 x에 보기의 수를 각각 대입하면

① $x=7$일 때, $\dfrac{7}{2^2\times 7}=\dfrac{1}{2^2}$

② $x=14$일 때, $\dfrac{7}{2^2\times 14}=\dfrac{1}{2^3}$

③ $x=21$일 때, $\dfrac{7}{2^2\times 21}=\dfrac{1}{2^2\times 3}$

④ $x=28$일 때, $\dfrac{7}{2^2\times 28}=\dfrac{1}{2^4}$

⑤ $x=35$일 때, $\dfrac{7}{2^2\times 35}=\dfrac{1}{2^2\times 5}$

따라서 분모의 소인수가 2 또는 5뿐이면 유한소수로 나타낼 수 있으므로 x의 값이 될 수 없는 것은 ③이다.

10 답 32

셀파 분모에 2와 5 이외의 소인수가 있도록 한다.

$\dfrac{3}{2^2\times 5\times x}$이 순환소수로 나타내어지려면 분모에 2와 5 이외의 소인수가 있어야 한다.

그런데 x는 20보다 작은 자연수 중 짝수이어야 하므로 2, 4, 6, …, 16, 18 중에서 2와 5 이외의 소인수가 있는 수를 찾아보면

$6=2\times 3$, $12=2^2\times 3$, $14=2\times 7$, $18=2\times 3^2$

이때 분자에 3이 있으므로 6과 12는 약분하여 3이 없어진다.

따라서 조건에 맞는 수는 14, 18이므로 구하는 합은

$14+18=32$

11 답 (1) 6 (2) 7

셀파 $\frac{2}{7}=0.\dot{2}8571\dot{4}$이므로 순환마디에서 규칙성을 찾는다.

① 순환마디의 숫자의 개수 구하기 [40 %]

(1) $\frac{2}{7}=0.\dot{2}8571\dot{4}$이므로 순환마디의 숫자의 개수는 2, 8, 5, 7, 1, 4의 6이다.

② 소수점 아래 100번째 자리의 숫자 구하기 [60 %]

(2) $100=6\times16+4$에서 소수점 아래 100번째 자리의 숫자는 순환마디의 4번째 숫자인 7이다.

12 답 $a=77$, $b=20$

셀파 분모의 소인수 중에서 2와 5가 아닌 수는 약분되어야 한다.

① a의 조건 구하기 [60 %]

$\frac{a}{140}=\frac{a}{2^2\times5\times7}$가 유한소수로 나타내어지려면 a는 7의 배수이어야 한다.

또 $\frac{a}{140}$를 기약분수로 나타내면 $\frac{11}{b}$이므로 a는 11의 배수이다.

따라서 a는 7과 11의 공배수, 즉 77의 배수이다.

② a의 값 구하기 [20 %]

이때 a는 100 이하의 자연수이므로 $a=77$

③ b의 값 구하기 [20 %]

$\frac{77}{140}=\frac{11}{20}$이므로 $b=20$

13 답 2개

셀파 주어진 두 분수를 분모가 28이 되도록 통분한다.

$\frac{1}{4}=\frac{7}{28}$, $\frac{6}{7}=\frac{24}{28}$이므로 조건에 맞는 분수를 $\frac{x}{28}$라 하면

$\frac{7}{28}<\frac{x}{28}<\frac{24}{28}$

이때 $28=2^2\times7$이므로 $\frac{x}{28}$가 유한소수로 나타내어지려면 x는 7의 배수이어야 한다.

$7<x<24$이면서 7의 배수인 x는 14, 21이므로 유한소수로 나타낼 수 있는 분수는 $\frac{14}{28}$, $\frac{21}{28}$의 2개이다.

14 답 ②

셀파 기약분수를 소수로 나타내면 유한소수이거나 순환소수이다.

② $\frac{1}{3}=0.333\cdots$은 유한소수로 나타낼 수 없다.

15 답 18

셀파 분모의 소인수가 2 또는 5뿐인 기약분수는 유한소수로 나타낼 수 있다.

$12x=a$에서 $x=\frac{a}{12}=\frac{a}{2^2\times3}$

즉 x가 유한소수로 나타내어지려면 a는 3의 배수이어야 한다.

따라서 3의 배수 중 한 자리 자연수는 3, 6, 9이므로 그 합은 $3+6+9=18$

16 답 ㉠, ㉢

셀파 유한소수로 나타낼 수 없는 $\frac{a}{b}$를 찾는다.

㉠ $a=15$, $b=9$일 때,

$\frac{a}{b}=\frac{15}{9}=\frac{5}{3}$

㉡ $a=24$, $b=16$일 때

$\frac{a}{b}=\frac{24}{16}=\frac{3}{2}$

㉢ $a=121$, $b=66$일 때

$\frac{a}{b}=\frac{121}{66}=\frac{11}{6}=\frac{11}{2\times3}$

이때 ㉠, ㉢은 분모에 2와 5 이외의 소인수가 있으므로 유한소수로 나타낼 수 없다.

따라서 빨간색 불이 켜지는 것은 ㉠, ㉢이다.

17 답 시

셀파 $\frac{64}{111}$를 소수로 나타내어 소수점 아래에서 반복되는 숫자의 규칙을 찾는다.

$\frac{64}{111}=0.576576576\cdots=0.\dot{5}7\dot{6}$이므로 순환마디의 숫자는 5, 7, 6의 3개이다.

이때 $20=3\times6+2$에서 소수점 아래 20번째 자리의 숫자는 순환마디의 두 번째 숫자인 7이다.

따라서 20번째에 연주되는 음은 숫자 7이 적힌 '시'이다.

2 순환소수의 분수 표현

따라 풀면서
개념 익히기

본문 | **23, 25** 쪽

1-1 답 (1) $\dfrac{23}{99}$ (2) $\dfrac{11}{25}$

(1) $x=0.\dot{2}\dot{3}=0.232323\cdots$

$\boxed{100}\,x=23.232323\cdots$

$-)\qquad x=\ 0.232323\cdots$

$\boxed{99}\,x=23$

$\therefore x=\dfrac{23}{\boxed{99}}$

(2) $x=0.43\dot{9}=0.43999\cdots$

$\boxed{1000}\,x=439.999\cdots$

$-)\quad 100x=\ 43.999\cdots$

$\boxed{900}\,x=396$

$\therefore x=\dfrac{396}{\boxed{900}}=\boxed{\dfrac{11}{25}}$

1-2 답 (1) 풀이 참조 (2) 풀이 참조 (3) 풀이 참조 (4) 풀이 참조

(1) $x=0.\dot{6}\dot{3}=0.636363\cdots$

$\boxed{100}\,x=63.636363\cdots$

$-)\qquad x=\ 0.636363\cdots$

$\boxed{99}\,x=63$

$\therefore x=\dfrac{63}{\boxed{99}}=\boxed{\dfrac{7}{11}}$

(2) $x=5.\dot{2}=5.222\cdots$

$\boxed{10}\,x=52.222\cdots$

$-)\qquad x=\ 5.222\cdots$

$\boxed{9}\,x=47$

$\therefore x=\dfrac{47}{\boxed{9}}$

(3) $x=2.3\dot{6}=2.3666\cdots$

$\boxed{100}\,x=236.666\cdots$

$-)\quad 10x=\ 23.666\cdots$

$\boxed{90}\,x=213$

$\therefore x=\dfrac{213}{\boxed{90}}=\boxed{\dfrac{71}{30}}$

(4) $x=0.2\dot{4}\dot{7}=0.2474747\cdots$

$\boxed{1000}\,x=247.474747\cdots$

$-)\quad 10x=\ \ 2.474747\cdots$

$\boxed{990}\,x=245$

$\therefore x=\dfrac{245}{\boxed{990}}=\boxed{\dfrac{49}{198}}$

2-1 답 (1) $\dfrac{448}{333}$ (2) $\dfrac{239}{990}$

(1) $1.\dot{3}4\dot{5}=\dfrac{1345-\boxed{1}}{999}=\dfrac{1344}{999}=\boxed{\dfrac{448}{333}}$

(2) $0.2\dot{4}\dot{1}=\dfrac{\boxed{241}-\boxed{2}}{990}=\boxed{\dfrac{239}{990}}$

2-2 답 (1) $\dfrac{35}{111}$ (2) $\dfrac{1}{45}$ (3) $\dfrac{73}{450}$ (4) $\dfrac{101}{45}$

(1) $0.\dot{3}1\dot{5}=\dfrac{315}{999}=\dfrac{35}{111}$

(2) $0.0\dot{2}=\dfrac{2}{90}=\dfrac{1}{45}$

(3) $0.16\dot{2}=\dfrac{162-16}{900}=\dfrac{146}{900}=\dfrac{73}{450}$

(4) $2.2\dot{4}=\dfrac{224-22}{90}=\dfrac{202}{90}=\dfrac{101}{45}$

3-1 답 ㉠, ㉡, ㉢

㉠ 0.9는 유한소수이므로 $\boxed{\text{유리수}}$이다.

㉡ $0.\dot{1}\dot{2}$는 $\boxed{\text{순환}}$소수이므로 유리수이다.

㉢ π는 유리수가 아니다.

㉣ $0.555\cdots=0.\dot{5}$는 순환소수이므로 유리수이다.

㉤ 순환마디가 없는 무한소수는 순환하지 않는 $\boxed{\text{무한}}$소수이므로 유리수가 아니다.

따라서 유리수는 ㉠, ㉡, ㉣이다.

3-2 답 ㉡, ㉣, ㉥

㉠ -52는 정수이다.

㉡ -0.97은 유한소수이므로 정수가 아닌 유리수이다.

㉢ 0은 정수이다.

㉣ $5.9\dot{1}$은 순환소수이므로 정수가 아닌 유리수이다.

㉤ $3.141592\cdots$는 순환하지 않는 무한소수이므로 유리수가 아니다.

㉥ $1.696969\cdots=1.\dot{6}\dot{9}$는 순환소수이므로 정수가 아닌 유리수이다.

따라서 정수가 아닌 유리수는 ㉡, ㉣, ㉥이다.

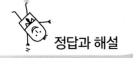

01 답 ⑤

셀파 소수점 아래 첫째 자리에서부터 순환마디가 시작되는 두 식을 만든다.

$x=11.1\dot{2}\dot{3}=11.1232323\cdots$에서

양변에 1000을 곱하면 $1000x=11123.232323\cdots$ …… ㉠

양변에 10을 곱하면 $10x=111.232323\cdots$ …… ㉡

이때 ㉠, ㉡의 소수점 아래의 부분을 없애야 하므로 ㉠에서 ㉡을 변끼리 빼면

$1000x-10x=11012$

따라서 가장 편리한 식은 ⑤ $1000x-10x$이다.

02 답 ㉢

셀파 공식을 이용하여 순환소수를 분수로 나타낸다.

㉠ $0.1\dot{7}=\dfrac{17-1}{90}=\dfrac{16}{90}=\dfrac{8}{45}$

㉡ $0.17\dot{5}=\dfrac{175-1}{990}=\dfrac{174}{990}=\dfrac{29}{165}$

㉢ $2.0\dot{5}=\dfrac{205-2}{99}=\dfrac{203}{99}$

㉣ $5.8\dot{1}\dot{2}=\dfrac{5812-58}{990}=\dfrac{5754}{990}=\dfrac{959}{165}$

03 답 ㉣

셀파 소수점 아래의 부분을 나열하여 숫자를 비교한다.

소수점 아래의 부분을 나열해 보면

㉠ $1.434=1.434000$

㉡ $1.4\dot{3}=1.433333\cdots$

㉢ $1.\dot{4}\dot{3}=1.434343\cdots$

㉣ $1.4\dot{3}\dot{4}=1.434434\cdots$

네 수는 소수점 아래 셋째 자리부터 숫자가 다르다.

이때 $33<40<43<44$이므로 보기에서 가장 큰 수는 ㉣이다.

04 답 ③, ④

셀파 분수 또는 소수 중 한 가지로 표현을 통일한다.

$0.\dot{x}=\dfrac{x}{9}$이므로 $\dfrac{1}{2}<\dfrac{x}{9}<\dfrac{3}{4}$

분모를 통분하면 $\dfrac{18}{36}<\dfrac{4x}{36}<\dfrac{27}{36}$, 즉 $18<4x<27$

따라서 $18<4x<27$을 만족하는 한 자리 자연수 x의 값은 $5(③)$ 또는 $6(④)$이다.

▍다른 풀이▍ $\dfrac{1}{2}<0.\dot{x}<\dfrac{3}{4}$에서 $\dfrac{1}{2}=0.5$, $\dfrac{3}{4}=0.75$이므로

$0.5<0.\dot{x}<0.75$

이때 이 범위를 만족하는 한 자리 자연수 x의 값은 5 또는 6이다.

05 답 1. $1.\dot{3}\dot{7}$ 2. $1.\dot{6}$

셀파 순환소수를 분수로 고쳐서 계산한다.

1. $1.\dot{3}\dot{2}+0.\dot{0}\dot{5}=\dfrac{132-1}{99}+\dfrac{5}{99}$

$=\dfrac{131}{99}+\dfrac{5}{99}$

$=\dfrac{136}{99}=1.373737\cdots$

$=1.\dot{3}\dot{7}$

2. $0.3\dot{6}=\dfrac{36-3}{90}=\dfrac{33}{90}=\dfrac{11}{30}$, $0.6\dot{1}=\dfrac{61-6}{90}=\dfrac{55}{90}=\dfrac{11}{18}$이므로

$\dfrac{11}{30}\times x=\dfrac{11}{18}$

$\therefore x=\dfrac{11}{18}\div\dfrac{11}{30}=\dfrac{11}{18}\times\dfrac{30}{11}=\dfrac{5}{3}=1.666\cdots=1.\dot{6}$

▍참고▍ 기약분수를 순환소수로 나타내기

1. $\dfrac{136}{99}=1\dfrac{37}{99}=1.\dot{3}\dot{7}$

2. $\dfrac{5}{3}=1\dfrac{2}{3}=1\dfrac{6}{9}=1.\dot{6}$

06 답 ㉠, ㉣

셀파 소수 $\begin{cases}\text{유한소수} \\ \text{무한소수}\end{cases}$ $\begin{cases}\text{순환소수 — 유리수} \\ \text{순환하지 않는 무한소수 — 유리수가 아니다.}\end{cases}$

㉡ 무한소수 중 순환소수는 분수로 나타낼 수 있으므로 유리수이다.

㉢ 분수로 나타낼 수 없는 유리수는 없다.

㉣ 순환하지 않는 무한소수는 유리수가 아니므로 분수로 나타낼 수 없다.

07 답 8개

셀파 (순환소수)×(자연수)가 유한소수이다. ⇨ (순환소수)×(자연수)를 기약분수로 나타내면 분모의 소인수는 2 또는 5뿐이다.

$0.1\dot{6}\dot{3}=\dfrac{163-1}{990}=\dfrac{162}{990}=\dfrac{9}{55}=\dfrac{9}{5\times11}$

$\dfrac{9}{5\times11}\times a$가 정수가 아닌 유한소수가 되려면 분모에서 11만 약분되어야 한다.

즉 a는 11의 배수이지만 5의 배수이면 안 된다.

따라서 a의 값이 될 수 있는 100보다 작은 자연수는 11의 배수 9개 중 55의 배수 1개를 빼면 $9-1=8$(개)

08 답 $0.1\dot{5}$

셀파 태호는 분모를 바르게 보았고, 보라는 분자를 바르게 보았다.

$3.1\dot{7} = \dfrac{317-31}{90} = \dfrac{286}{90} = \dfrac{143}{45}$ 이고,

태호는 분자를 잘못 보았으므로 바르게 본 것은 분모 45이다.

$0.\dot{6}\dot{3} = \dfrac{63}{99} = \dfrac{7}{11}$ 이고,

보라는 분모를 잘못 보았으므로 바르게 본 것은 분자 7이다.

따라서 처음 기약분수는 $\dfrac{7}{45}$ 이고, 순환소수로 나타내면

$\dfrac{7}{45} = 0.1555\cdots = 0.1\dot{5}$

실력 키우기
본문 | **30~31** 쪽

01 답 (가) 10 (나) 1000 (다) 990 (라) 369 (마) 41

셀파 첫 번째 순환마디의 앞뒤로 소수점이 오도록 x에 10의 거듭제곱을 곱한다.

$0.3\dot{7}\dot{2}$를 x로 놓으면 $x = 0.3727272\cdots$

$\boxed{10}\ x = 3.727272\cdots$ ...... ㉠

$\boxed{1000}\ x = 372.727272\cdots$ ...... ㉡

㉡에서 ㉠을 변끼리 빼면 $\boxed{990}\ x = \boxed{369}$

$\therefore x = \dfrac{369}{990} = \dfrac{\boxed{41}}{110}$

---

02 답 ④

셀파 첫 번째 순환마디의 앞뒤로 소수점이 오도록 x에 10의 거듭제곱을 곱한다.

$x = 1.23\dot{4} = 1.23444\cdots$ 에서

$1000x = 1234.444\cdots$ ...... ㉠

$100x = 123.444\cdots$ ...... ㉡

㉠에서 ㉡을 변끼리 빼면

$1000x - 100x = 1111$

따라서 가장 편리한 식은 ④ $1000x - 100x$ 이다.

---

03 답 ③

셀파 · 분모 ⇨ 순환마디의 숫자의 개수만큼 9를 쓰고, 그 뒤에 소수점 아래에서 순환하지 않는 숫자의 개수만큼 0을 쓴다.
· 분자 ⇨ (전체의 수) − (순환하지 않는 수)

② $0.5\dot{2} = \dfrac{52-5}{90} = \dfrac{47}{90}$

③ $0.8\dot{1} = \dfrac{81-8}{90} = \dfrac{73}{90}$

---

④ $1.\dot{3}\dot{2} = \dfrac{132-1}{99} = \dfrac{131}{99}$

⑤ $1.0\dot{2}\dot{6} = \dfrac{1026-102}{900} = \dfrac{924}{900} = \dfrac{77}{75}$

---

04 답 $\dfrac{27}{5}$

셀파 순환소수를 기약분수로 나타낸 다음, 역수를 구한다.

① a의 값 구하기 [40 %]

$0.\dot{6} = \dfrac{6}{9} = \dfrac{2}{3}$ 이므로 $a = \dfrac{3}{2}$

② b의 값 구하기 [40 %]

$0.2\dot{7} = \dfrac{27-2}{90} = \dfrac{25}{90} = \dfrac{5}{18}$ 이므로 $b = \dfrac{18}{5}$

③ ab의 값 구하기 [20 %]

$\therefore ab = \dfrac{3}{2} \times \dfrac{18}{5} = \dfrac{27}{5}$

---

05 답 4

셀파 주어진 식을 계산하여 순환소수로 나타낸 다음, 기약분수로 나타낸다.

$\dfrac{3}{10} = 0.3$, $\dfrac{3}{100} = 0.03$, $\dfrac{3}{1000} = 0.003$, $\cdots$ 이므로

$\dfrac{3}{10} + \dfrac{3}{100} + \dfrac{3}{1000} + \cdots$

$= 0.3 + 0.03 + 0.003 + \cdots$

$= 0.333\cdots = 0.\dot{3}$

$= \dfrac{3}{9} = \dfrac{1}{3}$

따라서 $x = 1$, $y = 3$ 이므로 $x + y = 4$

---

06 답 ⑤

셀파 $x = 0.2737373\cdots = 0.2\dot{7}\dot{3}$

$x = 0.2737373\cdots = 0.2\dot{7}\dot{3}$ (④) ⇨ 순환소수

① 순환소수는 유리수이다.

③ $0.2\dot{7}\dot{3} = 0.2737373\cdots$

$0.27\dot{3} = 0.2733333\cdots$

두 수는 소수점 아래 넷째 자리부터 숫자가 다르다.

이때 $7 > 3$ 이므로 $0.2\dot{7}\dot{3} > 0.27\dot{3}$

⑤ $x = 0.2\dot{7}\dot{3} = \dfrac{273-2}{990} = \dfrac{271}{990}$

07 답 ②

셀파 순환소수의 소수점 아래의 부분을 나열하여 비교한다.

① $0.\dot{1}=0.1111\cdots$
 $0.\dot{1}\dot{0}=0.1010\cdots$ ⇨ $1>0$ ∴ $0.\dot{1}>0.\dot{1}\dot{0}$

② $0.\dot{3}=0.3333\cdots$
 $0.\dot{3}\dot{2}=0.3232\cdots$ ⇨ $3>2$ ∴ $0.\dot{3}>0.\dot{3}\dot{2}$

③ $0.3\dot{2}\dot{5}=0.32555\cdots$
 $0.3\dot{2}5=0.32525\cdots$ ⇨ $5>2$ ∴ $0.3\dot{2}\dot{5}>0.3\dot{2}5$

④ $0.\dot{6}\dot{3}=\dfrac{63}{99}=\dfrac{7}{11}$이므로 $0.\dot{6}\dot{3}=\dfrac{7}{11}$

⑤ $0.\dot{2}\dot{5}=0.252525\cdots$ ⇨ $5>4$ ∴ $0.\dot{2}\dot{5}>0.\dot{2}4\dot{9}$
 $0.\dot{2}4\dot{9}=0.249249\cdots$

08 답 5개

셀파 순환소수를 분수로 고친 다음, 주어진 조건의 식에서 분모를 통분한다.

$\dfrac{1}{6}<0.\dot{a}\leq\dfrac{2}{3}$에서 $0.\dot{a}=\dfrac{a}{9}$이므로 $\dfrac{1}{6}<\dfrac{a}{9}\leq\dfrac{2}{3}$

분모를 통분하면 $\dfrac{3}{18}<\dfrac{2a}{18}\leq\dfrac{12}{18}$, 즉 $3<2a\leq12$

따라서 $3<2a\leq12$를 만족하는 한 자리 자연수 a는 2, 3, 4, 5, 6의 5개이다.

09 답 $0.\dot{1}\dot{2}$

셀파 순환소수를 분수로 고친다.

① a의 값 구하기 [35 %]

$0.\dot{2}\dot{0}=\dfrac{20}{99}$이므로 $\dfrac{20}{99}=a\times20$

∴ $a=\dfrac{20}{99}\div20=\dfrac{20}{99}\times\dfrac{1}{20}=\dfrac{1}{99}$

② b의 값 구하기 [35 %]

$2.\dot{7}=\dfrac{27-2}{9}=\dfrac{25}{9}$이므로 $\dfrac{25}{9}=25\times b$

∴ $b=\dfrac{25}{9}\div25=\dfrac{25}{9}\times\dfrac{1}{25}=\dfrac{1}{9}$

③ $a+b$의 값을 순환소수로 나타내기 [30 %]

∴ $a+b=\dfrac{1}{99}+\dfrac{1}{9}=\dfrac{1}{99}+\dfrac{11}{99}=\dfrac{12}{99}=0.\dot{1}\dot{2}$

10 답 ③

셀파 분수 꼴로 나타낼 수 있는 수를 유리수라 한다.

① 무한소수 중 순환하지 않는 무한소수는 유리수가 아니다.

② 원주율 π는 유리수가 아니다.

④ 정수가 아닌 유리수는 유한소수 또는 순환소수로 나타낼 수 있다.

⑤ 유리수는 모두 분수로 나타낼 수 있다.

11 답 27

셀파 주어진 순환소수를 기약분수로 고친다.

$1.9\dot{4}=\dfrac{194-19}{90}=\dfrac{175}{90}=\dfrac{35}{18}=\dfrac{35}{2\times3^2}$

$\dfrac{35}{2\times3^2}\times a$가 정수가 아닌 유한소수가 되려면 분모에서 3^2만 약분되어야 한다.

즉 a는 9의 배수이지만 2의 배수이면 안 된다.

따라서 가장 작은 두 자리 자연수 a의 값은 27이다.

12 답 (1) $\dfrac{13}{99}$, 13 (2) $\dfrac{11}{90}$, 90 (3) $0.1\dot{4}$

셀파 주혜와 재영이가 각각 바르게 본 것을 찾는다.

① $0.\dot{1}\dot{3}$을 기약분수로 나타내고, 주혜가 바르게 본 수 구하기 [40 %]

(1) $0.\dot{1}\dot{3}=\dfrac{13}{99}$이고, 주혜는 분모를 잘못 보았으므로 바르게 본 것은 분자 13이다.

② $0.1\dot{2}$를 기약분수로 나타내고, 재영이가 바르게 본 수 구하기 [40 %]

(2) $0.1\dot{2}=\dfrac{12-1}{90}=\dfrac{11}{90}$이고, 재영이는 분자를 잘못 보았으므로 바르게 본 것은 분모 90이다.

③ 처음 기약분수를 순환소수로 나타내기 [20 %]

(3) (1), (2)에 의하여 처음 기약분수는 $\dfrac{13}{90}$이고, 순환소수로 나타내면

$\dfrac{13}{90}=0.1444\cdots=0.1\dot{4}$

13 답 $\dfrac{79}{198}$

셀파 주어진 색 띠를 보고 소수를 구한다.

노랑 → 3, 회색 → 9, 분홍 → 8에 대응되므로 주어진 색 띠를 소수로 나타내면

$0.3989898\cdots=0.3\dot{9}\dot{8}$

이 순환소수를 기약분수로 나타내면

$0.3\dot{9}\dot{8}=\dfrac{398-3}{990}=\dfrac{395}{990}=\dfrac{79}{198}$

II. 식의 계산

3 단항식의 계산

1. 지수법칙

개념 익히기

본문 | **35, 37**쪽

1-1 답 (1) 2^8 (2) x^6 (3) a^8 (4) a^5b^3

(1) $2^3 \times 2^5 = 2^{3+5} = 2^8$

(2) $x^3 \times x^3 = x^{3+3} = x^{\boxed{6}}$

(3) $a^5 \times a \times a^2 = a^{\boxed{5}+1+\boxed{2}} = a^{\boxed{8}}$

(4) $a^2 \times b^2 \times a^3 \times b = a^2 \times a^3 \times b^2 \times b$
$= a^{2+\boxed{3}} \times b^{2+\boxed{1}} = a^{\boxed{5}}b^{\boxed{3}}$

1-2 답 (1) 3^6 (2) b^7 (3) x^{11} (4) x^6y^8

(1) $3^2 \times 3^4 = 3^{2+4} = 3^6$

(2) $b^3 \times b^4 = b^{3+4} = b^7$

(3) $x^6 \times x^2 \times x^3 = x^{6+2+3} = x^{11}$

(4) $x^2 \times y^3 \times x^4 \times y^5 = x^2 \times x^4 \times y^3 \times y^5 = x^{2+4} \times y^{3+5} = x^6y^8$

2-1 답 (1) 2^9 (2) x^{10} (3) x^{36} (4) a^{18}

(1) $(2^3)^3 = 2^{3 \times 3} = 2^9$

(2) $(x^5)^2 = x^{5 \times 2} = x^{\boxed{10}}$

(3) $\{(x^6)^2\}^3 = (x^{6 \times 2})^3 = (x^{12})^3 = x^{12 \times \boxed{3}} = x^{\boxed{36}}$

(4) $(a^3)^4 \times (a^2)^3 = a^{3 \times 4} \times a^{2 \times 3} = a^{\boxed{12}} \times a^{\boxed{6}} = a^{\boxed{18}}$

2-2 답 (1) 5^{12} (2) a^{21} (3) a^{12} (4) x^{14}

(1) $(5^2)^6 = 5^{2 \times 6} = 5^{12}$

(2) $(a^3)^7 = a^{3 \times 7} = a^{21}$

(3) $\{(a^2)^2\}^3 = (a^{2 \times 2})^3 = (a^4)^3 = a^{4 \times 3} = a^{12}$

(4) $(x^2)^4 \times (x^3)^2 = x^{2 \times 4} \times x^{3 \times 2} = x^8 \times x^6 = x^{8+6} = x^{14}$

3-1 답 (1) 2^2 (2) 1 (3) $\dfrac{1}{a^5}$ (4) $\dfrac{1}{a}$

(1) $2^6 \div 2^4 = 2^{6-4} = 2^{\boxed{2}}$

(2) $x^5 \div x^5 = 1$

(3) $a^7 \div (a^3)^4 = a^7 \div a^{3 \times 4} = a^7 \div a^{12} = \dfrac{1}{a^{\boxed{12}-7}} = \dfrac{1}{a^{\boxed{5}}}$

(4) $a^4 \div a^2 \div a^3 = a^{4-2} \div a^3 = a^2 \div a^3 = \dfrac{1}{a^{3-2}} = \dfrac{1}{a}$

3-2 답 (1) 3^3 (2) 1 (3) $\dfrac{1}{x^2}$ (4) 1

(1) $3^6 \div 3^3 = 3^{6-3} = 3^3$

(2) $x^{10} \div x^{10} = 1$

(3) $(x^2)^5 \div (x^3)^4 = x^{2 \times 5} \div x^{3 \times 4} = x^{10} \div x^{12} = \dfrac{1}{x^{12-10}} = \dfrac{1}{x^2}$

(4) $x^{12} \div x^8 \div x^4 = x^{12-8} \div x^4 = x^4 \div x^4 = 1$

4-1 답 (1) $a^{12}b^4$ (2) $8a^6$ (3) $\dfrac{y^9}{x^6}$ (4) $\dfrac{y^{12}}{16}$

(1) $(a^3b)^4 = (a^3)^4 \times b^4 = a^{3 \times 4} \times b^4 = a^{12}b^4$

(2) $(2a^2)^3 = 2^{\boxed{3}} \times (a^2)^3 = 2^3 \times a^{2 \times 3} = \boxed{8}\,a^6$

(3) $\left(\dfrac{y^3}{x^2}\right)^3 = \dfrac{(y^3)^{\boxed{3}}}{(x^2)^3} = \dfrac{y^{3 \times 3}}{x^{2 \times 3}} = \dfrac{y^{\boxed{9}}}{x^{\boxed{6}}}$

(4) $\left(-\dfrac{y^3}{2}\right)^4 = (-1)^{\boxed{4}} \times \dfrac{(y^3)^4}{2^4} = (-1)^4 \times \dfrac{y^{3 \times 4}}{2^4} = \dfrac{y^{12}}{\boxed{16}}$

4-2 답 (1) a^6b^6 (2) $9b^6$ (3) $-\dfrac{x^6}{y^3}$ (4) $\dfrac{9y^2}{4x^4}$

(1) $(a^2b^2)^3 = (a^2)^3 \times (b^2)^3 = a^{2 \times 3} \times b^{2 \times 3} = a^6b^6$

(2) $(3b^3)^2 = 3^2 \times (b^3)^2 = 9 \times b^{3 \times 2} = 9b^6$

(3) $\left(-\dfrac{x^2}{y}\right)^3 = (-1)^3 \times \dfrac{(x^2)^3}{y^3} = -1 \times \dfrac{x^{2 \times 3}}{y^3} = -\dfrac{x^6}{y^3}$

(4) $\left(\dfrac{3y}{2x^2}\right)^2 = \dfrac{(3y)^2}{(2x^2)^2} = \dfrac{3^2 \times y^2}{2^2 \times (x^2)^2} = \dfrac{9y^2}{4 \times x^{2 \times 2}} = \dfrac{9y^2}{4x^4}$

집중 연습   지수법칙의 종합

본문 | **38**쪽

1 답 (1) 2^{10} (2) a^7 (3) b^8 (4) a^5b^6

(1) $2^7 \times 2^3 = 2^{7+3} = 2^{10}$

(2) $a^3 \times a^4 = a^{3+4} = a^7$

(3) $b \times b^3 \times b^4 = b^{1+3+4} = b^8$

(4) $a^3 \times b \times a^2 \times b^5 = a^3 \times a^2 \times b \times b^5 = a^{3+2} \times b^{1+5} = a^5b^6$

2 답 (1) x^{12} (2) a^{16} (3) $a^{11}b^{15}$ (4) $x^{10}y^7$

(1) $(x^3)^4 = x^{3 \times 4} = x^{12}$

(2) $(a^5)^2 \times (a^3)^2 = a^{5 \times 2} \times a^{3 \times 2} = a^{10} \times a^6 = a^{10+6} = a^{16}$

(3) $a^3 \times (a^2)^4 \times (b^3)^5 = a^3 \times a^{2 \times 4} \times b^{3 \times 5}$
$= a^3 \times a^8 \times b^{15}$
$= a^{3+8} \times b^{15}$
$= a^{11}b^{15}$

3. 단항식의 계산 **11**

(4) $x^2 \times (y^2)^3 \times (x^4)^2 \times y = x^2 \times y^{2\times3} \times x^{4\times2} \times y$
$= x^2 \times y^6 \times x^8 \times y$
$= x^2 \times x^8 \times y^6 \times y$
$= x^{2+8} \times y^{6+1}$
$= x^{10}y^7$

3 답 (1) x^5 (2) $\dfrac{1}{a^6}$ (3) y^9 (4) x^3

(1) $x^8 \div x^3 = x^{8-3} = x^5$

(2) $a^3 \div a \div a^8 = a^{3-1} \div a^8 = a^2 \div a^8 = \dfrac{1}{a^{8-2}} = \dfrac{1}{a^6}$

┃참고┃ 연속으로 나눗셈을 할 때는 앞에서부터 차례대로 해야 한다.

(3) $y^{10} \div y^5 \times (y^2)^2 = y^{10-5} \times y^{2\times2} = y^5 \times y^4$
$= y^{5+4} = y^9$

(4) $(x^5)^2 \div x \div (x^2)^3 = x^{5\times2} \div x \div x^{2\times3}$
$= x^{10} \div x \div x^6$
$= x^{10-1} \div x^6$
$= x^9 \div x^6$
$= x^{9-6}$
$= x^3$

4 답 (1) x^5y^{15} (2) $-8x^6$ (3) $\dfrac{25y^4}{x^2}$ (4) $\dfrac{a^{12}}{16b^8}$

(1) $(xy^3)^5 = x^5 \times (y^3)^5 = x^5 \times y^{3\times5} = x^5y^{15}$

(2) $(-2x^2)^3 = (-2)^3 \times (x^2)^3 = -8 \times x^{2\times3} = -8x^6$

(3) $\left(\dfrac{5y^2}{x}\right)^2 = \dfrac{5^2 \times (y^2)^2}{x^2} = \dfrac{25 \times y^{2\times2}}{x^2} = \dfrac{25y^4}{x^2}$

(4) $\left(-\dfrac{a^3}{2b^2}\right)^4 = (-1)^4 \times \dfrac{(a^3)^4}{2^4 \times (b^2)^4} = \dfrac{a^{3\times4}}{16 \times b^{2\times4}} = \dfrac{a^{12}}{16b^8}$

유형 익히기-확인 문제

보고 또 보고

본문 | 39~43 쪽

01 답 (1) 7 (2) 6 (3) 2 (4) 6

셀파 $a^m \times a^n = a^{m+n}$임을 이용한다.

(1) $x^4 \times x^2 \times x = x^{4+2+1} = x^7 = x^{\square}$ ∴ $\square = 7$

(2) $x^3 \times x^{\square} = x^{3+\square} = x^9$이므로
$3 + \square = 9$ ∴ $\square = 6$

(3) $2^5 \times 2^{\square} = 2^{5+\square} = 2^7$이므로
$5 + \square = 7$ ∴ $\square = 2$

(4) $5^2 \times 5^3 \times 5^{\square} = 5^{2+3+\square} = 5^{11}$이므로
$2 + 3 + \square = 11$ ∴ $\square = 6$

02 답 1. $x^{11}y^{15}$ 2. 3

셀파 $(a^m)^n = a^{mn}$임을 이용한다.

1. $x^3 \times (y^6)^2 \times (x^2)^4 \times y^3 = x^3 \times y^{6\times2} \times x^{2\times4} \times y^3$
$= x^3 \times y^{12} \times x^8 \times y^3$
$= x^3 \times x^8 \times y^{12} \times y^3$
$= x^{3+8} \times y^{12+3}$
$= x^{11}y^{15}$

2. $(x^{\square})^6 \times (x^5)^3 = x^{\square\times6} \times x^{5\times3} = x^{\square\times6+15} = x^{33}$이므로
$\square \times 6 + 15 = 33$ ∴ $\square = 3$

03 답 ③

셀파 $a^m \div a^n = \begin{cases} a^{m-n} & (m > n) \\ 1 & (m = n) \\ \dfrac{1}{a^{n-m}} & (m < n) \end{cases}$ 임을 이용한다. (단, $a \neq 0$)

① $x^7 \div x^3 = x^{7-3} = x^4$

② $(x^3)^2 \div x^2 = x^{3\times2} \div x^2 = x^6 \div x^2 = x^{6-2} = x^4$

③ $(x^5)^3 \div (x^2)^5 = x^{5\times3} \div x^{2\times5} = x^{15} \div x^{10} = x^{15-10} = x^5$

④ $x^{10} \div (x^2)^3 = x^{10} \div x^{2\times3} = x^{10} \div x^6 = x^{10-6} = x^4$

⑤ $x^{12} \div x^5 \div x^3 = x^{12-5} \div x^3 = x^7 \div x^3 = x^{7-3} = x^4$

따라서 계산 결과가 나머지 넷과 다른 하나는 ③이다.

04 답 (1) $a=3$, $b=125$ (2) $a=2$, $b=64$

셀파 $(a^m b^n)^l = a^{ml}b^{nl}$, $\left(\dfrac{a^m}{b^n}\right)^l = \dfrac{a^{ml}}{b^{nl}}$ (단, $b \neq 0$)

(1) $(5x^3)^a = bx^9$에서
$(5x^3)^a = 5^a x^{3a}$이므로 $5^a x^{3a} = bx^9$
따라서 $5^a = b$, $x^{3a} = x^9$
$x^{3a} = x^9$에서 $3a = 9$ ∴ $a = 3$
$b = 5^a = 5^3 = 125$

(2) $\left(\dfrac{2^a x^a}{y}\right)^3 = \dfrac{bx^6}{y^3}$에서
$\left(\dfrac{2^a x^a}{y}\right)^3 = \dfrac{2^{3a} x^{3a}}{y^3}$이므로 $\dfrac{2^{3a} x^{3a}}{y^3} = \dfrac{bx^6}{y^3}$
따라서 $2^{3a} = b$, $x^{3a} = x^6$
$x^{3a} = x^6$에서 $3a = 6$ ∴ $a = 2$
$b = 2^{3a} = 2^{3\times2} = 2^6 = 64$

05 답 (1) 5 (2) 8 (3) 5 (4) 7

셀파 밑이 같은 거듭제곱 꼴로 나타낸다.

(1) $3^3 \times 81 \div 9 = 3^n$에서 $81 = 3^4$, $9 = 3^2$이므로
$3^3 \times 81 \div 9 = 3^3 \times 3^4 \div 3^2 = 3^7 \div 3^2 = 3^5$
따라서 $3^5 = 3^n$이므로 $n = 5$

(2) $2^n \times 16 \div 2^5 = 2^7$에서 $16 = 2^4$이므로

$2^n \times 16 \div 2^5 = 2^n \times 2^4 \div 2^5$

$= 2^{n+4} \div 2^5$

$= 2^{n+4-5}$ ⟩ 계산한 결과가 분수 꼴이 아니다.

$= 2^{n-1}$

따라서 $2^{n-1} = 2^7$이므로 $n-1 = 7$ $\therefore n = 8$

▮ 다른 풀이 ▮ $2^n \times 16 \div 2^5 = 2^7$, 즉 $2^n \times 2^4 \div 2^5 = 2^7$에서

$2^n = 2^7 \times 2^5 \div 2^4 = 2^{12} \div 2^4 = 2^8$

즉 $2^n = 2^8$이므로 $n = 8$

(3) $25 \times 5^n \div 125 = 5^4$에서 $25 = 5^2$, $125 = 5^3$이므로

$25 \times 5^n \div 125 = 5^2 \times 5^n \div 5^3$

$= 5^{2+n} \div 5^3$ ⟩ 계산한 결과가 분수 꼴이 아니다.

$= 5^{2+n-3}$

$= 5^{n-1}$

따라서 $5^{n-1} = 5^4$이므로 $n-1 = 4$ $\therefore n = 5$

▮ 다른 풀이 ▮ $25 \times 5^n \div 125 = 5^4$, 즉 $5^2 \times 5^n \div 5^3 = 5^4$에서

$5^n = 5^4 \times 5^3 \div 5^2 = 5^7 \div 5^2 = 5^5$

즉 $5^n = 5^5$이므로 $n = 5$

(4) $4^3 \div 2^5 \times 8^2 = 2^n$에서 $4 = 2^2$, $8 = 2^3$이므로

$4^3 \div 2^5 \times 8^2 = (2^2)^3 \div 2^5 \times (2^3)^2$

$= 2^6 \div 2^5 \times 2^6$

$= 2 \times 2^6 = 2^7$

따라서 $2^7 = 2^n$이므로 $n = 7$

06 답 1. 2^{11} 2. 7

셀파 1. $8 = 2^3$임을 이용하여 밑이 2인 수의 거듭제곱 꼴로 나타낸다.
2. $3^4 + 3^4 + 3^4 = 3 \times 3^4$, $3^4 \times 3^4 \times 3^4 = 3^{4+4+4}$임을 이용한다.

1. $8 = 2^3$이므로 $8^3 = (2^3)^3 = 2^9$

$\therefore 8^3 + 8^3 + 8^3 + 8^3 = 4 \times 8^3 = 2^2 \times 2^9 = 2^{11}$

2. $3^4 + 3^4 + 3^4 = 3 \times 3^4 = 3^{1+4} = 3^5$이므로

$3^5 = 3^a$ $\therefore a = 5$

$3^4 \times 3^4 \times 3^4 = 3^{4+4+4} = 3^{12}$이므로

$3^{12} = 3^b$ $\therefore b = 12$

$\therefore b - a = 12 - 5 = 7$

07 답 (1) 15자리 (2) 10자리

셀파 $A = a \times 10^k$ 꼴에서 $(A의 자릿수) = (a의 자릿수) + k$

(1) $8^4 \times 5^{15} = (2^3)^4 \times 5^{15}$

$= 2^{12} \times 5^{15}$

$= 2^{12} \times 5^{12+3}$

$= 5^3 \times (2 \times 5)^{12}$

$= 125 \times 10^{12}$

따라서 $8^4 \times 5^{15}$은 $(3+12)$자리 수, 즉 15자리 자연수이다.

(2) $2^8 \times 3 \times 5^{10} = 3 \times 2^8 \times 5^{8+2}$

$= 3 \times 5^2 \times (2^8 \times 5^8)$

$= 75 \times (2 \times 5)^8$

$= 75 \times 10^8$

따라서 $2^8 \times 3 \times 5^{10}$은 $(2+8)$자리 수, 즉 10자리 자연수이다.

08 답 1. ② 2. ③

셀파 1. $27 = 3^3$임을 이용하여 27^5을 3의 거듭제곱으로 나타낸다.
2. $3^{2x} = (3^2)^x$임을 이용한다.

1. $27 = 3^3$이므로 $27^5 = (3^3)^5 = 3^{15} = (3^5)^3$

이 식에 $3^5 = A$를 대입하면

$27^5 = (3^5)^3 = A^3$

2. $A = 3^{2x} = (3^2)^x = 9^x$이므로

$9^{x+2} = 9^2 \times 9^x = 81 \times 9^x = 81A$

2. 단항식의 곱셈과 나눗셈

개념 익히기

본문 | **45** 쪽

1-1 답 (1) $8x^2y^3$ (2) $-\dfrac{10b^2}{a}$

(1) $\left(-\dfrac{2}{3}xy\right)^2 \times 18y = \dfrac{4}{9}x^2y^2 \times 18y$

$= \dfrac{4}{9} \times \boxed{18} \times x^2y^2 \times y$

$= \boxed{8x^2y^3}$

(2) $6a^2b^3 \div \left(-\dfrac{3}{5}a^3b\right) = 6a^2b^3 \times \left(\boxed{-\dfrac{5}{3a^3b}}\right)$

$= 6 \times \left(\boxed{-\dfrac{5}{3}}\right) \times a^2b^3 \times \boxed{\dfrac{1}{a^3b}}$

$= \boxed{-\dfrac{10b^2}{a}}$

1-2 답 (1) $24xy^4$ (2) $-\dfrac{3}{8}x^3y^5$

(1) $-3xy \times (-2y)^3 = -3xy \times (-8y^3)$

$= -3 \times (-8) \times xy \times y^3$

$= 24xy^4$

(2) $\left(-\dfrac{3}{4}xy\right)^2 \times \left(-\dfrac{2}{3}xy^3\right) = \dfrac{9}{16}x^2y^2 \times \left(-\dfrac{2}{3}xy^3\right)$

$= \dfrac{9}{16} \times \left(-\dfrac{2}{3}\right) \times x^2y^2 \times xy^3$

$= -\dfrac{3}{8}x^3y^5$

1-3 답 (1) $-20b$ (2) $\dfrac{3x}{8y^4}$

(1) $5a^3b^2 \div \left(-\dfrac{1}{4}a^3b\right) = 5a^3b^2 \times \left(-\dfrac{4}{a^3b}\right)$

$\qquad\qquad = 5 \times (-4) \times a^3b^2 \times \dfrac{1}{a^3b}$

$\qquad\qquad = -20b$

(2) $\left(-\dfrac{1}{3}x^2y\right)^2 \div \left(\dfrac{2}{3}xy^2\right)^3 = \dfrac{1}{9}x^4y^2 \div \dfrac{8}{27}x^3y^6$

$\qquad\qquad = \dfrac{1}{9}x^4y^2 \times \dfrac{27}{8x^3y^6}$

$\qquad\qquad = \dfrac{1}{9} \times \dfrac{27}{8} \times x^4y^2 \times \dfrac{1}{x^3y^6}$

$\qquad\qquad = \dfrac{3x}{8y^4}$

2-1 답 $8a^2b^2$

$14ab \div 7a \times 4a^2b = 14ab \times \boxed{\dfrac{1}{7a}} \times 4a^2b$

$\qquad\qquad = 14 \times \boxed{\dfrac{1}{7}} \times 4 \times ab \times \boxed{\dfrac{1}{a}} \times a^2b$

$\qquad\qquad = \boxed{8a^2b^2}$

2-2 답 (1) $2a^2b^3$ (2) $9x^2y^3$ (3) $20x^2y^4$ (4) $\dfrac{6b^{10}}{a^3}$

(1) $a^3b^4 \times 6a \div 3a^2b = a^3b^4 \times 6a \times \dfrac{1}{3a^2b}$

$\qquad\qquad = 6 \times \dfrac{1}{3} \times a^3b^4 \times a \times \dfrac{1}{a^2b}$

$\qquad\qquad = 2a^2b^3$

(2) $12x^4y^5 \div (-2xy)^3 \times (-6xy)$

$\qquad = 12x^4y^5 \div (-8x^3y^3) \times (-6xy)$

$\qquad = 12x^4y^5 \times \left(-\dfrac{1}{8x^3y^3}\right) \times (-6xy)$

$\qquad = 12 \times \left(-\dfrac{1}{8}\right) \times (-6) \times x^4y^5 \times \dfrac{1}{x^3y^3} \times xy$

$\qquad = 9x^2y^3$

(3) $x^3y^4 \div \dfrac{1}{5}xy^2 \times (-2y)^2 = x^3y^4 \times \dfrac{5}{xy^2} \times 4y^2$

$\qquad\qquad\qquad = 5 \times 4 \times x^3y^4 \times \dfrac{1}{xy^2} \times y^2$

$\qquad\qquad\qquad = 20x^2y^4$

(4) $\left(-\dfrac{2}{ab}\right)^3 \times 6a^3b^4 \div \left(-\dfrac{2a}{b^3}\right)^3$

$\qquad = -\dfrac{8}{a^3b^3} \times 6a^3b^4 \div \left(-\dfrac{8a^3}{b^9}\right)$

$\qquad = -\dfrac{8}{a^3b^3} \times 6a^3b^4 \times \left(-\dfrac{b^9}{8a^3}\right)$

$\qquad = -8 \times 6 \times \left(-\dfrac{1}{8}\right) \times \dfrac{1}{a^3b^3} \times a^3b^4 \times \dfrac{b^9}{a^3}$

$\qquad = \dfrac{6b^{10}}{a^3}$

01 답 (1) $6x^3y^4$ (2) $-3x^7y^5$

셀파 괄호를 푼 다음, 계수는 계수끼리, 문자는 문자끼리 계산한다.

(1) $6xy^2 \times (-xy)^2 = 6xy^2 \times x^2y^2 = 6x^3y^4$

(2) $(3x^2y)^2 \times x^3y^2 \times \left(-\dfrac{1}{3}y\right) = 9x^4y^2 \times x^3y^2 \times \left(-\dfrac{1}{3}y\right)$

$\qquad\qquad = 9 \times \left(-\dfrac{1}{3}\right) \times x^4y^2 \times x^3y^2 \times y$

$\qquad\qquad = -3x^7y^5$

02 답 3

셀파 좌변의 괄호를 푼 다음, 나눗셈은 역수의 곱셈으로 바꾸어 계산한다.

$\left(\dfrac{1}{2}xy^2z^2\right)^2 \div \dfrac{-3}{4x^3y} \div \left(-\dfrac{xy^2z}{3}\right)^2 = ax^by^cz^d$ 에서 좌변을 계산하면

$\left(\dfrac{1}{2}xy^2z^2\right)^2 \div \dfrac{-3}{4x^3y} \div \left(-\dfrac{xy^2z}{3}\right)^2$

$= \dfrac{x^2y^4z^4}{4} \div \dfrac{-3}{4x^3y} \div \dfrac{x^2y^4z^2}{9}$

$= \dfrac{x^2y^4z^4}{4} \times \dfrac{4x^3y}{-3} \times \dfrac{9}{x^2y^4z^2}$

$= \dfrac{1}{4} \times \left(-\dfrac{4}{3}\right) \times 9 \times x^2y^4z^4 \times x^3y \times \dfrac{1}{x^2y^4z^2}$

$= -3x^3yz^2$

따라서 $-3x^3yz^2 = ax^by^cz^d$ 이므로

$a = -3,\ b = 3,\ c = 1,\ d = 2$

$\therefore a+b+c+d = -3+3+1+2 = 3$

03 답 (1) $24x^4y^4$ (2) $-\dfrac{8y^7}{x^4}$

셀파 나눗셈은 역수의 곱셈으로 바꾸어 계산한다.

(1) $-16xy^2 \times (-3x^4y^3) \div 2xy$

$\qquad = -16xy^2 \times (-3x^4y^3) \times \dfrac{1}{2xy}$

$\qquad = (-16) \times (-3) \times \dfrac{1}{2} \times xy^2 \times x^4y^3 \times \dfrac{1}{xy}$

$\qquad = 24x^4y^4$

(2) $(-xy^2)^3 \div \left(\dfrac{x^3}{2y}\right)^3 \times \left(\dfrac{-x}{y}\right)^2$

$\qquad = -x^3y^6 \div \dfrac{x^9}{8y^3} \times \dfrac{x^2}{y^2}$

$\qquad = -x^3y^6 \times \dfrac{8y^3}{x^9} \times \dfrac{x^2}{y^2}$

$\qquad = (-1) \times 8 \times x^3y^6 \times \dfrac{y^3}{x^9} \times \dfrac{x^2}{y^2}$

$\qquad = -\dfrac{8y^7}{x^4}$

04 답 (1) $\dfrac{3}{4}a^2b$ (2) $-4x^2y$ (3) $24x^3y^2$

셀파 나눗셈은 역수의 곱셈으로 바꾸고, 좌변에서 먼저 계산할 것이 있으면 계산한다.

(1) $8a^3b \times \boxed{} = 6a^5b^2$에서

$$\boxed{} = 6a^5b^2 \div 8a^3b = \dfrac{6a^5b^2}{8a^3b} = \dfrac{3}{4}a^2b$$

(2) $24x^3y^2 \div \boxed{} \times (-3xy^3) = 18x^2y^4$에서

$$24x^3y^2 \times \dfrac{1}{\boxed{}} \times (-3xy^3) = 18x^2y^4$$

$$-72x^4y^5 \times \dfrac{1}{\boxed{}} = 18x^2y^4$$

$$18x^2y^4 \times \boxed{} = -72x^4y^5$$

$$\therefore \boxed{} = -72x^4y^5 \div 18x^2y^4 = \dfrac{-72x^4y^5}{18x^2y^4} = -4x^2y$$

(3) $\dfrac{5}{6}xy^2 \times \boxed{} \div (2xy)^2 = 5x^2y^2$에서

$$\dfrac{5}{6}xy^2 \times \boxed{} \times \dfrac{1}{4x^2y^2} = 5x^2y^2, \quad \dfrac{5}{24x} \times \boxed{} = 5x^2y^2$$

$$\therefore \boxed{} = 5x^2y^2 \div \dfrac{5}{24x} = 5x^2y^2 \times \dfrac{24x}{5} = 24x^3y^2$$

05 답 8

셀파 주어진 식의 좌변을 간단히 한 다음, 우변과 비교한다.

$$(-4x^3)^a \times 2xy^b \div (-2x^2y)^2$$
$$= (-4)^a x^{3a} \times 2xy^b \div 4x^4y^2$$
$$= (-4)^a x^{3a} \times 2xy^b \times \dfrac{1}{4x^4y^2}$$
$$= (-4)^a \times 2 \times \dfrac{1}{4} \times x^{3a} \times xy^b \times \dfrac{1}{x^4y^2}$$
$$= (-4)^a \times \dfrac{1}{2} \times \dfrac{x^{3a}}{x^3} \times \dfrac{y^b}{y^2}$$
$$= 8x^c y$$

이때 $(-4)^a \times \dfrac{1}{2} = 8$에서 $(-4)^a = 16$ $\therefore a = 2$

$\dfrac{x^{3a}}{x^3} = x^c$에서 $\dfrac{x^6}{x^3} = x^c$ $\therefore c = 3$

$\dfrac{y^b}{y^2} = y$에서 $y^{b-2} = y$이므로 $b - 2 = 1$ $\therefore b = 3$

$\therefore a + b + c = 2 + 3 + 3 = 8$

06 답 $9a^2b$

셀파 (삼각기둥의 부피)=(밑넓이)×(높이)임을 이용한다.

$$(밑넓이) = \dfrac{1}{2} \times 7a^2b \times 2ab^2 = 7a^3b^3$$

삼각기둥의 높이를 $\boxed{}$라 하면

$$7a^3b^3 \times \boxed{} = 63a^5b^4$$

$$\therefore \boxed{} = 63a^5b^4 \div 7a^3b^3 = \dfrac{63a^5b^4}{7a^3b^3} = 9a^2b$$

집중 연습 단항식의 곱셈과 나눗셈의 계산

1 답 (1) $12a^6b^3$ (2) $6x^3y^4$ (3) $10x^5y^3$ (4) $6x^9y^7$

(1) $3ab^2 \times 4a^5b = 3 \times 4 \times ab^2 \times a^5b = 12a^6b^3$

(2) $-2x^2y \times (-3xy^3) = -2 \times (-3) \times x^2y \times xy^3 = 6x^3y^4$

(3) $5x^2y \times 6x^3 \times \dfrac{1}{3}y^2 = 5 \times 6 \times \dfrac{1}{3} \times x^2y \times x^3 \times y^2 = 10x^5y^3$

(4) $(-x^2y)^3 \times 2xy^3 \times (-3x^2y)$
$$= -x^6y^3 \times 2xy^3 \times (-3x^2y)$$
$$= -1 \times 2 \times (-3) \times x^6y^3 \times xy^3 \times x^2y$$
$$= 6x^9y^7$$

2 답 (1) $\dfrac{3}{ab^2}$ (2) $\dfrac{10}{y}$ (3) $-\dfrac{1}{4x^4}$ (4) $25y$

(1) $12ab^2 \div 4a^2b^4 = \dfrac{12ab^2}{4a^2b^4} = \dfrac{3}{ab^2}$

(2) $15y^2 \div \dfrac{3}{2}y^3 = 15y^2 \times \dfrac{2}{3y^3} = 15 \times \dfrac{2}{3} \times y^2 \times \dfrac{1}{y^3} = \dfrac{10}{y}$

(3) $4x^3 \div (-2x)^3 \div 2x^4 = 4x^3 \div (-8x^3) \div 2x^4$
$$= 4x^3 \times \dfrac{1}{-8x^3} \times \dfrac{1}{2x^4}$$
$$= 4 \times \left(-\dfrac{1}{8}\right) \times \dfrac{1}{2} \times x^3 \times \dfrac{1}{x^3} \times \dfrac{1}{x^4}$$
$$= -\dfrac{1}{4x^4}$$

(4) $(5xy)^2 \div \dfrac{1}{5}x \div 5xy = 25x^2y^2 \times \dfrac{5}{x} \times \dfrac{1}{5xy}$
$$= 25 \times 5 \times \dfrac{1}{5} \times x^2y^2 \times \dfrac{1}{x} \times \dfrac{1}{xy}$$
$$= 25y$$

3 답 (1) $6a^2b^2$ (2) $\dfrac{a^4b^2}{4}$ (3) $-\dfrac{4}{3}a$ (4) $\dfrac{8}{3x^5y^5}$

(5) $\dfrac{a}{72}$ (6) $\dfrac{x}{2y^4}$ (7) $-\dfrac{x^5y^5}{24}$ (8) $-\dfrac{3}{8}b^2$

(1) $18ab \div 9a \times 3a^2b = 18ab \times \dfrac{1}{9a} \times 3a^2b$
$$= 18 \times \dfrac{1}{9} \times 3 \times ab \times \dfrac{1}{a} \times a^2b$$
$$= 6a^2b^2$$

(2) $-2a^2b \div 8ab \times (-a^3b^2)$
$$= -2a^2b \times \dfrac{1}{8ab} \times (-a^3b^2)$$
$$= -2 \times \dfrac{1}{8} \times (-1) \times a^2b \times \dfrac{1}{ab} \times a^3b^2$$
$$= \dfrac{a^4b^2}{4}$$

(3) $2a^2 \times (-4a^3) \div 6a^4 = 2a^2 \times (-4a^3) \times \dfrac{1}{6a^4}$

$\qquad\qquad = 2 \times (-4) \times \dfrac{1}{6} \times a^2 \times a^3 \times \dfrac{1}{a^4}$

$\qquad\qquad = -\dfrac{4}{3}a$

(4) $12x^2y \div (3x^4y^3)^2 \times 2x = 12x^2y \div 9x^8y^6 \times 2x$

$\qquad\qquad = 12x^2y \times \dfrac{1}{9x^8y^6} \times 2x$

$\qquad\qquad = 12 \times \dfrac{1}{9} \times 2 \times x^2y \times \dfrac{1}{x^8y^6} \times x$

$\qquad\qquad = \dfrac{8}{3x^5y^5}$

(5) $a^2b \times \dfrac{1}{6}ab^2 \div 12a^2b^3 = a^2b \times \dfrac{1}{6}ab^2 \times \dfrac{1}{12a^2b^3}$

$\qquad\qquad = \dfrac{1}{6} \times \dfrac{1}{12} \times a^2b \times ab^2 \times \dfrac{1}{a^2b^3}$

$\qquad\qquad = \dfrac{a}{72}$

(6) $\left(\dfrac{x}{4y}\right)^2 \div \left(\dfrac{x^2y}{2}\right)^3 \times x^5y = \dfrac{x^2}{16y^2} \div \dfrac{x^6y^3}{8} \times x^5y$

$\qquad\qquad = \dfrac{x^2}{16y^2} \times \dfrac{8}{x^6y^3} \times x^5y$

$\qquad\qquad = \dfrac{1}{16} \times 8 \times \dfrac{x^2}{y^2} \times \dfrac{1}{x^6y^3} \times x^5y$

$\qquad\qquad = \dfrac{x}{2y^4}$

(7) $\dfrac{2}{3}x^4y^2 \times \left(-\dfrac{3}{4}x^4y^5\right) \div 12x^3y^2$

$\qquad = \dfrac{2}{3}x^4y^2 \times \left(-\dfrac{3}{4}x^4y^5\right) \times \dfrac{1}{12x^3y^2}$

$\qquad = \dfrac{2}{3} \times \left(-\dfrac{3}{4}\right) \times \dfrac{1}{12} \times x^4y^2 \times x^4y^5 \times \dfrac{1}{x^3y^2}$

$\qquad = -\dfrac{x^5y^5}{24}$

(8) $3a^3b^2 \times (2ab^3)^3 \div (-4a^2b^3)^3$

$\qquad = 3a^3b^2 \times 8a^3b^9 \div (-64a^6b^9)$

$\qquad = 3a^3b^2 \times 8a^3b^9 \times \dfrac{1}{-64a^6b^9}$

$\qquad = 3 \times 8 \times \left(-\dfrac{1}{64}\right) \times a^3b^2 \times a^3b^9 \times \dfrac{1}{a^6b^9}$

$\qquad = -\dfrac{3}{8}b^2$

실력 키우기

01 답 ④

셀파 좌변을 지수법칙을 이용하여 간단히 한 다음, 우변과 비교한다.

① $a^2 \times a^\square = a^8$에서 $a^{2+\square} = a^8$

$2 + \square = 8$ $\quad \therefore \square = 6$

② $x^2 \div x^\square = \dfrac{1}{x}$에서 $\dfrac{1}{x^{\square-2}} = \dfrac{1}{x}$

$\rightarrow$ 결과가 분수 꼴이므로 나누는 수의 지수가 더 크다.

$\square - 2 = 1$ $\quad \therefore \square = 3$

③ $(a^3)^\square \div a^2 = a^{19}$에서 $a^{3 \times \square - 2} = a^{19}$

$3 \times \square - 2 = 19$, $3 \times \square = 21$ $\quad \therefore \square = 7$

④ $(3x^3)^2 = \square x^6$에서 $3^2 \times x^6 = \square x^6$이므로

$\square = 3^2 = 9$

⑤ $\left(-\dfrac{z^3}{2xy^2}\right)^2 = \dfrac{z^6}{4x^2y^\square}$에서

$\left(-\dfrac{z^3}{2xy^2}\right)^2 = \dfrac{z^6}{4x^2y^4} = \dfrac{z^6}{4x^2y^\square}$

$\therefore \square = 4$

따라서 $\square$ 안에 들어갈 수 중 가장 큰 것은 ④이다.

02 답 ③

셀파 나눗셈과 곱셈의 혼합 계산은 앞에서부터 차례대로 계산한다. 또 괄호가 있으면 괄호 안을 먼저 계산한다.

$a^{10} \div a^4 \div a^3 = a^{10-4} \div a^3 = a^6 \div a^3 = a^{6-3} = a^3$

① $a^{10} \div (a^4 \div a^3) = a^{10} \div a^{4-3} = a^{10} \div a^1 = a^{10-1} = a^9$

② $a^{10} \div a^4 \times a^3 = a^{10-4} \times a^3 = a^6 \times a^3 = a^{6+3} = a^9$

③ $a^{10} \div (a^4 \times a^3) = a^{10} \div a^{4+3} = a^{10} \div a^7 = a^{10-7} = a^3$

④ $a^{10} \times a^4 \div a^3 = a^{10+4} \div a^3 = a^{14} \div a^3 = a^{14-3} = a^{11}$

⑤ $a^{10} \times (a^4 \div a^3) = a^{10} \times a^{4-3} = a^{10} \times a^1 = a^{10+1} = a^{11}$

따라서 주어진 식과 계산 결과가 같은 것은 ③이다.

03 답 $A = 3^7$, $B = 3^2$

셀파 대각선에 있는 세 수의 곱을 구한다.

대각선에 있는 세 수의 곱은

$3^6 \times 3^5 \times 81 = 3^6 \times 3^5 \times 3^4 = 3^{15}$

$A \times 3^5 \times 27 = 3^{15}$이므로 $A \times 3^5 \times 3^3 = 3^{15}$

$A \times 3^8 = 3^{15}$ $\quad \therefore A = 3^7$

또 $B \times 3^7 \times 3^6 = 3^{15}$이므로 $B \times 3^{13} = 3^{15}$

$\therefore B = 3^2$

04 답 40

셀파 같은 수의 덧셈식은 곱셈식으로 바꿀 수 있다.

① a의 값 구하기 [30 %]

$5^3+5^3+5^3+5^3+5^3=5\times5^3=5^{1+3}=5^4$ ∴ $a=4$

② b의 값 구하기 [25 %]

$5^3\times5^3\times5^3=5^{3+3+3}=5^9$ ∴ $b=9$

③ c의 값 구하기 [25 %]

$\{(5^3)^3\}^3=(5^9)^3=5^{27}$ ∴ $c=27$

④ $a+b+c$의 값 구하기 [20 %]

∴ $a+b+c=4+9+27=40$

05 답 7

셀파 주어진 수를 $a\times10^k$ 꼴로 나타낸다.

$2^7\times3^2\times5^5=2^2\times2^5\times3^2\times5^5$

$\qquad=2^2\times3^2\times2^5\times5^5$

$\qquad=4\times9\times(2\times5)^5$

$\qquad=36\times10^5$

2자리 수 ←┘　└→ 0의 개수: 5

따라서 $2^7\times3^2\times5^5$은 $(2+5)$자리 수, 즉 7자리 자연수이다.

∴ $n=7$

06 답 ②

셀파 45^x을 밑이 각각 3, 5인 수의 거듭제곱 꼴로 나타낸다.

$A=3^{x+2}=3^x\times3^2=9\times3^x$이므로 $3^x=\dfrac{A}{9}$

$B=5^{x-1}=5^x\div5=\dfrac{5^x}{5}$이므로 $5^x=5B$

$45^x=(5\times9)^x=5^x\times9^x$

$\qquad=5^x\times(3^2)^x=5^x\times(3^x)^2$

$\qquad=5B\times\left(\dfrac{A}{9}\right)^2$

$\qquad=5B\times\dfrac{A^2}{81}=\dfrac{5}{81}A^2B$

07 답 ②, ⑤

셀파 나눗셈은 분수 꼴 또는 역수의 곱셈으로 바꾼다.

② $4a^2\div\left(-\dfrac{1}{3}a^6\right)=4a^2\times\left(-\dfrac{3}{a^6}\right)=-\dfrac{12}{a^4}$

④ $\dfrac{x}{4y}\div\dfrac{x^2y}{2}\times x^5y=\dfrac{x}{4y}\times\dfrac{2}{x^2y}\times x^5y=\dfrac{x^4}{2y}$

⑤ $4x^2\div(-3y)\div(-2x^2y)^2$

$\qquad=4x^2\times\dfrac{1}{-3y}\times\dfrac{1}{4x^4y^2}=-\dfrac{1}{3x^2y^3}$

08 답 (나) $-25x^5y^4$, (다) $-\dfrac{200x^8}{y^2}$

셀파 화살표를 따라 차례대로 계산한다.

(가)$=(-xy^2)^3$이므로

(나)$=$(가)$\div\left(\dfrac{y}{5x}\right)^2=(-xy^2)^3\div\left(\dfrac{y}{5x}\right)^2$

$\qquad=-x^3y^6\times\dfrac{25x^2}{y^2}=-25x^5y^4$

(다)$=$(나)$\times\left(\dfrac{2x}{y^2}\right)^3=-25x^5y^4\times\dfrac{8x^3}{y^6}=-\dfrac{200x^8}{y^2}$

09 답 $6ab^2$

셀파 $A\times\square=B$에서 $\square=B\div A$, $A\div\square=B$에서 $\square=A\div B$

$-9a^3b\times(-4ab)\div\boxed{}=6a^3$에서

$36a^4b^2\div\boxed{}=6a^3$

∴ $\boxed{}=36a^4b^2\div6a^3=\dfrac{36a^4b^2}{6a^3}=6ab^2$

10 답 (1) $-4x^2y$　(2) $128x^5y^3$

셀파 어떤 식을 $\boxed{}$로 놓고 잘못 계산한 식을 세운다.

① 어떤 식 구하기 [50 %]

(1) 어떤 식을 $\boxed{}$라 하면 $-32x^3y^2\div\boxed{}=8xy$

$\quad$ ∴ $\boxed{}=-32x^3y^2\div8xy=\dfrac{-32x^3y^2}{8xy}=-4x^2y$

② 바르게 계산한 결과 구하기 [50 %]

(2) 어떤 식이 $-4x^2y$이므로 바르게 계산하면

$\qquad-32x^3y^2\times(-4x^2y)=128x^5y^3$

11 답 12

셀파 좌변을 간단히 한 다음, 우변과 비교한다.

$\dfrac{1}{a}x^2y^4\div\dfrac{(x^3y^b)^3}{2}\times x^3y=\dfrac{4}{3x^cy}$에서 좌변을 간단히 하면

$\dfrac{1}{a}x^2y^4\div\dfrac{(x^3y^b)^3}{2}\times x^3y=\dfrac{x^2y^4}{a}\times\dfrac{2}{x^9y^{3b}}\times x^3y$

$\qquad\qquad=\dfrac{2}{a}\times\dfrac{1}{x^4}\times\dfrac{y^5}{y^{3b}}$

$\dfrac{2}{a}\times\dfrac{1}{x^4}\times\dfrac{y^5}{y^{3b}}=\dfrac{4}{3x^cy}$이므로

$\dfrac{2}{a}=\dfrac{4}{3}$에서 $4a=6$ ∴ $a=\dfrac{3}{2}$

$\dfrac{1}{x^4}=\dfrac{1}{x^c}$에서 $c=4$

$\dfrac{y^5}{y^{3b}}=\dfrac{1}{y}$에서 $3b-5=1$ ∴ $b=2$

∴ $abc=\dfrac{3}{2}\times2\times4=12$

12 답 $6ab^2$

셀파 (삼각형의 넓이)$=\dfrac{1}{2}\times$(밑변의 길이)$\times$(높이)

높이를 $\boxed{}$라 하면 $\dfrac{1}{2}\times 4ab^2\times\boxed{}=12a^2b^4$

$2ab^2\times\boxed{}=12a^2b^4$

$\therefore\ \boxed{}=12a^2b^4\div 2ab^2=\dfrac{12a^2b^4}{2ab^2}=6ab^2$

13 답 $\dfrac{8}{3}$배

셀파 (원기둥의 부피)$=\pi\times$(밑면인 원의 반지름의 길이)$^2\times$(높이)

① 원기둥 A의 부피 구하기 [30 %]

(원기둥 A의 부피)$=\pi\times(ab^2)^2\times 3a^2b$

$\qquad\qquad\qquad\quad=\pi\times a^2b^4\times 3a^2b$

$\qquad\qquad\qquad\quad=3\pi a^4b^5$

② 원기둥 B의 부피 구하기 [30 %]

(원기둥 B의 부피)$=\pi\times(2a^2b)^2\times 2b^3$

$\qquad\qquad\qquad\quad=\pi\times 4a^4b^2\times 2b^3$

$\qquad\qquad\qquad\quad=8\pi a^4b^5$

③ 답 구하기 [40 %]

이때 $\dfrac{(원기둥\ B의\ 부피)}{(원기둥\ A의\ 부피)}=\dfrac{8\pi a^4b^5}{3\pi a^4b^5}=\dfrac{8}{3}$이므로

(원기둥 B의 부피)$=\dfrac{8}{3}\times$(원기둥 A의 부피)

따라서 원기둥 B의 부피는 원기둥 A의 부피의 $\dfrac{8}{3}$배이다.

14 답 2^{13}장

셀파 GiB를 MiB로 단위를 바꾼다.

$32\ \text{GiB}=32\times 2^{10}\ \text{MiB}$

$\qquad\quad\ =2^5\times 2^{10}\ \text{MiB}$

$\qquad\quad\ =2^{15}\ \text{MiB}$

$4\ \text{MiB}=2^2\ \text{MiB}$이므로 $2^{15}\div 2^2=2^{13}$

따라서 사진을 2^{13}장까지 저장할 수 있다.

---

4 다항식의 계산

1. 다항식의 덧셈과 뺄셈

따라 풀면서 개념 익히기

본문 | **55** 쪽

1-1 답 (1) $6x+4y$　(2) $-10x+y$

(1) $(2x+y)+(4x+3y)=2x+y+4x+3y$

$\qquad\qquad\qquad\qquad\quad=2x+4x+y+3y$

$\qquad\qquad\qquad\qquad\quad=6x+\boxed{4y}$

(2) $(2x-3y)-4(3x-y)=2x-3y-12x+\boxed{4y}$

$\qquad\qquad\qquad\qquad\qquad=2x-12x-3y+4y$

$\qquad\qquad\qquad\qquad\qquad=-10x+\boxed{y}$

1-2 답 (1) $3a+3b$　(2) $5x+2y$　(3) $3a+b$　(4) $6x-9y$

(1) $(a+4b)+(2a-b)=a+4b+2a-b$

$\qquad\qquad\qquad\qquad\ =a+2a+4b-b$

$\qquad\qquad\qquad\qquad\ =3a+3b$

(2) $(2x-4y)+3(x+2y)=2x-4y+3x+6y$

$\qquad\qquad\qquad\qquad\qquad=2x+3x-4y+6y$

$\qquad\qquad\qquad\qquad\qquad=5x+2y$

(3) $(7a+2b)-(4a+b)=7a+2b-4a-b$

$\qquad\qquad\qquad\qquad\quad=7a-4a+2b-b$

$\qquad\qquad\qquad\qquad\quad=3a+b$

(4) $(2x-5y)-4(-x+y)=2x-5y+4x-4y$

$\qquad\qquad\qquad\qquad\qquad=2x+4x-5y-4y$

$\qquad\qquad\qquad\qquad\qquad=6x-9y$

2-1 답 (1) $4a^2-2a+2$　(2) x^2-x+1

(1) $(a^2+2a+3)+(3a^2-4a-1)=a^2+2a+3+3a^2-4a-1$

$\qquad\qquad\qquad\qquad\qquad\qquad\quad=a^2+3a^2+2a-4a+3-1$

$\qquad\qquad\qquad\qquad\qquad\qquad\quad=4a^2-\boxed{2}a+\boxed{2}$

(2) $(-2x^2-2x+4)-(-3x^2-x+3)$

$\quad=-2x^2-2x+4+3x^2+\boxed{x}-3$

$\quad=-2x^2+3x^2-2x+x+4-3$

$\quad=x^2-\boxed{x}+\boxed{1}$

2-2 답 (1) $11a^2+2a-1$　(2) $4x^2-5x+6$

$\qquad$ (3) $-3a^2-3a+3$　(4) $-x^2-13x+16$

(1) $(6a^2-4a+2)+(5a^2+6a-3)$

$\quad=6a^2-4a+2+5a^2+6a-3$

$\quad=6a^2+5a^2-4a+6a+2-3$

$\quad=11a^2+2a-1$

(2) $(-10x^2+x-4)+2(7x^2-3x+5)$
   $=-10x^2+x-4+14x^2-6x+10$
   $=-10x^2+14x^2+x-6x-4+10$
   $=4x^2-5x+6$

(3) $(a^2-a+2)-(4a^2+2a-1)$
   $=a^2-a+2-4a^2-2a+1$
   $=a^2-4a^2-a-2a+2+1$
   $=-3a^2-3a+3$

(4) $(2x^2-x+1)-3(x^2+4x-5)$
   $=2x^2-x+1-3x^2-12x+15$
   $=2x^2-3x^2-x-12x+1+15$
   $=-x^2-13x+16$

유형 익히기-확인 문제

본문 | 56~58쪽

01 답 (1) $x+2y$ (2) $2x-9y+3$

셀파 괄호를 풀고 x항은 x항끼리, y항은 y항끼리, 상수항은 상수항끼리 계산한다.

(1) $2(-x+4y)+(3x-6y)=-2x+8y+3x-6y$
   $=-2x+3x+8y-6y$
   $=x+2y$

(2) $(6x-y-1)-4(x+2y-1)=6x-y-1-4x-8y+4$
   $=6x-4x-y-8y-1+4$
   $=2x-9y+3$

02 답 (1) $3x+6y$ (2) $13y$

셀파 제일 안쪽에 있는 소괄호부터 계산한다.

(1) $7x-[3x-4y-\{x-3y-(2x-5y)\}]$
   $=7x-\{3x-4y-(x-3y-2x+5y)\}$
   $=7x-\{3x-4y-(-x+2y)\}$
   $=7x-(3x-4y+x-2y)$
   $=7x-(4x-6y)$
   $=7x-4x+6y$
   $=3x+6y$

(2) $3x-[2y-3\{x+y-2(x-2y)\}]$
   $=3x-\{2y-3(x+y-2x+4y)\}$
   $=3x-\{2y-3(-x+5y)\}$
   $=3x-(2y+3x-15y)$
   $=3x-(3x-13y)$
   $=3x-3x+13y$
   $=13y$

03 답 (1) $-\dfrac{1}{6}a+\dfrac{13}{12}b$ (2) $\dfrac{-10x+5y}{6}$

셀파 계수가 분수이므로 분모의 최소공배수로 통분한다.

(1) $\left(\dfrac{1}{2}a+\dfrac{1}{3}b\right)-\left(\dfrac{2}{3}a-\dfrac{3}{4}b\right)=\dfrac{1}{2}a+\dfrac{1}{3}b-\dfrac{2}{3}a+\dfrac{3}{4}b$
   $=\dfrac{1}{2}a-\dfrac{2}{3}a+\dfrac{1}{3}b+\dfrac{3}{4}b$
   $=\dfrac{3}{6}a-\dfrac{4}{6}a+\dfrac{4}{12}b+\dfrac{9}{12}b$
   $=-\dfrac{1}{6}a+\dfrac{13}{12}b$

(2) $\dfrac{x-2y}{3}-\dfrac{4x-3y}{2}=\dfrac{2(x-2y)-3(4x-3y)}{6}$
   $=\dfrac{2x-4y-12x+9y}{6}$
   $=\dfrac{-10x+5y}{6}$

04 답 (1) $2a^2+2a-2$ (2) $-a-3$

셀파 괄호를 풀고 이차항은 이차항끼리, 일차항은 일차항끼리, 상수항은 상수항끼리 계산한다.

(1) $(-5a^2+4a-1)+(7a^2-2a-1)$
   $=-5a^2+4a-1+7a^2-2a-1$
   $=-5a^2+7a^2+4a-2a-1-1$
   $=2a^2+2a-2$

(2) $(-8a^2+5a+1)-2(-4a^2+3a+2)$
   $=-8a^2+5a+1+8a^2-6a-4$
   $=-8a^2+8a^2+5a-6a+1-4$
   $=-a-3$

05 답 (1) $-6a-3b+6$ (2) $-5x^2+2x-1$

셀파 $A+B=C$에서 $B=C-A$, $A-B=C$에서 $B=A-C$

(1) $5a+6b-4+\boxed{}=-a+3b+2$에서
   $\boxed{}=(-a+3b+2)-(5a+6b-4)$
   $=-a+3b+2-5a-6b+4$
   $=-6a-3b+6$

(2) $-2x^2+x+4-\boxed{}=3x^2-x+5$에서
   $\boxed{}=(-2x^2+x+4)-(3x^2-x+5)$
   $=-2x^2+x+4-3x^2+x-5$
   $=-5x^2+2x-1$

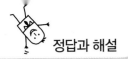

06 답 $-8x^2+18x+11$

셀파 어떤 식을 ☐로 놓고 잘못 계산한 식을 세운다.

어떤 식을 ☐라 하면

☐ $-(-5x^2+7x+4)=2x^2+4x+3$

$\therefore$ ☐ $=2x^2+4x+3+(-5x^2+7x+4)$

$\qquad =2x^2+4x+3-5x^2+7x+4$

$\qquad =-3x^2+11x+7$

따라서 어떤 식은 $-3x^2+11x+7$이므로 바르게 계산한 식은

$-3x^2+11x+7+(-5x^2+7x+4)$

$=-3x^2+11x+7-5x^2+7x+4$

$=-8x^2+18x+11$

집중 연습 다항식의 덧셈과 뺄셈

본문 | **59** 쪽

1 답 (1) $6a-b$ (2) $-y-1$ (3) $3x-11y$

(4) $6a-6b$ (5) $-5x+5y-5$ (6) $-3a-15b-2$

(1) $(4a+3b)+(2a-4b)=4a+3b+2a-4b=6a-b$

(2) $(-x+5y+2)+(x-6y-3)=-x+5y+2+x-6y-3$

$\qquad\qquad\qquad\qquad =-y-1$

(3) $2(-x-4y+2)+(5x-3y-4)$

$\qquad =-2x-8y+4+5x-3y-4$

$\qquad =3x-11y$

(4) $(4a+b)-(-2a+7b)=4a+b+2a-7b=6a-6b$

(5) $(-3x+2y-1)-(2x-3y+4)$

$\qquad =-3x+2y-1-2x+3y-4$

$\qquad =-5x+5y-5$

(6) $2(a-7b-4)-(5a+b-6)=2a-14b-8-5a-b+6$

$\qquad\qquad\qquad\qquad\qquad\qquad =-3a-15b-2$

2 답 (1) $5x^2+1$ (2) $2x^2+x+9$

(3) $2x^2-7x+9$ (4) $5x^2-9x+4$

(1) $(3x^2-x+5)+(2x^2+x-4)=3x^2-x+5+2x^2+x-4$

$\qquad\qquad\qquad\qquad\qquad =5x^2+1$

(2) $3(-x^2+2x-2)+5(x^2-x+3)$

$\qquad =-3x^2+6x-6+5x^2-5x+15$

$\qquad =2x^2+x+9$

(3) $(x^2-3x+2)-(-x^2+4x-7)$

$\qquad =x^2-3x+2+x^2-4x+7$

$\qquad =2x^2-7x+9$

(4) $(2x^2-3x+4)-3(2x-x^2)$

$\qquad =2x^2-3x+4-6x+3x^2$

$\qquad =5x^2-9x+4$

3 답 (1) $3a+b$ (2) $3x+y$

(3) $-3x^2-x+6$ (4) $3x^2+6x-2$

(1) $5a-\{4a-2b-(2a-b)\}=5a-(4a-2b-2a+b)$

$\qquad\qquad\qquad\qquad\qquad =5a-(2a-b)$

$\qquad\qquad\qquad\qquad\qquad =5a-2a+b$

$\qquad\qquad\qquad\qquad\qquad =3a+b$

(2) $4x-[2x-\{3x-(2x-y)\}]=4x-\{2x-(3x-2x+y)\}$

$\qquad\qquad\qquad\qquad\qquad\qquad =4x-\{2x-(x+y)\}$

$\qquad\qquad\qquad\qquad\qquad\qquad =4x-(2x-x-y)$

$\qquad\qquad\qquad\qquad\qquad\qquad =4x-(x-y)$

$\qquad\qquad\qquad\qquad\qquad\qquad =4x-x+y$

$\qquad\qquad\qquad\qquad\qquad\qquad =3x+y$

(3) $5-x^2-\{1+2x^2-(2-x)\}=5-x^2-(1+2x^2-2+x)$

$\qquad\qquad\qquad\qquad\qquad\qquad =5-x^2-(2x^2+x-1)$

$\qquad\qquad\qquad\qquad\qquad\qquad =5-x^2-2x^2-x+1$

$\qquad\qquad\qquad\qquad\qquad\qquad =-3x^2-x+6$

(4) $5x^2-[4x^2-\{2x^2-(-x+2)+5x\}]$

$\qquad =5x^2-\{4x^2-(2x^2+x-2+5x)\}$

$\qquad =5x^2-\{4x^2-(2x^2+6x-2)\}$

$\qquad =5x^2-(4x^2-2x^2-6x+2)$

$\qquad =5x^2-(2x^2-6x+2)$

$\qquad =5x^2-2x^2+6x-2$

$\qquad =3x^2+6x-2$

4 답 (1) $\dfrac{4}{3}x-\dfrac{1}{6}y$ (2) $\dfrac{11}{15}x-\dfrac{2}{15}y$ (3) $\dfrac{x-2y}{2}$

(4) $\dfrac{11x-26y}{12}$ (5) $\dfrac{-x^2+7x-17}{6}$

(1) $\left(\dfrac{1}{3}x-\dfrac{2}{3}y\right)+\left(x+\dfrac{1}{2}y\right)=\dfrac{1}{3}x-\dfrac{2}{3}y+x+\dfrac{1}{2}y$

$\qquad\qquad\qquad\qquad\qquad =\dfrac{1}{3}x+\dfrac{3}{3}x-\dfrac{4}{6}y+\dfrac{3}{6}y$

$\qquad\qquad\qquad\qquad\qquad =\dfrac{4}{3}x-\dfrac{1}{6}y$

(2) $\dfrac{1}{3}(4x-y)-\dfrac{1}{5}(3x-y)=\dfrac{4}{3}x-\dfrac{1}{3}y-\dfrac{3}{5}x+\dfrac{1}{5}y$

$\qquad\qquad\qquad\qquad\qquad =\dfrac{20}{15}x-\dfrac{9}{15}x-\dfrac{5}{15}y+\dfrac{3}{15}y$

$\qquad\qquad\qquad\qquad\qquad =\dfrac{11}{15}x-\dfrac{2}{15}y$

(3) $\dfrac{2x-y}{3}-\dfrac{x+4y}{6}=\dfrac{2(2x-y)-(x+4y)}{6}$

$\qquad\qquad\qquad\quad =\dfrac{4x-2y-x-4y}{6}$

$\qquad\qquad\qquad\quad =\dfrac{3x-6y}{6}=\dfrac{x-2y}{2}$

(4) $\dfrac{x-4y}{6}+\dfrac{3(x-2y)}{4}=\dfrac{2(x-4y)+9(x-2y)}{12}$

$\qquad\qquad\qquad\qquad =\dfrac{2x-8y+9x-18y}{12}$

$\qquad\qquad\qquad\qquad =\dfrac{11x-26y}{12}$

(5) $\dfrac{x^2-x-1}{3}-\dfrac{x^2-3x+5}{2}=\dfrac{2(x^2-x-1)-3(x^2-3x+5)}{6}$

$\qquad\qquad\qquad\qquad\qquad =\dfrac{2x^2-2x-2-3x^2+9x-15}{6}$

$\qquad\qquad\qquad\qquad\qquad =\dfrac{-x^2+7x-17}{6}$

2. 단항식과 다항식의 곱셈과 나눗셈

개념 익히기

본문 | 61 쪽

1-1 답 (1) $-12a^2-3ab+15a$ (2) $3x-6$

(1) $-3a(4a+b-5)$

$\quad =-3a\times4a+(-3a)\times b-(-3a)\times\boxed{5}$

$\quad =-12a^2-3ab+\boxed{15a}$

(2) $(2x^2-4x)\div\dfrac{2}{3}x=(2x^2-4x)\times\boxed{\dfrac{3}{2x}}$

$\qquad\qquad\qquad\quad =2x^2\times\dfrac{3}{2x}-4x\times\dfrac{3}{2x}$

$\qquad\qquad\qquad\quad =3x-6$

1-2 답 (1) $-5x^2+3xy$ (2) $4x^3-6x^2$
$\qquad$ (3) $3a-2b$ $\qquad$ (4) $-3a+9$

(1) $-x(5x-3y)=-x\times5x-(-x)\times3y=-5x^2+3xy$

(2) $\dfrac{2}{3}x(6x^2-9x)=\dfrac{2}{3}x\times6x^2-\dfrac{2}{3}x\times9x=4x^3-6x^2$

(3) $(6a^2-4ab)\div2a=\dfrac{6a^2-4ab}{2a}=\dfrac{6a^2}{2a}-\dfrac{4ab}{2a}=3a-2b$

(4) $(a^2-3a)\div\left(-\dfrac{1}{3}a\right)=(a^2-3a)\times\left(-\dfrac{3}{a}\right)$

$\qquad\qquad\qquad\qquad =a^2\times\left(-\dfrac{3}{a}\right)-3a\times\left(-\dfrac{3}{a}\right)$

$\qquad\qquad\qquad\qquad =-3a+9$

2-1 답 $2xy$

$x(5x-y)-(10x^2y-6xy^2)\div2y=5x^2-xy-\dfrac{10x^2y-6xy^2}{2y}$

$\qquad\qquad\qquad\qquad\qquad\qquad =5x^2-xy-(5x^2-\boxed{3xy})$

$\qquad\qquad\qquad\qquad\qquad\qquad =5x^2-xy-5x^2+\boxed{3xy}$

$\qquad\qquad\qquad\qquad\qquad\qquad =\boxed{2xy}$

2-2 답 (1) $8a-b$ (2) x^2y-8x (3) $-12x$

(1) $3(2a+b)+(4ab-8b^2)\div2b=6a+3b+\dfrac{4ab-8b^2}{2b}$

$\qquad\qquad\qquad\qquad\qquad\qquad =6a+3b+2a-4b$

$\qquad\qquad\qquad\qquad\qquad\qquad =8a-b$

(2) $(6x^3y^2-4x^2y)\div2xy-2x(xy+3)$

$\quad =\dfrac{6x^3y^2-4x^2y}{2xy}-2x^2y-6x$

$\quad =3x^2y-2x-2x^2y-6x$

$\quad =x^2y-8x$

(3) $-4x(2x+6)+(6x^2y+9xy)\div\dfrac{3}{4}y$

$\quad =-8x^2-24x+(6x^2y+9xy)\times\dfrac{4}{3y}$

$\quad =-8x^2-24x+8x^2+12x$

$\quad =-12x$

유형 익히기-확인 문제

본문 | 62~65 쪽

01 답 (1) $4x^2+2xy-3x$ (2) $-20a^2b+15a^2b^2+10ab^2$

셀파 분배법칙을 이용하여 전개한다.

(1) $\dfrac{1}{4}x(16x+8y-12)$

$\quad =\dfrac{1}{4}x\times16x+\dfrac{1}{4}x\times8y-\dfrac{1}{4}x\times12$

$\quad =4x^2+2xy-3x$

(2) $(-4a+3ab+2b)\times5ab$

$\quad =-4a\times5ab+3ab\times5ab+2b\times5ab$

$\quad =-20a^2b+15a^2b^2+10ab^2$

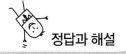

02 답 $(1)\ \dfrac{2}{y}-4+3y$ $(2)\ 8ab^2-4b$

셀파 $(A+B)\div C=(A+B)\times\dfrac{1}{C}=\dfrac{A+B}{C}$

$(1)\ (8-16y+12y^2)\div 4y=\dfrac{8-16y+12y^2}{4y}$

$\qquad\qquad\qquad\qquad =\dfrac{8}{4y}-\dfrac{16y}{4y}+\dfrac{12y^2}{4y}$

$\qquad\qquad\qquad\qquad =\dfrac{2}{y}-4+3y$

$(2)\ (12a^2b^3-6ab^2)\div\dfrac{3}{2}ab=(12a^2b^3-6ab^2)\times\dfrac{2}{3ab}$

$\qquad\qquad\dfrac{3ab}{2}\ \leftsquigarrow$

$\qquad\qquad\qquad\qquad =12a^2b^3\times\dfrac{2}{3ab}-6ab^2\times\dfrac{2}{3ab}$

$\qquad\qquad\qquad\qquad =8ab^2-4b$

03 답 $(1)\ 6$ $(2)\ 9x$ $(3)\ -5xy^2$

셀파 곱셈, 나눗셈 ⇨ 덧셈, 뺄셈 순으로 계산한다.

$(1)\ (18y+24y^2)\div 6y-(4y-3)=\dfrac{18y+24y^2}{6y}-4y+3$

$\qquad\qquad\qquad\qquad\qquad\qquad =3+4y-4y+3$

$\qquad\qquad\qquad\qquad\qquad\qquad =6$

$(2)\ \dfrac{16x^2-24xy}{4x}-\dfrac{15xy+18y^2}{-3y}=4x-6y-(-5x-6y)$

$\qquad\qquad\qquad\qquad\qquad\qquad\qquad =4x-6y+5x+6y$

$\qquad\qquad\qquad\qquad\qquad\qquad\qquad =9x$

$(3)\ 2xy(x-3y)-(4x^3y^2-2x^2y^3)\div 2xy$

$\qquad =2x^2y-6xy^2-\dfrac{4x^3y^2-2x^2y^3}{2xy}$

$\qquad =2x^2y-6xy^2-(2x^2y-xy^2)$

$\qquad =2x^2y-6xy^2-2x^2y+xy^2$

$\qquad =-5xy^2$

04 답 $3x^2y-2xy+2y^2$

셀파 $A\div B=C$에서 $A=C\times B$

$\boxed{}\div\dfrac{1}{2}y=6x^2-4x+4y$에서

$\boxed{}=(6x^2-4x+4y)\times\dfrac{1}{2}y$

$\qquad =6x^2\times\dfrac{1}{2}y-4x\times\dfrac{1}{2}y+4y\times\dfrac{1}{2}y$

$\qquad =3x^2y-2xy+2y^2$

05 답 $3x^3+x^2$

셀파 (사다리꼴의 넓이)$=\dfrac{1}{2}\times\{($윗변의 길이$)+($아랫변의 길이$)\}\times($높이$)$

$\dfrac{1}{2}\times(4xy^2+12xy^2)\times($높이$)=24x^4y^2+8x^3y^2$이므로

$8xy^2\times($높이$)=24x^4y^2+8x^3y^2$

$\therefore ($높이$)=\dfrac{24x^4y^2+8x^3y^2}{8xy^2}=3x^3+x^2$

06 답 $(1)\ 10$ $(2)\ 1$

셀파 주어진 식을 계산한 다음, 문자에 수를 대입한다.

$(1)\ (-3x+2y-1)-(2x-3y+4)$

$\qquad =-3x+2y-1-2x+3y-4$

$\qquad =-5x+5y-5$

이 식에 $x=-1,\ y=2$를 대입하면

$-5x+5y-5=-5\times(-1)+5\times 2-5=5+10-5=10$

$(2)\ (12y^2-15xy)\div 3y=\dfrac{12y^2-15xy}{3y}=4y-5x$

이 식에 $x=\dfrac{1}{5},\ y=\dfrac{1}{2}$을 대입하면

$4y-5x=4\times\dfrac{1}{2}-5\times\dfrac{1}{5}=2-1=1$

> **오답 피하기**
>
> x항이 항상 앞쪽에 있다고 착각하여 다음과 같이 대입하지 않도록 주의한다.
>
> $4y-5x=4\times\dfrac{1}{5}-5\times\dfrac{1}{2}=\dfrac{4}{5}-\dfrac{5}{2}=-\dfrac{17}{10}$
>
> 문자에 어떤 수를 대입할 때는 문자의 위치를 반드시 확인한 다음, 대입한다.

07 답 $(1)\ \dfrac{7x-4y}{6}$ $(2)\ -3x+3y$

셀파 $(2)\ 4B-\{3(2A+B)-5A\}$를 간단히 한 다음, $A,\ B$에 $x,\ y$로 나타낸 식을 대입한다.

$(1)\ \dfrac{A}{2}-\dfrac{B}{3}=\dfrac{x+2y}{2}-\dfrac{-2x+5y}{3}$

$\qquad\qquad =\dfrac{3(x+2y)-2(-2x+5y)}{6}$

$\qquad\qquad =\dfrac{3x+6y+4x-10y}{6}$

$\qquad\qquad =\dfrac{7x-4y}{6}$

$(2)\ 4B-\{3(2A+B)-5A\}=4B-(6A+3B-5A)$

$\qquad\qquad\qquad\qquad\qquad =4B-(A+3B)$

$\qquad\qquad\qquad\qquad\qquad =4B-A-3B$

$\qquad\qquad\qquad\qquad\qquad =-A+B$

$\qquad\qquad\qquad\qquad\qquad =-(x+2y)+(-2x+5y)$

$\qquad\qquad\qquad\qquad\qquad =-x-2y-2x+5y$

$\qquad\qquad\qquad\qquad\qquad =-3x+3y$

08 답 11

셀파 $5x-6y=12$를 $y=(x$의 식$)$으로 변형한 다음, 주어진 식에 대입한다.

$5x-6y=12$에서 $y=\dfrac{5}{6}x-2$

$\therefore 2(x-3y)-x+3=2x-6y-x+3$
$\qquad\qquad\qquad\qquad =x-6y+3$
$\qquad\qquad\qquad\qquad =x-6\left(\dfrac{5}{6}x-2\right)+3$
$\qquad\qquad\qquad\qquad =x-5x+12+3$
$\qquad\qquad\qquad\qquad =-4x+15$

따라서 $A=-4$, $B=15$이므로 $A+B=11$

집중 연습 단항식과 다항식의 곱셈과 나눗셈

본문 | **66** 쪽

1 답 (1) $6a^2-3a$ (2) $-6x^2+24xy$ (3) $2a^3-6a^2+4a$
　　(4) $2xy-3x^2$ (5) $9x^3+3x^2y-6xy^2$

(1) $3a(2a-1)=3a\times 2a-3a\times 1=6a^2-3a$

(2) $-3x(2x-8y)=-3x\times 2x-(-3x)\times 8y=-6x^2+24xy$

(3) $2a(a^2-3a+2)=2a\times a^2-2a\times 3a+2a\times 2$
$\qquad\qquad\qquad\qquad =2a^3-6a^2+4a$

(4) $\dfrac{1}{4}x(8y-12x)=\dfrac{1}{4}x\times 8y-\dfrac{1}{4}x\times 12x=2xy-3x^2$

(5) $\dfrac{3}{2}x(6x^2+2xy-4y^2)=\dfrac{3}{2}x\times 6x^2+\dfrac{3}{2}x\times 2xy-\dfrac{3}{2}x\times 4y^2$
$\qquad\qquad\qquad\qquad\qquad =9x^3+3x^2y-6xy^2$

2 답 (1) $3+4y$ (2) $-5a^2+\dfrac{10}{3}b^3$ (3) $2x-3y$
　　(4) $8x-6y$ (5) $-4x^2y+8x$

(1) $(18y+24y^2)\div 6y=\dfrac{18y+24y^2}{6y}$
$\qquad\qquad\qquad\qquad =\dfrac{18y}{6y}+\dfrac{24y^2}{6y}$
$\qquad\qquad\qquad\qquad =3+4y$

(2) $(15a^3-10ab^3)\div(-3a)=\dfrac{15a^3-10ab^3}{-3a}$
$\qquad\qquad\qquad\qquad\qquad\quad =-\dfrac{15a^3}{3a}+\dfrac{10ab^3}{3a}$
$\qquad\qquad\qquad\qquad\qquad\quad =-5a^2+\dfrac{10}{3}b^3$

(3) $(8x^2y-12xy^2)\div 4xy=\dfrac{8x^2y-12xy^2}{4xy}$
$\qquad\qquad\qquad\qquad\qquad =\dfrac{8x^2y}{4xy}-\dfrac{12xy^2}{4xy}$
$\qquad\qquad\qquad\qquad\qquad =2x-3y$

(4) $(20xy-15y^2)\div \dfrac{5}{2}y=(20xy-15y^2)\times\dfrac{2}{5y}$
$\qquad\qquad\qquad\qquad\qquad =20xy\times\dfrac{2}{5y}-15y^2\times\dfrac{2}{5y}$
$\qquad\qquad\qquad\qquad\qquad =8x-6y$

(5) $(x^3y^2-2x^2y)\div\left(-\dfrac{1}{4}xy\right)$
$\quad =(x^3y^2-2x^2y)\times\left(-\dfrac{4}{xy}\right)$
$\quad =x^3y^2\times\left(-\dfrac{4}{xy}\right)-2x^2y\times\left(-\dfrac{4}{xy}\right)$
$\quad =-4x^2y+8x$

3 답 (1) $-6x^2+4xy$ (2) $-8a^2+3ab$ (3) $-2a-2b$
　　(4) $3x-7y$ (5) $-2x+1$

(1) $2x(3x-y)-3x(4x-2y)=6x^2-2xy-12x^2+6xy$
$\qquad\qquad\qquad\qquad\qquad\quad =-6x^2+4xy$

(2) $a(-2a+b)+(3a-b)\times(-2a)$
$\quad =-2a^2+ab-6a^2+2ab$
$\quad =-8a^2+3ab$

(3) $(2a-12b)\div 2-(6a^2-8ab)\div 2a=\dfrac{2a-12b}{2}-\dfrac{6a^2-8ab}{2a}$
$\qquad\qquad\qquad\qquad\qquad\qquad\qquad =a-6b-(3a-4b)$
$\qquad\qquad\qquad\qquad\qquad\qquad\qquad =a-6b-3a+4b$
$\qquad\qquad\qquad\qquad\qquad\qquad\qquad =-2a-2b$

(4) $\dfrac{4x^2+6xy}{-2x}-\dfrac{12y^2-15xy}{3y}=-2x-3y-(4y-5x)$
$\qquad\qquad\qquad\qquad\qquad\qquad =-2x-3y-4y+5x$
$\qquad\qquad\qquad\qquad\qquad\qquad =3x-7y$

(5) $(-4x^2+5x)\div\dfrac{1}{2}x-(2x^3-3x^2)\div\left(-\dfrac{1}{3}x^2\right)$
$\quad =(-4x^2+5x)\times\dfrac{2}{x}-(2x^3-3x^2)\times\left(-\dfrac{3}{x^2}\right)$
$\quad =-8x+10+6x-9$
$\quad =-2x+1$

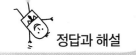

4 답 (1) $3xy-6x$ (2) $-5xy^2$ (3) $-3a+6b$

(4) $-\dfrac{4}{3}x^2-\dfrac{1}{2}xy$ (5) $4a^2b-3a^2$

(1) $\dfrac{1}{3}x(6x+9y-18)-2x^2y\div y=2x^2+3xy-6x-\dfrac{2x^2y}{y}$

$\qquad\qquad\qquad\qquad\qquad\qquad =2x^2+3xy-6x-2x^2$

$\qquad\qquad\qquad\qquad\qquad\qquad =3xy-6x$

(2) $2xy(x-3y)-(4x^3y^2-2x^2y^3)\div 2xy$

$\quad=2x^2y-6xy^2-\dfrac{4x^3y^2-2x^2y^3}{2xy}$

$\quad=2x^2y-6xy^2-(2x^2y-xy^2)$

$\quad=2x^2y-6xy^2-2x^2y+xy^2$

$\quad=-5xy^2$

(3) $(2a^2b-3ab^2)\div\left(-\dfrac{1}{3}ab\right)-3(b-a)$

$\quad=(2a^2b-3ab^2)\times\left(-\dfrac{3}{ab}\right)-3b+3a$

$\quad=-6a+9b-3b+3a$

$\quad=-3a+6b$

(4) $\dfrac{2}{3}x(x-3y)-\left(\dfrac{2}{3}x^3-\dfrac{x^2y}{2}\right)\div\dfrac{1}{3}x$

$\quad=\dfrac{2}{3}x^2-2xy-\left(\dfrac{2}{3}x^3-\dfrac{x^2y}{2}\right)\times\dfrac{3}{x}$

$\quad=\dfrac{2}{3}x^2-2xy-2x^2+\dfrac{3}{2}xy$

$\quad=-\dfrac{4}{3}x^2-\dfrac{1}{2}xy$

(5) $(-2ab+3b)\div\left(-\dfrac{1}{2a}\right)-3a^2\left(1-\dfrac{2b}{u}\right)$

$\quad=(-2ab+3b)\times(-2a)-3a^2+6ab$

$\quad=4a^2b-6ab-3a^2+6ab$

$\quad=4a^2b-3a^2$

실력 키우기 본문 | 67~69쪽

01 답 $a=8,\ b=-8$

셀파 괄호를 풀고 x항은 x항끼리, y항은 y항끼리 계산한다.

$(4x-6y)-2(-2x+y)=4x-6y+4x-2y$

$\qquad\qquad\qquad\qquad\quad =8x-8y$

$\therefore a=8,\ b=-8$

02 답 $-\dfrac{3}{2}$

셀파 분모의 최소공배수로 통분한 다음, 동류항끼리 계산한다.

$\dfrac{x+2y}{3}-\dfrac{2x-y}{2}+\dfrac{x-5y}{6}=\dfrac{2(x+2y)-3(2x-y)+x-5y}{6}$

$\qquad\qquad\qquad\qquad\qquad\qquad =\dfrac{2x+4y-6x+3y+x-5y}{6}$

$\qquad\qquad\qquad\qquad\qquad\qquad =\dfrac{-3x+2y}{6}$

$\qquad\qquad\qquad\qquad\qquad\qquad =-\dfrac{1}{2}x+\dfrac{1}{3}y$

따라서 $a=-\dfrac{1}{2},\ b=\dfrac{1}{3}$이므로

$\dfrac{a}{b}=a\div b=-\dfrac{1}{2}\div\dfrac{1}{3}=-\dfrac{1}{2}\times 3=-\dfrac{3}{2}$

03 답 ③

셀파 ax^2+bx+c는 $a\neq0$이면 x에 대한 이차식이다.

① $-x^2+1$ ⇨ 이차식이다.

② $\dfrac{x^2-2}{2}-x=\dfrac{1}{2}x^2-1-x=\dfrac{1}{2}x^2-x-1$ ⇨ 이차식이다.

③ $3(2x-x^2)+3x^2=6x-3x^2+3x^2=6x$ ⇨ 일차식이다.

④ $2(x^2-4x)+8x=2x^2-8x+8x=2x^2$ ⇨ 이차식이다.

⑤ $(2x^2-3x-1)-3x^2=-x^2-3x-1$ ⇨ 이차식이다.

04 답 -3

셀파 이차항은 이차항끼리, 일차항은 일차항끼리, 상수항은 상수항끼리 계산한다.

$(x^2-5x+2)-(-3x^2+2x-6)=x^2-5x+2+3x^2-2x+6$

$\qquad\qquad\qquad\qquad\qquad\qquad\qquad =4x^2-7x+8$

따라서 x^2의 계수는 4, x의 계수는 -7이므로 그 합은

$4+(-7)=-3$

05 답 $x-7y$

셀파 대각선에 있는 세 다항식의 합을 먼저 구한다.

		$6x+y$
$5x-5y$	$2x-y$	㉠
$-2x-3y$		A

위의 표에서 색칠한 대각선의 세 다항식의 합은

$(-2x-3y)+(2x-y)+(6x+y)$

$=-2x-3y+2x-y+6x+y$

$=6x-3y$

$(5x-5y)+(2x-y)+\bigcirc=6x-3y$에서

$7x-6y+\bigcirc=6x-3y$

$\therefore \bigcirc=(6x-3y)-(7x-6y)$

$\qquad =6x-3y-7x+6y$

$\qquad =-x+3y$

$6x+y+\bigcirc+A=6x-3y$에서

$6x+y+(-x+3y)+A=6x-3y$

$5x+4y+A=6x-3y$

$\therefore A=(6x-3y)-(5x+4y)$

$\qquad =6x-3y-5x-4y$

$\qquad =x-7y$

06 답 (1) $-3x^2+6x$ (2) $11x-2$

셀파 잘못 계산한 식을 세운다.

① 다항식 A 구하기 [60 %]

(1) $(3x^2+5x-2)-A=6x^2-x-2$

$\quad \therefore A=(3x^2+5x-2)-(6x^2-x-2)$

$\qquad =3x^2+5x-2-6x^2+x+2$

$\qquad =-3x^2+6x$

② 바르게 계산한 식 구하기 [40 %]

(2) $A=-3x^2+6x$이므로

$\quad 3x^2+5x-2+(-3x^2+6x)=11x-2$

07 답 $-x^2+13x-2$

셀파 소괄호, 중괄호, 대괄호의 순으로 괄호를 푼다.

$3x^2-[x-2\{x+2x(3-x)-1\}]$

$=3x^2-\{x-2(x+6x-2x^2-1)\}$

$=3x^2-\{x-2(-2x^2+7x-1)\}$

$=3x^2-(x+4x^2-14x+2)$

$=3x^2-(4x^2-13x+2)$

$=3x^2-4x^2+13x-2$

$=-x^2+13x-2$

08 답 ③

셀파 괄호를 풀 때 괄호 앞의 부호가 $-$이면 괄호 안의 각 항의 부호는 반대로 바뀐다.

③ $-2y(x-4y)=-2xy+8y^2$

④ $(4xy-6xz)\div 2x=\dfrac{4xy-6xz}{2x}=2y-3z$

⑤ $(6x^2-4xy+2x)\div\left(-\dfrac{2}{3}x\right)=(6x^2-4xy+2x)\times\left(-\dfrac{3}{2x}\right)$

$\qquad =-9x+6y-3$

09 답 ㈐, $-4a+3$

셀파 $\dfrac{A+B}{C}=\dfrac{A}{C}+\dfrac{B}{C}$

$(8a^2-6a)\div(-2a)=\dfrac{8a^2-6a}{-2a}=\dfrac{8a^2}{-2a}-\dfrac{6a}{-2a}=-4a+3$

따라서 처음으로 잘못된 부분은 ㈐이다.

10 답 $2x^3y^3$

셀파 $\dfrac{A}{B}=C$에서 $A=B\times C$

$\dfrac{4x^3y^2-\boxed{}}{2xy}=2x^2y-x^2y^2$에서

$4x^3y^2-\boxed{}=2xy(2x^2y-x^2y^2)=4x^3y^2-2x^3y^3$

$\therefore \boxed{}=4x^3y^2-(4x^3y^2-2x^3y^3)$

$\qquad =4x^3y^2-4x^3y^2+2x^3y^3$

$\qquad =2x^3y^3$

11 답 35

셀파 곱셈, 나눗셈을 먼저 한다.

$-3x(4x-6y)+(18x^2y^2-12x^3y)\div 6xy$

$=-12x^2+18xy+\dfrac{18x^2y^2-12x^3y}{6xy}$

$=-12x^2+18xy+3xy-2x^2$

$=-14x^2+21xy$

따라서 x^2의 계수는 -14, xy의 계수는 21이므로 $a=-14$, $b=21$

$\therefore b-a=21-(-14)=35$

12 답 $5ab-4$

셀파 (직사각형의 넓이)$=$(가로의 길이)$\times$(세로의 길이)

직사각형의 세로의 길이를 $\boxed{}$라 하면

$4a^2b\times\boxed{}=20a^3b^2-16a^2b$

$\therefore \boxed{}=\dfrac{20a^3b^2-16a^2b}{4a^2b}=5ab-4$

13 답 (1) $a-8b$ (2) 3

셀파 주어진 식을 계산한 다음, a, b의 값을 대입한다.

① 주어진 식 계산하기 [60 %]

(1) $(a^2-2ab)\div\dfrac{a}{3}-(10ab+10b^2)\div 5b$

$\quad =(a^2-2ab)\times\dfrac{3}{a}-\dfrac{10ab+10b^2}{5b}$

$\quad =3a-6b-(2a+2b)$

$\quad =3a-6b-2a-2b$

$\quad =a-8b$

② 식의 값 구하기 [40 %]

(2) $a=1, b=-\dfrac{1}{4}$이므로

$$a-8b=1-8\times\left(-\dfrac{1}{4}\right)=1+2=3$$

14 답 $-x-y+3$

셀파 $A+4B-(2A+5B)$를 간단히 한다.

$A+4B-(2A+5B)=A+4B-2A-5B=-A-B$

$A=2x-y, B=-x+2y-3$을 대입하면

$$\begin{aligned}-A-B&=-(2x-y)-(-x+2y-3)\\&=-2x+y+x-2y+3\\&=-x-y+3\end{aligned}$$

15 답 $19x+28$

셀파 $3x-2y-2=6x-y+3$을 $y=(x$의 식)으로 나타낸다.

$3x-2y-2=6x-y+3$에서 $y=-3x-5$

$$\begin{aligned}\therefore\ 4x-5y+3&=4x-5(-3x-5)+3\\&=4x+15x+25+3\\&=19x+28\end{aligned}$$

16 답 (1) $A=-3x^2-x+3, B=4x^2-2x$ (2) x^2-3x+3

셀파 전개도를 접을 때, 서로 마주 보는 면을 찾는다.

(1) 다음 그림과 같은 전개도로 직육면체를 만들었을 때, 같은 색으로 칠해진 부분끼리 서로 마주 보는 면이 된다.

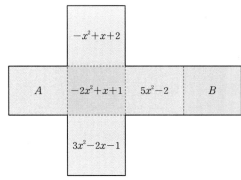

따라서 서로 마주 보는 면에 적힌 두 다항식은 각각

$-x^2+x+2$와 $3x^2-2x-1$, A와 $5x^2-2$,

$-2x^2+x+1$과 B

이때 서로 마주 보는 면에 적힌 두 다항식의 합은

$(-x^2+x+2)+(3x^2-2x-1)=2x^2-x+1$

$A+(5x^2-2)=2x^2-x+1$이므로

$$\begin{aligned}A&=2x^2-x+1-(5x^2-2)\\&=2x^2-x+1-5x^2+2\\&=-3x^2-x+3\end{aligned}$$

$(-2x^2+x+1)+B=2x^2-x+1$이므로

$$\begin{aligned}B&=2x^2-x+1-(-2x^2+x+1)\\&=2x^2-x+1+2x^2-x-1\\&=4x^2-2x\end{aligned}$$

(2) $A+B=(-3x^2-x+3)+(4x^2-2x)=x^2-3x+3$

17 답 $\dfrac{11}{2}ab-\dfrac{3}{2}a^2$

셀파 (색칠한 부분의 넓이)=(직사각형 ABCD의 넓이)
$\qquad\qquad\qquad -(\triangle ABE+\triangle ECF+\triangle AFD)$

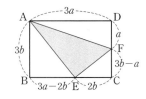

(직사각형 ABCD의 넓이)

$=3a\times3b=9ab$

$\triangle ABE=\dfrac{1}{2}\times3b\times(3a-2b)$

$\qquad\ =\dfrac{9}{2}ab-3b^2$

$\triangle ECF=\dfrac{1}{2}\times2b\times(3b-a)=3b^2-ab$

$\triangle AFD=\dfrac{1}{2}\times3a\times a=\dfrac{3}{2}a^2$

$\therefore$ (색칠한 부분의 넓이)=(직사각형 ABCD의 넓이)

$\qquad\qquad -(\triangle ABE+\triangle ECF+\triangle AFD)$

$$\begin{aligned}&=9ab-\left(\dfrac{9}{2}ab-3b^2+3b^2-ab+\dfrac{3}{2}a^2\right)\\&=9ab-\dfrac{7}{2}ab-\dfrac{3}{2}a^2\\&=\dfrac{11}{2}ab-\dfrac{3}{2}a^2\end{aligned}$$

18 답 (1) $24a^5b^2+12a^4b^3$ (2) $6a^3bh$ (3) $12a^2b+6ab^2$

셀파 (기둥의 부피)=(밑넓이)×(부피)

① 그릇 A에 들어 있는 물의 부피 구하기 [30 %]

(1) 그릇 A에 들어 있는 물의 부피는

$$\dfrac{1}{2}\times8a^3\times(2a+b)\times3ab^2=12a^4b^2(2a+b)$$
$$=24a^5b^2+12a^4b^3$$

② 그릇 B에 들어 있는 물의 부피 구하기 [30 %]

(2) 그릇 B에 들어 있는 물의 부피는

$$6a\times a^2b\times h=6a^3bh$$

③ 그릇 B의 높이 구하기 [40 %]

(3) $24a^5b^2+12a^4b^3=6a^3bh$에서

$$\begin{aligned}h&=(24a^5b^2+12a^4b^3)\div6a^3b\\&=\dfrac{24a^5b^2+12a^4b^3}{6a^3b}\\&=4a^2b+2ab^2\end{aligned}$$

그릇 B의 높이는 물의 높이의 3배이므로

$$(4a^2b+2ab^2)\times3=12a^2b+6ab^2$$

III. 일차부등식

5 부등식의 뜻과 성질

1-1 답 (1) ○ (2) × (3) ○ (4) ×

(1) 부등호 '>'가 있으므로 부등식이다.

(2) 부등호가 아닌 등호가 있으므로 부등식이 아니다.

(3) 부등호 '≤'가 있으므로 부등식 이다. → 등식 이다.

(4) 부등호가 없으므로 부등식이 아니다.

1-2 답 (1) ○ (2) × (3) ○ (4) ×

(1) 부등호 '≥'가 있으므로 부등식이다.

(2) 부등호가 아닌 등호가 있으므로 부등식이 아니다.

(3) 부등호 '<'가 있으므로 부등식이다. → 등식이다.

(4) 부등호가 없으므로 부등식이 아니다.

2-1 답 0, 1, 2

x의 값	좌변	부등호	우변	참, 거짓
0	$2 \times 0 - 1 = -1$	$<$	3	참
1	$2 \times 1 - 1 = 1$	$<$	3	참
2	$2 \times 2 - 1 = 3$	$=$	3	참
3	$2 \times 3 - 1 = 5$	$>$	3	거짓
4	$2 \times 4 - 1 = 7$	$>$	3	거짓

따라서 부등식 $2x-1 \leq 3$의 해는 0, $\boxed{1}$, $\boxed{2}$ 이다.

▌참고▌ 주어진 부등식이 $2x-1 \leq 3$이므로 $2x-1 < 3$ 또는 $2x-1 = 3$이 되는 x의 값이 부등식 $2x-1 \leq 3$의 해이다.

2-2 답 표: 풀이 참조, 해: 3, 4

x의 값	좌변	부등호	우변	참, 거짓
1	$1 + 1 = 2$	$<$	4	거짓
2	$2 + 1 = 3$	$<$	4	거짓
3	$3 + 1 = 4$	$=$	4	참
4	$4 + 1 = 5$	$>$	4	참

따라서 부등식 $x+1 \geq 4$의 해는 3, 4이다.

▌참고▌ 미지수가 1개인 일차방정식의 해는 보통 1개이지만, 부등식의 해는 부등식을 참이 되게 하는 수가 모두 해이므로 보통 여러 개이거나 범위로 주어진다.

3-1 답 (1) $<$ (2) $>$ (3) $>$

(1) $a < b$ $\xrightarrow[\text{5를 더한다.}]{\text{양변에}}$ $a + 5 < b + 5$

(2) $a < b$ $\xrightarrow[\text{-3으로 나눈다.}]{\text{양변을}}$ $a \div (-3) \boxed{>} b \div (-3)$

(3) $a < b$ $\xrightarrow[\text{-3을 곱한다.}]{\text{양변에}}$ $-3a \boxed{>} -3b$

$\xrightarrow[\text{2를 뺀다.}]{\text{양변에서}}$ $-3a - 2 \boxed{>} -3b - 2$

3-2 답 (1) $\geq$ (2) $\geq$ (3) $\geq$ (4) $\leq$

(1) $a \geq b$ $\xrightarrow[\text{1을 더한다.}]{\text{양변에}}$ $a + 1 \geq b + 1$

(2) $a \geq b$ $\xrightarrow[\text{3을 뺀다.}]{\text{양변에서}}$ $a - 3 \geq b - 3$

(3) $a \geq b$ $\xrightarrow[\text{5로 나눈다.}]{\text{양변을}}$ $a \div 5 \geq b \div 5$

(4) $a \geq b$ $\xrightarrow[\text{-1을 곱한다.}]{\text{양변에}}$ $-a \leq -b$

$\xrightarrow[\text{2를 더한다.}]{\text{양변에}}$ $-a + 2 \leq -b + 2$

4-1 답 (1) $>$ (2) $\leq$ (3) $>$

(1) $a - 4 > b - 4$

$a - 4 + 4 > b - 4 + 4$) 양변에 4를 더한다.

$\therefore a > b$

(2) $8a \leq 8b$

$8a \div 8 \leq 8b \div 8$) 양변을 8로 나눈다.

$\therefore a \boxed{\leq} b$

(3) $-3a + 2 < -3b + 2$

$-3a + 2 - 2 < -3b + 2 - 2$) 양변에서 2를 뺀다.

$-3a \boxed{<} -3b$

$-3a \div (-3) > -3b \div (-3)$) 양변을 -3으로 나눈다.

$\therefore a \boxed{>} b$

4-2 답 (1) $>$ (2) $\leq$ (3) $<$ (4) $\leq$

(1) $a + 5 > b + 5$

$a + 5 - 5 > b + 5 - 5$) 양변에서 5를 뺀다.

$\therefore a > b$

(2) $a - 1 \leq b - 1$

$a - 1 + 1 \leq b - 1 + 1$) 양변에 1을 더한다.

$\therefore a \leq b$

(3) $-\dfrac{a}{4} > -\dfrac{b}{4}$

$-\dfrac{a}{4} \times (-4) < -\dfrac{b}{4} \times (-4)$) 양변에 -4를 곱한다.

$\therefore a < b$

(4)
$$2a-1\leq2b-1$$
$$2a-1+1\leq2b-1+1$$ ⟩ 양변에 1을 더한다.
$$2a\leq2b$$
$$2a\div2\leq2b\div2$$ ⟩ 양변을 2로 나눈다.
$$\therefore a\leq b$$

유형 익히기 – 확인 문제

본문 | 76~78 쪽

01 답 ㉢, ㉣

[셀파] 식에 부등호가 있으면 부등식이다.

㉠ $x-5$는 x에 대한 다항식이다.

㉡ $a+5=7$은 등호 '='가 있으므로 등식이다.

㉢ $0<-3$은 부등호 '<'가 있으므로 부등식이다.

㉣ $\frac{2}{3}x-x+2\leq10$은 부등호 '≤'가 있으므로 부등식이다.

02 답 (1) $x-3<5$ (2) $3x+500\leq3000$

[셀파] 좌변과 우변, 부등호를 각각 정한다.

(1) x에서 3을 뺀 수는 / 5 / 보다 작다.
⇨ $x-3$ < 5

(2) x원짜리 연필 3자루와 500원짜리 지우개 1개의 가격의 합은 / 3000원을 / 넘지 않는다.
⇨ $3x+500$ ≤ 3000

03 답 ④

[셀파] 주어진 수를 각 부등식의 x에 대입했을 때, 참이 되는 것을 찾는다.

① $x=0$을 $2x+3<0$에 대입하면 $2\times0+3<0$
즉 $3<0$이므로 거짓

② $x=-1$을 $3x+4>1$에 대입하면 $3\times(-1)+4>1$
즉 $1>1$이므로 거짓

③ $x=-2$를 $-x+5<7$에 대입하면 $-(-2)+5<7$
즉 $7<7$이므로 거짓

④ $x=1$을 $x+3\geq4-x$에 대입하면 $1+3\geq4-1$
즉 $4\geq3$이므로 참

⑤ $x=-2$를 $2x+8\leq1-x$에 대입하면
$2\times(-2)+8\leq1-(-2)$, 즉 $4\leq3$이므로 거짓

따라서 [ ] 안의 수가 부등식의 해인 것은 ④이다.

04 답 ②

[셀파] 부등식의 성질을 이용한다.

① $a\leq b$의 양변에 2를 곱하면 $2a\leq2b$
$2a\leq2b$의 양변에 1을 더하면 $2a+1\leq2b+1$

② $a\leq b$의 양변에 -3을 곱하면 $-3a\geq-3b$
$-3a\geq-3b$의 양변에 5를 더하면
$5-3a\geq5-3b$

③ $a\leq b$의 양변을 5로 나누면 $\frac{a}{5}\leq\frac{b}{5}$
$\frac{a}{5}\leq\frac{b}{5}$의 양변에 -2를 더하면
$-2+\frac{a}{5}\leq-2+\frac{b}{5}$

④ $a\leq b$의 양변을 -4로 나누면 $-\frac{a}{4}\geq-\frac{b}{4}$
$-\frac{a}{4}\geq-\frac{b}{4}$의 양변에 1을 더하면
$-\frac{a}{4}+1\geq-\frac{b}{4}+1$

⑤ $a\leq b$의 양변에서 1을 빼면 $a-1\leq b-1$
$a-1\leq b-1$의 양변을 2로 나누면
$\frac{a-1}{2}\leq\frac{b-1}{2}$

05 답 ③

[셀파] 부등식의 성질을 이용하여 a,b의 크기를 비교한다.

$-4a+2<-4b+2$의 양변에서 2를 빼면 $-4a<-4b$
$-4a<-4b$의 양변을 -4로 나누면 $a>b$ (①)

② $a>b$의 양변에 -3을 곱하면 $-3a<-3b$

③ $a>b$의 양변에 3을 곱하면 $3a>3b$
$3a>3b$의 양변에서 1을 빼면 $3a-1>3b-1$

④ $a>b$의 양변을 -3으로 나누면 $-\frac{a}{3}<-\frac{b}{3}$
$-\frac{a}{3}<-\frac{b}{3}$의 양변에 2를 더하면 $2-\frac{a}{3}<2-\frac{b}{3}$

⑤ $a>b$의 양변을 2로 나누면 $\frac{a}{2}>\frac{b}{2}$

06 답 (1) $-18\leq5x+2\leq2$ (2) $-1\leq-2x-1\leq7$

[셀파] 주어진 식의 계수를 보고, 부등식의 각 변에 곱해야 하는 수를 찾는다.

(1) $-4\leq x\leq0$의 각 변에 5를 곱하면 $-20\leq5x\leq0$
각 변에 2를 더하면 $-18\leq5x+2\leq2$

(2) $-4\leq x\leq0$의 각 변에 -2를 곱하면
$8\geq-2x\geq0$ ← 음수를 곱하므로 부등호의 방향이 바뀐다.
각 변에서 1을 빼면 $7\geq-2x-1\geq-1$
$\therefore -1\leq-2x-1\leq7$

01 답 2개

셀파 부등호가 있는 식을 찾는다.

㉠ $x-3>2x+3$ ⇨ 부등호가 있으므로 부등식이다.

㉡ $2x-1+5x-3$ ⇨ 다항식이다.

㉢ $x-2>-(2-x)$ ⇨ 부등호가 있으므로 부등식이다.

㉣ $3x-4=2x+1$ ⇨ 등식이다.

따라서 부등식은 ㉠, ㉢의 2개이다.

02 답 ②

셀파 좌변과 우변, 부등호를 정한다.

① $1\le x<4$

② '크지 않다.'는 '작거나 같다.'와 같은 뜻이므로 $2a-3\le-5$

③ $10x<450$

④ 10년 후의 나이는 $(x+10)$세이고, x세의 2배는 $2x$세이므로
$x+10>2x$

⑤ 무게 단위를 kg으로 통일하면 0.5 kg짜리 귤 x개의 무게는
$(0.5\times x)$ kg, 즉 $0.5x$ kg이므로 $1+0.5x\ge5$

‖참고‖ ⑤ 무게 단위를 g으로 통일하여 다음과 같이 나타낼 수도 있다. 바구니의 무게는 1000 g, 500 g짜리 귤 x개의 무게는 $(500\times x)$ g, 즉 $500x$ g, 전체 무게는 5000 g 이상이므로 $1000+500x\ge5000$

03 답 ④

셀파 $x=1$을 부등식에 대입했을 때, 부등식이 거짓이 되는 것을 찾는다.

① $x=1$을 $2x>x-1$에 대입하면 $2\times1>1-1$
즉 $2>0$이므로 참

② $x=1$을 $-\dfrac{x}{4}\ge-1$에 대입하면 $-\dfrac{1}{4}\ge-1$이므로 참

③ $x=1$을 $2(x-2)\le0$에 대입하면 $2\times(1-2)\le0$
즉 $-2\le0$이므로 참

④ $x=1$을 $3x+1<0$에 대입하면 $3\times1+1<0$
즉 $4<0$이므로 거짓

⑤ $x=1$을 $\dfrac{x-1}{5}\ge-1$에 대입하면 $\dfrac{1-1}{5}\ge-1$
즉 $0\ge-1$이므로 참

따라서 $x=1$이 해가 아닌 부등식은 ④이다.

04 답 ④

셀파 주어진 수를 부등식의 x에 대입하여 부등식이 거짓이 되는 것을 찾는다.

① $x=5$를 $x+1>2$에 대입하면 $5+1>2$, 즉 $6>2$이므로 참

② $x=0$을 $x\le2x$에 대입하면 $0\le2\times0$, 즉 $0\le0$이므로 참

③ $x=3$을 $2x-3\le4$에 대입하면 $2\times3-3\le4$
즉 $3\le4$이므로 참

④ $x=-2$를 $-x+3<5$에 대입하면 $-(-2)+3<5$

즉 $5<5$이므로 거짓

⑤ $x=-1$을 $3x<x+1$에 대입하면 $3\times(-1)<-1+1$
즉 $-3<0$이므로 참

따라서 [ ] 안의 수가 부등식의 해가 아닌 것은 ④이다.

05 답 3

셀파 주어진 x의 값을 부등식에 각각 대입한다.

① 부등식을 참이 되게 하는 x의 값 구하기 [70 %]

$x=-2, -1, 0, 1, 2$를 $3x-1>2x-2$에 각각 대입해 보면

$x=-2$일 때, $3\times(-2)-1>2\times(-2)-2$
즉 $-7>-6$이므로 거짓

$x=-1$일 때, $3\times(-1)-1>2\times(-1)-2$
즉 $-4>-4$이므로 거짓

$x=0$일 때, $3\times0-1>2\times0-2$, 즉 $-1>-2$이므로 참

$x=1$일 때, $3\times1-1>2\times1-2$, 즉 $2>0$이므로 참

$x=2$일 때, $3\times2-1>2\times2-2$, 즉 $5>2$이므로 참

따라서 부등식 $3x-1>2x-2$를 참이 되게 하는 x의 값은 $0, 1, 2$ 이다.

② x의 값의 합 구하기 [30 %]

그러므로 구하는 합은 $0+1+2=3$

06 답 ⑤

셀파 부등식의 양변에 같은 음수를 곱하거나 양변을 같은 음수로 나누면 부등호의 방향이 바뀐다.

① $a<b$에서 $a-7$ $\boxed{<}$ $b-7$

② $a<b$에서 $2a<2b$ ∴ $2a-3$ $\boxed{<}$ $2b-3$

③ $2-(-a)=2+a, 2-(-b)=2+b$이므로
$a<b$에서 $2+a<2+b$ ∴ $2-(-a)$ $\boxed{<}$ $2-(-b)$

④ $a<b$에서 $\dfrac{a}{5}$ $\boxed{<}$ $\dfrac{b}{5}$

⑤ $a<b$에서 $-\dfrac{a}{4}>-\dfrac{b}{4}$ ∴ $-\dfrac{a}{4}+1$ $\boxed{>}$ $-\dfrac{b}{4}+1$

07 답 ⑤

셀파 $-3x>6$의 양변을 -3으로 나누어야 한다.

$-3x>6$을 $x<-2$로 바꾸려면 $-3x>6$의 양변을 -3으로 나누어야 한다. 이때 음수로 나누었으므로 부등호의 방향이 바뀐다.

따라서 이용한 부등식의 성질은 ⑤ $a>b, c<0$이면 $\dfrac{a}{c}<\dfrac{b}{c}$이다.

08 답 ③

셀파 a, b의 크기를 먼저 비교한다.

$-3a-4<-3b-4$의 양변에 4를 더하면 $-3a<-3b$ (②)

양변을 -3으로 나누면 $a>b$ (①)

③ $a>b$의 양변에 5를 곱하면 $5a>5b$

$5a>5b$의 양변에서 3을 빼면 $5a-3>5b-3$

④ $a>b$의 양변을 4로 나누면 $\dfrac{a}{4}>\dfrac{b}{4}$

⑤ $a>b$의 양변을 -2로 나누면 $-\dfrac{a}{2}<-\dfrac{b}{2}$

$-\dfrac{a}{2}<-\dfrac{b}{2}$의 양변에 3을 더하면 $3-\dfrac{a}{2}<3-\dfrac{b}{2}$

09 답 (1) (가) -2, (나) 5 (2) 4

셀파 부등식의 성질을 이용하여 $5-2x$의 값의 범위를 구한다.

(1) $1<x<3$에서 x를 $5-2x$로 바꾸려면
 ① $1<x<3$의 각 변에 (가) -2 를 곱한다.
  ⇨ $-2>-2x>-6$
 ② ①의 각 변에 (나) 5 를 더한다.
  ⇨ $3>-2x+5>-1$ ∴ $-1<5-2x<3$

(2) $-1<5-2x<3$이므로 $a=-1$, $b=3$
 ∴ $b-a=4$

10 답 (1) $-2\le x<2$ (2) $-2<-3x+4\le10$

셀파 부등식의 성질을 이용하여 x의 값의 범위를 구한다.

① x의 값의 범위 구하기 [50 %]

(1) $-1\le2x+3<7$의 각 변에서 3을 빼면 $-4\le2x<4$
 각 변을 2로 나누면 $-2\le x<2$

② $-3x+4$의 값의 범위 구하기 [50 %]

(2) $-2\le x<2$의 각 변에 -3을 곱하면
 $6\ge-3x>-6$, 즉 $-6<-3x\le6$
 각 변에 4를 더하면 $-2<-3x+4\le10$

11 답 ③

셀파 부등식의 양변을 같은 음수로 나누면 부등호의 방향이 바뀐다.

① $a<b$이므로 $-a>-b$ ∴ $1-a>1-b$
② $a<0$이므로 $a<b$의 양변에 a를 곱하면 $a^2>ab$
③ $a<b$의 양변에서 b를 빼면 $a-b<0$
④ $ab>0$이므로 $a<b$의 양변을 ab로 나누면
 $\dfrac{1}{b}<\dfrac{1}{a}$ ∴ $\dfrac{1}{a}>\dfrac{1}{b}$
⑤ $c>0$이면 $\dfrac{a}{c}<\dfrac{b}{c}$이지만, $c<0$이면 $\dfrac{a}{c}>\dfrac{b}{c}$이다.

12 답 ②

셀파 $c<0<a<b$

① $a<b$이므로 $a+c<b+c$
② $c<a$이므로 $c-b<a-b$
③ $a<b$이고 $c<0$이므로 $ac>bc$
④ $c<b$이고 $a>0$이므로 $\dfrac{c}{a}<\dfrac{b}{a}$
⑤ $a<b$이므로 $-3a>-3b$ ∴ $1-3a>1-3b$

---

6 일차부등식의 풀이

개념 익히기

본문 | 85, 87 쪽

1-1 답 (1) ○ (2) × (3) ○

(1) 우변에 있는 $2x$를 좌변으로 이항하면 $x+1-2x>0$
 ∴ $-x+1>0$ ⇨ 일차부등식이다.

(2) 우변에 있는 3과 $-x$를 좌변으로 이항하면
 $-x+2-3+x>0$ ∴ $\boxed{-1}>0$
 ⇨ $\boxed{\text{일차부등식이 아니다.}}$

(3) 우변에 있는 x^2과 $-3x$를 좌변으로 이항하면
 $x^2+2-x^2+3x<0$ ∴ $\boxed{3x+2}<0$
 ⇨ $\boxed{\text{일차부등식이다.}}$

1-2 답 (1) × (2) ○ (3) × (4) ○

(1) 우변에 있는 x를 좌변으로 이항하면 $x+2-x<0$
 ∴ $2<0$ ⇨ 일차부등식이 아니다.

(2) 우변에 있는 1과 $-2x$를 좌변으로 이항하면 $2x-5-1+2x>0$
 ∴ $4x-6>0$ ⇨ 일차부등식이다.

(3) 좌변의 괄호를 풀면 $x^2-2x<3$
 우변에 있는 3을 좌변으로 이항하면 $x^2-2x-3<0$
 ⇨ 일차부등식이 아니다.

(4) 우변에 있는 x^2과 -5를 좌변으로 이항하면 $x^2+x-x^2+5\le0$
 ∴ $x+5\le0$ ⇨ 일차부등식이다.

2-1 답 풀이 참조
 ① 수직선 위에 수 $\boxed{3}$ 을 나타낸다.
 ② 부등호에 등호가 없으므로 3에 대응하는 점을 ○으로 나타낸다.
 ③ 'x는 3보다 크다.'이므로 3에서 $\boxed{\text{오른쪽}}$ 으로 화살표를 그린다.

2-2 답 (1) 풀이 참조 (2) 풀이 참조
    (3) 풀이 참조 (4) 풀이 참조

(1) $x>-1$
 오른쪽 그림과 같이 수직선 위에 -1에 대응하는 점을 ○으로 나타내고, -1에 서 오른쪽으로 화살표를 그린다.

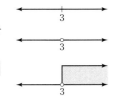

(2) $x<5$

오른쪽 그림과 같이 수직선 위에 5에 대
응하는 점을 ○으로 나타내고, 5에서 왼
쪽으로 화살표를 그린다.

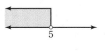

(3) $x\geq 7$

오른쪽 그림과 같이 수직선 위에 7에 대
응하는 점을 ●으로 나타내고, 7에서 오
른쪽으로 화살표를 그린다.

(4) $x\leq -4$

오른쪽 그림과 같이 수직선 위에 -4에
대응하는 점을 ●으로 나타내고, -4에
서 왼쪽으로 화살표를 그린다.

3-1 답 $x<3$

① x를 포함한 항은 좌변으로, 상수항은 우변으로 이항하면
$\Rightarrow 3x-x<4+2$

② 양변을 정리하면 $\Rightarrow 2x< \boxed{6}$

③ 양변을 x의 계수 2로 나누면 $\Rightarrow x \boxed{<} 3$

3-2 답 (1) $x>-1$ (2) $x\leq -7$ (3) $x\geq 3$

(1) $2x+1>-1$에서

좌변에 있는 1을 우변으로 이항하면 $2x>-1-1$

양변을 정리하면 $2x>-2$

양변을 x의 계수 2로 나누면 $x>-1$

(2) $2x-3\geq 5x+18$에서

우변에 있는 $5x$를 좌변으로, 좌변에 있는 -3을 우변으로 이항
하면 $2x-5x\geq 18+3$

양변을 정리하면 $-3x\geq 21$

양변을 x의 계수 -3으로 나누면 $x\leq -7$

(3) $12-4x\leq x-3$에서

우변에 있는 x를 좌변으로, 좌변에 있는 12를 우변으로 이항하
면 $-4x-x\leq -3-12$

양변을 정리하면 $-5x\leq -15$

양변을 x의 계수 -5로 나누면 $x\geq 3$

4-1 답 (1) $x<3$ (2) $x\geq 1$ (3) $x\leq -2$

(1) ① 괄호를 푼다. $\Rightarrow 2x-2-3<1$, 즉 $2x-5<1$

② 이항하여 $ax<b$ 꼴로 정리한다.
$\Rightarrow 2x<1+5$, 즉 $2x< \boxed{6}$

③ 양변을 x의 계수로 나눈다. $\Rightarrow x<3$

(2) ① 양변에 $\boxed{100}$을 곱한다.
$\Rightarrow (0.21x-0.2)\times 100 \geq 0.01\times 100$
즉 $21x-20\geq 1$

② 이항하여 $ax\geq b$ 꼴로 정리한다.
$\Rightarrow 21x\geq 1+20$, 즉 $21x\geq 21$

③ 양변을 x의 계수로 나눈다. $\Rightarrow x\geq 1$

(3) ① 양변에 분모의 최소공배수 $\boxed{6}$을 곱한다.
$\Rightarrow \left(\dfrac{1}{6}x-\dfrac{2}{3}\right)\times 6 \geq \dfrac{1}{2}x\times 6$
즉 $x-4\geq 3x$

② 이항하여 $ax\geq b$ 꼴로 정리한다.
$\Rightarrow x-3x\geq 4$, 즉 $-2x\geq 4$

③ 양변을 x의 계수로 나눈다. $\Rightarrow x \boxed{\leq} -2$

4-2 답 (1) $x<9$ (2) $x\geq \dfrac{5}{2}$ (3) $x>10$
(4) $x<-40$ (5) $x\leq 24$ (6) $x>2$

(1) $4(x-3)<2x+6$의 괄호를 풀면
$4x-12<2x+6$
$2x<18$ $\therefore x<9$

(2) $2(x+1)\leq 3(2x-5)+7$의 괄호를 풀면
$2x+2\leq 6x-15+7$
$-4x\leq -10$ $\therefore x\geq \dfrac{5}{2}$

(3) $0.2x-0.5>1.5$의 양변에 10을 곱하면
$(0.2x-0.5)\times 10>1.5\times 10$
즉 $2x-5>15$
$2x>20$ $\therefore x>10$

(4) $0.05x+1.2>0.07x+2$의 양변에 100을 곱하면
$(0.05x+1.2)\times 100>(0.07x+2)\times 100$
즉 $5x+120>7x+200$
$-2x>80$ $\therefore x<-40$

(5) $\dfrac{x}{3}+1\geq \dfrac{2}{5}x-\dfrac{3}{5}$의 양변에 분모의 최소공배수 15를 곱하면
$\left(\dfrac{x}{3}+1\right)\times 15 \geq \left(\dfrac{2}{5}x-\dfrac{3}{5}\right)\times 15$
즉 $5x+15\geq 6x-9$
$-x\geq -24$ $\therefore x\leq 24$

(6) $\dfrac{x+2}{4}<\dfrac{2x-1}{3}$의 양변에 분모의 최소공배수 12를 곱하면
$\dfrac{x+2}{4}\times 12<\dfrac{2x-1}{3}\times 12$
즉 $3(x+2)<4(2x-1)$
$3x+6<8x-4$, $-5x<-10$ $\therefore x>2$

01 답 ③

셀파 부등식의 우변에 있는 항을 좌변으로 이항하여 정리하였을 때, 좌변이 일차식이면 일차부등식이다.

① $2x+3>x$에서 $x+3>0$ ⇨ 일차부등식이다.

② $\dfrac{x}{2}\geq -x+2$에서 $\dfrac{3}{2}x-2\geq 0$ ⇨ 일차부등식이다.

③ $2x-5<1+2x$에서 $-6<0$ ⇨ 일차부등식이 아니다.

④ $x^2-4>x^2-3x$에서 $3x-4>0$ ⇨ 일차부등식이다.

⑤ $-x+7\geq x+7$에서 $-2x\geq 0$ ⇨ 일차부등식이다.

02 답 (1) $x\geq 16$, 그림: 풀이 참조
     (2) $x<-5$, 그림: 풀이 참조

셀파 부등식의 성질을 이용하여 $x\ \square$ (수) 꼴로 나타낸다.

(1) $\dfrac{1}{4}x+1\geq 5$

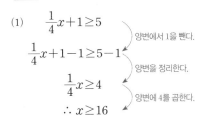

양변에서 1을 뺀다.

$\dfrac{1}{4}x+1-1\geq 5-1$

양변을 정리한다.

$\dfrac{1}{4}x\geq 4$

양변에 4를 곱한다.

$\therefore x\geq 16$

이때 $x\geq 16$을 수직선 위에 나타내면 오른쪽 그림과 같다.

(2) $-x-2>3$

양변에 2를 더한다.

$-x-2+2>3+2$

양변을 정리한다.

$-x>5$

양변에 -1을 곱한다.

$\therefore x<-5$

이때 $x<-5$를 수직선 위에 나타내면 오른쪽 그림과 같다.

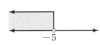

03 답 (1) $x\leq -5$ (2) $x<4$ (3) $x>0$ (4) $x\geq -10$

셀파 괄호가 있으면 분배법칙을 이용하여 괄호를 먼저 푼다.

(1) $3x+4\leq x-6$에서 $2x\leq -10$
   $\therefore x\leq -5$

(2) $4x+1>7x-11$에서 $-3x>-12$
   $\therefore x<4$

(3) $2(x-3)>x-6$의 괄호를 풀면
   $2x-6>x-6$ $\therefore x>0$

(4) $x+2(x-1)\leq 4(x+2)$의 괄호를 풀면
   $x+2x-2\leq 4x+8$, $-x\leq 10$
   $\therefore x\geq -10$

04 답 (1) $x\leq 35$ (2) $x>\dfrac{7}{2}$ (3) $x>-20$ (4) $x\leq 7$

셀파 계수를 정수로 고친 다음 푼다.

(1) $0.03x+0.02\leq 1.07$의 양변에 100을 곱하면
   $3x+2\leq 107$, $3x\leq 105$
   $\therefore x\leq 35$

(2) $-0.3(2x-1)>0.2(5-4x)$의 양변에 10을 곱하면
   $-3(2x-1)>2(5-4x)$
   괄호를 풀면 $-6x+3>10-8x$
   $2x>7$ $\therefore x>\dfrac{7}{2}$

(3) $\dfrac{x}{4}-\dfrac{x}{2}-1<4$의 양변에 4를 곱하면
   $x-2x-4<16$, $-x<20$
   $\therefore x>-20$

(4) $\dfrac{2x+4}{3}+2\geq \dfrac{5x-3}{4}$의 양변에 12를 곱하면
   $4(2x+4)+24\geq 3(5x-3)$
   괄호를 풀면 $8x+16+24\geq 15x-9$
   $-7x\geq -49$ $\therefore x\leq 7$

05 답 -2

셀파 $3x+4+a\leq 2(x+3)$을 $x\leq$ (수) 꼴로 나타낸 다음, $x\leq 4$와 비교한다.

$3x+4+a\leq 2(x+3)$의 괄호를 풀면 $3x+4+a\leq 2x+6$
$\therefore x\leq 2-a$
이때 $x\leq 2-a$와 $x\leq 4$가 같으므로 $2-a=4$
$-a=2$ $\therefore a=-2$

06 답 3

셀파 두 일차부등식을 각각 풀어 해를 비교한다.

$3x-7\leq 2$에서 $3x\leq 9$ $\therefore x\leq 3$
$2x-3\geq 3x-2a$에서 $-x\geq -2a+3$
$\therefore x\leq 2a-3$
이때 $x\leq 3$과 $x\leq 2a-3$이 같으므로 $3=2a-3$
$-2a=-6$ $\therefore a=3$

07 답 1. $x > -\dfrac{3}{a}$ 2. $x > 5$

셀파 주어진 부등식을 $Ax > B$ 또는 $Ax < B$ 꼴로 정리하였을 때, x의 계수 A의 부호를 알아본다.

1. $-ax + 3 > 6$에서 $-ax > 3$
   이때 $a < 0$이므로 $-a > 0$
   부등식 $-ax > 3$의 양변을 양수 $-a$로 나누면 $x > -\dfrac{3}{a}$

2. $ax + 5 < x + 5a$에서 $ax - x < 5a - 5$
   $(a-1)x < 5(a-1)$
   이때 $a < 1$이므로 $a - 1 < 0$
   부등식 $(a-1)x < 5(a-1)$의 양변을 음수 $a-1$로 나누면
   $x > \dfrac{5(a-1)}{a-1}$ ∴ $x > 5$

08 답 $-16 \le a < -11$

셀파 조건을 만족하도록 부등식의 해를 수직선 위에 나타내어 본다.

$9 - 5x > a$에서 $-5x > a - 9$ ∴ $x < \dfrac{9-a}{5}$

이를 만족하는 자연수 x가 4개이므로 1, 2, 3, 4가 포함되도록 해를 수직선 위에 나타내면 오른쪽 그림과 같다.

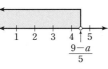

(i) $\dfrac{9-a}{5} = 4$일 때, 자연수 x가 1, 2, 3의 3개이므로 4는 포함되지 않는다.

(ii) $\dfrac{9-a}{5} = 5$일 때, 자연수 x가 1, 2, 3, 4의 4개이므로 5는 포함된다.

(i), (ii)에서 $4 < \dfrac{9-a}{5} \le 5$이므로 $20 < 9 - a \le 25$

$11 < -a \le 16$ ∴ $-16 \le a < -11$

집중 연습   일차부등식의 풀이

본문 | 93쪽

1 답 (1) $x \ge -1$ (2) $x > 4$ (3) $x \ge 4$ (4) $x \le 2$

(1) $4x + 5 \ge 2x + 3$에서 $2x \ge -2$ ∴ $x \ge -1$

(2) $-3x + 1 < -x - 7$에서 $-2x < -8$ ∴ $x > 4$

(3) $-(x - 10) \le 2(x - 1)$의 괄호를 풀면
   $-x + 10 \le 2x - 2$, $-3x \le -12$
   ∴ $x \ge 4$

(4) $8 - 2(x + 2) \ge 3(x - 2)$의 괄호를 풀면
   $8 - 2x - 4 \ge 3x - 6$, $-5x \ge -10$
   ∴ $x \le 2$

2 답 (1) $x < -11$ (2) $x < 10$ (3) $x \ge 3$

(1) $0.8x + 1.5 < 0.3x - 4$의 양변에 10을 곱하면
   $8x + 15 < 3x - 40$, $5x < -55$
   ∴ $x < -11$

(2) $0.04x - 0.3 < -0.01x + 0.2$의 양변에 100을 곱하면
   $4x - 30 < -x + 20$, $5x < 50$
   ∴ $x < 10$

(3) $x \ge 0.3(x + 7)$의 양변에 10을 곱하면
   $10x \ge 3(x + 7)$, $10x \ge 3x + 21$
   $7x \ge 21$ ∴ $x \ge 3$

3 답 (1) $x < 3$ (2) $x \le -1$ (3) $x \ge -\dfrac{7}{8}$

(1) $\dfrac{x}{2} < \dfrac{x}{6} + 1$의 양변에 6을 곱하면 $3x < x + 6$
   $2x < 6$ ∴ $x < 3$

(2) $\dfrac{x-4}{5} \ge \dfrac{x-1}{2}$의 양변에 10을 곱하면
   $2(x - 4) \ge 5(x - 1)$, $2x - 8 \ge 5x - 5$
   $-3x \ge 3$ ∴ $x \le -1$

(3) $\dfrac{1-2x}{4} \le \dfrac{3x+4}{2}$의 양변에 4를 곱하면
   $1 - 2x \le 2(3x + 4)$, $1 - 2x \le 6x + 8$
   $-8x \le 7$ ∴ $x \ge -\dfrac{7}{8}$

4 답 (1) $x < 1$ (2) $x \ge 2$ (3) $x > -16$ (4) $x \ge -\dfrac{1}{3}$

(1) $0.3(2x + 1) - \dfrac{1}{2} < 0.4x$의 양변에 10을 곱하면
   $3(2x + 1) - 5 < 4x$, $6x + 3 - 5 < 4x$
   $2x < 2$ ∴ $x < 1$

(2) $\dfrac{2+3x}{5} \le 0.2(7x - 6)$의 양변에 10을 곱하면
   $2(2 + 3x) \le 2(7x - 6)$, $4 + 6x \le 14x - 12$
   $-8x \le -16$ ∴ $x \ge 2$

(3) $\dfrac{1}{4}x + 0.6 > 0.2x - \dfrac{1}{5}$에서 소수를 분수로 고치면
   $\dfrac{1}{4}x + \dfrac{3}{5} > \dfrac{1}{5}x - \dfrac{1}{5}$
   양변에 20을 곱하면 $5x + 12 > 4x - 4$ ∴ $x > -16$

(4) $\dfrac{2x-1}{3} - \dfrac{x+2}{6} \le x - 0.5$에서 소수를 분수로 고치면
   $\dfrac{2x-1}{3} - \dfrac{x+2}{6} \le x - \dfrac{1}{2}$
   양변에 6을 곱하면 $2(2x - 1) - (x + 2) \le 6x - 3$
   $4x - 2 - x - 2 \le 6x - 3$, $-3x \le 1$
   ∴ $x \ge -\dfrac{1}{3}$

01 답 ③

셀파 우변에 있는 모든 항을 좌변으로 이항하여 정리하였을 때, 좌변이 일차식인 것을 찾는다.

① $-1 \leq 1$에서 $-2 \leq 0$ ⇨ 일차부등식이 아니다.

② $5x-1 \leq 5x$에서 $-1 \leq 0$ ⇨ 일차부등식이 아니다.

③ $x-2 > 5+3x$에서 $-2x-7 > 0$ ⇨ 일차부등식이다.

④ $-x \geq x^2-1$에서 $-x^2-x+1 \geq 0$ ⇨ 일차부등식이 아니다.

⑤ $6x^2-2 \geq 3(2x^2-4)$에서 $6x^2-2 \geq 6x^2-12$

    ∴ $10 \geq 0$ ⇨ 일차부등식이 아니다.

02 답 (가) ㉠, (나) ㉢

셀파 부등식의 성질을 이용하여 $x >$ (수) 꼴로 만드는 과정이다.

$$-2x+3 < -5 \quad\text{(가) 양변에서 3을 뺀다.}$$
$$-2x < -8 \quad\text{(나) 양변을 } -2\text{로 나눈다.}$$
$$\therefore x > 4$$

따라서

(가) 부등식의 양변에서 같은 수를 빼어도 부등호의 방향은 바뀌지 않는다.   ∴ ㉠

(나) 부등식의 양변을 같은 음수로 나누면 부등호의 방향이 바뀐다.   ∴ ㉢

03 답 ④

셀파 각 부등식의 해를 구한다.

① $-2x > -6$에서 $x < 3$

② $4x-1 < 11$에서 $4x < 12$ ∴ $x < 3$

③ $-3x+7 > -2$에서 $-3x > -9$ ∴ $x < 3$

④ $-x+3 > -3x+9$에서 $2x > 6$ ∴ $x > 3$

⑤ $2+4x < 5+3x$에서 $x < 3$

따라서 부등식 중 해가 나머지 넷과 다른 하나는 ④이다.

04 답 -6

셀파 주어진 일차부등식을 풀어 x의 값의 범위를 구한다.

① 주어진 일차부등식의 해 구하기 [40 %]

$4-(5+3x) > -2(x-2)$의 괄호를 풀면

$4-5-3x > -2x+4$, $-x > 5$

∴ $x < -5$

② A의 값의 범위 구하기 [40 %]

$x < -5$에서 $2x < -10$

∴ $2x+5 < -5$, 즉 $A < -5$

③ 가장 큰 정수 A의 값 구하기 [20 %]

따라서 가장 큰 정수 A의 값은 -6이다.

05 답 -5

셀파 분모 4와 3의 최소공배수 12를 양변에 곱한다.

$\dfrac{x-1}{4} - \dfrac{3+2x}{3} < 1$의 양변에 12를 곱하면

$3(x-1)-4(3+2x) < 12$

$3x-3-12-8x < 12$

$-5x < 27$ ∴ $x > -\dfrac{27}{5}$

이때 $-\dfrac{27}{5} = -5.4$이므로 $x > -\dfrac{27}{5}$을 만족하는 x의 값 중 가장 작은 정수는 -5이다.

06 답 4

셀파 양변에 적당한 수를 곱하여 계수를 정수로 바꾼다.

$\dfrac{1}{4} - \dfrac{x-1}{2} > x$의 양변에 4를 곱하면 $1-2(x-1) > 4x$

$1-2x+2 > 4x$, $-6x > -3$

∴ $x < \dfrac{1}{2}$, 즉 $a = \dfrac{1}{2}$

$0.35x-0.4 > 0.2x+0.05$의 양변에 100을 곱하면

$35x-40 > 20x+5$, $15x > 45$

∴ $x > 3$, 즉 $b = 3$

∴ $2a+b = 2 \times \dfrac{1}{2} + 3 = 4$

07 답 ③

셀파 양변에 10을 곱하여 계수를 정수로 바꾼다.

$\dfrac{1}{5}(3x+2) \geq 0.4x+1$의 양변에 10을 곱하면

$2(3x+2) \geq 4x+10$, $6x+4 \geq 4x+10$

$2x \geq 6$ ∴ $x \geq 3$

따라서 일차부등식의 해를 수직선 위에 나타내면 오른쪽 그림과 같다.

08 답 -3

셀파 $ax-5 > 4$의 해가 $x < -3$이다.

주어진 그림은 $x < -3$을 나타낸다.

이때 $ax-5 > 4$에서 $ax > 9$

$ax > 9$와 $x < -3$의 부등호의 방향이 다르므로 a는 음수이다.

$ax > 9$의 양변을 음수 a로 나누면 $x < \dfrac{9}{a}$

따라서 $\dfrac{9}{a} = -3$이어야 하므로 $a = -3$

09 답 7

셀파 주어진 부등식의 해를 각각 구한다.

$x-2<3x+4$에서 $-2x<6$ $\therefore x>-3$

$5x+a>-2(1-x)$에서 $5x+a>-2+2x$

$3x>-2-a$ $\therefore x>\dfrac{-2-a}{3}$

이때 $x>-3$과 $x>\dfrac{-2-a}{3}$가 같으므로

$-3=\dfrac{-2-a}{3}$, $-9=-2-a$ $\therefore a=7$

10 답 $x>1$

셀파 x의 계수의 부호를 따져 본다.

$3x+a>ax+3$에서 $3x-ax>3-a$

$(3-a)x>3-a$

이때 $a<3$이므로 $3-a>0$

부등식 $(3-a)x>3-a$의 양변을 양수 $3-a$로 나누면

$x>\dfrac{3-a}{3-a}$ $\therefore x>1$

11 답 $x\geq\dfrac{9}{5}$

셀파 순환소수를 분수로 나타낸다.

① 순환소수를 분수로 나타내기 [30 %]

$0.\dot{4}x-0.\dot{3}x\leq\dfrac{3x-5}{2}$에서

$0.\dot{4}=\dfrac{4}{9}$, $0.\dot{3}=\dfrac{3}{9}=\dfrac{1}{3}$이므로

$\dfrac{4}{9}x-\dfrac{1}{3}x\leq\dfrac{3x-5}{2}$

② 계수를 정수로 바꾸기 [30 %]

양변에 9, 3, 2의 최소공배수 18을 곱하면

$8x-6x\leq9(3x-5)$

③ 부등식 풀기 [40 %]

$8x-6x\leq27x-45$, $-25x\leq-45$

$\therefore x\geq\dfrac{9}{5}$

LECTURE 순환소수를 분수로 나타내기

- $0.\dot{a}=\dfrac{a}{9}$
- $0.\dot{a}\dot{b}=\dfrac{ab}{99}$
- $0.\dot{a}b\dot{c}=\dfrac{abc}{999}$
- $0.a\dot{b}=\dfrac{ab-a}{90}$
- $0.a\dot{b}\dot{c}=\dfrac{abc-ab}{900}$
- $0.ab\dot{c}=\dfrac{abc-ab}{990}$

12 답 $x\leq\dfrac{1}{ab}$

셀파 a,b의 부호를 각각 알아본다.

$ax>1$의 해가 $x<\dfrac{1}{a}$이므로 x의 계수 a는 음수이다. $\therefore a<0$

부등호의 방향이 바뀜

$bx<1$의 해가 $x<\dfrac{1}{b}$이므로 x의 계수 b는 양수이다. $\therefore b>0$

부등호의 방향이 바뀌지 않음

이때 $ab<0$이므로 $abx\geq1$의 양변을 ab로 나누면 $x\leq\dfrac{1}{ab}$

13 답 (1) $x\leq\dfrac{-a-3}{2}$ (2) 풀이 참조 (3) $-9<a\leq-7$

셀파 조건을 만족하도록 부등식의 해를 수직선 위에 나타내어 본다.

① 주어진 일차부등식의 해 구하기 [30 %]

(1) $3+3x\leq x-a$에서 $2x\leq-a-3$ $\therefore x\leq\dfrac{-a-3}{2}$

② 해를 수직선 위에 나타내기 [30 %]

(2) 부등식을 만족하는 자연수 x가 2개
이므로 1, 2가 포함되도록 해를 수직
선 위에 나타내면 오른쪽 그림과 같
다.

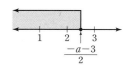

③ 상수 a의 값의 범위 구하기 [40 %]

(3) (i) $\dfrac{-a-3}{2}=2$일 때, 자연수 x가 1, 2의 2개이므로 2는 포함된다.

(ii) $\dfrac{-a-3}{2}=3$일 때, 자연수 x가 1, 2, 3의 3개이므로 3은 포함되지 않는다.

(i), (ii)에서 $2\leq\dfrac{-a-3}{2}<3$이므로 $4\leq-a-3<6$

$7\leq-a<9$ $\therefore -9<a\leq-7$

14 답 $a\leq7$

셀파 자연수 x가 없도록 부등식의 해를 수직선 위에 나타내어 본다.

$3(x+1)-a<-x$에서 $3x+3-a<-x$

$4x<a-3$ $\therefore x<\dfrac{a-3}{4}$

이를 만족하는 자연수 x가 없도록 해를 수
직선 위에 나타내면 오른쪽 그림과 같다.

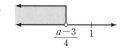

$\dfrac{a-3}{4}=1$일 때, 자연수 x는 없으므로 1
은 포함된다.

즉 $\dfrac{a-3}{4}\leq1$이므로 $a-3\leq4$ $\therefore a\leq7$

7 일차부등식의 활용

1-1 답 16, 17

두 정수 중 작은 수를 x라 하면 큰 수는 $\boxed{x+1}$이다.

두 정수의 합이 35보다 작으므로

$x+(\boxed{x+1})<35$

$2x+\boxed{1}<35,\ 2x<34$

$\therefore\ x<17$

따라서 x의 값 중 가장 큰 정수는 16이므로 구하는 두 정수는 16, 17이다.

1-2 답 (1) $2x+5<3(x+1)$ (2) $x>2$ (3) 3, 4

(1) 두 정수 중 작은 수를 x라 하면 큰 수는 $x+1$이다.

이때 작은 수에 2배를 하여 5를 더한 것이 큰 수의 3배보다 작으므로

$2x+5<3(x+1)$

(2) (1)에서 세운 부등식의 괄호를 풀면

$2x+5<3x+3$

$-x<-2$ $\therefore\ x>2$

(3) x의 값 중 가장 작은 정수는 3이므로 구하는 두 정수는 3, 4이다.

2-1 답 5개

과자를 x개 산다고 하면

	사탕	과자
개수	$10-x$	x
금액 (원)	$\boxed{300(10-x)}$	$1000x$

이때 전체 가격이 6500원 이하이어야 하므로

$\boxed{300(10-x)}+1000x\leq6500$

괄호를 풀면 $3000-300x+1000x\leq6500$

$700x\leq3500$ $\therefore\ \boxed{x\leq5}$

따라서 과자를 최대 $\boxed{5}$개까지 살 수 있다.

2-2 답 (1) $12-x,\ 300(12-x)$

(2) $500x+300(12-x)\leq5000$

(3) $x\leq7$ (4) 7권

(1) 한 권에 500원인 공책을 x권 산다고 하면

	한 권에 500원인 공책	한 권에 300원인 공책
권수	x	$12-x$
금액 (원)	$500x$	$300(12-x)$

(2) 전체 가격이 5000원 이하이어야 하므로

$500x+300(12-x)\leq5000$

(3) (2)에서 세운 부등식의 괄호를 풀면

$500x+3600-300x\leq5000$

$200x\leq1400$ $\therefore\ x\leq7$

(4) 한 권에 500원인 공책은 최대 7권까지 살 수 있다.

3-1 답 1200 m

x m 떨어진 지점까지 갔다 온다고 하면

	갈 때	올 때
거리	x m	x m
속력	분속 80 m	분속 60 m
걸린 시간	$\dfrac{x}{80}$ 분	$\boxed{\dfrac{x}{60}}$ 분

이때 걸린 시간이 35분 이내이어야 하므로 $\dfrac{x}{80}+\dfrac{x}{60}\boxed{\leq}35$

양변에 240을 곱하면 $3x+4x\leq8400$

$7x\leq8400$ $\therefore\ \boxed{x\leq1200}$

따라서 최대 $\boxed{1200}$ m 떨어진 지점까지 갔다 올 수 있다.

3-2 답 (1) $(x+3)$ km, $\dfrac{x+3}{4}$시간   (2) $\dfrac{x}{2}+\dfrac{x+3}{4}\leq3$

(3) 3 km

(1) 올라갈 때의 거리를 x km라 하면

	올라갈 때	내려올 때
거리	x km	$(x+3)$ km
속력	시속 2 km	시속 4 km
걸린 시간	$\dfrac{x}{2}$시간	$\dfrac{x+3}{4}$시간

(2) 총 걸린 시간이 3시간 이내이어야 하므로

$\dfrac{x}{2}+\dfrac{x+3}{4}\leq3$

(3) (2)에서 세운 부등식의 양변에 4를 곱하면

$2x+(x+3)\leq12$

$3x\leq9$ $\therefore\ x\leq3$

따라서 올라갈 수 있는 거리는 최대 3 km이다.

4-1 답 100 g

더 넣는 물의 양을 x g이라 하면

	소금물의 양 (g)	소금의 양 (g)
물을 넣기 전	100	$\dfrac{20}{100}\times100=20$
물을 넣은 후	$100+x$	$\boxed{20}$

이때 물을 더 넣은 후 소금물의 농도는

$$\frac{20}{100+x}\times100\,(\%)$$

이 농도가 10 % 이하이어야 하므로

$$\frac{\boxed{20}}{100+x}\times100\leq10$$

양변에 $100+x$를 곱하면 $2000\leq10(100+x)$

$2000\leq1000+10x,\ -10x\leq-1000$

$\therefore\ \boxed{x\geq100}$

따라서 $\boxed{100}$ g 이상의 물을 넣어야 한다.

4-2 답 (1) 36, 36 (2) $\dfrac{36}{600-x}\times100\geq9$ (3) 200 g

(1) 증발시켜야 하는 물의 양을 x g이라 하면

	소금물의 양(g)	소금의 양(g)
증발시키기 전	600	$\frac{6}{100}\times600=36$
증발시킨 후	$600-x$	36

(2) 물을 증발시킨 후 소금물의 농도는

$$\frac{36}{600-x}\times100\,(\%)$$

이 농도가 9 % 이상이어야 하므로

$$\frac{36}{600-x}\times100\geq9$$

(3) (2)에서 세운 부등식의 양변에 $600-x$를 곱하면

$3600\geq9(600-x)$

$3600\geq5400-9x,\ 9x\geq1800$

$\therefore\ x\geq200$

따라서 증발시켜야 하는 물의 양은 200 g 이상이다.

유형 익히기 – 확인 문제
본문 **102~107** 쪽

01 답 24

셀파 연속하는 세 짝수를 $x,\,x+2,\,x+4$로 놓고, 부등식을 세운다.

연속하는 세 짝수를 $x,\,x+2,\,x+4$라 하면 세 짝수의 합이 72보다 크므로

$x+(x+2)+(x+4)>72$

$3x+6>72,\ 3x>66$

$\therefore\ x>22$

따라서 x의 값이 될 수 있는 가장 작은 자연수는 24이다.

02 답 12 cm

셀파 (사다리꼴의 넓이)$=\dfrac{1}{2}\times\{($윗변의 길이$)+($아랫변의 길이$)\}\times($높이$)$

사다리꼴의 아랫변의 길이를 x cm라 하면 그 넓이는

$$\frac{1}{2}\times(4+x)\times6=3x+12\,(\text{cm}^2)$$

사다리꼴의 넓이가 48 cm² 이상이므로

$3x+12\geq48$

$3x\geq36$　$\therefore\ x\geq12$

따라서 사다리꼴의 아랫변의 길이는 12 cm 이상이다.

03 답 11개월

셀파 (x개월 후의 아라의 예금액)$<2\times$(x개월 후의 민아의 예금액)

x개월 후부터 아라의 예금액이 민아의 예금액의 2배보다 적어진다고 하면 x개월 후의 아라의 예금액은 $(300000+30000x)$원,
민아의 예금액은 $(100000+20000x)$원이므로

$300000+30000x<2(100000+20000x)$

$300000+30000x<200000+40000x$

$-10000x<-100000$　$\therefore\ x>10$

따라서 아라의 예금액이 민아의 예금액의 2배보다 적어지는 것은 11개월 후부터이다.

04 답 7송이

셀파 장미를 x송이 산다고 하고, 부등식을 세운다.

장미를 x송이 산다고 하면 장미 x송이의 가격은 $600x$원,
카네이션 2송이의 가격은 $1000\times2=2000$(원), 포장비는 1500원이고 전체 비용이 8000원 이하이어야 하므로

$600x+2000+1500\leq8000$

$600x+3500\leq8000,\ 600x\leq4500$

$\therefore\ x\leq\dfrac{15}{2}=7.5$

따라서 장미는 최대 7송이까지 살 수 있다.

05 답 13장

셀파 사진을 $x(x>5)$장 인화하면 $(x-5)$장은 추가 요금을 내야 한다.

사진을 $x(x>5)$장 인화한다고 하면 5장 인화 비용은 6000원,
$(x-5)$장은 한 장에 500원씩 추가되므로 총 비용은
$\{6000+500(x-5)\}$원이다.
이때 총 비용이 10000원 이하이어야 하므로

$6000+500(x-5)\leq10000$

$6000+500x-2500\leq10000$

$500x\leq6500$　$\therefore\ x\leq13$

따라서 10000원으로 인화할 수 있는 사진은 최대 13장이다.

06 **답** 4봉지

셀파 (집 앞 가게에서 산 과자 가격)
    >(할인 매장에서 산 과자 가격)+(왕복 교통비)

과자를 x봉지 산다고 하면 집 앞 가게에서는 $1200x$원이 들고,
할인 매장에서는 왕복 교통비를 포함하여 $(800x+1500)$원이 든다.
이때 할인 매장에서 사는 것이 유리해야 하므로
$1200x>800x+1500$

$400x>1500$ ∴ $x>\dfrac{15}{4}=3.75$

따라서 과자를 4봉지 이상 사는 경우 할인 매장에서 사는 것이 유리하다.

07 **답** 17명

셀파 (x명의 입장료)>(20명의 단체 입장료)

1인당 입장료가 12000원이므로 x명이 입장할 때 입장료는
$12000x$원이다.
20 %를 할인한 20명의 단체 입장료는
$12000\times\left(1-\dfrac{20}{100}\right)\times20=192000$(원)

이때 x명의 입장료가 20명의 단체 입장료보다 많아야 하므로
$12000x>192000$ ∴ $x>16$
따라서 17명 이상이면 20명의 단체 입장권을 사는 것이 유리하다.

08 **답** 7200원

셀파 (이익)=(판매 가격)-(원가)

정가를 x원이라 하면 판매 가격은 정가에서 30 % 할인한 가격이므로 $x\left(1-\dfrac{30}{100}\right)=\dfrac{7}{10}x$(원)

원가 4200원의 20 %에 해당하는 이익은
$4200\times\dfrac{20}{100}=840$(원)

이때 (이익)=(판매 가격)-(원가)이고
원가의 20 % 이상의 이익을 얻어야 하므로
$\dfrac{7}{10}x-4200\geq840$

$\dfrac{7}{10}x\geq5040$ ∴ $x\geq7200$

따라서 정가는 7200원 이상으로 정해야 한다.

09 **답** 240 km

셀파 (시속 80 km로 달린 시간)+(시속 100 km로 달린 시간)≤(5시간)

시속 80 km로 달린 거리를 x km라 하면
시속 100 km로 달린 거리는 $(440-x)$ km이다.

시속 80 km로 달린 시간은 $\dfrac{x}{80}$시간,

시속 100 km로 달린 시간은 $\dfrac{440-x}{100}$시간

이때 5시간 이내에 도착하므로
$\dfrac{x}{80}+\dfrac{440-x}{100}\leq5$

$5x+4(440-x)\leq2000$

$5x+1760-4x\leq2000$ ∴ $x\leq240$
따라서 시속 80 km로 달린 거리는 240 km 이하이다.

10 **답** 2 km

셀파 (상점까지 가는 데 걸린 시간)+(물건을 사는 데 걸린 시간)
    +(영화관까지 오는 데 걸린 시간)≤(1시간)

영화관에서 상점까지의 거리를 x km라 하면
갈 때 걸린 시간은 $\dfrac{x}{5}$시간, 올 때 걸린 시간은 $\dfrac{x}{5}$시간이다.

이때 물건을 사는 데 12분, 즉 $\dfrac{12}{60}=\dfrac{1}{5}$(시간)이 걸리고 영화관까지
돌아오는 데 총 1시간을 넘기지 않아야 하므로
$\dfrac{x}{5}+\dfrac{1}{5}+\dfrac{x}{5}\leq1$

$x+1+x\leq5,\ 2x\leq4$

∴ $x\leq2$
따라서 영화관에서 최대 2 km 이내에 있는 상점을 다녀올 수 있다.

11 **답** 160 g

셀파 증발시켜야 하는 물의 양을 x g이라 하고, 부등식을 세운다.

3 %의 소금물 400 g에 들어 있는 소금의 양은
$\dfrac{3}{100}\times400=12$ (g)

증발시켜야 하는 물의 양을 x g이라 하면
소금물의 양은 $(400-x)$ g이고 소금의 양은 12 g이므로
$\dfrac{12}{400-x}\times100\geq5$

$1200\geq5(400-x),\ 1200\geq2000-5x$

$5x\geq800$ ∴ $x\geq160$
따라서 증발시켜야 하는 물의 양은 160 g 이상이다.

12 **답** 180 g

셀파 8 %의 설탕물을 x g 섞는다고 하고, 설탕의 양에 대한 부등식을 세운다.

8 %의 설탕물을 x g 섞는다고 하면
$\dfrac{3}{100}\times120+\dfrac{8}{100}\times x\geq\dfrac{6}{100}\times(120+x)$

$360+8x\geq6(120+x),\ 360+8x\geq720+6x$

$2x\geq360$ ∴ $x\geq180$
따라서 8 %의 설탕물을 180 g 이상 섞어야 한다.

01 답 20

셀파 연속하는 두 홀수를 x, $x+2$로 놓고, 부등식을 세운다.

연속하는 두 홀수를 x, $x+2$라 하면

$3x-5 \geq 2(x+2)$

$3x-5 \geq 2x+4$ $\therefore x \geq 9$

따라서 x의 값 중 가장 작은 자연수가 9이므로 두 홀수의 합 중에서 가장 작은 값은 $9+11=20$

02 답 89점

셀파 네 번째 수학 시험 점수를 x점이라 하고, 평균을 구하는 식을 세운다.

네 번째 수학 시험에서 x점을 받는다고 하면

네 번째 시험까지의 평균은

$\dfrac{82+91+86+x}{4}=\dfrac{259+x}{4}$ (점)

평균이 87점 이상이어야 하므로

$\dfrac{259+x}{4} \geq 87$

$259+x \geq 348$ $\therefore x \geq 89$

따라서 네 번째 수학 시험에서 89점 이상을 받아야 한다.

03 답 10 cm

셀파 (삼각형의 넓이)$=\dfrac{1}{2}\times$(밑변의 길이)$\times$(높이)

삼각형의 높이를 h cm라 하면

삼각형의 넓이가 30 cm² 이상이므로

$\dfrac{1}{2}\times 6 \times h \geq 30$

$3h \geq 30$ $\therefore h \geq 10$

따라서 삼각형의 높이는 10 cm 이상이어야 한다.

04 답 8개월

셀파 x개월 후부터 형의 예금액이 동생의 예금액의 2배보다 많아진다고 하고, 부등식을 세운다.

① 부등식 세우기 [40 %]

x개월 후부터 형의 예금액이 동생의 예금액의 2배보다 많아진다고 하면 x개월 후의 형의 예금액은 $(25000+5000x)$원, 동생의 예금액은 $(20000+1500x)$원이므로

$25000+5000x > 2(20000+1500x)$

② 부등식 풀기 [40 %]

괄호를 풀면

$25000+5000x > 40000+3000x$

$2000x > 15000$ $\therefore x > \dfrac{15}{2}=7.5$

③ 답 구하기 [20 %]

따라서 형의 예금액이 동생의 예금액의 2배보다 많아지는 것은 8개월 후부터이다.

05 답 11개

셀파 (사람의 몸무게)+(상자의 무게)≤ 500

한 번에 x개의 상자를 운반한다고 하면

(사람의 몸무게)+(상자의 무게)$=50+40x$ (kg)

이때 전체 무게는 500 kg 이하이어야 하므로

$50+40x \leq 500$

$40x \leq 450$ $\therefore x \leq \dfrac{45}{4}=11.25$

따라서 한 번에 최대 11개의 상자를 운반할 수 있다.

06 답 130분

셀파 (기본요금)+(추가 요금)≤ 8000

주차를 $x(x>30)$분 동안 한다고 하면

추가 요금은 $50(x-30)$원

이때 총 주차 요금은 $\{3000+50(x-30)\}$원이고

주차 요금이 8000원 이하이어야 하므로

$3000+50(x-30) \leq 8000$

$3000+50x-1500 \leq 8000$

$50x \leq 6500$ $\therefore x \leq 130$

따라서 최대 130분 동안 주차할 수 있다.

07 답 36명

셀파 x명의 입장료와 50명의 단체 입장료를 비교한다.

1인당 입장료가 8000원이므로 x명이 입장할 때 입장료는 $8000x$원이다.

30 %를 할인한 50명의 단체 입장료는

$8000\times\left(1-\dfrac{30}{100}\right)\times 50=280000$(원)

이때 x명의 입장료가 50명의 단체 입장료보다 많아야 하므로

$8000x > 280000$ $\therefore x > 35$

따라서 36명 이상이면 50명의 단체 입장권을 사는 것이 유리하다.

08 답 30000원

셀파 정가를 x원이라 하면 정가에서 50 % 할인한 가격은

$$x\left(1-\frac{50}{100}\right)=\frac{1}{2}x(원)$$

정가를 x원이라 하면 판매 가격은 정가에서 50 %를 할인한 가격이므로 $x\left(1-\frac{50}{100}\right)=\frac{1}{2}x(원)$

원가 10000원의 50 %에 해당하는 이익은

$$10000\times\frac{50}{100}=5000(원)$$

이때 (이익)=(판매 가격)-(원가)이고
원가의 50 % 이상의 이익을 얻어야 하므로

$$\frac{1}{2}x-10000\geq5000$$

$$\frac{1}{2}x\geq15000 \qquad \therefore x\geq30000$$

따라서 정가는 30000원 이상으로 정해야 한다.

09 답 40 km

셀파 (갈 때 걸린 시간)+(휴식 시간)+(돌아올 때 걸린 시간)≤(총 소요 시간)

① 부등식 세우기 [40 %]

x km 떨어진 지점까지 갔다 온다고 하면

갈 때 걸린 시간은 $\dfrac{x}{40}$시간, 올 때 걸린 시간은 $\dfrac{x}{30}$시간

이때 10분, 즉 $\dfrac{10}{60}=\dfrac{1}{6}$(시간) 쉬고

2시간 30분, 즉 $2\dfrac{30}{60}=\dfrac{5}{2}$(시간) 이내로 돌아와야 하므로

$$\frac{x}{40}+\frac{1}{6}+\frac{x}{30}\leq\frac{5}{2}$$

② 부등식 풀기 [40 %]

양변에 120을 곱하면 $3x+20+4x\leq300$

$7x\leq280 \qquad \therefore x\leq40$

③ 답 구하기 [20 %]

따라서 최대 40 km 떨어진 지점까지 갔다 올 수 있다.

10 답 45 g

셀파 $(소금의 양)=\dfrac{(소금물의 농도)}{100}\times(소금물의 양)$

8 %의 소금물 300 g에 들어 있는 소금의 양은

$$\frac{8}{100}\times300=24\,(g)$$

소금을 x g 더 넣는다고 하면 소금물의 양은 $(300+x)$ g이고
소금의 양은 $(24+x)$ g이므로

$$\frac{24+x}{300+x}\times100\geq20$$

$100(24+x)\geq20(300+x)$, $2400+100x\geq6000+20x$

$80x\geq3600 \qquad \therefore x\geq45$

따라서 더 넣어야 하는 소금의 양은 최소 45 g이다.

11 답 5

셀파 n각형의 내각의 크기의 합은 $180°\times(n-2)$

n각형의 내각의 크기의 합은 $180°\times(n-2)$이므로

$180(n-2)<700$

$180n-360<700$, $180n<1060$

$$\therefore n<\frac{1060}{180}=\frac{53}{9}=5.888\cdots$$

이때 n은 자연수이므로 가장 큰 n의 값은 5이다.

LECTURE 다각형의 내각의 크기의 합

삼각형의 내각의 크기의 합은 $180°$임을 이용하여 다음과 같이 다각형의 내각의 크기의 합을 구할 수 있다.

다각형	내각의 크기의 합
사각형	$180°\times2$ $=180°\times(4-2)$
오각형	$180°\times3$ $=180°\times(5-2)$
육각형	$180°\times4$ $=180°\times(6-2)$
⋮	⋮
n각형	$180°\times(n-2)$

● 정n각형의 한 내각의 크기는 $\dfrac{180°\times(n-2)}{n}$

12 답 (1) 식품 A: 3 kcal, 식품 B: 5 kcal (2) 150 g

셀파 두 식품 A, B의 1 g당 열량을 구한다.

(1) 식품 A의 10 g당 열량이 30 kcal이므로 1 g당 열량은

$$\frac{30}{10}=3\,(kcal)$$

식품 B의 10 g당 열량이 50 kcal이므로 1 g당 열량은

$$\frac{50}{10}=5\,(kcal)$$

(2) 섭취해야 하는 식품 A의 양을 x g이라 하면 식품 B의 양은 $(200-x)$ g이다.

이때 두 식품 A, B를 합하여 열량을 700 kcal 이상 얻어야 하므로

$3x+5(200-x) \geq 700$

$3x+1000-5x \geq 700$

$-2x \geq -300$ $\therefore x \leq 150$

따라서 섭취해야 하는 식품 A의 양은 최대 150 g이다.

13 답 (1) 2 (2) $2x+1$ (3) 69개

샘파 수량 사이의 관계를 표로 나타내고, 규칙을 찾아 식을 세운다.

(1)

정삼각형의 개수	1	2	3	4
성냥개비의 개수	3	3+2	3+2+ 2	3+2+ 2 + 2

⇨ 정삼각형이 1개씩 늘어날 때마다 성냥개비가 2 개씩 늘어난다.

(2)

정삼각형의 개수	성냥개비의 개수
1	3
2	3+2
3	3+2+2
4	3+2+2+2
⋮	⋮
x	3+2+2+⋯+2 ((x-1)개)

따라서 정삼각형을 x개 만들 때, 필요한 성냥개비의 개수는

$3+2(x-1)=2x+1$

(3) $2x+1 \leq 140$에서 $2x \leq 139$

$\therefore x \leq \dfrac{139}{2}=69.5$

따라서 정삼각형을 최대 69개 만들 수 있다.

Ⅳ. 연립일차방정식

8 연립일차방정식과 그 해

본문 | **113, 115** 쪽

1-1 답 (1) $x+2y-1=0$, 미지수가 2개인 일차방정식이다.

　　(2) $3x-y-1=0$, 미지수가 2개인 일차방정식이다.

　　(3) $5x+4=0$, 미지수가 2개인 일차방정식이 아니다.

(1) $x+2y=1 \Rightarrow x+2y-1=0$이므로 미지수가 2개인 일차방정식이다.

(2) $2x-y=-x+1 \Rightarrow \boxed{3x-y-1}=0$이므로 미지수가 $\boxed{2}$개인 일차방정식이다.

(3) $5x-3y=-4-3y \Rightarrow \boxed{5x+4}=0$이므로 미지수가 $\boxed{1}$개인 일차방정식이다.

1-2 답 (1) ◯ (2) × (3) × (4) ◯

(1) $2x+3y=1 \Rightarrow 2x+3y-1=0$이므로 미지수가 2개인 일차방정식이다.

(2) $x+y^2+3=0 \Rightarrow$ 미지수는 x, y의 2개이지만 y의 차수가 2이므로 일차방정식이 아니다.

(3) $x+2y+2=3+x+y \Rightarrow y-1=0$이므로 미지수가 1개인 일차방정식이다.

(4) $3x+y=-y \Rightarrow 3x+2y=0$이므로 미지수가 2개인 일차방정식이다.

2-1 답 $(1, 6), (2, 4), (3, 2)$

$2x+y=8$에서 $y=8-2x$

이 식의 x에 $1, 2, 3, \cdots$을 차례로 대입하여 y의 값을 구하면 다음 표와 같다.

x	1	2	3	4	5	⋯
y	6	4	2	0	-2	⋯

따라서 x, y가 자연수일 때, $2x+y=8$의 해는 $(1, 6), (2, \boxed{4}), \boxed{(3, 2)}$

2-2 답 (1) 표: 풀이 참조 / $(1, 2), (2, 1)$

　　(2) 표: 풀이 참조 / $(3, 1), (1, 2)$

(1) $x+y=3$에서 $y=3-x$

x	1	2	3	⋯
y	2	1	0	⋯

따라서 x, y가 자연수일 때, $x+y=3$의 해는 $(1, 2), (2, 1)$

(2) $x+2y=5$에서 $x=5-2y$

x	3	1	−1	⋯
y	1	2	3	⋯

따라서 x, y가 자연수일 때, $x+2y=5$의 해는 $(3, 1)$, $(1, 2)$

3-1 답 (1) 표: 풀이 참조 / $(1, 4)$, $(2, 3)$, $(3, 2)$, $(4, 1)$
(2) 표: 풀이 참조 / $(1, 6)$, $(2, 3)$ (3) $(2, 3)$

(1) $x+y=5$에서 $y=5-x$

x	1	2	3	4	5	⋯
y	4	3	2	1	0	⋯

⇨ $x+y=5$의 해: $(1, 4)$, $(2, 3)$, $(3, 2)$, $(4, 1)$

(2) $3x+y=9$에서 $y=9-3x$

x	1	2	3	4	5	⋯
y	6	3	0	−3	−6	⋯

⇨ $3x+y=9$의 해: $(1, 6)$, $(2, 3)$

(3) 두 일차방정식 $x+y=5$, $3x+y=9$를 동시에 만족하는 순서쌍 (x, y)는 $(2, 3)$이다.

3-2 답 (1) ① 풀이 참조 ② ㉠: $(1, 3)$, $(2, 2)$, $(3, 1)$, ㉡: $(3, 1)$, $(4, 2)$, ⋯ ③ $(3, 1)$
(2) ① 풀이 참조 ② ㉠: $(1, 6)$, $(2, 4)$, $(3, 2)$, ㉡: $(1, 1)$, $(2, 4)$, $(3, 7)$, $(4, 10)$, ⋯ ③ $(2, 4)$

(1) ① ㉠ $x+y=4$에서 $y=4-x$

x	1	2	3	4	⋯
y	3	2	1	0	⋯

㉡ $x-y=2$에서 $y=x-2$

x	1	2	3	4	⋯
y	−1	0	1	2	⋯

② ㉠의 해: $(1, 3)$, $(2, 2)$, $(3, 1)$
㉡의 해: $(3, 1)$, $(4, 2)$, ⋯
③ 연립방정식의 해는 $(3, 1)$

(2) ① ㉠ $2x+y=8$에서 $y=8-2x$

x	1	2	3	4	⋯
y	6	4	2	0	⋯

㉡ $3x-y=2$에서 $y=3x-2$

x	1	2	3	4	⋯
y	1	4	7	10	⋯

② ㉠의 해: $(1, 6)$, $(2, 4)$, $(3, 2)$
㉡의 해: $(1, 1)$, $(2, 4)$, $(3, 7)$, $(4, 10)$, ⋯
③ 연립방정식의 해는 $(2, 4)$

---

01 답 ①, ④

셀파 모든 항을 좌변으로 이항하여 정리한 다음, 등식인지, 미지수가 2개인지, 미지수가 모두 1차인지 확인한다.

① x^2이 있으므로 일차방정식이 아니다.
② $8x+2y=0$ ⇨ 미지수가 2개인 일차방정식이다.
③ $2x=2(x-y)-x$에서 $x+2y=0$
⇨ 미지수가 2개인 일차방정식이다.
④ $xy-x=y$ ⇨ xy는 미지수 x, y에 대하여 2차이므로 일차방정식이 아니다.
⑤ $\frac{1}{2}x-\frac{1}{3}y-1=0$ ⇨ 미지수가 2개인 일차방정식이다.

02 답 (1) $500x+1000y=7000$ (2) $10x+8y=84$

셀파 주어진 상황을 x, y에 대한 등식으로 나타낸다.

(1) 500원짜리 장미 x송이의 가격은 $500x$원
1000원짜리 튤립 y송이의 가격은 $1000y$원
장미와 튤립을 7000원에 샀으므로 $500x+1000y=7000$
(2) 10점을 x회 맞힌 점수는 $10x$점
8점을 y회 맞힌 점수는 $8y$점
10점과 8점을 맞혀 84점을 얻었으므로 $10x+8y=84$

03 답 ⑤

셀파 $x=2, y=3$을 대입했을 때, 등식이 성립하는 것을 찾는다.

$x=2, y=3$을 각 일차방정식에 대입하면
① $5\times2+2\times3=16\neq10$ ② $-2+\frac{1}{3}\times3=-1\neq2$
③ $2\neq3\times3$ ④ $4\times3\neq11-2$
⑤ $2-3\times3=-7$
따라서 $x=2, y=3$을 해로 갖는 것은 ⑤이다.

04 답 3개

셀파 y의 계수의 절댓값이 x의 계수의 절댓값보다 크므로 y에 1, 2, 3, ⋯을 차례로 대입하여 x의 값을 구한다.

$x+4y=15$에서 $x=15-4y$
이 식의 y에 1, 2, 3, ⋯을 차례대로 대입하여 x의 값을 구하면 다음 표와 같다.

y	1	2	3	4	5	⋯
x	11	7	3	−1	−5	⋯

따라서 x, y가 자연수일 때, 일차방정식 $x+4y=15$의 해 (x, y)는 $(11, 1)$, $(7, 2)$, $(3, 3)$의 3개이다.

오답 피하기

이 문제처럼 y에 $1, 2, 3, \cdots$을 차례대로 대입하여 x의 값을 구한 다음 답을 쓸 때는 y의 값을 먼저 쓰지 않도록 한다. 즉 이 문제의 답을 $(1, 11)$, $(2, 7)$과 같이 쓰지 않도록 한다.

05 답 **1.** 3 **2.** 2

셀파 1. $x=3, y=2$를 $x+ay=9$에 대입하면 등식이 성립한다.
2. $x=-1, y=k$를 $2x-3y+8=0$에 대입하면 등식이 성립한다.

1. $x=3, y=2$를 $x+ay=9$에 대입하면
$3+2a=9$, $2a=6$ $\therefore a=3$

2. $x=-1, y=k$를 $2x-3y+8=0$에 대입하면
$-2-3k+8=0$, $3k=6$ $\therefore k=2$

06 답 $\begin{cases} x+y=5 \\ 300x+500y=2100 \end{cases}$

셀파 구하는 연립방정식은 $\begin{pmatrix} 개수에 \ 대한 \ 일차방정식 \\ 금액에 \ 대한 \ 일차방정식 \end{pmatrix}$이다.

연필과 볼펜을 합하면 5자루이므로 $x+y=5$
지불한 금액이 2100원이므로 $300x+500y=2100$
따라서 구하는 연립방정식은
$\begin{cases} x+y=5 \\ 300x+500y=2100 \end{cases}$

07 답 ㉠, ㉢

셀파 $x=2, y=-6$을 각 연립방정식에 대입했을 때, 두 일차방정식이 모두 참인 연립방정식을 찾는다.

$x=2, y=-6$을 각 연립방정식에 대입하면

㉠ $\begin{cases} 2-(-6)=8 \\ 3\times2+(-6)=0 \end{cases}$ ㉡ $\begin{cases} 2-(-6)=8\neq4 \\ 2+(-6)=-4 \end{cases}$

㉢ $\begin{cases} 2+(-6)=-4\neq4 \\ 2+2\times(-6)=-10\neq10 \end{cases}$ ㉣ $\begin{cases} 2+2\times(-6)=-10 \\ 2\times2+(-6)=-2 \end{cases}$

따라서 $x=2, y=-6$을 해로 갖는 것은 ㉠, ㉣이다.

08 답 $a=4, b=4$

셀파 $x=3, y=b-2$를 연립방정식을 이루는 두 일차방정식에 각각 대입하면 등식이 모두 성립한다.

연립방정식 $\begin{cases} x+2y=7 & \cdots ㉠ \\ ax+y=14 & \cdots ㉡ \end{cases}$의 해가 $(3, b-2)$이므로

$x=3, y=b-2$를 ㉠에 대입하면 $3+2(b-2)=7$
$3+2b-4=7$, $2b=8$ $\therefore b=4$
$b=4$이므로 주어진 연립방정식의 해는 $(3, 2)$이다.
따라서 $x=3, y=2$를 ㉡에 대입하면
$3a+2=14$, $3a=12$ $\therefore a=4$

---

01 답 ㉠, ㉣

셀파 미지수가 2개이고, 그 차수가 모두 1인 방정식을 찾는다.

㉠ 미지수가 2개인 일차방정식이다.
㉡ $4x(y+3)=5$에서 $4xy+12x=5$ ➡ $4xy$는 x, y에 대하여 2차이므로 미지수가 2개인 일차방정식이 아니다.
㉢ x^2이 있으므로 일차방정식이 아니다.
㉣ $x(3y-2)=y+3xy$에서 $-2x-y=0$
➡ 미지수가 2개인 일차방정식이다.

02 답 $a=-3, b\neq-5$

셀파 $ax+by+c=0$ (a, b, c는 상수) 꼴에서 $a\neq0, b\neq0$이면 미지수가 2개인 일차방정식이다.

① 주어진 식을 간단히 하기 [40 %]
$-3x^2+2y-7+bx=ax^2+4y-5x-6$에서
$-3x^2+2y-7+bx-ax^2-4y+5x+6=0$
$\therefore (-3-a)x^2+(b+5)x-2y-1=0$

② 미지수가 2개인 일차방정식이 되기 위한 조건 찾기 [40 %]
이 식이 미지수가 2개인 일차방정식이 되려면
$-3-a=0, b+5\neq0$

③ a, b의 조건 구하기 [20 %]
$\therefore a=-3, b\neq-5$

03 답 ②

셀파 문장을 수, 문자, 기호를 사용하여 x, y에 대한 식으로 나타낸다.

① $3x=2y+1$ ➡ 미지수가 2개인 일차방정식이다.
② $y=\pi x^2$ ➡ 일차방정식이 아니다.
③ $1500x+1000y=10000$ ➡ 미지수가 2개인 일차방정식이다.
④ $2(x+y)=36$ ➡ 미지수가 2개인 일차방정식이다.
⑤ $4x+5y=50$ ➡ 미지수가 2개인 일차방정식이다.

04 답 ④

셀파 $x=p, y=q$가 일차방정식 $ax+by+c=0$의 해일 때, $x=p, y=q$를 $ax+by+c=0$에 대입하면 등식이 성립한다.

일차방정식 $4x-2y=-8$에
① $x=-3, y=-2$를 대입하면 $4\times(-3)-2\times(-2)=-8$
② $x=-2, y=0$을 대입하면 $4\times(-2)-2\times0=-8$
③ $x=0, y=4$를 대입하면 $4\times0-2\times4=-8$
④ $x=1, y=-2$를 대입하면 $4\times1-2\times(-2)=8\neq-8$
⑤ $x=2, y=8$을 대입하면 $4\times2-2\times8=-8$
따라서 일차방정식 $4x-2y=-8$의 해가 아닌 것은 ④이다.

05 답 ③, ⑤

셀파 $3x+2y=18$에 $x=1, 2, 3, \cdots$을 차례대로 대입하여 y의 값을 구한다.

$3x+2y=18$에서 $y=9-\dfrac{3}{2}x$

이 식의 x에 1, 2, 3, $\cdots$을 차례대로 대입하여 y의 값을 구하면 다음 표와 같다.

x	1	2	3	4	5	6	$\cdots$
y	$\dfrac{15}{2}$	6	$\dfrac{9}{2}$	3	$\dfrac{3}{2}$	0	$\cdots$

③ x, y는 자연수이므로 $(6, 0)$은 해가 아니다.

④, ⑤ 해는 $(2, 6)$, $(4, 3)$의 2개이다.

06 답 4

셀파 $x=2, y=9$를 $ax+y-5=0$에 대입하여 a의 값을 먼저 구한다.

$x=2, y=9$를 $ax+y-5=0$에 대입하면

$2a+9-5=0$, $2a=-4$ $\therefore a=-2$

$a=-2$를 $ax+y-5=0$에 대입하면 $-2x+y-5=0$

$x=k, y=13$을 $-2x+y-5=0$에 대입하면 $-2k+13-5=0$

$-2k=-8$ $\therefore k=4$

07 답 (1) $x+2y=12$

(2) $(2, 5), (4, 4), (6, 3), (8, 2), (10, 1)$

(3) 5대

셀파 주어진 문장을 $ax+by+c=0$ (a, b, c는 상수 $a \neq 0, b \neq 0$) 꼴로 나타낸다.

(1) $x+2y=12$

(2) $x+2y=12$에서 $x=12-2y$

이 식의 y에 1, 2, 3, $\cdots$을 차례대로 대입하여 x의 값을 구하면 다음 표와 같다.

y	1	2	3	4	5	6	$\cdots$
x	10	8	6	4	2	0	$\cdots$

이때 x, y는 모두 자연수이므로 구하는 해 (x, y)는 $(2, 5)$, $(4, 4), (6, 3), (8, 2), (10, 1)$이다.

(3) (2)에서 구한 해 중 y의 값이 가장 큰 해는 $(2, 5)$이다.

따라서 2인용 자전거는 최대 5대를 빌려야 한다.

08 답 15

셀파 구하는 연립방정식은 $\begin{cases} (\text{자전거 대수에 대한 일차방정식}) \\ (\text{자전거 바퀴 수에 대한 일차방정식}) \end{cases}$ 이다.

세발자전거와 두발자전거를 합하면 10대이므로 $x+y=10$

세발자전거와 두발자전거의 바퀴 수를 합하면 26개이므로

$3x+2y=26$

따라서 연립방정식으로 나타내면 $\begin{cases} x+y=10 \\ 3x+2y=26 \end{cases}$

즉 $a=10, b=3, c=2$이므로 $a+b+c=15$

09 답 ②

셀파 $x=3, y=2$를 각 연립방정식에 대입했을 때, 두 방정식이 모두 참인 것을 찾는다.

$x=3, y=2$를 각 연립방정식에 대입하면

① $\begin{cases} 3 \times 3 - 2 = 7 \\ 2 \times 3 + 3 \times 2 = 12 \neq -1 \end{cases}$ ② $\begin{cases} 3+2=5 \\ 2 \times 3 + 2 = 8 \end{cases}$

③ $\begin{cases} 2 \times 3 + 2 = 8 \\ 3 \times 3 + 2 = 11 \neq 5 \end{cases}$ ④ $\begin{cases} 3 + 3 \times 2 = 9 \neq -1 \\ 2 \times 3 - 4 \times 2 = -2 \end{cases}$

⑤ $\begin{cases} 3 - 2 \times 2 = -1 \\ 5 \times 3 + 4 \times 2 = 23 \neq 3 \end{cases}$

따라서 순서쌍 $(3, 2)$를 해로 갖는 것은 ②이다.

10 답 ②

셀파 $x=-3, y=a$를 $x+2y=5$에 대입하여 a의 값을 먼저 구한다.

$x=-3, y=a$가 일차방정식 $x+2y=5$의 해이므로

$-3+2a=5$, $2a=8$ $\therefore a=4$

즉 주어진 연립방정식의 해가 $x=-3, y=4$이므로 보기의 일차방정식 중 $x=-3, y=4$가 해가 아닌 것을 찾으면 된다.

$x=-3, y=4$를 각 일차방정식에 대입하면

① $-3+4=1$ ② $2 \times (-3) - 3 \times 4 = -18 \neq 6$

③ $-(-3) - 2 \times 4 = -5$ ④ $2 \times (-3) + 4 = -2$

⑤ $-3 \times (-3) - 4 = 5$

따라서 $\boxed{}$ 안에 들어갈 수 없는 일차방정식은 ②이다.

11 답 40

셀파 $x=-1, y=-2$를 각 일차방정식에 대입하여 a, b의 값을 구한다.

연립방정식 $\begin{cases} x-ay=15 & \cdots \text{㉠} \\ bx-7y=9 & \cdots \text{㉡} \end{cases}$ 의 해가 $(-1, -2)$이므로

$x=-1, y=-2$를 ㉠에 대입하면 $-1+2a=15$ $\therefore a=8$

$x=-1, y=-2$를 ㉡에 대입하면 $-b+14=9$ $\therefore b=5$

$\therefore ab=8 \times 5=40$

12 답 (1) $(3, 2)$ (2) -1

셀파 $x=3$을 $2x+y=8$에 대입하여 y의 값을 먼저 구한다.

① 주어진 연립방정식의 해 구하기 [50 %]

(1) 연립방정식 $\begin{cases} 2x+y=8 & \cdots \text{㉠} \\ 2x-2y=-2a & \cdots \text{㉡} \end{cases}$ 를 만족하는 x의 값이 3이므로 $x=3$을 ㉠에 대입하면 $6+y=8$ $\therefore y=2$

따라서 주어진 연립방정식의 해는 $(3, 2)$이다.

② 상수 a의 값 구하기 [50 %]

(2) $x=3, y=2$를 ㉡에 대입하면 $6-4=-2a$

$2=-2a$ $\therefore a=-1$

9 연립일차방정식의 풀이

본문 | **125, 127**쪽

1-1 답 $x=-4, y=3$

$\begin{cases} x+2y=2 & \cdots\cdots \text{㉠} \\ 2x+3y=1 & \cdots\cdots \text{㉡} \end{cases}$ 에서

㉠을 $x=(y\text{의 식})$으로 나타내면 $x=\boxed{-2y+2}$ $\cdots\cdots$ ㉢

㉢을 ㉡에 대입하면 $2(\boxed{-2y+2})+3y=1$

$-4y+4+3y=1, -y=-3$ $\quad \therefore y=3$

$y=3$을 ㉢에 대입하면 $x=-2\times3+2=\boxed{-4}$

따라서 연립방정식의 해는 $x=\boxed{-4}, y=3$

1-2 답 (1) $x=-5, y=-4$ (2) $x=-1, y=-2$
(3) $x=3, y=-2$

(1) $\begin{cases} x=2y+3 & \cdots\cdots \text{㉠} \\ 2x-y=-6 & \cdots\cdots \text{㉡} \end{cases}$ 에서

㉠을 ㉡에 대입하면 $2(2y+3)-y=-6$

$4y+6-y=-6, 3y=-12$ $\quad \therefore y=-4$

$y=-4$를 ㉠에 대입하면 $x=2\times(-4)+3=-5$

(2) $\begin{cases} y=3x+1 & \cdots\cdots \text{㉠} \\ 3x-2y=1 & \cdots\cdots \text{㉡} \end{cases}$ 에서

㉠을 ㉡에 대입하면 $3x-2(3x+1)=1$

$3x-6x-2=1, -3x=3$ $\quad \therefore x=-1$

$x=-1$을 ㉠에 대입하면 $y=3\times(-1)+1=-2$

(3) $\begin{cases} x+3y=-3 & \cdots\cdots \text{㉠} \\ 5x+y=13 & \cdots\cdots \text{㉡} \end{cases}$ 에서

㉠을 $x=(y\text{의 식})$으로 나타내면 $x=-3y-3$ $\cdots\cdots$ ㉢

㉢을 ㉡에 대입하면 $5(-3y-3)+y=13$

$-15y-15+y=13, -14y=28$ $\quad \therefore y=-2$

$y=-2$를 ㉢에 대입하면 $x=-3\times(-2)-3=3$

2-1 답 $x=-4, y=3$

$\begin{cases} x+2y=2 & \cdots\cdots \text{㉠} \\ 2x+3y=1 & \cdots\cdots \text{㉡} \end{cases}$ 에서

미지수 x를 없애기 위해 ㉠$\times2\boxed{-}$㉡을 하면

$\quad\quad 2x+4y=4$

$\boxed{-}\,)\ \underline{2x+3y=1}$

$\quad\quad\quad\quad\ y=3$

$y=3$을 ㉠에 대입하면 $x+2\times3=2$ $\quad \therefore x=\boxed{-4}$

따라서 연립방정식의 해는 $x=\boxed{-4}, y=3$

2-2 답 (1) $x=-1, y=3$ (2) $x=2, y=-2$ (3) $x=5, y=2$

(1) $\begin{cases} 2x+y=1 & \cdots\cdots \text{㉠} \\ x-y=-4 & \cdots\cdots \text{㉡} \end{cases}$ 에서

미지수 y를 없애기 위해 ㉠$+$㉡을 하면

$\quad\quad 2x+y=1$

$+)\ \underline{\ x-y=-4}$

$\quad\ 3x\quad\quad=-3$ $\quad \therefore x=-1$

$x=-1$을 ㉠에 대입하면 $2\times(-1)+y=1$

$\therefore y=3$

(2) $\begin{cases} x-3y=8 & \cdots\cdots \text{㉠} \\ x-2y=6 & \cdots\cdots \text{㉡} \end{cases}$ 에서

미지수 x를 없애기 위해 ㉠$-$㉡을 하면

$\quad\quad x-3y=8$

$-)\ \underline{\ x-2y=6}$

$\quad\quad\ -y=2$ $\quad \therefore y=-2$

$y=-2$를 ㉡에 대입하면 $x-2\times(-2)=6$

$\therefore x=2$

(3) $\begin{cases} -2x+3y=-4 & \cdots\cdots \text{㉠} \\ x-4y=-3 & \cdots\cdots \text{㉡} \end{cases}$ 에서

미지수 x를 없애기 위해 ㉠$+$㉡$\times2$를 하면

$\quad\quad -2x+3y=-4$

$+)\ \underline{\ \ 2x-8y=-6}$

$\quad\quad\quad\ -5y=-10$ $\quad \therefore y=2$

$y=2$를 ㉡에 대입하면 $x-4\times2=-3$

$\therefore x=5$

3-1 답 $x=5, y=-1$

$\begin{cases} \dfrac{x}{3}+\dfrac{y}{2}=\dfrac{7}{6} & \cdots\cdots \text{㉠} \\ 0.2x-0.3y=1.3 & \cdots\cdots \text{㉡} \end{cases}$ 에서

㉠의 양변에 분모의 최소공배수 $\boxed{6}$을 곱하면

$\boxed{2x+3y}=7$ $\cdots\cdots$ ㉢

㉡의 양변에 10을 곱하면

$\boxed{2x-3y}=13$ $\cdots\cdots$ ㉣

㉢$+$㉣을 하면 $4x=20$ $\quad \therefore x=5$

$x=5$를 ㉢에 대입하면 $10+3y=7$

$3y=-3$ $\quad \therefore y=\boxed{-1}$

3-2 답 (1) $x=1, y=0$ (2) $x=6, y=-2$

(1) $\begin{cases} 0.5x+0.3y=0.5 & \cdots\cdots \text{㉠} \\ 0.2x-0.1y=0.2 & \cdots\cdots \text{㉡} \end{cases}$ 에서

㉠의 양변에 10을 곱하면 $5x+3y=5$ $\cdots\cdots$ ㉢

㉡의 양변에 10을 곱하면 $2x-y=2$ $\cdots\cdots$ ㉣

ⓒ+ⓓ×3을 하면
$$5x+3y=5$$
$$+\underline{\quad 6x-3y=6\quad}$$
$$11x\qquad=11\qquad\therefore x=1$$

$x=1$을 ⓓ에 대입하면 $2-y=2$

$\therefore y=0$

(2) $\begin{cases} \dfrac{x}{3}+\dfrac{y}{2}=1 & \cdots\cdots ㉠ \\ \dfrac{x}{4}+\dfrac{y}{3}=\dfrac{5}{6} & \cdots\cdots ㉡ \end{cases}$ 에서

㉠의 양변에 6을 곱하면 $2x+3y=6$ $\quad\cdots\cdots$ ㉢

㉡의 양변에 12를 곱하면 $3x+4y=10$ $\quad\cdots\cdots$ ㉣

㉢×3-㉣×2를 하면
$$6x+9y=18$$
$$-\underline{\quad 6x+8y=20\quad}$$
$$y=-2$$

$y=-2$를 ㉢에 대입하면 $2x-6=6$

$2x=12$ $\quad\therefore x=6$

4-1 탑 (1) 풀이 참조 (2) $x=2, y=1$

(1) $\begin{cases}2x-y=x+y \\ 2x-y=3\end{cases}$, $\begin{cases}2x-y=x+y \\ \boxed{x+y=3}\end{cases}$, $\begin{cases}2x-y=3 \\ x+y=3\end{cases}$

(2) $\begin{cases}2x-y=3 & \cdots ㉠ \\ x+y=3 & \cdots ㉡\end{cases}$ 에서

㉠+㉡을 하면 $3x=6$ $\quad\therefore x=\boxed{2}$

$x=2$를 ㉡에 대입하면 $2+y=3$ $\quad\therefore y=\boxed{1}$

4-2 탑 (1) $4x+y$ / $x=2, y=2$ (2) $x-y+8$ / $x=4, y=-4$

(1) $\begin{cases}2x+3y=10 & \cdots ㉠ \\ \boxed{4x+y}=10 & \cdots ㉡\end{cases}$ 에서 ㉠×2-㉡을 하면
$$4x+6y=20$$
$$-\underline{\quad 4x+\ y=10\quad}$$
$$5y=10\qquad\therefore y=2$$

$y=2$를 ㉡에 대입하면 $4x+2=10$

$4x=8$ $\quad\therefore x=2$

(2) $\begin{cases}3x-y=5x+y \\ 5x+y=\boxed{x-y+8}\end{cases}$ 의 각 방정식을 정리하면

$\begin{cases}-2x-2y=0 & \cdots ㉠ \\ 4x+2y=8 & \cdots ㉡\end{cases}$

㉠+㉡을 하면 $2x=8$ $\quad\therefore x=4$

$x=4$를 ㉠에 대입하면 $-8-2y=0$

$-2y=8$ $\quad\therefore y=-4$

---

01 탑 (1) $x=1, y=4$ (2) $x=-1, y=1$

셀파 한 방정식을 $x=(y$의 식$)$ 또는 $y=(x$의 식$)$으로 나타낸 다음, 다른 방정식에 대입한다.

(1) $\begin{cases}x=-y+5 & \cdots ㉠ \\ x=2y-7 & \cdots ㉡\end{cases}$ 에서 ㉠을 ㉡에 대입하면

$-y+5=2y-7, -3y=-12$ $\quad\therefore y=4$

$y=4$를 ㉠에 대입하면 $x=-4+5=1$

(2) $\begin{cases}x-2y=-3 & \cdots ㉠ \\ 2x-3y=-5 & \cdots ㉡\end{cases}$ 에서 ㉠을 $x=(y$의 식$)$으로 나타내면

$x=2y-3$ $\quad\cdots\cdots$ ㉢

㉢을 ㉡에 대입하면 $2(2y-3)-3y=-5$

$4y-6-3y=-5$ $\quad\therefore y=1$

$y=1$을 ㉢에 대입하면 $x=2\times1-3=-1$

---

02 탑 (1) $x=1, y=-\dfrac{7}{4}$ (2) $x=3, y=2$

셀파 없애려는 미지수의 계수의 절댓값을 같게 한 다음, 더하거나 뺀다.

(1) $\begin{cases}2x-4y=9 & \cdots ㉠ \\ 3x-4y=10 & \cdots ㉡\end{cases}$ 에서 y의 계수가 같으므로

㉠-㉡을 하면 $-x=-1$ $\quad\therefore x=1$

$x=1$을 ㉠에 대입하면 $2\times1-4y=9$

$-4y=7$ $\quad\therefore y=-\dfrac{7}{4}$

(2) $\begin{cases}x+2y=7 & \cdots ㉠ \\ -3x+4y=-1 & \cdots ㉡\end{cases}$ 에서 ㉠×3+㉡을 하면
$$3x+6y=21$$
$$+\underline{\quad -3x+4y=-1\quad}$$
$$10y=20\qquad\therefore y=2$$

$y=2$를 ㉠에 대입하면 $x+2\times2=7$ $\quad\therefore x=3$

---

03 탑 (1) $x=-2, y=3$ (2) $x=2, y=-1$

셀파 분배법칙을 이용하여 괄호를 풀고, 동류항끼리 정리한다.

(1) $\begin{cases}2(x-y)+5y=5 \\ x-3(x-2y)=22\end{cases}$ 에서 괄호를 풀면

$\begin{cases}2x-2y+5y=5 \\ x-3x+6y=22\end{cases}$, 즉 $\begin{cases}2x+3y=5 & \cdots ㉠ \\ -2x+6y=22 & \cdots ㉡\end{cases}$

㉠+㉡을 하면 $9y=27$ $\quad\therefore y=3$

$y=3$을 ㉠에 대입하면 $2x+3\times3=5$

$2x=-4$ $\quad\therefore x=-2$

(2) $\begin{cases}6(x-y)-3=7x+y+2 \\ 7x+y-11=x-2(y+1)\end{cases}$ 에서 괄호를 풀면

$\begin{cases}6x-6y-3=7x+y+2 \\ 7x+y-11=x-2y-2\end{cases}$, 즉 $\begin{cases}-x-7y=5 & \cdots ㉠ \\ 6x+3y=9 & \cdots ㉡\end{cases}$

$\bigcirc \times 6 + \bigcirc$을 하면
$$-6x-42y=30$$
$$+)\ \ 6x+\ 3y=9$$
$$\overline{\qquad\qquad -39y=39} \qquad \therefore y=-1$$

$y=-1$을 $\bigcirc$에 대입하면 $-x-7\times(-1)=5$
$$-x=-2 \qquad \therefore x=2$$

다른 풀이 $\begin{cases} -x-7y=5 & \cdots\bigcirc \\ 6x+3y=9 & \cdots\bigcirc \end{cases}$의 $\bigcirc$에서

$x=-7y-5 \quad \cdots\cdots\bigcirc$

$\bigcirc$을 $\bigcirc$에 대입하면 $6(-7y-5)+3y=9$

$-42y-30+3y=9,\ -39y=39$

$\therefore y=-1$

$y=-1$을 $\bigcirc$에 대입하면 $x=-7\times(-1)-5=2$

---

04 **답** (1) $x=1,\ y=0$ (2) $x=19,\ y=2$

셀파 계수가 소수이므로 양변에 10의 거듭제곱을 곱하여 계수를 정수로 고친다.

(1) $\begin{cases} 0.3x-y=0.3 & \cdots\bigcirc \\ 0.2x-0.1y=0.2 & \cdots\bigcirc \end{cases}$에서 $\bigcirc\times10,\ \bigcirc\times10$을 하면

$\begin{cases} 3x-10y=3 & \cdots\bigcirc \\ 2x-y=2 & \cdots\bigcirc \end{cases}$

$\bigcirc-\bigcirc\times10$을 하면
$$3x-10y=3$$
$$-)\ 20x-10y=20$$
$$\overline{-17x\qquad\quad =-17} \qquad \therefore x=1$$

$x=1$을 $\bigcirc$에 대입하면 $2-y=2 \qquad \therefore y=0$

(2) $\begin{cases} 0.1x-0.5y=0.9 & \cdots\bigcirc \\ 0.02x+0.03y=0.44 & \cdots\bigcirc \end{cases}$에서 $\bigcirc\times10,\ \bigcirc\times100$을 하면

$\begin{cases} x-5y=9 & \cdots\bigcirc \\ 2x+3y=44 & \cdots\bigcirc \end{cases}$

$\bigcirc\times2-\bigcirc$을 하면
$$2x-10y=18$$
$$-)\ 2x+\ 3y=44$$
$$\overline{\qquad -13y=-26} \qquad \therefore y=2$$

$y=2$를 $\bigcirc$에 대입하면 $x-5\times2=9 \qquad \therefore x=19$

---

05 **답** (1) $x=\dfrac{1}{3},\ y=3$ (2) $x=-26,\ y=-38$

셀파 분모의 최소공배수를 양변의 모든 항에 곱하여 계수를 정수로 고친다.

(1) $\begin{cases} x-\dfrac{1}{3}y=-\dfrac{2}{3} & \cdots\bigcirc \\ \dfrac{x-1}{2}+\dfrac{y+1}{3}=1 & \cdots\bigcirc \end{cases}$에서 $\bigcirc\times3,\ \bigcirc\times6$을 하면

$\begin{cases} 3x-y=-2 \\ 3(x-1)+2(y+1)=6 \end{cases}$, 즉 $\begin{cases} 3x-y=-2 & \cdots\bigcirc \\ 3x+2y=7 & \cdots\bigcirc \end{cases}$

$\bigcirc-\bigcirc$을 하면 $-3y=-9 \qquad \therefore y=3$

$y=3$을 $\bigcirc$에 대입하면 $3x-3=-2$

$3x=1 \qquad \therefore x=\dfrac{1}{3}$

---

(2) $\begin{cases} \dfrac{1}{2}(x+y)=x-6 & \cdots\bigcirc \\ \dfrac{3}{2}y=-(5-2x) & \cdots\bigcirc \end{cases}$에서 $\bigcirc\times2,\ \bigcirc\times2$를 하면

$\begin{cases} x+y=2(x-6) \\ 3y=-2(5-2x) \end{cases}$, 즉 $\begin{cases} -x+y=-12 & \cdots\bigcirc \\ -4x+3y=-10 & \cdots\bigcirc \end{cases}$

$\bigcirc\times3-\bigcirc$을 하면
$$-3x+3y=-36$$
$$-)\ -4x+3y=-10$$
$$\overline{\ \ x\qquad\quad =-26}$$

$x=-26$을 $\bigcirc$에 대입하면 $-(-26)+y=-12$
$$\therefore y=-38$$

---

06 **답** (1) $x=-2,\ y=-1$ (2) $x=\dfrac{1}{3},\ y=-\dfrac{1}{2}$

셀파 $A=B=C$ 꼴에서 C가 상수이면 $\begin{cases} A=C \\ B=C \end{cases}$ 꼴로 고쳐서 푼다.

(1) $x-3y=2x-5y=1$에서 $\begin{cases} x-3y=1 & \cdots\bigcirc \\ 2x-5y=1 & \cdots\bigcirc \end{cases}$

$\bigcirc\times2-\bigcirc$을 하면
$$2x-6y=2$$
$$-)\ 2x-5y=1$$
$$\overline{\qquad -y=1} \qquad \therefore y=-1$$

$y=-1$을 $\bigcirc$에 대입하면 $x-3\times(-1)=1 \qquad \therefore x=-2$

(2) $\dfrac{3x+4y+7}{2}=\dfrac{2y+10}{3}=\dfrac{6x-2y+12}{5}$에서

$\begin{cases} \dfrac{3x+4y+7}{2}=\dfrac{2y+10}{3} & \cdots\bigcirc \\ \dfrac{2y+10}{3}=\dfrac{6x-2y+12}{5} & \cdots\bigcirc \end{cases}$

$\bigcirc\times6,\ \bigcirc\times15$를 하면

$\begin{cases} 3(3x+4y+7)=2(2y+10) \\ 5(2y+10)=3(6x-2y+12) \end{cases}$, 즉 $\begin{cases} 9x+8y=-1 & \cdots\bigcirc \\ 9x-8y=7 & \cdots\bigcirc \end{cases}$

$\bigcirc+\bigcirc$을 하면 $18x=6 \qquad \therefore x=\dfrac{1}{3}$

$x=\dfrac{1}{3}$을 $\bigcirc$에 대입하면 $9\times\dfrac{1}{3}+8y=-1$

$8y=-4 \qquad \therefore y=-\dfrac{1}{2}$

---

07 **답** $a=2,\ b=1$

셀파 $x=3,\ y=-4$를 두 일차방정식에 각각 대입한다.

$x=3,\ y=-4$를 $\begin{cases} ax+by=2 \\ bx-ay=11 \end{cases}$에 각각 대입하면

$\begin{cases} 3a-4b=2 \\ 3b+4a=11 \end{cases} \Rightarrow \begin{cases} 3a-4b=2 & \cdots\bigcirc \\ 4a+3b=11 & \cdots\bigcirc \end{cases}$

$\bigcirc\times3+\bigcirc\times4$를 하면
$$9a-12b=6$$
$$+)\ 16a+12b=44$$
$$\overline{25a\qquad\quad =50} \qquad \therefore a=2$$

$a=2$를 $\bigcirc$에 대입하면 $4\times2+3b=11,\ 3b=3 \qquad \therefore b=1$

08 답 3

셀파 $x:y=1:2$에서 $y=2x$

$x:y=1:2$에서 $y=2x$

$\begin{cases} 2x+y=8 & \cdots\cdots \bigcirc \\ x+3y=a+11 & \cdots\cdots \bigcirc \end{cases}$ 에서 $y=2x$이므로

$y=2x$를 $\bigcirc$에 대입하면 $2x+2x=8$

$4x=8$ ∴ $x=2$

$x=2$를 $y=2x$에 대입하면 $y=2\times2=4$

$x=2, y=4$를 $\bigcirc$에 대입하면 $2+3\times4=a+11$ ∴ $a=3$

09 답 $p=1, q=1$

셀파 x, y 이외의 미지수가 없는 두 일차방정식 $x-y=3, 2x+y=12$로 연립방정식을 세운다.

두 연립방정식 $\begin{cases} x-y=3 \\ px+3y=11 \end{cases}, \begin{cases} 2x+y=12 \\ x-2y=q \end{cases}$의 해가 서로 같으므

로 그 해는 연립방정식 $\begin{cases} x-y=3 & \cdots\cdots \bigcirc \\ 2x+y=12 & \cdots\cdots \bigcirc \end{cases}$의 해와 같다.

$\bigcirc+\bigcirc$을 하면 $3x=15$ ∴ $x=5$

$x=5$를 $\bigcirc$에 대입하면 $5-y=3$

$-y=-2$ ∴ $y=2$

따라서 두 연립방정식의 해가 $x=5, y=2$이므로

$x=5, y=2$를 $px+3y=11$에 대입하면

$5p+3\times2=11, 5p=5$ ∴ $p=1$

$x=5, y=2$를 $x-2y=q$에 대입하면

$5-2\times2=q$ ∴ $q=1$

10 답 $x=4, y=1$

셀파 a와 b를 바꾸어 놓고 푼 경우에는 a 대신 b, b 대신 a로 바꾸어 새로운 연립방정식을 만든다.

$\begin{cases} ax+by=10 \\ bx+ay=-5 \end{cases}$에서 a와 b를 바꾼 식은 $\begin{cases} bx+ay=10 \\ ax+by=-5 \end{cases}$

이 연립방정식의 해가 $x=1, y=4$이므로 이것을 대입하면

$\begin{cases} b+4a=10 \\ a+4b=-5 \end{cases}$, 즉 $\begin{cases} 4a+b=10 & \cdots\cdots \bigcirc \\ a+4b=-5 & \cdots\cdots \bigcirc \end{cases}$

$\bigcirc-\bigcirc\times4$를 하면
$\begin{array}{r} 4a+b=10 \\ -)\ 4a+16b=-20 \\ \hline -15b=30 \end{array}$ ∴ $b=-2$

$b=-2$를 $\bigcirc$에 대입하면 $a+4\times(-2)=-5$ ∴ $a=3$

따라서 처음 연립방정식은 $\begin{cases} 3x-2y=10 & \cdots\cdots \bigcirc \\ -2x+3y=-5 & \cdots\cdots \bigcirc \end{cases}$

$\bigcirc\times2+\bigcirc\times3$을 하면
$\begin{array}{r} 6x-4y=20 \\ +)\ -6x+9y=-15 \\ \hline 5y=5 \end{array}$ ∴ $y=1$

$y=1$을 $\bigcirc$에 대입하면 $3x-2=10$

$3x=12$ ∴ $x=4$

11 답 ⑤

셀파 한 문자의 계수를 같게 만들었을 때, 두 일차방정식이 일치하는 것을 찾는다.

① $\begin{cases} x+y=4 & \cdots\cdots \bigcirc \\ 2x+y=3 & \cdots\cdots \bigcirc \end{cases}$에서

$\bigcirc-\bigcirc$을 하면 $-x=1$ ∴ $x=-1$

$x=-1$을 $\bigcirc$에 대입하면 $-1+y=4$ ∴ $y=5$

즉 한 쌍의 해를 가진다.

② $\begin{cases} x+4y=2 & \cdots\cdots \bigcirc \\ 3x+12y=5 & \cdots\cdots \bigcirc \end{cases}$에서 $\bigcirc\times3$을 하면

$3x+12y=6 \cdots\cdots \bigcirc$

$\bigcirc, \bigcirc$에서 x, y의 계수는 각각 같고 상수항이 다르므로 해가 없다.

③ $\begin{cases} x-2y=3 & \cdots\cdots \bigcirc \\ 3x-6y=6 & \cdots\cdots \bigcirc \end{cases}$에서 $\bigcirc\times3$을 하면

$3x-6y=9 \cdots\cdots \bigcirc$

$\bigcirc, \bigcirc$에서 x, y의 계수는 각각 같고 상수항이 다르므로 해가 없다.

④ $\begin{cases} 3x+2y=1 & \cdots\cdots \bigcirc \\ 6x+2y=3 & \cdots\cdots \bigcirc \end{cases}$에서

$\bigcirc-\bigcirc$을 하면 $-3x=-2$ ∴ $x=\dfrac{2}{3}$

$x=\dfrac{2}{3}$를 $\bigcirc$에 대입하면 $3\times\dfrac{2}{3}+2y=1$

$2y=-1$ ∴ $y=-\dfrac{1}{2}$

즉 한 쌍의 해를 가진다.

⑤ $\begin{cases} 2x-3y=5 & \cdots\cdots \bigcirc \\ 4x-6y=10 & \cdots\cdots \bigcirc \end{cases}$에서 $\bigcirc\times2$를 하면

$4x-6y=10 \cdots\cdots \bigcirc$

$\bigcirc, \bigcirc$이 일치하므로 해가 무수히 많다.

┃참고┃ ② $\begin{cases} x+4y=2 \\ 3x+12y=5 \end{cases}$에서 $\dfrac{1}{3}=\dfrac{4}{12}\neq\dfrac{2}{5}$이므로 해가 없다.

③ $\begin{cases} x-2y=3 \\ 3x-6y=6 \end{cases}$에서 $\dfrac{1}{3}=\dfrac{-2}{-6}\neq\dfrac{3}{6}$이므로 해가 없다.

⑤ $\begin{cases} 2x-3y=5 \\ 4x-6y=10 \end{cases}$에서 $\dfrac{2}{4}=\dfrac{-3}{-6}=\dfrac{5}{10}$이므로 해가 무수히 많다. ↘ $\dfrac{1}{2}$로 같다.

LECTURE 어떤 경우에 해가 한 쌍일까?

$\begin{cases} ax+by=c \\ a'x+b'y=c' \end{cases}$에서 좌변을 같게 할 수 없으면, 즉 한 방정식에 적당한 수를 곱해 다른 방정식과 x, y의 계수를 각각 같게 할 수 없으면 해는 한 쌍이다.

①, ④ y의 계수는 같으나 x의 계수가 다르므로 한 쌍의 해를 가진다.

12 답 $a=12$, $b \neq 5$

셀파 x의 계수가 같아지도록 식을 변형하여 x의 계수, y의 계수, 상수항을 비교한다.

$\begin{cases} 3x+4y=b & \cdots ㉠ \\ 9x+ay=15 & \cdots ㉡ \end{cases}$ 에서 ㉠×3을 하면 $9x+12y=3b$ $\cdots ㉢$

해가 없으려면 ㉡, ㉢의 x, y의 계수는 각각 같고, 상수항은 달라야 하므로 $a=12$, $15 \neq 3b$

$\therefore a=12$, $b \neq 5$

집중 연습 연립일차방정식의 풀이

본문 | **135**쪽

1 답 (1) $x=3$, $y=4$　(2) $x=-1$, $y=-4$

(3) $x=-7$, $y=-\dfrac{20}{3}$　(4) $x=0$, $y=4$　(5) $x=2$, $y=2$

(1) $\begin{cases} 5x-y=11 & \cdots ㉠ \\ -x+y=1 & \cdots ㉡ \end{cases}$ 에서 ㉠+㉡을 하면

$4x=12$ $\therefore x=3$

$x=3$을 ㉡에 대입하면 $-3+y=1$ $\therefore y=4$

(2) $\begin{cases} x=y+3 & \cdots ㉠ \\ 3x+2y=-11 & \cdots ㉡ \end{cases}$ 에서 ㉠을 ㉡에 대입하면

$3(y+3)+2y=-11$, $3y+9+2y=-11$

$5y=-20$ $\therefore y=-4$

$y=-4$를 ㉠에 대입하면 $x=-4+3=-1$

(3) $\begin{cases} 3y=2x-6 & \cdots ㉠ \\ -4x+3y=8 & \cdots ㉡ \end{cases}$ 에서 ㉠을 ㉡에 대입하면

$-4x+(2x-6)=8$, $-2x=14$ $\therefore x=-7$

$x=-7$을 ㉠에 대입하면 $3y=2\times(-7)-6$

$3y=-20$ $\therefore y=-\dfrac{20}{3}$

(4) $\begin{cases} x+2y=8 & \cdots ㉠ \\ 4x+3y=12 & \cdots ㉡ \end{cases}$ 에서 ㉠×4-㉡을 하면

$\begin{array}{r} 4x+8y=32 \\ -)\ 4x+3y=12 \\ \hline 5y=20 \end{array}$ $\therefore y=4$

$y=4$를 ㉠에 대입하면 $x+2\times4=8$ $\therefore x=0$

(5) $\begin{cases} 4x-2y=4 & \cdots ㉠ \\ -7x+3y=-8 & \cdots ㉡ \end{cases}$ 에서 ㉠×3+㉡×2를 하면

$\begin{array}{r} 12x-6y=12 \\ +)\ -14x+6y=-16 \\ \hline -2x=-4 \end{array}$ $\therefore x=2$

$x=2$를 ㉠에 대입하면 $4\times2-2y=4$

$-2y=-4$ $\therefore y=2$

---

2 답 (1) $x=6$, $y=4$　(2) $x=\dfrac{3}{2}$, $y=1$　(3) $x=6$, $y=1$

(4) $x=2$, $y=3$　(5) $x=1$, $y=2$　(6) $x=-\dfrac{7}{2}$, $y=-2$

(1) $\begin{cases} x+3(y-1)=15 \\ 2(x+2)+y=20 \end{cases}$ 에서 괄호를 풀면

$\begin{cases} x+3y-3=15 \\ 2x+4+y=20 \end{cases}$, 즉 $\begin{cases} x+3y=18 & \cdots ㉠ \\ 2x+y=16 & \cdots ㉡ \end{cases}$

㉠×2-㉡을 하면 $\begin{array}{r} 2x+6y=36 \\ -)\ 2x+\ y=16 \\ \hline 5y=20 \end{array}$ $\therefore y=4$

$y=4$를 ㉠에 대입하면 $x+3\times4=18$ $\therefore x=6$

(2) $\begin{cases} 2(x+1)+y=4x-3(y-1) \\ 4x-3y+3=2(x+y)+1 \end{cases}$ 에서 괄호를 풀면

$\begin{cases} 2x+2+y=4x-3y+3 \\ 4x-3y+3=2x+2y+1 \end{cases}$, 즉 $\begin{cases} -2x+4y=1 & \cdots ㉠ \\ 2x-5y=-2 & \cdots ㉡ \end{cases}$

㉠+㉡을 하면 $-y=-1$ $\therefore y=1$

$y=1$을 ㉠에 대입하면 $-2x+4\times1=1$

$-2x=-3$ $\therefore x=\dfrac{3}{2}$

(3) $\begin{cases} 0.5x-y=2 & \cdots ㉠ \\ 0.03x-0.12y=0.06 & \cdots ㉡ \end{cases}$ 에서 ㉠×10, ㉡×100을 하면

$\begin{cases} 5x-10y=20 & \cdots ㉢ \\ 3x-12y=6 & \cdots ㉣ \end{cases}$

㉢×3-㉣×5를 하면 $\begin{array}{r} 15x-30y=60 \\ -)\ 15x-60y=30 \\ \hline 30y=30 \end{array}$ $\therefore y=1$

$y=1$을 ㉣에 대입하면 $3x-12\times1=6$

$3x=18$ $\therefore x=6$

(4) $\begin{cases} \dfrac{x}{3}+\dfrac{y}{4}=\dfrac{17}{12} & \cdots ㉠ \\ 2x-\dfrac{y-1}{3}=\dfrac{10}{3} & \cdots ㉡ \end{cases}$ 에서 ㉠×12, ㉡×3을 하면

$\begin{cases} 4x+3y=17 \\ 6x-(y-1)=10 \end{cases}$, 즉 $\begin{cases} 4x+3y=17 & \cdots ㉢ \\ 6x-y=9 & \cdots ㉣ \end{cases}$

㉢+㉣×3을 하면 $\begin{array}{r} 4x+3y=17 \\ +)\ 18x-3y=27 \\ \hline 22x=44 \end{array}$ $\therefore x=2$

$x=2$를 ㉣에 대입하면 $6\times2-y=9$ $\therefore y=3$

(5) $\begin{cases} 0.1x+0.2y=0.5 & \cdots ㉠ \\ \dfrac{5}{2}x-y=\dfrac{1}{2} & \cdots ㉡ \end{cases}$ 에서 ㉠×10, ㉡×2를 하면

$\begin{cases} x+2y=5 & \cdots ㉢ \\ 5x-2y=1 & \cdots ㉣ \end{cases}$

㉢+㉣을 하면 $6x=6$ $\therefore x=1$

$x=1$을 ㉢에 대입하면 $1+2y=5$

$2y=4$ $\therefore y=2$

(6) $\begin{cases} 3(2x-y)-4(3x-4y)=-5 & \cdots \text{㉠} \\ \dfrac{x-4y}{3}-\dfrac{x+5}{2}=\dfrac{3}{4} & \cdots \text{㉡} \end{cases}$ 에서 ㉠의 괄호를 풀

고, ㉡×12를 하면

$\begin{cases} 6x-3y-12x+16y=-5 \\ 4(x-4y)-6(x+5)=9 \end{cases}$, 즉 $\begin{cases} -6x+13y=-5 & \cdots \text{㉢} \\ -2x-16y=39 & \cdots \text{㉣} \end{cases}$

㉢$-$㉣$\times 3$을 하면

$\begin{array}{r} -6x+13y=-5 \\ -)\ -6x-48y=117 \\ \hline 61y=-122 \end{array}$ $\therefore y=-2$

$y=-2$를 ㉣에 대입하면 $-2x-16\times(-2)=39$

$-2x=7$ $\therefore x=-\dfrac{7}{2}$

3 目 (1) $x=\dfrac{3}{5}$, $y=\dfrac{3}{5}$ (2) $x=1$, $y=-6$

(3) $x=-1$, $y=-7$

(1) $2x+3y=4x+y=3$에서 $\begin{cases} 2x+3y=3 & \cdots \text{㉠} \\ 4x+y=3 & \cdots \text{㉡} \end{cases}$

㉠$\times 2-$㉡을 하면

$\begin{array}{r} 4x+6y=6 \\ -)\ 4x+\ y=3 \\ \hline 5y=3 \end{array}$ $\therefore y=\dfrac{3}{5}$

$y=\dfrac{3}{5}$을 ㉡에 대입하면 $4x+\dfrac{3}{5}=3$

$4x=\dfrac{12}{5}$ $\therefore x=\dfrac{3}{5}$

(2) $x+y-2=4x+2y+1=3x-y-16$에서

$\begin{cases} x+y-2=4x+2y+1 \\ 4x+2y+1=3x-y-16 \end{cases}$, 즉 $\begin{cases} -3x-y=3 & \cdots \text{㉠} \\ x+3y=-17 & \cdots \text{㉡} \end{cases}$

㉠$+$㉡$\times 3$을 하면

$\begin{array}{r} -3x-\ y=3 \\ +)\ 3x+9y=-51 \\ \hline 8y=-48 \end{array}$ $\therefore y=-6$

$y=-6$을 ㉠에 대입하면 $-3x-(-6)=3$

$-3x=-3$ $\therefore x=1$

(3) $\dfrac{x-y}{3}=\dfrac{3x-y}{2}=2$에서 $\begin{cases} \dfrac{x-y}{3}=2 & \cdots \text{㉠} \\ \dfrac{3x-y}{2}=2 & \cdots \text{㉡} \end{cases}$

㉠$\times 3$, ㉡$\times 2$를 하면 $\begin{cases} x-y=6 & \cdots \text{㉢} \\ 3x-y=4 & \cdots \text{㉣} \end{cases}$

㉢$-$㉣을 하면 $-2x=2$ $\therefore x=-1$

$x=-1$을 ㉢에 대입하면 $-1-y=6$ $\therefore y=-7$

01 目 (가) $y=-3x+2$ (나) 34 (다) 2 (라) -4

셀파 ㉡을 $y=(x$의 식)으로 나타낸 다음, ㉠에 대입하여 푼다.

$\begin{cases} 2x-5y=24 & \cdots \text{㉠} \\ 3x+y=2 & \cdots \text{㉡} \end{cases}$ 에서

㉡을 $y=(x$의 식)으로 나타내면 $\boxed{\text{(가)}\ y=-3x+2}$ $\cdots\cdots$ ㉢

㉢을 ㉠에 대입하면 $2x-5(-3x+2)=24$

$2x+15x-10=24$, $17x=\boxed{\text{(나)}\ 34}$ $\therefore x=\boxed{\text{(다)}\ 2}$

$x=\boxed{\text{(다)}\ 2}$를 ㉢에 대입하면

$y=-3\times 2+2=\boxed{\text{(라)}\ -4}$

02 目 ②

셀파 y를 없애기 위해 y의 계수의 절댓값을 같게 만든다.

$\begin{cases} 4x+3y=11 & \cdots \text{㉠} \\ 3x+2y=8 & \cdots \text{㉡} \end{cases}$ 의 y를 없애려면 ㉠$\times 2$, ㉡$\times 3$,

즉 $\begin{cases} 8x+6y=22 & \cdots \text{㉠}\times 2 \\ 9x+6y=24 & \cdots \text{㉡}\times 3 \end{cases}$ 에서

㉠$\times 2-$㉡$\times 3$을 하면 된다. 따라서 필요한 식은 ②이다.

03 目 (1) $x=-6$, $y=-16$ (2) 26

셀파 연립방정식 $\begin{cases} 3x=y-2 \\ x-y=10 \end{cases}$ 의 해를 구한다.

1 연립방정식 풀기 [50 %]

(1) $\begin{cases} 3x=y-2 \\ x-y=10 \end{cases}$, 즉 $\begin{cases} 3x-y=-2 & \cdots \text{㉠} \\ x-y=10 & \cdots \text{㉡} \end{cases}$ 에서

㉠$-$㉡을 하면 $2x=-12$ $\therefore x=-6$

$x=-6$을 ㉡에 대입하면 $-6-y=10$

$-y=16$ $\therefore y=-16$

2 a의 값 구하기 [50 %]

(2) $x=-6$, $y=-16$을 일차방정식 $x-2y=a$에 대입하면

$a=-6-2\times(-16)=26$

04 目 $x=7$, $y=-\dfrac{5}{6}$

셀파 계수를 정수로 고친 다음 푼다.

$\begin{cases} 0.6x+1.2y=3.2 & \cdots \text{㉠} \\ \dfrac{x-1}{4}+3(y+2)=5 & \cdots \text{㉡} \end{cases}$ 에서 ㉠$\times 10$, ㉡$\times 4$를 하면

$\begin{cases} 6x+12y=32 \\ x-1+12(y+2)=20 \end{cases}$, 즉 $\begin{cases} 6x+12y=32 & \cdots \text{㉢} \\ x+12y=-3 & \cdots \text{㉣} \end{cases}$

㉢$-$㉣을 하면 $5x=35$ $\therefore x=7$

$x=7$을 ㉣에 대입하면 $7+12y=-3$

$12y=-10$ $\therefore y=-\dfrac{5}{6}$

05 답 $x=0, y=2$

셀파 비례식을 방정식으로 나타낸다.

$\begin{cases} (x+3):(2y+1)=3:5 & \cdots \ \boxdot \\ 0.2x+0.3y=0.6 & \cdots \ \boxdot \end{cases}$ 에서

① 비례식 ⊙을 방정식으로 나타내기 [30 %]

⊙을 방정식으로 나타내면 $5(x+3)=3(2y+1)$

$5x+15=6y+3$ $\therefore 5x-6y=-12$

② ⊙의 계수를 정수로 고치기 [20 %]

⊙×10을 하면 $2x+3y=6$

③ 연립방정식 풀기 [50 %]

즉 $\begin{cases} 5x-6y=-12 & \cdots \ \boxdot \\ 2x+3y=6 & \cdots \ \boxdot \end{cases}$

⊙+⊙×2를 하면

$$\begin{array}{r} 5x-6y=-12 \\ +)\ 4x+6y=12 \\ \hline 9x\qquad =0 \end{array} \qquad \therefore x=0$$

$x=0$을 ⊙에 대입하면 $3y=6$ $\therefore y=2$

06 답 $x=7, y=14$

셀파 $\begin{cases} A=B \\ B=C \end{cases}$ 꼴로 고쳐서 푼다.

$\dfrac{x+21}{4}=\dfrac{y}{2}=\dfrac{x+y}{3}$ 에서 $\begin{cases} \dfrac{x+21}{4}=\dfrac{y}{2} & \cdots \ \boxdot \\ \dfrac{y}{2}=\dfrac{x+y}{3} & \cdots \ \boxdot \end{cases}$

⊙×4, ⊙×6을 하면

$\begin{cases} x+21=2y \\ 3y=2(x+y) \end{cases}$, 즉 $\begin{cases} x-2y=-21 & \cdots \ \boxdot \\ -2x+y=0 & \cdots \ \boxdot \end{cases}$

⊙에서 $y=2x$이므로 이것을 ⊙에 대입하면

$x-2\times2x=-21, -3x=-21$ $\therefore x=7$

$x=7$을 $y=2x$에 대입하면 $y=14$

07 답 7

셀파 $x=5, y=-1$을 두 일차방정식에 각각 대입한다.

$x=5, y=-1$을 $\begin{cases} ax+by=7 \\ bx+ay=13 \end{cases}$에 각각 대입하면

$\begin{cases} 5a-b=7 \\ 5b-a=13 \end{cases}$, 즉 $\begin{cases} 5a-b=7 & \cdots \ \boxdot \\ -a+5b=13 & \cdots \ \boxdot \end{cases}$

⊙×5+⊙을 하면

$$\begin{array}{r} 25a-5b=35 \\ +)\ -a+5b=13 \\ \hline 24a\qquad =48 \end{array} \qquad \therefore a=2$$

$a=2$를 ⊙에 대입하면 $5\times2-b=7$

$-b=-3$ $\therefore b=3$

$\therefore 2a+b=2\times2+3=7$

08 답 -1

셀파 x의 값이 y의 값보다 15만큼 작으므로 $x=y-15$, 즉 $y=x+15$로 놓을 수 있다.

x의 값이 y의 값보다 15만큼 작으므로

$x=y-15$에서 $y=x+15$ $\cdots \ \boxdot$

연립방정식 $\begin{cases} 3x+y=7 & \cdots \ \boxdot \\ 2x-ay=9 & \cdots \ \boxdot \end{cases}$ 에서 ⊙을 ⊙에 대입하면

$3x+(x+15)=7, 4x=-8$ $\therefore x=-2$

$x=-2$를 ⊙에 대입하면 $y=-2+15=13$

따라서 주어진 연립방정식의 해가 $x=-2, y=13$이므로

$x=-2, y=13$을 ⊙에 대입하면 $2\times(-2)-13a=9$

$-13a=13$ $\therefore a=-1$

09 답 -20

셀파 x, y 이외의 미지수가 없는 두 일차방정식 $4x+3y=5, 3x-5y=11$로 연립방정식을 세운다.

두 연립방정식 $\begin{cases} 4x+3y=5 \\ ax+by=13 \end{cases}$ $\begin{cases} ax-2by=-2 \\ 3x-5y=11 \end{cases}$ 의 해가 서로 같으

므로 그 해는 연립방정식 $\begin{cases} 4x+3y=5 & \cdots \ \boxdot \\ 3x-5y=11 & \cdots \ \boxdot \end{cases}$의 해와 같다.

⊙×5+⊙×3을 하면

$$\begin{array}{r} 20x+15y=25 \\ +)\ 9x-15y=33 \\ \hline 29x\qquad =58 \end{array} \qquad \therefore x=2$$

$x=2$를 ⊙에 대입하면 $4\times2+3y=5$

$3y=-3$ $\therefore y=-1$

따라서 두 연립방정식의 해가 $x=2, y=-1$이므로

$x=2, y=-1$을 $ax+by=13$에 대입하면

$2a-b=13$ $\cdots \cdots \ \boxdot$

$x=2, y=-1$을 $ax-2by=-2$에 대입하면

$2a+2b=-2$, 즉 $a+b=-1$ $\cdots \cdots \ \boxdot$

⊙+⊙을 하면 $3a=12$ $\therefore a=4$

$a=4$를 ⊙에 대입하면 $4+b=-1$ $\therefore b=-5$

$\therefore ab=4\times(-5)=-20$

10 답 (1) $a=-4, b=2$ (2) $x=1, y=2$

셀파 $x=-2, y=4$는 $bx+3y=8$의 해이고

$x=-3, y=-1$은 $3x+ay=-5$의 해이다.

① b의 값 구하기 [30 %]

(1) $x=-2, y=4$는 $bx+3y=8$의 해이므로

$-2b+3\times4=8, -2b=-4$ $\therefore b=2$

② a의 값 구하기 [30 %]

$x=-3, y=-1$은 $3x+ay=-5$의 해이므로

$3\times(-3)-a=-5$ $\therefore a=-4$

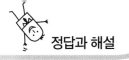
정답과 해설

③ 처음 연립방정식의 해 구하기 [40 %]

(2) $a=-4, b=2$이므로 처음 연립방정식은 $\begin{cases} 3x-4y=-5 & \cdots ㉠ \\ 2x+3y=8 & \cdots ㉡ \end{cases}$

이다.

㉠$\times 2-$㉡$\times 3$을 하면

$$\begin{array}{r} 6x-8y=-10 \\ -)\ 6x+9y=24 \\ \hline -17y=-34 \qquad \therefore\ y=2 \end{array}$$

$y=2$를 ㉡에 대입하면 $2x+3\times 2=8$

$2x=2 \qquad \therefore\ x=1$

11 답 ④

셀파 두 일차방정식의 x, y의 계수는 각각 같고 상수항이 다르면 연립방정식의 해는 없다.

① $\begin{cases} x+y=4 & \cdots ㉠ \\ 2x+y=3 & \cdots ㉡ \end{cases}$

⇨ ㉠, ㉡에서 y의 계수는 같으나 x의 계수가 다르므로 한 쌍의 해를 가진다.

② $\begin{cases} 3x+5y=25 & \cdots ㉠ \\ 2x-2y=9 & \cdots ㉡ \end{cases}$에서 ㉠$\times 2$, ㉡$\times 3$을 하면

$\begin{cases} 6x+10y=50 & \cdots ㉢ \\ 6x-6y=27 & \cdots ㉣ \end{cases}$

⇨ ㉢, ㉣에서 x의 계수는 같으나 y의 계수가 다르므로 한 쌍의 해를 가진다.

③ $\begin{cases} x-2y=7 & \cdots ㉠ \\ 3x+y=14 & \cdots ㉡ \end{cases}$에서 ㉠$\times 3$을 하면

$3x-6y=21 \qquad \cdots\cdots ㉢$

⇨ ㉡, ㉢에서 x의 계수는 같으나 y의 계수가 다르므로 한 쌍의 해를 가진다.

④ $\begin{cases} 3x+y=5 & \cdots ㉠ \\ 6x+2y=7 & \cdots ㉡ \end{cases}$에서 ㉠$\times 2$를 하면

$6x+2y=10 \qquad \cdots\cdots ㉢$

⇨ ㉡, ㉢에서 x, y의 계수는 각각 같고 상수항이 다르므로 해가 없다.

⑤ $\begin{cases} 3x+4y=5 & \cdots ㉠ \\ 9x+12y=15 & \cdots ㉡ \end{cases}$에서 ㉠$\times 3$을 하면

$9x+12y=15 \qquad \cdots\cdots ㉢$

⇨ ㉡과 ㉢이 일치하므로 해가 무수히 많다.

12 답 -9

셀파 연립방정식을 이루는 두 일차방정식이 일치하면 연립방정식의 해는 무수히 많다.

연립방정식 $\begin{cases} x-y=a & \cdots ㉠ \\ 2x+3by=12 & \cdots ㉡ \end{cases}$에서 ㉠$\times 2$를 하면

$2x-2y=2a \qquad \cdots\cdots ㉢$

해가 무수히 많으려면 ㉡과 ㉢이 일치해야 하므로

$3b=-2,\ 12=2a$

$\therefore\ a=6,\ b=-\dfrac{2}{3}$

$\therefore\ \dfrac{a}{b}=a\div b=6\div\left(-\dfrac{2}{3}\right)=6\times\left(-\dfrac{3}{2}\right)=-9$

▌다른 풀이 $\begin{cases} x-y=a \\ 2x+3by=12 \end{cases}$의 해가 무수히 많으므로

$\dfrac{1}{2}=\dfrac{-1}{3b}=\dfrac{a}{12}$

$\dfrac{1}{2}=\dfrac{-1}{3b}$에서 $3b=-2 \qquad \therefore\ b=-\dfrac{2}{3}$

$\dfrac{1}{2}=\dfrac{a}{12}$에서 $2a=12 \qquad \therefore\ a=6$

$\therefore\ \dfrac{a}{b}=a\div b=6\div\left(-\dfrac{2}{3}\right)=6\times\left(-\dfrac{3}{2}\right)=-9$

13 답 1

셀파 $x=1, y=-1$은 일차방정식 $x-ay=4$의 해이다.

$x=1, y=-1$을 $x-ay=4$에 대입하면

$1+a=4 \qquad \therefore\ a=3$

$x=-2, y=b$를 $x-3y=4$에 대입하면

$-2-3b=4,\ -3b=6 \qquad \therefore\ b=-2$

$x=-2, y=-2$를 $x+cy=2$에 대입하면

$-2-2c=2,\ -2c=4 \qquad \therefore\ c=-2$

$\begin{cases} 3x-y=4 & \cdots ㉠ \\ x-2y=2 & \cdots ㉡ \end{cases}$에서 ㉠$\times 2-$㉡을 하면

$$\begin{array}{r} 6x-2y=8 \\ -)\ x-2y=2 \\ \hline 5x\qquad =6 \qquad \therefore\ x=\dfrac{6}{5},\ \text{즉}\ d=\dfrac{6}{5} \end{array}$$

$x=\dfrac{6}{5}$을 ㉡에 대입하면 $\dfrac{6}{5}-2y=2$

$-2y=\dfrac{4}{5} \qquad \therefore\ y=-\dfrac{2}{5},\ \text{즉}\ e=-\dfrac{2}{5}$

$\therefore\ a+b+c+5d+10e$

$=3+(-2)+(-2)+5\times\dfrac{6}{5}+10\times\left(-\dfrac{2}{5}\right)$

$=1$

10 연립일차방정식의 활용

본문 | **141, 143**쪽

1-1 답 오리: 2마리, 사슴: 8마리

오리 수를 x, 사슴 수를 y로 놓으면

	오리	사슴	합계
수	x	y	$\boxed{10}$
다리 수	$2x$	$\boxed{4y}$	36

$$\therefore \begin{cases} x+y=\boxed{10} & \cdots\ \text{㉠} \\ 2x+\boxed{4y}=36 & \cdots\ \text{㉡} \end{cases}$$

㉠×2−㉡을 하면
$$\begin{array}{r} 2x+2y=20 \\ -)\ 2x+4y=36 \\ \hline -2y=-16 \end{array} \quad \therefore y=8$$

$y=8$을 ㉠에 대입하면 $x+8=10$ $\therefore x=2$

따라서 오리는 2마리, 사슴은 8마리이다.

1-2 답 (1) $4x$, $2y$, 180 (2) $\begin{cases} x+y=48 \\ 4x+2y=180 \end{cases}$

(3) 자동차: 42대, 자전거: 6대

(1)

	자동차	자전거	합계
수	x	y	48
바퀴 수	$4x$	$2y$	180

(2) $\begin{cases} x+y=48 \\ 4x+2y=180 \end{cases}$

(3) $\begin{cases} x+y=48 & \cdots\ \text{㉠} \\ 4x+2y=180 & \cdots\ \text{㉡} \end{cases}$ 에서 ㉠×2−㉡을 하면

$$\begin{array}{r} 2x+2y=96 \\ -)\ 4x+2y=180 \\ \hline -2x=-84 \end{array} \quad \therefore x=42$$

$x=42$를 ㉠에 대입하면 $42+y=48$ $\therefore y=6$

따라서 자동차는 42대, 자전거는 6대이다.

2-1 답 23

처음 수의 십의 자리 숫자를 x, 일의 자리 숫자를 y로 놓으면

	십의 자리	일의 자리	두 자리 자연수
처음 수	x	y	$10x+y$
바꾼 수	y	x	$\boxed{10y+x}$

이때 처음 수의 각 자리의 숫자의 합이 5이므로 $x+y=5$

바꾼 수가 처음 수보다 9만큼 크므로 $10y+x=(10x+y)+9$

$$\therefore \begin{cases} x+y=\boxed{5} & \cdots\ \text{㉠} \\ \boxed{10y+x}=(10x+y)+9 & \cdots\ \text{㉡} \end{cases}$$

㉡의 괄호를 풀어 정리하면 $x-y=-1$ $\cdots\cdots$ ㉢

㉠+㉢을 하면 $2x=4$ $\therefore x=2$

$x=2$를 ㉠에 대입하면 $2+y=5$ $\therefore y=3$

따라서 처음 수는 23이다.

2-2 답 (1) $10x+y$, x, $10y+x$ (2) $\begin{cases} x+y=6 \\ 10y+x=(10x+y)-18 \end{cases}$

(3) 42

(1)

	십의 자리	일의 자리	두 자리 자연수
처음 수	x	y	$10x+y$
바꾼 수	y	x	$10y+x$

(2) 처음 수의 각 자리의 숫자의 합이 6이므로 $x+y=6$

바꾼 수가 처음 수보다 18만큼 작으므로

$10y+x=(10x+y)-18$

$$\therefore \begin{cases} x+y=6 \\ 10y+x=(10x+y)-18 \end{cases}$$

(3) $\begin{cases} x+y=6 \\ 10y+x=(10x+y)-18 \end{cases} \Rightarrow \begin{cases} x+y=6 & \cdots\ \text{㉠} \\ x-y=2 & \cdots\ \text{㉡} \end{cases}$

㉠+㉡을 하면 $2x=8$ $\therefore x=4$

$x=4$를 ㉠에 대입하면 $4+y=6$ $\therefore y=2$

따라서 처음 수는 42이다.

3-1 답 올라간 거리: 3 km, 내려온 거리: 8 km

올라간 거리를 x km, 내려온 거리를 y km라 할 때

	올라갈 때	내려올 때
거리	x km	y km
속력	시속 3 km	시속 4 km
시간	$\dfrac{x}{3}$시간	$\boxed{\dfrac{y}{4}}$시간

이때 내려온 거리가 올라간 거리보다 5 km 더 멀므로 $y=x+5$

전체 걸린 시간은 3시간이므로 $\dfrac{x}{3}+\dfrac{y}{4}=3$

$$\therefore \begin{cases} y=x+\boxed{5} & \cdots\ \text{㉠} \\ \dfrac{x}{3}+\boxed{\dfrac{y}{4}}=3 & \cdots\ \text{㉡} \end{cases}$$

㉡×12를 하면 $4x+3y=36$ $\cdots\cdots$ ㉢

㉠을 ㉢에 대입하면 $4x+3(x+5)=36$

$7x=21$ $\therefore x=3$

$x=3$을 ㉠에 대입하면 $y=3+5=8$

따라서 올라간 거리는 3 km, 내려온 거리는 8 km이다.

3-2 답 (1) x시간, $\dfrac{y}{3}$시간 (2) $\begin{cases} y=x+3 \\ x+\dfrac{y}{3}=5 \end{cases}$

(3) 올라간 거리: 3 km, 내려온 거리: 6 km

(1)

	올라갈 때	내려올 때
거리	x km	y km
속력	시속 1 km	시속 3 km
시간	x시간	$\dfrac{y}{3}$시간

(2) 내려온 거리가 올라간 거리보다 3 km 더 멀므로 $y=x+3$

전체 걸린 시간은 5시간이므로 $x+\dfrac{y}{3}=5$

∴ $\begin{cases} y=x+3 \\ x+\dfrac{y}{3}=5 \end{cases}$

(3) $\begin{cases} y=x+3 \\ x+\dfrac{y}{3}=5 \end{cases}$ ⇨ $\begin{cases} y=x+3 & \cdots \text{㉠} \\ 3x+y=15 & \cdots \text{㉡} \end{cases}$

㉠을 ㉡에 대입하면 $3x+(x+3)=15$

$4x=12$ ∴ $x=3$

$x=3$을 ㉠에 대입하면 $y=3+3=6$

따라서 올라간 거리는 3 km, 내려온 거리는 6 km이다.

4-1 답 5 %의 소금물의 양: 300 g, 8 %의 소금물의 양: 600 g

5 %의 소금물의 양을 x g, 8 %의 소금물의 양을 y g이라 할 때

	5 %의 소금물	8 %의 소금물	7 %의 소금물
소금물의 양	x g	y g	900 g
소금의 양	$\dfrac{5}{100}x$ g	$\boxed{\dfrac{8}{100}y}$ g	$\dfrac{7}{100}\times900=63$ (g)

∴ $\begin{cases} x+y=900 & \cdots \text{㉠} \\ \dfrac{5}{100}x+\boxed{\dfrac{8}{100}y}=\boxed{63} & \cdots \text{㉡} \end{cases}$

㉡×100을 하면 $5x+8y=6300$ ⋯⋯ ㉢

㉠×5−㉢을 하면 $5x+5y=4500$

$\quad\quad\quad\quad -)\ 5x+8y=6300$

$\quad\quad\quad\quad\quad\quad -3y=-1800$ ∴ $y=600$

$y=600$을 ㉠에 대입하면 $x+600=900$ ∴ $x=300$

따라서 5 %의 소금물의 양은 300 g, 8 %의 소금물의 양은 600 g이다.

4-2 답 (1) 300 g, $\dfrac{20}{100}y$ g, 51 g (2) $\begin{cases} x+y=300 \\ \dfrac{11}{100}x+\dfrac{20}{100}y=51 \end{cases}$

(3) 11 %의 소금물의 양: 100 g, 20 %의 소금물의 양: 200 g

(1)

	11 %의 소금물	20 %의 소금물	17 %의 소금물
소금물의 양	x g	y g	300 g
소금의 양	$\dfrac{11}{100}x$ g	$\dfrac{20}{100}y$ g	$\dfrac{17}{100}\times300=51$ (g)

(2) $\begin{cases} x+y=300 \\ \dfrac{11}{100}x+\dfrac{20}{100}y=51 \end{cases}$

(3) $\begin{cases} x+y=300 \\ \dfrac{11}{100}x+\dfrac{20}{100}y=51 \end{cases}$ ⇨ $\begin{cases} x+y=300 & \cdots \text{㉠} \\ 11x+20y=5100 & \cdots \text{㉡} \end{cases}$

㉠×11−㉡을 하면 $11x+11y=3300$

$\quad\quad\quad\quad -)\ 11x+20y=5100$

$\quad\quad\quad\quad\quad\quad -9y=-1800$ ∴ $y=200$

$y=200$을 ㉠에 대입하면 $x+200=300$ ∴ $x=100$

따라서 11 %의 소금물의 양은 100 g, 20 %의 소금물의 양은 200 g이다.

보고 또 보고

유형 익히기 − 확인 문제 본문 **144~151** 쪽

01 답 47

셀파 십의 자리 숫자가 x, 일의 자리 숫자가 y인 두 자리 자연수 ⇨ $10x+y$

처음 수의 십의 자리 숫자를 x, 일의 자리 숫자를 y라 하면

$\begin{cases} x+y=11 \\ 10y+x=2(10x+y)-20 \end{cases}$ ⇨ $\begin{cases} x+y=11 & \cdots \text{㉠} \\ 19x-8y=20 & \cdots \text{㉡} \end{cases}$

㉠×8+㉡을 하면 $8x+8y=88$

$\quad\quad\quad\quad +)\ 19x-8y=20$

$\quad\quad\quad\quad\quad 27x\quad\quad=108$ ∴ $x=4$

$x=4$를 ㉠에 대입하면

$4+y=11$ ∴ $y=7$

따라서 처음 수는 47이다.

02 답 18세

셀파 현재 x세인 사람의 8년 전의 나이는 $(x-8)$세이다.

현재 형의 나이를 x세, 동생의 나이를 y세라 하면

$\begin{cases} x+y=30 \\ x-8=2(y-8)+2 \end{cases}$ ⇨ $\begin{cases} x+y=30 & \cdots \text{㉠} \\ x-2y=-6 & \cdots \text{㉡} \end{cases}$

㉠−㉡을 하면 $3y=36$ ∴ $y=12$

$y=12$를 ㉠에 대입하면 $x+12=30$ ∴ $x=18$

따라서 현재 형의 나이는 18세이다.

03 🔲 400원짜리 기념품: 7개, 700원짜리 기념품: 5개

셀파 $\begin{cases} \text{(구입한 기념품의 총 개수)}=12 \\ \text{(지불한 총 금액)}=6300 \end{cases}$ 으로 연립방정식을 세운다.

구입한 400원짜리 기념품의 개수를 x, 700원짜리 기념품의 개수를 y라 하면

$\begin{cases} x+y=12 \\ 400x+700y=6300 \end{cases} \Rightarrow \begin{cases} x+y=12 & \cdots ㉠ \\ 4x+7y=63 & \cdots ㉡ \end{cases}$

㉠×4−㉡을 하면

$\begin{array}{r} 4x+4y=48 \\ -)\ 4x+7y=63 \\ \hline -3y=-15 \end{array}$ ∴ $y=5$

$y=5$를 ㉠에 대입하면 $x+5=12$ ∴ $x=7$

따라서 400원짜리 기념품은 7개, 700원짜리 기념품은 5개 샀다.

04 🔲 가로의 길이: 23 cm, 세로의 길이: 32 cm

셀파 처음 직사각형의 가로의 길이를 x cm, 세로의 길이를 y cm로 놓고, 연립 방정식을 세운다.

처음 직사각형의 가로의 길이를 x cm, 세로의 길이를 y cm라 하면

$\begin{cases} 2(x+y)=110 \\ x+4=y-5 \end{cases} \Rightarrow \begin{cases} x+y=55 & \cdots ㉠ \\ x-y=-9 & \cdots ㉡ \end{cases}$

㉠+㉡을 하면 $2x=46$ ∴ $x=23$

$x=23$을 ㉠에 대입하면 $23+y=55$ ∴ $y=32$

따라서 처음 직사각형의 가로의 길이는 23 cm, 세로의 길이는 32 cm이다.

05 🔲 300명

셀파 $\begin{cases} \text{(작년의 전체 학생 수에 대한 일차방정식)} \\ \text{(올해의 전체 학생 수에 대한 일차방정식)} \end{cases}$ 으로 연립방정식을 세운다.

작년의 남학생 수를 x명, 여학생 수를 y명이라 하면 올해의 남학생 수와 여학생 수는 다음 표와 같다.

	작년	증감 비율	올해
남학생 수	x명	8 % 감소	$x\left(1-\dfrac{8}{100}\right)$명
여학생 수	y명	20 % 증가	$y\left(1+\dfrac{20}{100}\right)$명

∴ $\begin{cases} x+y=600 \\ x\left(1-\dfrac{8}{100}\right)+y\left(1+\dfrac{20}{100}\right)=622 \end{cases}$

$\Rightarrow \begin{cases} x+y=600 & \cdots ㉠ \\ 23x+30y=15550 & \cdots ㉡ \end{cases}$

㉠×30−㉡을 하면

$\begin{array}{r} 30x+30y=18000 \\ -)\ 23x+30y=15550 \\ \hline 7x\ \ \ \ \ \ \ \ =2450 \end{array}$ ∴ $x=350$

$x=350$을 ㉠에 대입하면 $350+y=600$ ∴ $y=250$

따라서 올해의 여학생 수는 $250\times\left(1+\dfrac{20}{100}\right)=300$(명)

▮다른 풀이▮ −(남학생 수의 감소량)+(여학생 수의 증가량)$=22$ 임을 이용해 연립방정식을 세우면

$\begin{cases} x+y=600 \\ -\dfrac{8}{100}x+\dfrac{20}{100}y=22 \end{cases} \Rightarrow \begin{cases} x+y=600 & \cdots ㉠ \\ -2x+5y=550 & \cdots ㉡ \end{cases}$

㉠×2+㉡을 하면

$\begin{array}{r} 2x+2y=1200 \\ +)\ -2x+5y=\ \ 550 \\ \hline 7y=1750 \end{array}$ ∴ $y=250$

따라서 올해의 여학생 수는 $250\times\left(1+\dfrac{20}{100}\right)=300$(명)

06 🔲 3 km

셀파 $\begin{cases} \text{(거리에 대한 일차방정식)} \\ \text{(시간에 대한 일차방정식)} \end{cases}$ 으로 연립방정식을 세운다.

시속 3 km로 걸어서 간 거리를 x km, 시속 4 km로 걸어서 간 거리를 y km라 하면

$\begin{cases} x+y=9 \\ \dfrac{x}{3}+\dfrac{y}{4}=\dfrac{5}{2} \end{cases} \Rightarrow \begin{cases} x+y=9 & \cdots ㉠ \\ 4x+3y=30 & \cdots ㉡ \end{cases}$

2시간 30분

㉠×3−㉡을 하면

$\begin{array}{r} 3x+3y=27 \\ -)\ 4x+3y=30 \\ \hline -x\ \ \ \ \ \ \ =-3 \end{array}$ ∴ $x=3$

$x=3$을 ㉠에 대입하면 $3+y=9$ ∴ $y=6$

따라서 시속 3 km로 걸어서 간 거리는 3 km이다.

07 🔲 3시간

셀파

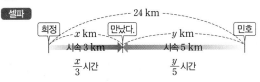

희정이가 움직인 거리를 x km, 민호가 움직인 거리를 y km라 하면

$\begin{cases} x+y=24 \\ \dfrac{x}{3}=\dfrac{y}{5} \end{cases} \Rightarrow \begin{cases} x+y=24 & \cdots ㉠ \\ 5x=3y & \cdots ㉡ \end{cases}$

㉠에서 $y=24-x$ $\cdots\cdots ㉢$

㉢을 ㉡에 대입하면 $5x=3(24-x)$

$5x=72-3x,\ 8x=72$ ∴ $x=9$

$x=9$를 ㉢에 대입하면 $y=15$

따라서 희정이와 민호가 만날 때까지 걸린 시간은

$\dfrac{9}{3}=3$(시간)

08 답 25분

셀파 민지와 민서가 간 거리는 같다.

민지가 출발한 지 x분 후에, 민서가 출발한 지 y분 후에 서로 만났다고 하면

$$\begin{cases} x = y + 10 & \cdots \text{㉠} \\ 30x = 50y & \cdots \text{㉡} \end{cases}$$

㉠을 ㉡에 대입하면 $30(y+10) = 50y$

$30y + 300 = 50y$, $20y = 300$ $\quad \therefore y = 15$

$y = 15$를 ㉠에 대입하면 $x = 25$

따라서 민지가 출발한 지 25분 후에 민지와 민서는 만나게 된다.

09 답 6 %의 설탕물: 500 g, 15 %의 설탕물: 1000 g

셀파 6 %의 설탕물의 양을 x g, 15 % 설탕물의 양을 y g으로 놓고 연립방정식을 세운다.

6 %의 설탕물을 x g, 15 %의 설탕물을 y g 섞었다고 하면

$$\begin{cases} x + y = 1500 \\ \dfrac{6}{100} \times x + \dfrac{15}{100} \times y = \dfrac{12}{100} \times 1500 \end{cases}$$

즉 $\begin{cases} x + y = 1500 & \cdots \text{㉠} \\ 2x + 5y = 6000 & \cdots \text{㉡} \end{cases}$

㉠×2 - ㉡을 하면

$$\begin{array}{r} 2x + 2y = 3000 \\ -)\ 2x + 5y = 6000 \\ \hline -3y = -3000 \end{array} \quad \therefore y = 1000$$

$y = 1000$을 ㉠에 대입하면

$x + 1000 = 1500 \quad \therefore x = 500$

따라서 섞은 6 %의 설탕물의 양은 500 g, 15 %의 설탕물의 양은 1000 g이다.

10 답 소금물 A: 8 %, 소금물 B: 12 %

셀파 소금물 A의 농도를 x %, 소금물 B의 농도를 y %로 놓고, 소금의 양에 대한 연립방정식을 세운다.

소금물 A의 농도를 x %, 소금물 B의 농도를 y %라 하면

$$\begin{cases} \dfrac{x}{100} \times 100 + \dfrac{y}{100} \times 100 = \dfrac{10}{100} \times 200 \\ \dfrac{x}{100} \times 300 + \dfrac{y}{100} \times 100 = \dfrac{9}{100} \times 400 \end{cases}$$

즉 $\begin{cases} x + y = 20 & \cdots \text{㉠} \\ 3x + y = 36 & \cdots \text{㉡} \end{cases}$

㉠-㉡을 하면 $-2x = -16 \quad \therefore x = 8$

$x = 8$을 ㉠에 대입하면 $8 + y = 20 \quad \therefore y = 12$

따라서 소금물 A의 농도는 8 %, 소금물 B의 농도는 12 %이다.

11 답 길이: 120 m, 속력: 초속 40 m

셀파 (기차가 이동한 거리)=(터널 또는 다리의 길이)+(기차의 길이)

기차의 길이를 x m, 기차의 속력을 초속 y m라 하면 길이가 800 m인 터널을 완전히 통과하는 데 23초, 길이가 400 m인 다리를 완전히 통과하는 데 13초가 걸렸으므로

$$\begin{cases} 800 + x = 23y & \cdots \text{㉠} \\ 400 + x = 13y & \cdots \text{㉡} \end{cases}$$

㉠-㉡을 하면 $400 = 10y \quad \therefore y = 40$

$y = 40$을 ㉡에 대입하면 $400 + x = 520 \quad \therefore x = 120$

따라서 기차의 길이는 120 m, 속력은 초속 40 m이다.

12 답 흐르지 않는 물에서의 배의 속력: 시속 12 km
강물의 속력: 시속 6 km

셀파 · (강물이 흐르는 방향과 같은 방향으로 내려올 때의 배의 속력)
=(흐르지 않는 물에서의 배의 속력)+(강물의 속력)
· (강물이 흐르는 방향과 반대 방향으로 올라갈 때의 배의 속력)
=(흐르지 않는 물에서의 배의 속력)-(강물의 속력)

흐르지 않는 물에서의 배의 속력을 시속 x km, 강물의 속력을 시속 y km라 하면

강을 거슬러 올라갈 때의 배의 속력은 시속 $(x-y)$ km, 강을 따라 내려올 때의 배의 속력은 시속 $(x+y)$ km이므로

$$\begin{cases} 3 \times (x-y) = 18 \\ 1 \times (x+y) = 18 \end{cases} \Rightarrow \begin{cases} x - y = 6 & \cdots \text{㉠} \\ x + y = 18 & \cdots \text{㉡} \end{cases}$$

㉠+㉡을 하면 $2x = 24 \quad \therefore x = 12$

$x = 12$를 ㉡에 대입하면 $12 + y = 18 \quad \therefore y = 6$

따라서 흐르지 않는 물에서의 배의 속력은 시속 12 km, 강물의 속력은 시속 6 km이다.

13 답 16일

셀파 초은이와 도현이가 1일 동안 할 수 있는 일의 양을 각각 x, y로 놓고 연립방정식을 세운다.

전체 일의 양을 1이라 하고 초은이가 하루에 할 수 있는 일의 양을 x, 도현이가 하루에 할 수 있는 일의 양을 y라 하면

$$\begin{cases} 12x + 12y = 1 & \cdots \text{㉠} \\ 8x + 24y = 1 & \cdots \text{㉡} \end{cases}$$

㉠×2 - ㉡을 하면

$$\begin{array}{r} 24x + 24y = 2 \\ -)\ 8x + 24y = 1 \\ \hline 16x = 1 \end{array} \quad \therefore x = \dfrac{1}{16}$$

$x = \dfrac{1}{16}$을 ㉡에 대입하면 $8 \times \dfrac{1}{16} + 24y = 1$

$24y = \dfrac{1}{2} \quad \therefore y = \dfrac{1}{48}$

따라서 초은이는 하루에 $\dfrac{1}{16}$만큼 일을 하므로 혼자 하면 16일이 걸린다.

01　답 3252

셀파　네 자리의 비밀번호를 $xy52$로 놓고 식을 세운다.

맨 앞자리 숫자를 x, 두 번째 자리 숫자를 y라 하면

$$\begin{cases} x+y+5+2=12 \\ x=y+1 \end{cases} \Rightarrow \begin{cases} x+y=5 & \cdots \text{㉠} \\ x=y+1 & \cdots \text{㉡} \end{cases}$$

㉡을 ㉠에 대입하면 $(y+1)+y=5$

$2y+1=5,\ 2y=4$

$\therefore y=2$

$y=2$를 ㉡에 대입하면 $x=2+1=3$

따라서 비밀번호는 3252이다.

02　답 어머니: 47세, 아들: 14세

셀파　현재 x세인 사람의 a년 후의 나이 $\Rightarrow (x+a)$세

현재 어머니의 나이를 x세, 아들의 나이를 y세라 하면

$$\begin{cases} x+y=49 \\ x+12=3(y+12)-7 \end{cases} \Rightarrow \begin{cases} x+y=49 & \cdots \text{㉠} \\ x-3y=17 & \cdots \text{㉡} \end{cases}$$

㉠－㉡을 하면 $4y=32$　$\therefore y=8$

$y=8$을 ㉠에 대입하면 $x+8=49$　$\therefore x=41$

즉 현재 어머니의 나이는 41세, 아들의 나이는 8세이다.

따라서 6년 후의 어머니의 나이는 $41+6=47$(세),

아들의 나이는 $8+6=14$(세)이다.

03　답 말 한 마리 값: 36냥, 소 한 마리 값: 28냥

셀파　말 한 마리 값을 x냥, 소 한 마리 값을 y냥이라 하고 식을 세운다.

말 한 마리 값을 x냥, 소 한 마리 값을 y냥이라 하면

$$\begin{cases} 2x+y=100 & \cdots \text{㉠} \\ x+2y=92 & \cdots \text{㉡} \end{cases}$$

㉠$\times 2$－㉡을 하면

$$\begin{array}{r} 4x+2y=200 \\ -)\ \ x+2y=\ \ 92 \\ \hline 3x\ \ \ \ \ \ =108 \end{array} \quad \therefore x=36$$

$x=36$을 ㉡에 대입하면 $36+2y=92$

$2y=56$　$\therefore y=28$

따라서 말 한 마리 값은 36냥, 소 한 마리 값은 28냥이다.

04　답 50 cm^2

셀파　(직사각형의 둘레의 길이)$=2\times\{$(가로의 길이)$+$(세로의 길이)$\}$

처음 직사각형의 가로의 길이를 x cm, 세로의 길이를 y cm라 하면 나중 직사각형의 가로의 길이는 $2x$ cm, 세로의 길이는 $(y+4)$ cm이므로

$$\begin{cases} 2(x+y)=30 \\ 2\{2x+(y+4)\}=48 \end{cases} \Rightarrow \begin{cases} x+y=15 & \cdots \text{㉠} \\ 2x+y=20 & \cdots \text{㉡} \end{cases}$$

㉠－㉡을 하면 $-x=-5$　$\therefore x=5$

$x=5$를 ㉠에 대입하면 $5+y=15$　$\therefore y=10$

따라서 처음 직사각형의 가로의 길이는 5 cm, 세로의 길이는 10 cm이므로 그 넓이는 $5\times10=50\ (cm^2)$

05　답 (1) y, x, $+15$　(2) $\begin{cases} 3x-2y=40 \\ -2x+3y=15 \end{cases}$　(3) 30

셀파　1계단 올라가는 것을 $+1$, 1계단 내려오는 것을 -1로 생각한다.

① 표 완성하기 [20 %]

(1) 비기는 경우는 없으므로 준서가 x번 이기면 성하는 x번 진다.

따라서 표를 완성하면 다음과 같다.

	이긴 횟수	진 횟수	위치 변화
준서	x	y	$+40$
성하	y	x	$+15$

② 연립방정식 세우기 [30 %]

(2) 이긴 사람은 3계단씩 올라가고, 진 사람은 2계단씩 내려가므로

$$\begin{cases} 3x-2y=40 & \cdots \text{㉠} \\ -2x+3y=15 & \cdots \text{㉡} \end{cases}$$

③ 연립방정식 풀고 답 구하기 [50 %]

(3) ㉠$\times 2$＋㉡$\times 3$을 하면

$$\begin{array}{r} 6x-4y=80 \\ +)\ -6x+9y=45 \\ \hline 5y=125 \end{array} \quad \therefore y=25$$

$y=25$를 ㉠에 대입하면 $3x-50=40$

$3x=90$　$\therefore x=30$

따라서 준서가 이긴 횟수는 30이다.

┃참고┃ 가위바위보를 하여 이기면 a계단씩 올라가고 지면 b계단씩 내려갈 때, 어떤 사람이 x번 이기고 y번 졌다면

$\Rightarrow$ 이 사람의 위치 변화는 $(ax-by)$계단이다.

06　답 A도시: 424톤, B도시: 176톤

셀파　두 도시의 쓰레기 배출량의 합이 지난달과 같으므로
　　　(A도시의 증가한 쓰레기 배출량)$=$(B도시의 감소한 쓰레기 배출량)

지난달 A도시의 쓰레기 배출량을 x톤, B도시의 쓰레기 배출량을 y톤이라 하면

$$\begin{cases} x+y=600 \\ \dfrac{6}{100}x=\dfrac{12}{100}y \end{cases} \Rightarrow \begin{cases} x+y=600 & \cdots \text{㉠} \\ x=2y & \cdots \text{㉡} \end{cases}$$

㉡을 ㉠에 대입하면 $2y+y=600$

$3y=600$　$\therefore y=200$

$y=200$을 ㉡에 대입하면 $x=2\times200=400$

따라서 A도시의 이번 달 쓰레기 배출량은

$$400 + \frac{6}{100} \times 400 = 400 + 24 = 424(톤)$$

B도시의 이번 달 쓰레기 배출량은

$$200 - \frac{12}{100} \times 200 = 200 - 24 = 176(톤)$$

07 답 32 m

셀파 자유형으로 수영한 거리를 x m, 평영으로 수영한 거리를 y m로 놓고 연립방정식을 세운다.

자유형으로 수영한 거리를 x m, 평영으로 수영한 거리를 y m라 하면

$$\begin{cases} x+y=50 \\ \dfrac{x}{1}+\dfrac{y}{0.6}=62 \end{cases} \Rightarrow \begin{cases} x+y=50 & \cdots \text{㉠} \\ 3x+5y=186 & \cdots \text{㉡} \end{cases}$$

→ 1분 2초=62초

㉠×3-㉡을 하면

$$\begin{array}{r} 3x+3y=150 \\ -)\ 3x+5y=186 \\ \hline -2y=-36 \end{array} \quad \therefore y=18$$

$y=18$을 ㉠에 대입하면 $x+18=50$

$\therefore x=32$

따라서 자유형으로 수영한 거리는 32 m이다.

08 답 240 g

셀파 5 %의 소금물의 양을 x g, 10 %의 소금물의 양을 y g으로 놓고 연립방정식을 세운다.

5 %의 소금물의 양을 x g, 10 %의 소금물의 양을 y g이라 하면

$$\begin{cases} x+y=300 \\ \dfrac{5}{100}x+\dfrac{10}{100}y=\dfrac{6}{100}\times300 \end{cases} \Rightarrow \begin{cases} x+y=300 & \cdots \text{㉠} \\ x+2y=360 & \cdots \text{㉡} \end{cases}$$

㉠-㉡을 하면 $-y=-60$ $\therefore y=60$

$y=60$을 ㉠에 대입하면 $x+60=300$

$\therefore x=240$

따라서 섞어야 할 5 %의 소금물의 양은 240 g이다.

09 답 12분

셀파 물탱크에 물을 가득 채웠을 때의 물의 양을 1로 놓고 연립방정식을 세운다.

호스 A를 사용하여 1분 동안 채울 수 있는 물의 양을 x, 호스 B를 사용하여 1분 동안 채울 수 있는 물의 양을 y라 하면

$$\begin{cases} 8x+2y=1 & \cdots \text{㉠} \\ 4x+4y=1 & \cdots \text{㉡} \end{cases}$$

㉠×2-㉡을 하면

$$\begin{array}{r} 16x+4y=2 \\ -)\ 4x+4y=1 \\ \hline 12x=1 \end{array} \quad \therefore x=\frac{1}{12}$$

$x=\dfrac{1}{12}$을 ㉡에 대입하면 $\dfrac{1}{3}+4y=1$

$4y=\dfrac{2}{3}$ $\therefore y=\dfrac{1}{6}$

따라서 호스 A를 사용하여 1분 동안 채울 수 있는 물의 양은 $\dfrac{1}{12}$이므로 호수 A만 사용하여 물탱크를 가득 채우는 데 걸리는 시간은 12분이다.

10 답 길이: 90 m, 속력: 초속 15 m

셀파 기차의 길이를 x m라 하면 터널에서 완전히 보이지 않는 동안 기차가 움직인 거리는 $(1290-x)$ m이다.

기차의 길이를 x m라 하면

(i) (다리를 완전히 통과할 때, 기차가 움직인 거리)$=510+x$ (m)

(ii) (터널에서 완전히 보이지 않는 동안 기차가 움직인 거리)
$=1290-x$ (m)

이때 기차의 속력을 초속 y m라 하면

$$\begin{cases} 510+x=40y & \cdots \text{㉠} \\ 1290-x=80y & \cdots \text{㉡} \end{cases}$$

→ 1분 20초=80초

㉠+㉡을 하면 $1800=120y$ $\therefore y=15$

$y=15$를 ㉠에 대입하면 $510+x=600$ $\therefore x=90$

따라서 기차의 길이는 90 m, 속력은 초속 15 m이다.

11 답 (1) $15x+15y=1500$ (2) $50x-50y=1500$
(3) 형의 속력: 분속 65 m, 동생의 속력: 분속 35 m

셀파 서로 반대 방향이면 두 사람이 이동한 거리의 합을 생각하고, 서로 같은 방향이면 두 사람이 이동한 거리의 차를 생각한다.

형의 속력이 분속 x m, 동생의 속력이 분속 y m이므로

① 반대 방향으로 도는 경우를 일차방정식으로 나타내기 [30 %]

(1) 형과 동생이 같은 지점에서 동시에 출발하여 호수의 둘레를 반대 방향으로 돌다가 처음으로 만나는 경우
(형이 이동한 거리)+(동생이 이동한 거리)
=(호수의 둘레의 길이)
이때 처음으로 만날 때까지 15분이 걸리므로 형이 이동한 거리는 $15\times x$ (m), 동생이 이동한 거리는 $15\times y$ (m)이다.
$\therefore 15x+15y=1500$

→ 1.5 km=1500 m

② 같은 방향으로 도는 경우를 일차방정식으로 나타내기 [40 %]

(2) 형과 동생이 같은 지점에서 동시에 출발하여 호수의 둘레를 같은 방향으로 돌다가 처음으로 만나는 경우, 형이 동생보다 빠르므로
(형이 이동한 거리)-(동생이 이동한 거리)
=(호수의 둘레의 길이)
이때 처음으로 만날 때까지 50분이 걸리므로 형이 이동한 거리는 $50\times x$ (m), 동생이 이동한 거리는 $50\times y$ (m)이다.
$\therefore 50x-50y=1500$

(3) $\begin{cases} 15x+15y=1500 \\ 50x-50y=1500 \end{cases} \Rightarrow \begin{cases} x+y=100 & \cdots ㉠ \\ x-y=30 & \cdots ㉡ \end{cases}$

㉠+㉡을 하면 $2x=130$ $\quad \therefore x=65$

$x=65$를 ㉠에 대입하면

$65+y=100$ $\quad \therefore y=35$

따라서 형의 속력은 분속 65 m, 동생의 속력은 분속 35 m이다.

12 답 100 g

셀파 합금 A의 양을 x g, 합금 B의 양을 y g으로 놓고 연립방정식을 세운다.

합금 A는 x g, 합금 B는 y g 필요하다고 하면

$\begin{cases} \dfrac{15}{100}x+\dfrac{10}{100}y=20 \\ \dfrac{15}{100}x+\dfrac{30}{100}y=30 \end{cases} \Rightarrow \begin{cases} 15x+10y=2000 & \cdots ㉠ \\ 15x+30y=3000 & \cdots ㉡ \end{cases}$

㉠−㉡을 하면 $-20y=-1000$ $\quad \therefore y=50$

$y=50$을 ㉠에 대입하면 $15x+500=2000$

$15x=1500$ $\quad \therefore x=100$

따라서 합금 A는 100 g이 필요하다.

Ⅴ. 함수

11 일차함수와 그래프 (1)

1. 함수의 뜻과 일차함수

개념 익히기

본문 | **157, 159** 쪽

1-1 답 (1) 함수이다.   (2) 함수가 아니다.

(1) x의 값이 변함에 따라 y의 값이 보기 하나 씩 정해지므로 y는 x의 보기 함수이다 .

(2) x의 값 하나에 y의 값이 정해지지 않거나 보기 두 개인 경우가 있으므로 y는 x의 함수가 아니다.

1-2 답 (1) 표: 풀이 참조, 함수이다.
　　　 (2) 표: 풀이 참조, 함수가 아니다.

(1) y는 x의 절댓값이므로 주어진 표를 완성하면 다음과 같다.

x	-2	-1	0	1	2
y	**2**	**1**	**0**	**1**	**2**

x의 값이 변함에 따라 y의 값이 하나씩 정해지므로 y는 x의 함수이다.

> **개념 다시 보기**
>
> **절댓값이란?**
>
> 수직선 위에서 어떤 수에 대응하는 점과 원점 사이의 거리를 그 수의 절댓값이라 한다.
>
> ❶ 양수, 음수의 절댓값은 그 수에서 부호 +, −를 뗀 수와 같다.
> ❷ 절댓값이 $a(a>0)$인 수는 $-a$, a의 2개이다.
> ❸ 0의 절댓값은 0이다.

(2) y는 x의 배수이므로 주어진 표를 완성하면 다음과 같다.

x	1	2	3	4	5
y	1, 2, 3, ⋯	2, 4, 6, ⋯	3, 6, 9, ⋯	4, 8, 12, ⋯	5, 10, 15, ⋯

x의 값 하나에 y의 값이 두 개 이상 정해지므로 y는 x의 함수가 아니다.

2-1 답 (1) 풀이 참조　 (2) 함수이다.　 (3) $y=500x$

(1)

x(자루)	1	2	3	4	⋯
y(원)	500	**1000**	**1500**	**2000**	⋯

(2) x의 값이 변함에 따라 y의 값이 하나씩 정해지므로 y는 x의 보기 함수이다 .

(3) x와 y 사이의 관계식은 $y=\boxed{500}\,x$

2-2 답 (1) 풀이 참조　(2) 함수이다.　(3) $y=\dfrac{24}{x}$

(1)

x (cm)	1	2	3	4	6
y (cm)	24	**12**	8	**6**	4

(2) x의 값 변함에 따라 y의 값이 하나씩 정해지므로 y는 x의 함수이다.

(3) $xy=24$에서 $y=\dfrac{24}{x}$

3-1 답 (1) 1　(2) -7

(1) $f(1)=2\times\boxed{1}-1=\boxed{1}$

(2) $f(-3)=2\times(\boxed{-3})-1=\boxed{-7}$

3-2 답 (1) 4　(2) -3　(3) -4

(1) $f(-2)=-2\times(-2)=4$

(2) $f(-2)=\dfrac{6}{-2}=-3$

(3) $f(-2)=3\times(-2)+2=-4$

4-1 답 (1) ○　(2) ○　(3) ×　(4) ○

(1) $y=(x$에 대한 일차식)이므로 일차함수이다.

(2) $y=\dfrac{x}{3}+2=\dfrac{1}{3}x+2$이므로 일차함수이다.

(3) $y=-(x+3)+x=-x-3+x=-3$, 즉 $y=\boxed{-3}$
$\Rightarrow y=ax+b$에서 $a=0$이므로 y는 x에 대한 $\boxed{일차함수가 아니다}$.

(4) $y=x^2-x(x+1)=x^2-x^2-x=-x$, 즉 $y=\boxed{-x}$
$\Rightarrow y$는 x에 대한 $\boxed{일차함수이다}$.

4-2 답 (1) ×　(2) ○　(3) ×　(4) ○

(1) $y=\dfrac{5}{x}$에서 분모에 x가 있으므로 일차함수가 아니다.

(2) $y=(x$에 대한 일차식)이므로 일차함수이다.

(3) $y=ax+b$에서 $a=0$이므로 y는 x에 대한 일차함수가 아니다.

(4) $y=2x^2-x(2x+5)=2x^2-2x^2-5x=-5x$, 즉 $y=-5x$
$\Rightarrow y$는 x에 대한 일차함수이다.

4-3 답 (1) $y=80-x$　(2) 일차함수이다.

(1) $y=80-x$

(2) $y=(x$에 대한 일차식)이므로 일차함수이다.

---

01 답 ㉢

셀파 · 함수인 경우 ⇨ x의 값 변함에 따라 y의 값이 하나씩 정해질 때
· 함수가 아닌 경우 ⇨ 어떤 x의 값에 대하여 y의 값이 정해지지 않거나 두 개 이상으로 정해질 때

㉠ 자연수 x를 5로 나누었을 때의 나머지 y는 하나로 정해지므로 y는 x의 함수이다.

㉡ (정삼각형의 둘레의 길이)$=3\times$(한 변의 길이)에서 $y=3x$이므로 y는 x의 함수이다.

㉢ 가로, 세로의 길이가 각각 2 cm, 2 cm인 직사각형과 가로, 세로의 길이가 각각 3 cm, 1 cm인 직사각형의 둘레의 길이는 모두 8 cm이지만 넓이가 각각 4 cm², 3 cm²이다.
즉 $x=8$일 때, y의 값이 하나로 정해지지 않는다.

02 답 1. -2　2. 5

셀파 1. $f(x)=2x-3$에 x 대신 2, -1을 각각 대입한다.
2. $f(x)=-\dfrac{12}{x}$에 x 대신 -4, 6을 각각 대입한다.

1. $f(2)=2\times2-3=1$, $f(-1)=2\times(-1)-3=-5$
$\therefore 3f(2)+f(-1)=3\times1+(-5)=3-5=-2$

2. $f(-4)=-\dfrac{12}{-4}=3$, $f(6)=-\dfrac{12}{6}=-2$
$\therefore f(-4)-f(6)=3-(-2)=3+2=5$

03 답 ①

셀파 y항은 좌변으로, 나머지 항은 우변으로 이항하여 정리한 식이 $y=ax+b(a\neq0)$ 꼴이면 y는 x에 대한 일차함수이다.

① $x-y=1-y$에서 $x=1$ ⇨ 일차함수가 아니다.

② $2x+y-1=0$에서 $y=-2x+1$ ⇨ 일차함수이다.

③ $y=x(x+2)-x^2$에서 $y=2x$ ⇨ 일차함수이다.

④ $y+1=\dfrac{x+1}{3}$에서 $y=\dfrac{1}{3}x-\dfrac{2}{3}$ ⇨ 일차함수이다.

⑤ $y^2+2y=x+y^2+3$에서 $y=\dfrac{1}{2}x+\dfrac{3}{2}$ ⇨ 일차함수이다.

04 답 1

셀파 $f(-9)=12$를 이용하여 상수 a의 값을 먼저 구한다.

$f(x)=-x+a$에서 $f(-9)=12$이므로
$f(-9)=-(-9)+a=12$　$\therefore a=3$
따라서 $f(x)=-x+3$에서
$f(b)=-b+3=1$이므로 $b=2$
$\therefore a-b=3-2=1$

2. 일차함수의 그래프

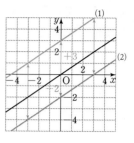

본문 | **163, 165** 쪽

1-1 답 풀이 참조

일차함수 $y=-2x+1$에 대하여 x의 값에 따른 y의 값을 구하면 다음 표와 같다.

x	$\cdots$	-2	-1	0	1	2	$\cdots$
y	$\cdots$	5	$\boxed{3}$	1	-1	-3	$\cdots$

위의 표에서 얻어지는 순서쌍 (x, y)를 구하면
$(-2, 5), (-1, 3) (0, 1), (1, -1), (2, -3)$
이것을 좌표로 하는 점을 좌표평면 위에 나타내면 오른쪽 그림의 점과 같다.
따라서 x의 값의 범위가 수 전체일 때, 일차함수 $y=-2x+1$의 그래프는 오른쪽 그림과 같이 이 점들을 모두 지나는 $\boxed{직선}$이다.

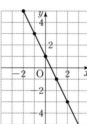

1-2 답 풀이 참조

일차함수 $y=\dfrac{1}{2}x+1$에 대하여 주어진 표를 완성하면 다음과 같다.

x	$\cdots$	-4	-2	0	2	4	$\cdots$
y	$\cdots$	$\mathbf{-1}$	$\mathbf{0}$	1	2	3	$\cdots$

위의 표에서 얻어지는 순서쌍 (x, y)를 구하면
$(-4, -1), (-2, 0), (0, 1), (2, 2), (4, 3)$
이것을 좌표로 하는 점을 좌표평면 위에 나타내면 오른쪽 그림의 점과 같다.
따라서 x의 값의 범위가 수 전체일 때, 일차함수 $y=\dfrac{1}{2}x+1$의 그래프는 오른쪽 그림과 같이 이 점들을 모두 지나는 직선이다.

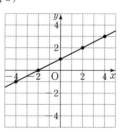

2-1 답 (1) 풀이 참조 (2) 풀이 참조

(1) $y=x+1$의 그래프는 $y=x$의 그래프를 y축의 방향으로 $\boxed{1}$만큼 평행이동한 직선이다.
(2) $y=x-1$의 그래프는 $y=x$의 그래프를 y축의 방향으로 $\boxed{-1}$만큼 평행이동한 직선이다.

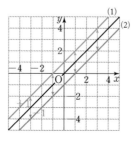

2-2 답 (1) 풀이 참조 (2) 풀이 참조

(1) $y=\dfrac{2}{3}x+3$의 그래프는 $y=\dfrac{2}{3}x$의 그래프를 y축의 방향으로 3만큼 평행이동한 직선이다.
(2) $y=\dfrac{2}{3}x-2$의 그래프는 $y=\dfrac{2}{3}x$의 그래프를 y축의 방향으로 -2만큼 평행이동한 직선이다.

3-1 답 x절편: 3, y절편: -6

$y=2x-6$에 $y=\boxed{0}$을 대입하면
$0=2x-6$ $\therefore x=\boxed{3}$
또 $y=2x-6$에 $x=\boxed{0}$을 대입하면
$y=2\times 0-6=-6$
따라서 x절편은 $\boxed{3}$, y절편은 -6이다.

3-2 답 (1) x절편: 3, y절편: -3 (2) x절편: 1, y절편: 5
　　　(3) x절편: 6, y절편: -4

(1) $y=x-3$에 $y=0$을 대입하면
　　$0=x-3$ $\therefore x=3$
　　또 $y=x-3$에 $x=0$을 대입하면 $y=-3$
　　따라서 x절편은 3, y절편은 -3이다.
(2) $y=-5x+5$에 $y=0$을 대입하면
　　$0=-5x+5, 5x=5$ $\therefore x=1$
　　또 $y=-5x+5$에 $x=0$을 대입하면 $y=5$
　　따라서 x절편은 1, y절편은 5이다.
(3) $y=\dfrac{2}{3}x-4$에 $y=0$을 대입하면
　　$0=\dfrac{2}{3}x-4, \dfrac{2}{3}x=4$ $\therefore x=6$
　　또 $y=\dfrac{2}{3}x-4$에 $x=0$을 대입하면 $y=-4$
　　따라서 x절편은 6, y절편은 -4이다.

4-1 답 1. $\dfrac{2}{3}$ 2. (1) 1 (2) $\dfrac{1}{2}$

1. 오른쪽 그림과 같이 x의 값이 3만큼 증가할 때, y의 값은 $\boxed{2}$만큼 증가하므로
(기울기)$=\boxed{\dfrac{2}{3}}$

2. (1) (기울기)$=\dfrac{5-2}{2-(-1)}=\dfrac{3}{3}=\boxed{1}$

　 (2) (기울기)$=\dfrac{\boxed{5}-\boxed{2}}{3-(\boxed{-3})}=\dfrac{3}{6}=\boxed{\dfrac{1}{2}}$

4-2 답 −2

오른쪽 그림과 같이 x의 값이 2만큼 증가할 때, y의 값은 4만큼 감소하므로

(기울기)$=\dfrac{-4}{2}=-2$

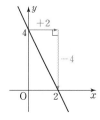

4-3 답 (1) 1 (2) 3

(1) (기울기)$=\dfrac{3-(-1)}{3-(-1)}=\dfrac{4}{4}=1$

(2) (기울기)$=\dfrac{-6-0}{0-2}=\dfrac{-6}{-2}=3$

집중 연습   일차함수 $y=ax+b$의 그래프 그리기   본문 | **166~167**쪽

1 답 (1) 풀이 참조 (2) 풀이 참조 (3) 풀이 참조

(1) ① $x=0$일 때 $y=-2$,
   $x=2$일 때 $y=0$
   이므로 두 점 $(0,-2)$, $(2,0)$을 지난다.
   ② 두 점 $(0,-2)$, $(2,0)$을 좌표평면 위에 나타내고, 그 두 점을 직선으로 연결한다.

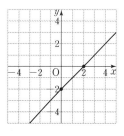

(2) ① $x=0$일 때 $y=2$,
   $x=1$일 때 $y=-1$
   이므로 두 점 $(0,2)$, $(1,-1)$을 지난다.
   ② 두 점 $(0,2)$, $(1,-1)$을 좌표평면 위에 나타내고, 그 두 점을 직선으로 연결한다.

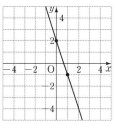

(3) ① $x=0$일 때 $y=-3$,
   $x=4$일 때 $y=-2$
   이므로 두 점 $(0,-3)$, $(4,-2)$를 지난다.
   ② 두 점 $(0,-3)$, $(4,-2)$를 좌표평면 위에 나타내고, 그 두 점을 직선으로 연결한다.

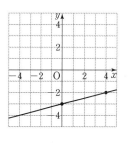

2 답 (1) 풀이 참조 (2) 풀이 참조 (3) 풀이 참조

(1) ① $y=-3x$의 그래프는 원점과 점 $(1,-3)$을 지나므로 그 두 점을 직선으로 연결한다.
   ② $y=-3x$의 그래프를 y축의 방향으로 -4만큼 평행이동한 것이 $y=-3x-4$의 그래프이다.

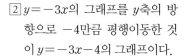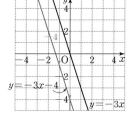

(2) ① $y=\dfrac{1}{2}x$의 그래프는 원점과 점 $(2,1)$을 지나므로 그 두 점을 직선으로 연결한다.
   ② $y=\dfrac{1}{2}x$의 그래프를 y축의 방향으로 3만큼 평행이동한 것이 $y=\dfrac{1}{2}x+3$의 그래프이다.

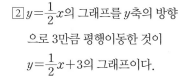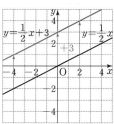

(3) ① $y=\dfrac{3}{2}x$의 그래프는 원점과 점 $(2,3)$을 지나므로 그 두 점을 직선으로 연결한다.
   ② $y=\dfrac{3}{2}x$의 그래프를 y축의 방향으로 -2만큼 평행이동한 것이 $y=\dfrac{3}{2}x-2$의 그래프이다.

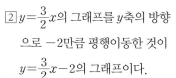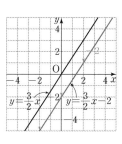

3 답 (1) 풀이 참조 (2) 풀이 참조 (3) 풀이 참조

(1) ① $x=0$일 때 $y=6$,
   $y=0$일 때 $x=-2$
   ∴ x절편: -2, y절편: 6
   ② 두 점 $(-2,0)$, $(0,6)$을 좌표평면 위에 나타내고, 그 두 점을 직선으로 연결한다.

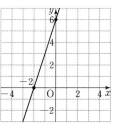

(2) ① $x=0$일 때 $y=4$,
   $y=0$일 때 $x=2$
   ∴ x절편: 2, y절편: 4
   ② 두 점 $(2,0)$, $(0,4)$를 좌표평면 위에 나타내고, 그 두 점을 직선으로 연결한다.

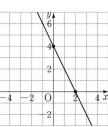

(3) ① $x=0$일 때 $y=2$,
   $y=0$일 때 $x=-3$
   ∴ x절편: -3, y절편: 2
   ② 두 점 $(-3,0)$, $(0,2)$를 좌표평면 위에 나타내고, 그 두 점을 직선으로 연결한다.

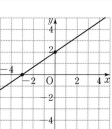

4 답 (1) 풀이 참조 (2) 풀이 참조 (3) 풀이 참조

(1) ① y절편이 3이므로 점 $(0, 3)$을 좌표평면 위에 나타낸다.

② 기울기가 -2이므로 점 $(0, 3)$에서 x의 값이 1만큼 증가할 때, y의 값이 -2만큼 증가하는 점의 좌표는 $(1, 1)$이다.

③ 두 점 $(0, 3)$, $(1, 1)$을 직선으로 연결한다.

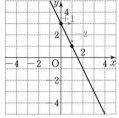

(2) ① y절편이 -2이므로 점 $(0, -2)$를 좌표평면 위에 나타낸다.

② 기울기가 $\dfrac{3}{4}$이므로 점 $(0, -2)$에서 x의 값이 4만큼 증가할 때, y의 값이 3만큼 증가하는 점의 좌표는 $(4, 1)$이다.

③ 두 점 $(0, -2)$, $(4, 1)$을 직선으로 연결한다.

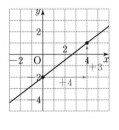

(3) ① y절편이 1이므로 점 $(0, 1)$을 좌표평면 위에 나타낸다.

② 기울기가 $-\dfrac{2}{3}$이므로 점 $(0, 1)$에서 x의 값이 3만큼 증가할 때, y의 값이 -2만큼 증가하는 점의 좌표는 $(3, -1)$이다.

③ 두 점 $(0, 1)$, $(3, -1)$을 직선으로 연결한다.

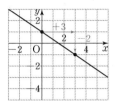

유형 익히기 - 확인 문제

본문 **168~172**쪽

01 답 **1.** 3 **2.** 12

셀파 일차함수 $y = ax + b$의 그래프가 점 (p, q)를 지난다.
⇨ $y = ax + b$에 $x = p$, $y = q$를 대입하면 등식이 성립한다.

1. 점 $(k, 4)$가 일차함수 $y = 3x - 5$의 그래프 위에 있으므로
$$4 = 3k - 5, \ 3k = 9 \quad \therefore k = 3$$

2. 일차함수 $y = -\dfrac{1}{2}x + a$의 그래프가 점 $(-2, 3)$을 지나므로
$$3 = 1 + a \quad \therefore a = 2$$
$y = -\dfrac{1}{2}x + 2$의 그래프가 점 $(b, -3)$을 지나므로
$$-3 = -\dfrac{1}{2}b + 2, \ \dfrac{1}{2}b = 5 \quad \therefore b = 10$$
$$\therefore a + b = 2 + 10 = 12$$

02 답 -1

셀파 평행이동한 그래프의 식을 구한다.

일차함수 $y = -2x + 8$의 그래프를 y축의 방향으로 k만큼 평행이동한 그래프의 식은 $y = -2x + 8 + k$

이때 이 그래프가 점 $(2, 3)$을 지나므로
$$3 = -4 + 8 + k, \ 3 = 4 + k \quad \therefore k = -1$$

┃다른 풀이┃ 일차함수 $y = -2x + 8$의 그래프를 y축의 방향으로 k만큼 평행이동한 그래프를 다시 y축의 방향으로 $-k$만큼 평행이동하면 원래의 일차함수 $y = -2x + 8$의 그래프이다.

또 점 $(2, 3)$을 y축의 방향으로 $-k$만큼 평행이동한 점의 좌표는 $(2, 3 - k)$이다.

즉 점 $(2, 3 - k)$가 일차함수 $y = -2x + 8$의 그래프 위에 있으므로
$$3 - k = -4 + 8, \ 3 - k = 4 \quad \therefore k = -1$$

03 답 -2

셀파 a, b는 각각 일차함수 $y = \dfrac{3}{4}x + 6$의 그래프의 x절편, y절편이다.

일차함수 $y = \dfrac{3}{4}x + 6$의 그래프에서 a, b는 각각 x절편, y절편이다.

$y = \dfrac{3}{4}x + 6$에 $y = 0$을 대입하면 $0 = \dfrac{3}{4}x + 6$

$\dfrac{3}{4}x = -6 \quad \therefore x = -6 \times \dfrac{4}{3} = -8$, 즉 $a = -8$

또 $y = \dfrac{3}{4}x + 6$에 $x = 0$을 대입하면 $y = 6$, 즉 $b = 6$

$$\therefore a + b = -8 + 6 = -2$$

04 답 2

셀파 일차함수 $y = -3x + k$의 그래프는 점 $\left(\dfrac{2}{3}, 0\right)$을 지난다.

일차함수 $y = -3x + k$의 그래프는 x절편이 $\dfrac{2}{3}$이므로 점 $\left(\dfrac{2}{3}, 0\right)$을 지난다.

따라서 $y = -3x + k$에 $x = \dfrac{2}{3}$, $y = 0$을 대입하면
$$0 = -2 + k \quad \therefore k = 2$$
$$\therefore y = -3x + 2$$
따라서 y절편은 2이다.
→ $y = ax + b$에서 a: 기울기, b: y절편

05 답 5

셀파 일차함수 $y = ax + 1$의 그래프가 점 $\left(-\dfrac{3}{2}, 0\right)$을 지나는 것을 이용하여 상수 a의 값을 구한다.

일차함수 $y = ax + 1$의 그래프는 x절편이 $-\dfrac{3}{2}$이므로 점 $\left(-\dfrac{3}{2}, 0\right)$을 지난다.

따라서 $y=ax+1$에 $x=-\dfrac{3}{2}, y=0$을 대입하면

$0=-\dfrac{3}{2}a+1, \dfrac{3}{2}a=1$ $\quad \therefore a=\dfrac{2}{3}$

이때 일차함수 $y=\dfrac{2}{3}x+1$의 그래프의 기울기가 $\dfrac{2}{3}$이고,

x의 값이 9만큼 증가할 때, y의 값은 -3에서 k까지 증가하므로

$\dfrac{(y\text{의 값의 증가량})}{(x\text{의 값의 증가량})}=\dfrac{k-(-3)}{9}=\dfrac{2}{3}$, 즉 $\dfrac{k+3}{9}=\dfrac{2}{3}$

$k+3=6$ $\quad \therefore k=3$

$\therefore 3a+k=3\times\dfrac{2}{3}+3=5$

06 답 $\dfrac{5}{2}$

셀파 두 점 $(-2,2),(2,7)$을 지나는 일차함수의 그래프의 기울기를 구한다.

두 점 $(-2,2), (2,7)$을 지나는 일차함수의 그래프의 기울기는

$\dfrac{7-2}{2-(-2)}=\dfrac{5}{4}$

이때 x의 값이 -1에서 1까지 증가할 때의 x의 값의 증가량은

$1-(-1)=2$이므로

$\dfrac{(y\text{의 값의 증가량})}{(x\text{의 값의 증가량})}=\dfrac{(y\text{의 값의 증가량})}{2}=\dfrac{5}{4}$

$\therefore (y\text{의 값의 증가량})=\dfrac{5}{4}\times2=\dfrac{5}{2}$

07 답 -3

셀파 일차함수 $y=ax+b$의 그래프에서 기울기는 a, x절편은 $-\dfrac{b}{a}$, y절편은 b이다.

일차함수 $y=\dfrac{3}{5}x+2$의 그래프의 y절편이 2이므로 $a=2$

일차함수 $y=6x-5$의 그래프의 기울기가 6이므로 $b=6$

$y=2x+6$에 $y=0$을 대입하면

$0=2x+6, 2x=-6$ $\quad \therefore x=-3$

따라서 일차함수 $y=2x+6$의 그래프의 x절편은 -3이다.

08 답 ③

셀파 x절편, y절편을 이용하여 각 보기의 일차함수의 그래프를 그려 본다.

① $y=\dfrac{1}{2}x+3$의 그래프의 x절편이 -6, y절편이 3이므로 그 그래프는 오른쪽 그림과 같고, 제2사분면을 지난다.

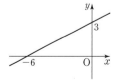

② $y=-\dfrac{1}{3}x+2$의 그래프의 x절편이 6, y절편이 2이므로 그 그래프는 오른쪽 그림과 같고, 제2사분면을 지난다.

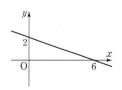

③ $y=2x-1$의 그래프의 x절편이 $\dfrac{1}{2}$, y절편이 -1이므로 그 그래프는 오른쪽 그림과 같고, 제2사분면을 지나지 않는다.

④ $y=-x-4$의 그래프의 x절편이 -4, y절편이 -4이므로 그 그래프는 오른쪽 그림과 같고, 제2사분면을 지난다.

⑤ $y=3x+4$의 그래프의 x절편이 $-\dfrac{4}{3}$, y절편이 4이므로 그 그래프는 오른쪽 그림과 같고, 제2사분면을 지난다.

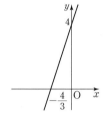

09 답 $\dfrac{7}{5}$

셀파 세 점 $A(-4,-1), B(-1,a), C(1,3)$이 한 직선 위에 있으면 어떤 두 점을 선택해도 기울기가 같다.

두 점 $B(-1,a), C(1,3)$을 지나는 직선의 기울기는

$\dfrac{3-a}{1-(-1)}=\dfrac{3-a}{2}$ $\quad\cdots\cdots \text{㉠}$

두 점 $A(-4,-1), C(1,3)$을 지나는 직선의 기울기는

$\dfrac{3-(-1)}{1-(-4)}=\dfrac{4}{5}$ $\quad\cdots\cdots \text{㉡}$

이때 ㉠, ㉡이 같으므로 $\dfrac{3-a}{2}=\dfrac{4}{5}$

$3-a=\dfrac{8}{5}$ $\quad \therefore a=\dfrac{7}{5}$

10 답 6

셀파 일차함수 $y=\dfrac{3}{4}x-3$의 그래프에서 x절편과 y절편을 구한다.

$y=\dfrac{3}{4}x-3$에 $y=0$을 대입하면

$0=\dfrac{3}{4}x-3$ $\quad \therefore x=4$

또 $y=\dfrac{3}{4}x-3$에 $x=0$을 대입하면

$y=-3$

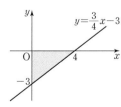

따라서 일차함수 $y=\dfrac{3}{4}x-3$의 그래프의 x절편은 4, y절편은 -3이므로 구하는 도형의 넓이는

$\dfrac{1}{2}\times4\times|-3|=6$

본문 | 173~175 쪽

01 답 ③, ④

셀파 두 변수 x, y에 대하여 x의 값이 변함에 따라 y의 값이 하나씩 정해지면 y는 x의 함수이다.

① $xy=-2$에서 $y=-\dfrac{2}{x}$이므로 함수이다.

② $x+y=5$에서 $y=-x+5$이므로 함수이다.

③ $y=$(자연수 x의 배수)에서 $x=2$일 때, $y=2, 4, 6, 8, \cdots$로 x의 값 하나에 y의 값이 두 개 이상 정해지므로 함수가 아니다.

④ $y=$(자연수 x와 서로소인 자연수)에서 $x=2$일 때, $y=1, 3, 5, 7, \cdots$로 x의 값 하나에 y의 값이 두 개 이상 정해지므로 함수가 아니다.

⑤ $y=$(자연수 x를 2로 나눈 나머지)에서 x를 2로 나눈 나머지는 0, 1 중 하나로만 정해지므로 함수이다.

02 답 (1) 풀이 참조 (2) $y=30x$ (3) 300

셀파 (총 무게)=(과자 한 개의 무게)×(과자의 개수)

① 표 완성하기 [30 %]

(1)
x(개)	1	2	3	4	$\cdots$
y (g)	30	60	90	120	$\cdots$

② x와 y 사이의 관계식 구하기 [40 %]

(2) (총 무게)=(과자 한 개의 무게)×(과자의 개수)이므로
$y=30x$

③ $f(10)$의 값 구하기 [30 %]

(3) $y=30x$에서 $f(x)=30x$이므로
$f(10)=30\times 10=300$

03 답 0

셀파 $y=-x+a$에 $x=-2, y=6$을 대입하여 상수 a의 값을 구한다.

$y=-x+a$에 $x=-2, y=6$을 대입하면 $6=2+a$ ∴ $a=4$
∴ $y=-x+4$
따라서 $y=-x+4$에 $x=4$를 대입하면 $y=-4+4=0$

04 답 10

셀파 10, 18의 약수를 각각 구한다.

함수 $f(x)=$(자연수 x의 약수의 개수)에 대하여
$x=10$일 때, 10의 약수는 1, 2, 5, 10의 4개
∴ $f(10)=4$
$x=18$일 때, 18의 약수는 1, 2, 3, 6, 9, 18의 6개
∴ $f(18)=6$
∴ $f(10)+f(18)=4+6=10$

│다른 풀이│ 소인수분해를 이용하여 구할 수도 있다.

함수 $f(x)=$(자연수 x의 약수의 개수)에 대하여
$x=10$일 때, $10=2\times 5$이므로 약수의 개수는
$(1+1)\times(1+1)=4$ ∴ $f(10)=4$
$x=18$일 때, $18=2\times 3^2$이므로 약수의 개수는
$(1+1)\times(2+1)=6$ ∴ $f(18)=6$
∴ $f(10)+f(18)=4+6=10$

> **개념 다시 보기**
>
> 자연수의 약수의 개수
>
> 자연수 N이 $a^m\times b^n$으로 소인수분해될 때
> N의 약수의 개수는 $(m+1)(n+1)$
> (단, a, b는 서로 다른 소수, m, n은 자연수)

05 답 $a=-1, b\neq 1$

셀파 $y=ax^2+bx+c$에서 $a=0, b\neq 0$이면 y는 x에 대한 일차함수이다.

$y=x(x-1)+ax^2+bx+3$에서 $y=x^2-x+ax^2+bx+3$
∴ $y=(a+1)x^2+(b-1)x+3$
이 함수가 일차함수가 되려면 x^2의 계수는 0이고 x의 계수는 0이 아니어야 하므로 $a+1=0, b-1\neq 0$ ∴ $a=-1, b\neq 1$

06 답 은정

셀파 y를 x에 대한 식으로 나타낸다.
이때 $y=$(x에 대한 일차식)이면 y는 x에 대한 일차함수이다.

준수: 한 끼에 x kcal씩 세 끼를 먹었으므로 오늘 섭취한 총 열량 y kcal는 $y=3x$ ⇨ 일차함수이다.

은정: (거리)=(속력)×(시간)이므로 $100=x\times y$
∴ $y=\dfrac{100}{x}$ ⇨ 일차함수가 아니다.

승호: (직사각형의 둘레의 길이)
$=2\times\{$(가로의 길이)+(세로의 길이)$\}$이므로
$40=2(x+y), 20=x+y$
∴ $y=-x+20$ ⇨ 일차함수이다.

미영: 사탕 100개를 5개씩 x명에게 나누어 주었으므로 남은 사탕 y개는 $y=100-5x$ ⇨ 일차함수이다.

07 답 $a=2, b=2$

셀파 $f(x)=ax-b$에 $x=-1, x=3$을 각각 대입한다.

$f(x)=ax-b$에서
$f(-1)=-4$이므로 $-a-b=-4$ ······ ㉠
$f(3)=4$이므로 $3a-b=4$ ······ ㉡
㉠-㉡을 하면 $-4a=-8$ ∴ $a=2$
$a=2$를 ㉠에 대입하면 $-2-b=-4$ ∴ $b=2$

08 답 -2

셀파 일차함수 $y=\frac{1}{2}x+a$의 그래프가 점 $(2, -2)$를 지나는 것을 이용해서 상수 a의 값을 구한다.

일차함수 $y=\frac{1}{2}x+a$의 그래프가 점 $(2, -2)$를 지나므로

$-2=1+a$ ∴ $a=-3$

따라서 주어진 일차함수의 식은 $y=\frac{1}{2}x-3$

이 함수의 그래프가 점 $(k, -4)$를 지나므로

$-4=\frac{1}{2}k-3$, $\frac{k}{2}=-1$ ∴ $k=-2$

09 답 0

셀파 그래프를 평행이동하여도 그래프의 모양은 변하지 않으므로 기울기는 변하지 않는다.

일차함수 $y=3ax-2$의 그래프를 y축의 방향으로 -2만큼 평행이동한 그래프의 식은 $y=3ax-2-2$, 즉 $y=3ax-4$

이 그래프가 $y=12x+b$의 그래프와 일치하므로

$3a=12$, $-4=b$ ∴ $a=4$, $b=-4$

∴ $a+b=0$

10 답 3

셀파 주어진 일차함수의 그래프를 평행이동한 그래프의 식을 구한다.

$y=ax-1$의 그래프를 y축의 방향으로 4만큼 평행이동한 그래프의 식은 $y=ax-1+4$, 즉 $y=ax+3$

$y=ax+3$의 그래프의 x절편이 -1이므로

$0=-a+3$ ∴ $a=3$

11 답 ⑤

셀파 일차함수 $y=ax+b$의 그래프에서 (기울기)$=\dfrac{(y\text{의 값의 증가량})}{(x\text{의 값의 증가량})}=a$

x의 값이 -1에서 2까지 증가할 때, y의 값은 5만큼 감소하는 일차함수의 그래프의 기울기는 $\dfrac{-5}{2-(-1)}=-\dfrac{5}{3}$

따라서 그래프의 기울기가 $-\dfrac{5}{3}$인 것은 ⑤이다.

12 답 10

셀파 주어진 그래프의 기울기를 먼저 구한다.

① $y=ax+b$의 그래프의 기울기 구하기 [50 %]

그래프가 두 점 $(0, 3)$, $(5, 0)$을 지나므로

(기울기)$=\dfrac{0-3}{5-0}=-\dfrac{3}{5}$

② x의 값의 증가량 구하기 [50 %]

따라서 $\dfrac{-6}{(x\text{의 값의 증가량})}=-\dfrac{3}{5}$이므로

(x의 값의 증가량)$=-6\times\left(-\dfrac{5}{3}\right)=10$

13 답 (1) -4 (2) 5 (3) -3

셀파 일차함수 $f(x)=ax+b$의 그래프에서 $\dfrac{f(p)-f(q)}{p-q}$는 기울기를 뜻한다.

① 상수 a의 값 구하기 [40 %]

일차함수 $f(x)=ax+b$에서 $f(p)=ap+b$, $f(q)=aq+b$

(1) $\dfrac{f(p)-f(q)}{p-q}=\dfrac{ap+b-(aq+b)}{p-q}=\dfrac{ap-aq}{p-q}$

$=\dfrac{a(p-q)}{p-q}=a$ $(\because p\neq q)$

이때 $\dfrac{f(p)-f(q)}{p-q}=-4$이므로 $a=-4$

② 상수 b의 값 구하기 [30 %]

(2) $f(x)=-4x+b$에서 $f(1)=1$이므로

$-4+b=1$ ∴ $b=5$

③ $f(2)$의 값 구하기 [30 %]

(3) $f(x)=-4x+5$이므로 $f(2)=-8+5=-3$

LECTURE $\dfrac{f(p)-f(q)}{p-q}$의 의미

일차함수 $f(x)=ax+b$에 대하여 $f(p)$는 $x=p$일 때의 함숫값이고, $f(q)$는 $x=q$일 때의 함숫값이다. 즉 일차함수 $f(x)=ax+b$의 그래프는 두 점 $(p, f(p))$, $(q, f(q))$를 지난다.

이때 일차함수 $f(x)=ax+b$의 그래프의 기울기를 위의 두 점의 좌표를 이용하여 구하면 $\dfrac{f(p)-f(q)}{p-q}$, 즉 $\dfrac{f(p)-f(q)}{p-q}$는 기울기 a를 뜻한다. 따라서 풀이처럼 $\dfrac{f(p)-f(q)}{p-q}$를 구하지 않아도 a의 값은 -4임을 알 수 있다.

14 답 -2

셀파 일차함수 $y=ax+b$의 그래프를 y축의 방향으로 p만큼 평행이동한 그래프의 식은 $y=ax+b+p$이다.

$y=4x-12$의 그래프를 y축의 방향으로 4만큼 평행이동한 그래프의 식은 $y=4x-12+4$, 즉 $y=4x-8$

$y=4x-8$의 그래프에서 기울기는 4, y절편은 -8이므로

$a=4$, $c=-8$

$y=4x-8$에 $y=0$을 대입하면 $0=4x-8$

$4x=8$ ∴ $x=2$, 즉 $b=2$

∴ $a+b+c=4+2-8=-2$

15 답 ④

셀파 $y=4x-1$의 그래프를 그려 본다.

① $y=4x-1$에 $x=0$을 대입하면 $y=-1$

② $y=4x-1$에 $y=0$을 대입하면 $0=4x-1$ ∴ $x=\dfrac{1}{4}$

③ $y=4x-1$에 $x=1$, $y=3$을 대입하면 $3=4\times1-1$
　 따라서 점 $(1, 3)$을 지난다.

④ $y=4x-1$의 그래프는 오른쪽 그림과 같
　 으므로 제1, 3, 4사분면을 지난다.

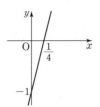

⑤ $y=4x+2 \xrightarrow[-3만큼\ 평행이동]{y축의\ 방향으로}$

　 $y=4x+2-3=4x-1$

16　답 ④

셀파 x절편, y절편을 이용하여 각 보기의 일차함수의 그래프를 그려 본다.

① $y=3x-1$의 그래프의 x절편이 $\dfrac{1}{3}$, y절편이
　 -1이므로 그 그래프는 오른쪽 그림과 같고,
　 제1사분면을 지난다.

② $y=-2x+1$의 그래프의 x절편이 $\dfrac{1}{2}$, y절편
　 이 1이므로 그 그래프는 오른쪽 그림과 같
　 고, 제1사분면을 지난다.

③ $y=2x+1$의 그래프의 x절편이 $-\dfrac{1}{2}$, y절편
　 이 1이므로 그 그래프는 오른쪽 그림과 같
　 고, 제1사분면을 지난다.

④ $y=-x-3$의 그래프의 x절편이 -3, y절편
　 이 -3이므로 그 그래프는 오른쪽 그림과 같
　 고, 제1사분면을 지나지 않는다.

⑤ $y=4x+2$의 그래프의 x절편이 $-\dfrac{1}{2}$, y절편
　 이 2이므로 그 그래프는 오른쪽 그림과 같고,
　 제1사분면을 지난다.

따라서 일차함수의 그래프 중 제1사분면을 지나
지 않는 것은 ④이다.

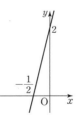

17　답 2

셀파 세 점이 한 직선 위에 있으면 어떤 두 점을 선택해도 기울기가 같다.

세 점 $A(-1, 2a)$, $B(1, 1)$, $C(3, a-4)$에 대하여
두 점 $A(-1, 2a)$, $B(1, 1)$을 지나는 직선의 기울기는

$\dfrac{1-2a}{1-(-1)}=\dfrac{1-2a}{2}$　　……㉠

두 점 $B(1, 1)$, $C(3, a-4)$를 지나는 직선의 기울기는

$\dfrac{a-4-1}{3-1}=\dfrac{a-5}{2}$　　……㉡

이때 세 점 A, B, C가 일직선, 즉 한 직선 위에 있으므로 ㉠, ㉡이
같다. 즉 $\dfrac{1-2a}{2}=\dfrac{a-5}{2}$

$1-2a=a-5$, $3a=6$　　∴ $a=2$

18　답 3

셀파 (삼각형 AOB의 넓이)$=\dfrac{1}{2}\times|x$절편$|\times|y$절편$|$

$y=ax+12$의 그래프의 x절편은 $-\dfrac{12}{a}$,
y절편은 12이다.

이때 삼각형 AOB의 넓이가 24이므로

$\dfrac{1}{2}\times\left|-\dfrac{12}{a}\right|\times12=24$

즉 $\dfrac{1}{2}\times\dfrac{12}{a}\times12=24$

$\dfrac{72}{a}=24$　　∴ $a=3$

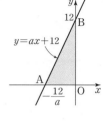

▎다른 풀이▎ $y=ax+12$의 그래프에서 y절편이 12이므로 $\overline{OB}=12$
이때 삼각형 AOB의 넓이가 24이므로

$24=\dfrac{1}{2}\times\overline{OA}\times12$　　∴ $\overline{OA}=4$

따라서 점 A의 좌표는 $A(-4, 0)$이므로

$0=-4a+12$　　∴ $a=3$

> **오답 피하기**
> 점 A가 y축보다 왼쪽에 있으므로 $\overline{OA}=4$에서 점 A의 좌표를 $A(4, 0)$
> 으로 생각하지 않는다.

19　답 12

셀파 두 그래프의 x절편을 각각 구한다.

① 일차함수 $y=\dfrac{3}{2}x+3$의 그래프의 x절편 구하기 [30 %]

$y=\dfrac{3}{2}x+3$에 $y=0$을 대입하면 $0=\dfrac{3}{2}x+3$

$\dfrac{3}{2}x=-3$　　∴ $x=-2$, 즉 x절편: -2

② 일차함수 $y=-\dfrac{1}{2}x+3$의 그래프의 x절편 구하기 [30 %]

$y=-\dfrac{1}{2}x+3$에 $y=0$을 대입하면 $0=-\dfrac{1}{2}x+3$

$\dfrac{1}{2}x=3$　　∴ $x=6$, 즉 x절편: 6

③ 도형의 넓이 구하기 [40 %]

따라서 오른쪽 그림에서
(구하는 도형의 넓이)

$=\dfrac{1}{2}\times|6-(-2)|\times3$

$=\dfrac{1}{2}\times8\times3=12$

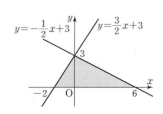

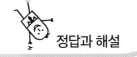

12 일차함수와 그래프(2)

개념 익히기 본문 | **179, 181** 쪽

1-1 답 (1) ㉢, ㉣ (2) ㉠, ㉡ (3) ㉡, ㉢

보기의 각 일차함수의 그래프에서 기울기와 y절편을 각각 구하면 다음과 같다.

㉠ $y=3x+2$의 그래프에서 기울기: 3, y절편: 2

㉡ $y=\dfrac{1}{4}x-3$의 그래프에서 기울기: $\dfrac{1}{4}$, y절편: -3

㉢ $y=-5x-2$의 그래프에서 기울기: -5, y절편: -2

㉣ $y=-\dfrac{1}{2}x+3$의 그래프에서 기울기: $-\dfrac{1}{2}$, y절편: 3

(1) x의 값이 증가하면 y의 값은 감소하는 직선은 (기울기)$\boxed{<}$0이 므로 그래프의 기울기가 음수인 것은 ㉢, ㉣이다.

(2) 오른쪽 위로 향하는 직선은 (기울기)$\boxed{>}$0이므로 그래프의 기울기가 양수인 것은 ㉠, ㉡이다.

(3) y축과 음의 부분에서 만나는 직선은 (y절편)$\boxed{<}$0이므로 그래프의 y절편이 음수인 것은 ㉡, ㉢이다.

1-2 답 음수, 감소, 아래, 양수, 양

일차함수 $y=-2x+3$의 그래프에서 기울기: -2, y절편: 3

따라서 일차함수 $y=-2x+3$의 그래프는 기울기가 **음수**이므로 x의 값이 증가할 때 y의 값은 **감소**하고, 오른쪽 **아래**로 향하는 직선이다. 또 y절편이 **양수**이므로 y축과 **양**의 부분에서 만난다.

2-1 답 (1) ㉡, ㉢ (2) ㉠, ㉣

㉣ $y=-3(1+x)=-3x-3$

(1) 두 일차함수의 그래프가 서로 평행하려면 $\boxed{기울기}$가 같고 $\boxed{y절편}$은 달라야 하므로 서로 평행한 것은 ㉡, ㉢이다.

(2) 두 일차함수의 그래프가 일치하려면 기울기와 y절편이 각각 같아야 하므로 일치하는 것은 ㉠, ㉣이다.

2-2 답 (1) ㉠, ㉣ (2) ㉡, ㉢

㉡ $y=2(x+1)+3=2x+5$

(1) 두 일차함수의 그래프가 서로 평행하려면 기울기가 같고 y절편은 달라야 하므로 서로 평행한 것은 ㉠, ㉣이다.

(2) 두 일차함수의 그래프가 일치하려면 기울기와 y절편이 각각 같아야 하므로 일치하는 것은 ㉡, ㉢이다.

3-1 답 (1) $y=x-3$ (2) $y=3x-5$

(1) ① 기울기가 1이므로 구하는 일차함수의 식을 $y=x+b$로 놓는 다.

② ①의 식에 $x=1$, $y=\boxed{-2}$를 대입하면

$$\boxed{-2}=1+b \qquad \therefore b=\boxed{-3}$$

$$\therefore y=x-3$$

(2) ① (기울기)$=\dfrac{\boxed{4-(-2)}}{3-1}=\dfrac{6}{2}=3$

② 구하는 일차함수의 식을 $y=\boxed{3}x+b$로 놓고

이 식에 $x=1$, $y=-2$를 대입하면

$$-2=\boxed{3}\times1+b \qquad \therefore b=\boxed{-5}$$

$$\therefore y=3x-5$$

3-2 답 (1) $y=\dfrac{1}{3}x-2$ (2) $y=4x+\dfrac{1}{2}$ (3) $y=-2x-1$

(1) 기울기가 $\dfrac{1}{3}$이고 y절편이 -2이므로 구하는 일차함수의 식은

$$y=\dfrac{1}{3}x-2$$

(2) y축과 점 $\left(0,\ \dfrac{1}{2}\right)$에서 만나므로 y절편이 $\dfrac{1}{2}$이다. ← $x=0$일 때 y의 값

따라서 기울기가 4이고 y절편이 $\dfrac{1}{2}$인 직선을 그래프로 하는

일차함수의 식은 $y=4x+\dfrac{1}{2}$

(3) 기울기가 -2이므로 구하는 일차함수의 식을 $y=-2x+b$로 놓고, 이 식에 $x=-1$, $y=1$을 대입하면

$$1=-2\times(-1)+b \qquad \therefore b=-1$$

$$\therefore y=-2x-1$$

3-3 답 (1) $y=2x-3$ (2) $y=\dfrac{2}{5}x+2$

(1) (기울기)$=\dfrac{5-(-1)}{4-1}=\dfrac{6}{3}=2$

구하는 일차함수의 식을 $y=2x+b$로 놓고

이 식에 $x=1$, $y=-1$을 대입하면

$$-1=2\times1+b \qquad \therefore b=-3$$

$$\therefore y=2x-3$$

(2) (기울기)$=\dfrac{2-0}{0-(-5)}=\dfrac{2}{5}$

구하는 일차함수의 식을 $y=\dfrac{2}{5}x+b$로 놓고

이 식에 $x=0$, $y=2$를 대입하면

$$2=\dfrac{2}{5}\times0+b \qquad \therefore b=2$$

$$\therefore y=\dfrac{2}{5}x+2$$

4-1 답 10분

1. 가열한 지 x분 후의 물의 온도를 y ℃라 하자.

2. 1분마다 물의 온도가 5 ℃씩 올라가므로 x분이 지나면 $\boxed{5x}$ ℃ 올라간다. 이때 처음 온도가 20 ℃이므로
$$y=20+\boxed{5x}$$

3. 2의 식에 $y=70$을 대입하면 $70=20+5x$
$$5x=50 \qquad \therefore x=\boxed{10}$$
따라서 물을 가열한 지 $\boxed{10}$분 후에 물의 온도가 70 ℃가 된다.

4-2 답 (1) $y=20-6x$ (2) 17 ℃ (3) 2 km

(1) 높이가 100 m 높아질 때마다 기온이 0.6 ℃씩 내려가므로 높이가 1 km($=1000$ m) 높아질 때마다 기온은 6 ℃씩 내려간다. 이때 지면의 기온이 20 ℃이므로 $y=20-6x$

(2) $y=20-6x$에 $x=0.5$를 대입하면 $y=20-6\times0.5=17$
따라서 높이가 0.5 km인 곳의 기온은 17 ℃이다.

(3) $y=20-6x$에 $y=8$을 대입하면 $8=20-6x$
$$6x=12 \qquad \therefore x=2$$
따라서 기온이 8 ℃인 곳은 지면으로부터 2 km 높이에 있다.

▋참고▋ '높이가 x km인 곳의 기온을 y ℃라 할 때'에서 높이의 단위가 km이므로 단위를 km로 통일시킨다.

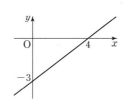

유형 익히기 – 확인 문제

본문 | 182~190쪽

01 답 ③

셀파 기울기, x절편, y절편을 각각 구한다.

$y=\dfrac{3}{4}x-3$의 그래프에서 기울기는 $\dfrac{3}{4}$(①)이고, y절편은 -3(②)이다.

② $y=\dfrac{3}{4}x-3$에 $y=0$을 대입하면 $0=\dfrac{3}{4}x-3$
$$\dfrac{3}{4}x=3 \qquad \therefore x=4, \ \text{즉 } x\text{절편: } 4$$

③ 일차함수 $y=\dfrac{3}{4}x-3$의 그래프는 오른쪽 그림과 같으므로 제2사분면을 지나지 않는다.

④ 기울기가 양수이므로 x의 값이 증가할 때 y의 값도 증가한다.

⑤ 일차함수 $y=\dfrac{3}{4}x-3$의 그래프는 일차함수 $y=\dfrac{3}{4}x$의 그래프를 y축의 방향으로 -3만큼 평행이동한 것이다.

02 답 ⑤

셀파 기울기의 절댓값이 작을수록 x축에 가깝다.

$y=ax+b$의 그래프는 $|a|$가 작을수록 x축에 가깝다.

이때 $\left|\dfrac{1}{3}\right|<\left|-\dfrac{3}{2}\right|<|2|<|3|<|-5|$이므로 그래프가 x축에 가장 가까운 것은 ⑤이다.

03 답 제2사분면

셀파 $y=ax+b$에서 a, b의 부호를 각각 알아본다.

$ab<0$에서 $a>0, b<0$ 또는 $a<0, b>0$
$a-b>0$에서 $a>b$이므로 $a>0, b<0$
따라서 $y=ax+b$의 그래프는 오른쪽 그림과 같으므로 제2사분면을 지나지 않는다.

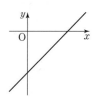

LECTURE 일차함수의 그래프의 모양

일차함수 $y=ax+b$의 그래프는 a, b의 부호에 따라 4가지 형태로 그려진다.

❶ $a>0, b>0$

❷ $a>0, b<0$

❸ $a<0, b>0$

❹ $a<0, b<0$

04 답 $a<0, b<0$

셀파 $y=-ax-b$의 그래프에서 기울기는 $-a$이고, y절편은 $-b$이다.

일차함수 $y=-ax-b$의 그래프가 오른쪽 위로 향하는 직선이므로 기울기는 양수이다.
즉 $-a>0 \qquad \therefore a<0$
y축과 양의 부분에서 만나므로 y절편은 양수이다.
즉 $-b>0 \qquad \therefore b<0$

05 답 1. -7 2. 5

셀파 서로 평행한 두 일차함수의 그래프의 기울기는 같다.

1. 두 점 $(-1, 4), (a, 0)$을 지나는 직선의 기울기는
$$\dfrac{0-4}{a-(-1)}=-\dfrac{4}{a+1}$$

정답과 해설

이 직선이 일차함수 $y=\dfrac{2}{3}x+5$의 그래프와 평행하므로

$$-\dfrac{4}{a+1}=\dfrac{2}{3}, \quad 2(a+1)=-12$$

$$2a=-14 \qquad \therefore a=-7$$

2. 일차함수 $y=ax-1$의 그래프가 두 점 $(0,\,-3),\ (5,\,0)$을 지나는 그래프와 평행하므로

$$a=\dfrac{0-(-3)}{5-0}=\dfrac{3}{5}$$

$y=\dfrac{3}{5}x-1$의 그래프가 점 $(p,\,4)$를 지나므로

$$4=\dfrac{3}{5}p-1,\ \dfrac{3}{5}p=5 \qquad \therefore p=\dfrac{25}{3}$$

$$\therefore ap=\dfrac{3}{5}\times\dfrac{25}{3}=5$$

06 답 $m=-2,\ n=-2$

> 셀파 두 일차함수의 그래프가 일치하면 기울기와 y절편이 각각 같다.

두 일차함수 $y=2x+\dfrac{m}{2},\ y=-nx-1$의 그래프가 일치하므로 두 그래프는 기울기와 y절편이 각각 같다.

일차함수 $y=2x+\dfrac{m}{2}$의 그래프에서 기울기는 $2,\ y$절편은 $\dfrac{m}{2}$이고

일차함수 $y=-nx-1$의 그래프에서 기울기는 $-n,\ y$절편은 -1이다.

따라서 $2=-n,\ \dfrac{m}{2}=-1$이므로 $m=-2,\ n=-2$

7 답 $y=-2x+3$

> 셀파 기울기가 a이고 y절편이 b인 직선을 그래프로 하는 일차함수의 식
> $\Rightarrow y=ax+b$

일차함수 $y=-2x+1$의 그래프와 평행하므로 구하는 직선의 기울기는 -2이다.

또 일차함수 $y=-5x+3$의 그래프와 y축 위에서 만나므로 구하는 직선의 y절편은 3이다.

따라서 기울기가 -2이고 y절편이 3인 직선을 그래프로 하는 일차함수의 식은 $y=-2x+3$

8 답 $y=-\dfrac{1}{3}x+2$

> 셀파 (기울기)$=\dfrac{(y의\ 값의\ 증가량)}{(x의\ 값의\ 증가량)}$

x의 값이 6만큼 증가할 때 y의 값은 2만큼 감소하므로

$$(기울기)=\dfrac{-2}{6}=-\dfrac{1}{3}$$

이때 구하는 일차함수의 식을 $y=-\dfrac{1}{3}x+b$로 놓으면

이 일차함수의 그래프가 점 $(-3,\,3)$을 지나므로

$$3=-\dfrac{1}{3}\times(-3)+b,\ 3=1+b \qquad \therefore b=2$$

따라서 구하는 일차함수의 식은 $y=-\dfrac{1}{3}x+2$

09 답 $y=\dfrac{2}{3}x-\dfrac{7}{3}$

> 셀파 주어진 그래프는 두 점 $(-1,\,-3),\ (5,\,1)$을 지나는 직선이다.

두 점 $(-1,\,-3),\ (5,\,1)$을 지나는 직선의 기울기는

$$\dfrac{1-(-3)}{5-(-1)}=\dfrac{4}{6}=\dfrac{2}{3}$$

구하는 일차함수의 식을 $y=\dfrac{2}{3}x+b$로 놓고,

$x=-1,\ y=-3$을 대입하면

$$-3=\dfrac{2}{3}\times(-1)+b \qquad \therefore b=-3+\dfrac{2}{3}=-\dfrac{7}{3}$$

따라서 구하는 일차함수의 식은 $y=\dfrac{2}{3}x-\dfrac{7}{3}$

10 답 $y=\dfrac{3}{2}x-6$

> 셀파 두 직선이 y축 위에서 만나므로 두 직선의 y절편은 같다.

일차함수 $y=5x-6$의 그래프와 y축 위에서 만나므로 구하는 직선의 y절편은 -6이다.

따라서 두 점 $(4,\,0),\ (0,\,-6)$을 지나는 직선의 기울기는

$$\dfrac{-6-0}{0-4}=\dfrac{-6}{-4}=\dfrac{3}{2}$$

따라서 기울기가 $\dfrac{3}{2}$이고 y절편이 -6인 직선을 그래프로 하는

일차함수의 식은 $y=\dfrac{3}{2}x-6$

11 답 1. 42 cm 2. 30분

> 셀파 1. 추의 무게가 5 g 늘어날 때마다 용수철의 길이는 3 cm씩 늘어난다.
> 2. 2분마다 10 L씩 물을 내보내므로 1분에 5 L씩 물을 내보낸다.

1. 추의 무게가 5 g 늘어날 때마다 용수철의 길이는 3 cm씩 늘어나므로 추의 무게가 1 g 늘어날 때마다 용수철의 길이는 $\dfrac{3}{5}$ cm씩 늘어난다.

원래 용수철의 길이는 18 cm이고, 무게가 x g인 추를 매달았을 때 용수철의 길이는 $\dfrac{3}{5}x$ cm 늘어나므로 용수철의 길이 y cm는

$$y=18+\dfrac{3}{5}x$$

따라서 무게가 40 g인 추를 매달았을 때, 용수철의 길이는

$y=18+\dfrac{3}{5}x$에 $x=40$을 대입하면

$$y=18+\dfrac{3}{5}\times40=42\ (cm)$$

2. 물탱크에서 2분마다 10 L씩 일정한 양의 물을 내보내므로 1분 동안 5 L의 물을 내보낸다.

따라서 x분 동안 $5x$ L의 물을 내보내므로 물탱크에 남아 있는 물의 양을 y L라 하면 $y=200-5x$

물탱크에 50 L의 물이 남을 때 $y=50$이므로

$y=200-5x$에 $y=50$을 대입하면

$50=200-5x$, $5x=150$ ∴ $x=30$

따라서 물탱크에 50 L의 물이 남는 것은 물을 내보내기 시작한 지 30분 후이다.

---

12 답 (1) $y=256-8x$ (2) 14초

셀파 1초에 1 cm씩 움직이므로 x초 동안 x cm 움직인다.

(1) x초 후의 $\overline{\text{PC}}$의 길이는 x cm이므로

$\overline{\text{BP}}=(16-x)$ cm

따라서 x초 후의 사다리꼴 ABPD의 넓이 y cm²는

$y=\dfrac{1}{2}\times\{16+(16-x)\}\times16$

$=8\times(32-x)$

$=256-8x$

∴ $y=256-8x$

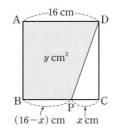

(2) $y=256-8x$에 $y=144$를 대입하면

$144=256-8x$, $8x=112$ ∴ $x=14$

따라서 점 P가 점 C를 출발한 지 14초 후에 사다리꼴 ABPD의 넓이가 144 cm²가 된다.

---

13 답 (1) $y=2000x+3000$ (2) 43000원

셀파 그래프가 지나는 점을 이용하여 일차함수의 식을 구한다.

(1) 그래프가 두 점 $(0, 3000)$, $(5, 13000)$을 지나므로

$(\text{기울기})=\dfrac{13000-3000}{5-0}=\dfrac{10000}{5}=2000$

구하는 일차함수의 식을 $y=2000x+b$라 하면

점 $(0, 3000)$을 지나므로

$3000=2000\times0+b$ ∴ $b=3000$

∴ $y=2000x+3000$

(2) $y=2000x+3000$에 $x=20$을 대입하면

$y=2000\times20+3000=43000$

따라서 무게가 20 kg인 물건의 배송 가격은 43000원이다.

---

01 답 (1) ②, ④ (2) ①, ③ (3) ①

셀파 y축에 가까운 직선일수록 기울기의 절댓값이 크다.

(1) 기울기가 음수인 직선은 오른쪽 아래로 향하는 직선이므로 ②, ④

(2) x의 값이 증가할 때 y의 값도 증가하는 직선은 오른쪽 위로 향하는 직선이므로 ①, ③

(3) 기울기의 절댓값이 가장 큰 직선은 y축에 가장 가까운 직선이므로 ①

┃참고┃ 기울기의 절댓값이 클수록 y축에 가까워지고,
기울기의 절댓값이 작을수록 x축에 가까워진다.

---

02 답 ①, ③

셀파 기울기와 x절편, y절편을 각각 구한다.

① $y=2x-6$에 $x=0$을 대입하면 $y=2\times0-6=-6$

따라서 y축과의 교점의 좌표는 $(0, -6)$이다.

② $y=2x-6$에 $y=0$을 대입하면 $0=2x-6$

∴ $x=3$, 즉 x절편: 3

③ 기울기가 2로 같고 y절편은 다르므로 일차함수 $y=2x+1$의 그래프와 평행하다.

④ 일차함수 $y=2x-6$의 그래프는 오른쪽 그림과 같으므로 제1, 3, 4사분면을 지난다.

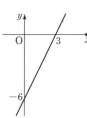

⑤ 기울기가 2이므로 x의 값이 1만큼 증가할 때 y의 값도 2만큼 증가한다.

---

03 답 ①

셀파 $y=ax+b(a\neq0)$에서 $|a|$가 클수록 그래프가 y축에 가깝게 그려진다.

$y=ax+b$의 그래프는 오른쪽 아래로 향하는 직선이므로 $a<0$

따라서 양수인 $\dfrac{3}{4}$, 2는 제외한다.

주어진 그림에서 $y=ax+b$의 그래프가 $y=-\dfrac{2}{3}x+b$의 그래프보다 y축에 더 가까우므로 $|a|>\left|-\dfrac{2}{3}\right|$, 즉 $|a|>\dfrac{2}{3}$

이때 $|-2|=2$, $\left|-\dfrac{1}{2}\right|=\dfrac{1}{2}$, $\left|-\dfrac{2}{5}\right|=\dfrac{2}{5}$이고

$\dfrac{2}{5}<\dfrac{1}{2}<\dfrac{2}{3}<2$이므로 a의 값이 될 수 있는 것은 ① -2이다.

04 답 ③

셀파 주어진 그래프를 보고 a, b의 부호를 구한다.

주어진 그림에서 $a<0, -b>0$
따라서 $a<0, b<0$이므로 일차함수
$y=bx+a$의 그래프는 ③과 같다.

05 답 ④

셀파 일차함수 $y=ax+b$의 그래프가 제1, 2, 4사분면을 지나도록 그려 본다.

$y=ax+b$의 그래프가 오른쪽 그림과 같아
야 하므로 $a<0, b>0$

③ $-b<0$이므로 $a-b<0$
④ $b^2>0$이므로 $ab^2<0$
⑤ $a^2>0$이므로 $a^2+b>0$

06 답 제3사분면

셀파 $y=-abx+a-b$에서 $-ab$의 부호와 $a-b$의 부호를 확인한다.

① a, b의 부호 구하기 [50 %]

주어진 일차함수 $y=-abx+a-b$의 그래프의 기울기가 양수이
므로 $-ab>0$ ∴ $ab<0$ …… ㉠
또 y절편은 음수이므로 $a-b<0$ ∴ $a<b$ …… ㉡
㉠, ㉡에서 $a<0, b>0$

② $y=ax+b$의 그래프가 지나지 않는 사분면 구하기 [50 %]

따라서 일차함수 $y=ax+b$의 그래프는 오
른쪽 그림과 같으므로 제3사분면을 지나지
않는다.

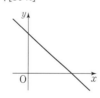

07 답 0

셀파 두 일차함수 $y=ax+b, y=a'x+b'$의 그래프에 대하여
· 두 그래프가 서로 평행하다. ⇨ $a=a', b \neq b'$
· 두 그래프가 일치한다. ⇨ $a=a', b=b'$

① a의 값 구하기 [40 %]

㈎에서 $-3=a+1$ ∴ $a=-4$

② b의 값 구하기 [40 %]

㈏에서 $-a+3=3b-5$, 즉 $7=3b-5$
$3b=12$ ∴ $b=4$

③ $a+b$의 값 구하기 [20 %]

∴ $a+b=-4+4=0$

08 답 $y=-\dfrac{4}{3}x+8$

셀파 민호의 설명에서 그래프의 기울기를, 은서의 설명에서 그래프가 지나는
한 점의 좌표를 구할 수 있다.

일차함수 $y=ax+b$의 그래프는 x의 값이 2에서 5까지 증가할 때
y의 값이 4만큼 감소하므로 기울기 a는 $a=\dfrac{-4}{5-2}=-\dfrac{4}{3}$

$y=-\dfrac{1}{2}x+3$의 그래프의 x절편은 $y=0$일 때 x의 값이므로

$0=-\dfrac{1}{2}x+3, \dfrac{1}{2}x=3$ ∴ $x=6$

이때 일차함수 $y=-\dfrac{1}{2}x+3$의 그래프와 $y=-\dfrac{4}{3}x+b$의 그래프

는 x절편이 같으므로 $y=-\dfrac{4}{3}x+b$의 그래프는 점 $(6, 0)$을 지난다.

$y=-\dfrac{4}{3}x+b$에 $x=6, y=0$을 대입하면

$0=-\dfrac{4}{3}\times6+b, 0=-8+b$ ∴ $b=8$

따라서 구하는 일차함수의 식은 $y=-\dfrac{4}{3}x+8$

09 답 ②, $y=2x$

셀파 (기울기)$=\dfrac{(y의 \ 값의 \ 증가량)}{(x의 \ 값의 \ 증가량)}$

처음으로 잘못된 부분: ②
옳은 답을 구하면 다음과 같다.

(기울기)$=\dfrac{6}{3}=2$

이때 구하는 일차함수의 식을 $y=2x+b$로 놓고

$x=4, y=8$을 대입하면

$8=2\times4+b$ ∴ $b=0$

따라서 구하는 일차함수의 식은 $y=2x$

10 답 3

셀파 두 점 $(-1, -2), (2, -5)$를 지나는 직선을 그래프로 하는 일차함수의
식을 구한다.

두 점 $(-1, -2), (2, -5)$를 지나는 직선의 기울기는

$\dfrac{-5-(-2)}{2-(-1)}=\dfrac{-3}{3}=-1$

일차함수의 식을 $y=-x+b$로 놓고 $x=-1, y=-2$를 대입하면

$-2=1+b$ ∴ $b=-3$

∴ $y=-x-3$

이때 $y=-x-3$의 그래프를 y축의 방향으로 2만큼 평행이동한 그
래프의 식은

$y=-x-3+2$ ∴ $y=-x-1$

이 직선이 점 $(p, -4)$를 지나므로

$-4=-p-1$ ∴ $p=3$

11

답 $y=\dfrac{1}{6}x+1$

셀파 두 일차함수의 그래프가 x축 위에서 만나면 x절편이 같고, y축 위에서 만나면 y절편이 같다.

일차함수 $y=\dfrac{1}{3}x+2$의 그래프의 x절편은 $y=0$일 때 x의 값이므로

$0=\dfrac{1}{3}x+2$ $\therefore x=-6$

일차함수 $y=-\dfrac{3}{2}x+1$의 그래프의 y절편은 1이므로

구하는 직선은 두 점 $(-6, 0)$, $(0, 1)$을 지난다.

이때 구하는 직선의 기울기는 $\dfrac{1-0}{0-(-6)}=\dfrac{1}{6}$이므로

$y=\dfrac{1}{6}x+1$

12

답 (1) $y=3x-1$ (2) $y=-x+5$ (3) $a=-1, b=-1$

셀파 민서는 y절편을, 창민이는 기울기를 바르게 보았다.

① 민서가 그린 그래프의 식 구하기 [40 %]

(1) 두 점 $(0, -1)$, $(2, 5)$를 지나는 직선의 기울기는

$\dfrac{5-(-1)}{2-0}=\dfrac{6}{2}=3 \longrightarrow y$절편은 -1이다.

따라서 민서가 그린 직선을 그래프로 하는 일차함수의 식은

$y=3x-1$

② 창민이가 그린 그래프의 식 구하기 [40 %]

(2) 두 점 $(2, 3)$, $(4, 1)$을 지나는 직선의 기울기는

$\dfrac{1-3}{4-2}=\dfrac{-2}{2}=-1$

이때 구하는 일차함수의 식을 $y=-x+k$로 놓고

$x=2, y=3$을 대입하면

$3=-2+k$ $\therefore k=5$

따라서 창민이가 그린 직선을 그래프로 하는 일차함수의 식은

$y=-x+5$

③ a, b의 값 구하기 [20 %]

(3) 일차함수 $y=ax+b$의 그래프에서 민서는 a를 잘못 보고 b는 바르게 보았으므로 $b=-1$

창민이는 b를 잘못 보고 a는 바르게 보았으므로 $a=-1$

13

답 15 ℃

셀파 기온이 5 ℃ 올라갈 때마다 소리의 속력은 초속 3 m씩 증가

⇨ 기온이 1 ℃ 올라갈 때마다 소리의 속력은 초속 $\dfrac{3}{5}$ m씩 증가

기온이 5 ℃ 올라갈 때마다 소리의 속력은 초속 3 m씩 증가하므로

기온이 1 ℃ 올라갈 때마다 소리의 속력은 초속 $\dfrac{3}{5}$ m씩 증가한다.

기온이 x ℃일 때의 소리의 속력을 초속 y m라 하면 기온이 0 ℃일 때의 소리의 속력은 초속 331 m이므로

$y=331+\dfrac{3}{5}x$

$y=340$을 대입하면 $340=331+\dfrac{3}{5}x$

$\dfrac{3}{5}x=9$ $\therefore x=15$

따라서 소리의 속력이 초속 340 m일 때의 기온은 15 ℃이다.

14

답 오후 3시 30분

셀파 환자가 1시간 동안 맞는 주사약의 양은 $4\times60=240$ (mL)

1분에 4 mL씩 맞으므로 1시간, 즉 60분 동안 맞는 주사약의 양은

$4\times60=240$ (mL)

이때 1시간 동안 맞은 후 남아 있는 주사약의 양이 360 mL이므로 처음 주사약의 양은

$240+360=600$ (mL)

1분에 4 mL씩 맞으면 x분 동안에 $4x$ mL의 주사약을 맞으므로 주사를 맞기 시작한 지 x분 후에 남아 있는 주사약의 양 y mL는

$y=600-4x$

$y=600-4x$에 $y=0$을 대입하면

$0=600-4x$ $\therefore x=150$

즉 주사약을 모두 맞는 데 150분, 즉 2시간 30분이 걸리므로 오후 1시에 주사를 맞기 시작하면 오후 3시 30분에 다 맞는다.

15

답 5초

셀파 점 P가 1초에 2 cm씩 움직이므로 x초 동안 $2x$ cm 움직인다.

x초 후에 $\overline{BP}=2x$ cm이므로

$\overline{PC}=(16-2x)$ cm

이때 x초 후의 $\triangle ABP$와 $\triangle DPC$의 넓이의 합을 y cm²라 하면

$y=\dfrac{1}{2}\times2x\times8+\dfrac{1}{2}\times(16-2x)\times10$

$=8x+5(16-2x)$

$=-2x+80$

$\therefore y=-2x+80$

이 식에 $y=70$을 대입하면

$70=-2x+80, 2x=10$ $\therefore x=5$

따라서 $\triangle ABP$와 $\triangle DPC$의 넓이의 합이 70 cm²가 되는 것은 점 P가 점 B를 출발한 지 5초 후이다.

16

답 (1) $y=-2x+20$ (2) 6 cm   (3) 9시간

셀파 그래프가 두 점 $(10, 0)$, $(0, 20)$을 지남을 이용하여 그래프의 식을 구한다.

(1) 그래프가 두 점 $(10, 0)$, $(0, 20)$을 지나므로

$(기울기)=\dfrac{20-0}{0-10}=-2$

$\therefore y=-2x+20$

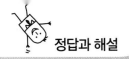

(2) $y=-2x+20$에 $x=7$을 대입하면

$y=-2\times7+20=6$

따라서 불을 붙인 지 7시간 후에 남은 양초의 길이는 6 cm이다.

(3) $y=-2x+20$에 $y=2$를 대입하면

$2=-2x+20$, $2x=18$ $\therefore x=9$

따라서 불을 붙인 지 9시간 후에 남은 양초의 길이가 2 cm가 된다.

17 답 (1) ㉠ 10, ㉡ 16   (2) $a=3$, $b=1$ (3) 31개

셀파 정사각형이 1개 늘어날 때마다 성냥개비가 3개씩 더 필요하다.

(1) 정사각형이 1개 늘어날 때마다 성냥개비가 3개씩 더 필요하므로 ㉠에 알맞은 수는 $7+3=10$,

㉡에 알맞은 수는 $13+3=16$

(2)
정사각형의 개수	성냥개비의 개수
1	4
2	$4+3$
3	$4+3+3$
4	$4+3+3+3$
⋮	⋮
x	$\underbrace{4+3+3+\cdots+3}_{(x-1)개}$

따라서 x와 y 사이의 관계를 식으로 나타내면

$y=4+3(x-1)$, 즉 $y=3x+1$

$\therefore a=3$, $b=1$

(3) $y=3x+1$에 $x=10$을 대입하면

$y=3\times10+1=31$

따라서 정사각형 10개를 만들려면 31개의 성냥개비가 필요하다.

---

13 일차함수와 일차방정식

1-1 답 $y=-\dfrac{1}{2}x+2$, 그래프: 풀이 참조

$x+2y-4=0$에서 $2y=-x+4$

$\therefore y=\boxed{-\dfrac{1}{2}}x+\boxed{2}$

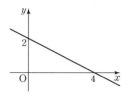

이때 x절편은 $\boxed{4}$, y절편은 2이므로 그래프를 그리면 오른쪽 그림과 같다.

1-2 답 (1) $y=-2x+3$, 그래프: 풀이 참조

      (2) $y=3x-5$, 그래프: 풀이 참조

(1) $2x+y-3=0$에서 $y=-2x+3$

이때 x절편은 $\dfrac{3}{2}$, y절편은 3이므로 그래프를 그리면 오른쪽 그림과 같다.

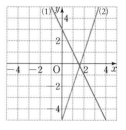

(2) $-3x+y+5=0$에서 $y=3x-5$

이때 x절편은 $\dfrac{5}{3}$, y절편은 -5이므로 그래프를 그리면 오른쪽 그림과 같다.

2-1 답 (1) 풀이 참조   (2) 풀이 참조

(1) $x-1=0$에서 $x=1$이므로 그래프는 오른쪽 그림과 같이 점 $(\boxed{1}, 0)$을 지나고 y축에 평행한 직선이다.

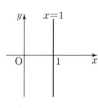

(2) $2y+10=0$에서 $y=\boxed{-5}$이므로 그래프는 오른쪽 그림과 같이 점 $(0, -5)$를 지나고 $\boxed{x}$축에 평행한 직선이다.

2-2 답 (1) 풀이 참조   (2) 풀이 참조

(1) $x=-2$의 그래프는 점 $(-2, 0)$을 지나고 y축에 평행한 직선이다. 따라서 그래프는 오른쪽 그림과 같다.

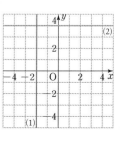

(2) $2y-8=0$에서 $y=4$

$y=4$의 그래프는 점 $(0, 4)$를 지나고 x축에 평행한 직선이다. 따라서 그래프는 오른쪽 그림과 같다.

3-1 답 그래프: 풀이 참조, $x=1, y=4$

$\begin{cases} x+y=5 \\ 2x-y=-2 \end{cases}$ 를 $y=(x$의 식$)$으로 나타내면 $\begin{cases} y=\boxed{-x+5} \\ y=\boxed{2x+2} \end{cases}$

각 일차방정식의 그래프를 그리면 오른쪽 그림과 같으므로 교점의 좌표는 $\boxed{(1,\ 4)}$ 이다.

따라서 주어진 연립방정식의 해는 $x=1, y=4$이다.

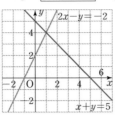

3-2 답 (1) 풀이 참조 (2) $(-2, -4)$ (3) $x=-2, y=-4$

(1) $\begin{cases} 3x-y=-2 \\ 2x-3y=8 \end{cases}$ 을 $y=(x$의 식$)$으로 나타내면 $\begin{cases} y=3x+2 \\ y=\dfrac{2}{3}x-\dfrac{8}{3} \end{cases}$

각 일차방정식의 그래프를 좌표평면 위에 그리면 오른쪽 그림과 같다.

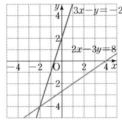

(2) 두 그래프의 교점의 좌표는 $(-2, -4)$이다.

(3) 연립방정식의 해는 $x=-2, y=-4$

4-1 답 (1) $\begin{cases} y=\dfrac{1}{3}x+\dfrac{2}{3} \\ y=\dfrac{1}{3}x-\dfrac{1}{6} \end{cases}$ (2) 평행하다. (3) 0

(1) $\begin{cases} x-3y+2=0 \\ -2x+6y+1=0 \end{cases}$ 을 $y=(x$의 식$)$으로 나타내면

$\begin{cases} y=\dfrac{1}{3}x+\dfrac{2}{3} \\ y=\dfrac{1}{3}x-\boxed{\dfrac{1}{6}} \end{cases}$

(2) 두 직선 $y=\dfrac{1}{3}x+\dfrac{2}{3}$, $y=\dfrac{1}{3}x-\boxed{\dfrac{1}{6}}$ 은 기울기가 같고 y절편은 다르므로 $\boxed{평행}$하다.

(3) 두 직선이 평행하므로 두 직선의 방정식으로 이루어진 연립방정식의 해는 없다. 즉 해의 개수는 $\boxed{0}$ 이다.

4-2 답 (1) ㉡ (2) ㉠ (3) ㉢

㉠ $\begin{cases} x-3y+1=0 \\ -2x+6y-2=0 \end{cases} \Rightarrow \begin{cases} y=\dfrac{1}{3}x+\dfrac{1}{3} \\ y=\dfrac{1}{3}x+\dfrac{1}{3} \end{cases}$

기울기와 y절편이 각각 같으므로 일치한다.
따라서 연립방정식의 해는 무수히 많다.

㉡ $\begin{cases} 2x-y+1=0 \\ -x+y-1=0 \end{cases} \Rightarrow \begin{cases} y=2x+1 \\ y=x+1 \end{cases}$

기울기가 다르므로 한 점에서 만난다.
따라서 연립방정식의 해는 한 쌍이다.

㉢ $\begin{cases} x+y-2=0 \\ 3x+3y-4=0 \end{cases} \Rightarrow \begin{cases} y=-x+2 \\ y=-x+\dfrac{4}{3} \end{cases}$

기울기가 같고 y절편은 다르므로 평행하다.
따라서 연립방정식의 해는 없다.

보고 또 보고
유형 익히기 - 확인 문제

본문 **200~208**쪽

01 답 -1

셀파 일차방정식을 $y=(x$의 식$)$으로 나타낸다.

$3x-4y+2=0$에서 $y=\dfrac{3}{4}x+\dfrac{1}{2}$

이때 기울기는 $\dfrac{3}{4}$, y절편은 $\dfrac{1}{2}$이므로 $a=\dfrac{3}{4}, c=\dfrac{1}{2}$

x절편은 $-\dfrac{2}{3}$이므로 $b=-\dfrac{2}{3}$

$\therefore 4abc=4\times\dfrac{3}{4}\times\left(-\dfrac{2}{3}\right)\times\dfrac{1}{2}=-1$

02 답 ④

셀파 일차방정식의 그래프 위의 점은 그 일차방정식의 해이다.

일차방정식 $3x+2y-7=0$에 보기의 각 점의 좌표를 대입하면

① $3\times(-3)+2\times8-7=0$ ② $3\times3+2\times(-1)-7=0$

③ $3\times\left(-\dfrac{1}{2}\right)+2\times\dfrac{17}{4}-7=0$ ④ $3\times1+2\times5-7\neq0$

⑤ $3\times(-2)+2\times\dfrac{13}{2}-7=0$

따라서 그래프 위의 점이 아닌 것은 ④이다.

03 답 -6

셀파 두 점 $(0, -1), (2, -3)$의 좌표를 $ax-3y+b=0$에 대입한다.

$ax-3y+b=0$에 $x=0, y=-1$을 대입하면

$3+b=0$ $\therefore b=-3$

$ax-3y+b=0$에 $x=2, y=-3$을 대입하면

$2a+9+b=0$ $\therefore 2a+b=-9$ ······ ㉠

$b=-3$을 ㉠에 대입하면 $2a-3=-9$

$2a=-6$ $\therefore a=-3$

$\therefore a+b=-6$

다른 풀이 그래프가 두 점 $(0, -1), (2, -3)$을 지나므로 기울기는 (y절편이 -1이다.)

$\dfrac{-3-(-1)}{2-0}=\dfrac{-2}{2}=-1$

즉 기울기가 -1이고 y절편이 -1인 직선의 방정식은

$y=-x-1$, 즉 $x+y+1=0$

양변에 -3을 곱하면 $-3x-3y-3=0$

∴ $a=-3$, $b=-3$ ← 주어진 일차방정식의 y의 계수가 -3이다.

∴ $a+b=-6$

04 답 $a>0$, $b<0$

셀파 주어진 그래프의 기울기의 부호와 y절편의 부호를 각각 확인한다.

$-x+ay+b=0$에서 $y=\dfrac{1}{a}x-\dfrac{b}{a}$

그래프가 오른쪽 위로 향하는 직선이므로 $\dfrac{1}{a}>0$ ∴ $a>0$

y축과 양의 부분에서 만나므로 $-\dfrac{b}{a}>0$, 즉 $\dfrac{b}{a}<0$

이때 $a>0$이므로 $b<0$

05 답 (1) $y=5$ (2) $y=-4$ (3) $x=1$

셀파 조건에 맞게 그래프를 그려 본다.

(1) 점 $(-2, 5)$를 지나고 x축에 평행한 직선
의 방정식은

$y=5$

(2) 점 $(3, -4)$를 지나고 y축에 수직인 직선
의 방정식은 ← x축에 평행

$y=-4$

(3) 두 점 $(1, -1)$, $(1, 2)$를 지나는 직선은
오른쪽 그림과 같이 y축에 평행하므로 구
하는 직선의 방정식은

$x=1$

06 답 (1) $a\neq0$, $b=1$ (2) $a=0$, $b\neq1$

셀파 직선이 x축에 평행하면 직선 위의 모든 점은 y좌표가 같고,
y축에 평행하면 직선 위의 모든 점은 x좌표가 같다.

(1) 서로 다른 두 점 $(a-2, b+1)$, $(3a-2, 3-b)$를 지나는 직선
이 x축에 평행하려면 두 점의 x좌표는 다르고 y좌표는 같아야
한다. 즉 $a-2\neq3a-2$, $b+1=3-b$

$a-2\neq3a-2$에서 $-2a\neq0$ ∴ $a\neq0$

$b+1=3-b$에서 $2b=2$ ∴ $b=1$

(2) 서로 다른 두 점 $(a-2, b+1)$, $(3a-2, 3-b)$를 지나는 직선
이 y축에 평행하려면 두 점의 x좌표는 같고 y좌표는 달라야 한
다. 즉 $a-2=3a-2$, $b+1\neq3-b$

$a-2=3a-2$에서 $-2a=0$ ∴ $a=0$

$b+1\neq3-b$에서 $2b\neq2$ ∴ $b\neq1$

07 답 4

셀파 연립방정식 $\begin{cases} x-y=-1 \\ 2x+y=a \end{cases}$의 해는 $(1, \blacktriangle)$이다.

두 일차방정식 $x-y=-1$, $2x+y=a$의 그래프의 교점의 좌표를
$(1, b)$로 놓고, $x-y=-1$에 대입하면

$1-b=-1$ ∴ $b=2$

즉 두 일차방정식의 그래프의 교점의 좌표는 $(1, 2)$이다.

$x=1$, $y=2$를 $2x+y=a$에 대입하면 $a=4$

08 답 $x=3$

셀파 y축에 평행한 직선의 방정식은 $x=p$ 꼴이다.

두 직선 $x-y+2=0$, $2x-y-1=0$의 교점의 좌표는 연립방정식

$\begin{cases} x-y+2=0 & \cdots\ ⊙ \\ 2x-y-1=0 & \cdots\ ⓛ \end{cases}$의 해와 같다.

$⊙-ⓛ$을 하면 $-x+3=0$ ∴ $x=3$

$x=3$을 $⊙$에 대입하면 $3-y+2=0$ ∴ $y=5$

따라서 두 직선의 교점의 좌표는 $(3, 5)$이고,

이 점을 지나고 y축에 평행한 직선의 방정식은 $x=3$

09 답 -3

셀파 두 직선 $x=3$, $2x-y+5=0$의 교점을 직선 $ax+y-2=0$도 지난다.

두 직선 $x=3$, $2x-y+5=0$의 교점의 좌표는 연립방정식

$\begin{cases} x=3 & \cdots\ ⊙ \\ 2x-y+5=0 & \cdots\ ⓛ \end{cases}$의 해와 같다.

$⊙$을 $ⓛ$에 대입하면 $6-y+5=0$ ∴ $y=11$

즉 두 직선의 교점의 좌표는 $(3, 11)$이다.

이때 직선 $ax+y-2=0$이 점 $(3, 11)$을 지나므로

$ax+y-2=0$에 $x=3$, $y=11$을 대입하면 $3a+11-2=0$

$3a+9=0$ ∴ $a=-3$

10 답 $-\dfrac{4}{3}$

셀파 연립방정식의 해가 없으려면 두 일차방정식의 그래프가 평행해야 한다.

연립방정식 $\begin{cases} 2x+3y-6=0 \\ ax-2y-3=0 \end{cases}$의 해가 없으므로 두 일차방정식

$2x+3y-6=0$, $ax-2y-3=0$의 그래프가 평행해야 한다.

즉 기울기는 같고 y절편은 달라야 한다.

$2x+3y-6=0$에서 $3y=-2x+6$ ∴ $y=-\dfrac{2}{3}x+2$

$ax-2y-3=0$에서 $2y=ax-3$ ∴ $y=\dfrac{a}{2}x-\dfrac{3}{2}$

두 그래프의 기울기가 서로 같아야 하므로 $-\dfrac{2}{3}=\dfrac{a}{2}$

$3a=-4$ ∴ $a=-\dfrac{4}{3}$

다른 풀이 연립방정식의 해가 없으므로 $\dfrac{2}{a}=\dfrac{3}{-2}\ne\dfrac{-6}{-3}$

$\dfrac{2}{a}=\dfrac{3}{-2}$에서 $3a=-4$ $\therefore a=-\dfrac{4}{3}$

---

11 답 1

셀파 좌표평면 위에 네 직선을 그려 본다.

네 방정식

$x+a=0, x=4, 2y+4=0, y=3$

즉 $x=-a, x=4, y=-2, y=3$

의 그래프를 그리면 오른쪽 그림과 같다. 이때 $a>0$이므로 $x=-a$의 그래프는 제2사분면과 제3사분면을 지난다.

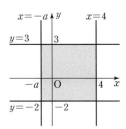

따라서 네 직선으로 둘러싸인 도형은 직사각형이고, 그 넓이가 25이므로

$\{4-(-a)\}\times\{3-(-2)\}=25$, 즉 $5(4+a)=25$

$4+a=5$ $\therefore a=1$

---

12 답 4

셀파 좌표평면 위에 두 직선을 그려 도형을 확인한다.

두 직선 $y=\dfrac{3}{2}x+3, y=-\dfrac{1}{2}x-1$

을 그리면 오른쪽 그림과 같다.

이때 두 직선의 교점은 연립방정식

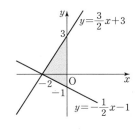

$\begin{cases} y=\dfrac{3}{2}x+3 & \cdots\text{㉠} \\ y=-\dfrac{1}{2}x-1 & \cdots\text{㉡} \end{cases}$ 의 해이므로

$\dfrac{3}{2}x+3=-\dfrac{1}{2}x-1$에서 $2x=-4$ $\therefore x=-2$

$x=-2$를 ㉠에 대입하면 $y=0$

즉 두 직선의 교점의 좌표는 $(-2, 0)$이다.

따라서 구하는 넓이는

$\dfrac{1}{2}\times\{3-(-1)\}\times|-2|=\dfrac{1}{2}\times4\times2=4$

---

13 답 (1) 물통 A: $y=-2x+56$, 물통 B: $y=-3x+75$
(2) 19분

셀파 두 물통에 남아 있는 물의 양이 같아지는 때는 두 그래프가 만날 때이다.

(1) **물통 A의 그래프**

두 점 $(0, 56), (28, 0)$을 지나므로 직선의 기울기는

$\dfrac{0-56}{28-0}=-2$

따라서 기울기가 -2이고 y절편이 56인 직선의 방정식은

$y=-2x+56$

물통 B의 그래프

두 점 $(0, 75), (25, 0)$을 지나므로 직선의 기울기는

$\dfrac{0-75}{25-0}=-3$

따라서 기울기가 -3이고 y절편이 75인 직선의 방정식은

$y=-3x+75$

(2) 두 물통 A, B에 남아 있는 물의 양이 같아지는 시간은

$-2x+56=-3x+75$에서 $x=19$

따라서 두 물통 A, B에 남아 있는 물의 양이 같아지는 것은 물을 내보내기 시작한 지 19분 후이다.

---

14 답 $-\dfrac{3}{2}\le a\le-\dfrac{1}{3}$

셀파 직선 $y=ax+1$이 두 점 A, B를 지날 때의 a의 값을 각각 구해 본다.

직선 $y=ax+1$의 y절편은 1이므로 직선 $y=ax+1$은 a의 값에 관계없이 점 $(0, 1)$을 지난다.

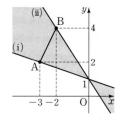

(ⅰ) 직선 $y=ax+1$이 점 A$(-3, 2)$를 지날 때

$2=-3a+1, -3a=1$

$\therefore a=-\dfrac{1}{3}$

(ⅱ) 직선 $y=ax+1$이 점 B$(-2, 4)$를 지날 때

$4=-2a+1, -2a=3$ $\therefore a=-\dfrac{3}{2}$

(ⅰ), (ⅱ)에서 구하는 a의 값의 범위는 $-\dfrac{3}{2}\le a\le-\dfrac{1}{3}$

---

15 답 $a=4, b=-8$

셀파 직선 $y=ax+b$와 x축의 교점을 C라 하면 $\triangle\text{PCB}=\dfrac{1}{2}\triangle\text{PAB}$이다.

직선 $y=x+1$의 x절편은 -1, 직선 $y=-2x+10$의 x절편은 5이다. 두 직선 $y=x+1, y=-2x+10$의 교점 P의 좌표를 구하면

$x+1=-2x+10$에서 $x=3$

$x=3$을 $y=x+1$에 대입하면 $y=4$

$\therefore \text{P}(3, 4)$

직선 $y=ax+b$가 점 P$(3, 4)$를 지나므로 $4=3a+b$ $\cdots$㉠

오른쪽 그림에서

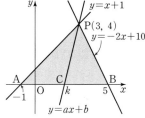

$\triangle\text{PAB}=\dfrac{1}{2}\times\{5-(-1)\}\times4$

$=\dfrac{1}{2}\times6\times4=12$

이므로 직선 $y=ax+b$와 x축의 교점을 C라 하면

$\triangle\text{PCB}=\dfrac{1}{2}\triangle\text{PAB}=6$

따라서 점 C의 좌표를 $(k, 0)$이라 하면 $\dfrac{1}{2}\times(5-k)\times4=6$

$10-2k=6$ $\therefore k=2$

즉 직선 $y=ax+b$가 점 C$(2, 0)$을 지나므로 $0=2a+b$ $\cdots$ ㉡

㉠－㉡을 하면 $a=4$

$a=4$를 ㉡에 대입하면 $0=8+b$ $\therefore b=-8$

┃다른 풀이┃ 직선 $y=ax+b$가 삼
각형 PAB의 넓이를 이등분하고
x축과 만나는 점을 C라 하면 점
C는 $\overline{AB}$의 중점이므로

$\overline{BC}=\dfrac{1}{2}\overline{AB}$

$=\dfrac{1}{2}\times\{5-(-1)\}$

$=\dfrac{1}{2}\times6=3$

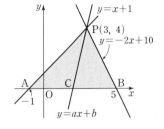

이때 점 C의 x좌표는 $\overline{OC}$의 길이와 같으므로

$\overline{OC}=\overline{OB}-\overline{BC}=5-3=2$ $\therefore$ C$(2, 0)$

따라서 직선 $y=ax+b$는 두 점 P$(3, 4)$, C$(2, 0)$을 지나므로

$4=3a+b$ $\cdots$ ㉠, $0=2a+b$ $\cdots$ ㉡

㉠, ㉡을 연립하여 풀면 $a=4$, $b=-8$

 **실력 키우기**

본문 **209~211** 쪽

01 답 3

셀파 일차방정식 $-x+3y-6=0$을 $y=(x$의 식$)$으로 나타낸다.

$-x+3y-6=0$에서 $y=\dfrac{1}{3}x+2$

따라서 $a=1$, $b=2$이므로 $a+b=3$

02 답 ②

셀파 x절편, y절편을 구하여 그래프를 그린다.

$3x-2y+6=0$에 $y=0$을 대입하면

$3x+6=0$ $\therefore x=-2$, 즉 x절편: -2

$3x-2y+6=0$에 $x=0$을 대입하면

$-2y+6=0$ $\therefore y=3$, 즉 y절편: 3

따라서 일차방정식 $3x-2y+6=0$의 그
래프는 오른쪽 그림과 같으므로 ②이다.

03 답 ①, ④

셀파 일차방정식 $3x+y-2=0$을 $y=(x$의 식$)$으로 나타낸다.

$3x+y-2=0$에서 $y=-3x+2$

① y절편은 2이다.

② $3x+y-2=0$에 $x=-2$, $y=8$을 대입하면

$3\times(-2)+8-2=0$

③ 일차방정식 $3x+y-2=0$의 그래프를 그리면
오른쪽 그림과 같으므로 제3사분면을 지나지
않는다.

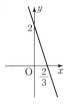

④ x의 값이 증가할 때 y의 값은 감소한다.

04 답 $y=3$

셀파 y축에 수직인 직선 ⇨ x축에 평행한 직선 ⇨ 방정식 $y=q$

y축에 수직인 직선이면 x축에 평행한 직선이므로 직선 위의 모든
점의 y좌표가 같다. 즉 $a-1=2a-5$에서 $a=4$

따라서 구하는 직선의 방정식은 $y=a-1=3$ $\therefore y=3$

05 답 ㉠, ㉢

셀파 y축에 평행한 직선의 방정식은 $x=p$ 꼴이다.

오른쪽 그림과 같이 점 $(1, 2)$를 지나고 y
축에 평행한 직선의 방정식은 $x=1$이다.

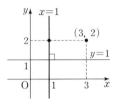

㉡ 점 $(3, 2)$를 지나지 않는다.

㉢ 직선 $y=1$과 수직으로 만난다.

㉣ 제1사분면과 제4사분면을 지난다.

┃참고┃ y축에 평행한 직선은 x축에 수직이므로 x축에 평행한 직선과는 항상
수직으로 만난다.

06 답 1

셀파 주어진 직선의 방정식을 구한다.

① 주어진 직선의 방정식 구하기 [40 %]

주어진 그래프는 점 $(2, 0)$을 지나고 y축에 평행한 직선이므로 그
그래프의 식은 $x=2$, 즉 $x-2=0$

② a, b의 값 구하기 [40 %]

$x-2=0$에서 $-\dfrac{1}{2}x+1=0$이고, 이 식이 $ax+by+1=0$과 같으
므로 $a=-\dfrac{1}{2}$, $b=0$

③ $b-2a$의 값 구하기 [20 %]

$\therefore b-2a=0-2\times\left(-\dfrac{1}{2}\right)=1$

07 답 제1사분면, 제4사분면

셀파 일차방정식 $ax-by+c=0$을 $y=(x$의 식$)$으로 나타낸다.

일차방정식 $ax-by+c=0$에서 $y=\dfrac{a}{b}x+\dfrac{c}{b}$

이 그래프의 기울기가 양수이므로 $\dfrac{a}{b}>0$

또 원점을 지나므로 $\dfrac{c}{b}=0$ $\therefore c=0$

이때 $ax+cy-b=0$에서 $c=0$이므로 $ax-b=0$ $\quad\therefore x=\dfrac{b}{a}$

$\dfrac{a}{b}>0$이므로 $\dfrac{b}{a}>0$

따라서 $x=\dfrac{b}{a}$의 그래프는 오른쪽 그림과 같고 제1사분면과 제4분면을 지난다.

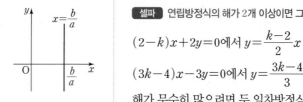

08 답 5

셀파 주어진 연립방정식의 해가 $x=3, y=1$임을 이용한다.

$x+y-a=0$에 $x=3, y=1$을 대입하면

$3+1-a=0$ $\quad\therefore a=4$

$2x-3y-b=0$에 $x=3, y=1$을 대입하면

$6-3-b=0$ $\quad\therefore b=3$

이때 두 일차방정식 $x+y-4=0$, $2x-3y-3=0$의 그래프가 y축과 만나는 점의 좌표는 각각 $A(0, 4)$, $B(0, -1)$이므로

$\overline{AB}=|4-(-1)|=5$

09 답 $a=-1, b=3$

셀파 미지수를 포함하지 않은 두 직선의 교점의 좌표를 구한다.

1 네 직선의 교점의 좌표 구하기 [50 %]

두 직선 $3x-5y=-8$, $x+3y=2$의 교점을 직선 $ax+2y=b$와 직선 $2ax+y=b$도 지나면 네 직선이 한 점에서 만난다.

연립방정식 $\begin{cases} 3x-5y=-8 & \cdots \text{㉠} \\ x+3y=2 & \cdots \text{㉡} \end{cases}$에서

㉠$-$㉡$\times3$을 하면

$\begin{array}{r} 3x-5y=-8 \\ -)\ 3x+9y=6 \\ \hline -14y=-14 \end{array}$ $\quad\therefore y=1$

$y=1$을 ㉡에 대입하면 $x+3=2$ $\quad\therefore x=-1$

따라서 네 직선의 교점의 좌표는 $(-1, 1)$이다.

2 a, b의 값 각각 구하기 [50 %]

이때 두 직선 $ax+2y=b$, $2ax+y=b$는 점 $(-1, 1)$을 지나므로

$-a+2=b$ $\quad\cdots$ ㉢, $-2a+1=b$ $\quad\cdots$ ㉣

㉢$-$㉣을 하면 $a+1=0$ $\quad\therefore a=-1$

$a=-1$을 ㉢에 대입하면 $1+2=b$ $\quad\therefore b=3$

10 답 $\dfrac{1}{3}$

셀파 연립방정식을 이루는 두 일차방정식의 그래프는 평행하다.

$(a-1)x+y=2$에서 $y=-(a-1)x+2$

$2x-3y=3$에서 $y=\dfrac{2}{3}x-1$

해가 없으려면 두 그래프가 평행해야 하므로

$-(a-1)=\dfrac{2}{3}, a-1=-\dfrac{2}{3}$ $\quad\therefore a=\dfrac{1}{3}$

11 답 $\dfrac{2}{3}$

셀파 연립방정식의 해가 2개 이상이면 그 연립방정식의 해는 무수히 많다.

$(2-k)x+2y=0$에서 $y=\dfrac{k-2}{2}x$

$(3k-4)x-3y=0$에서 $y=\dfrac{3k-4}{3}x$

해가 무수히 많으려면 두 일차방정식의 그래프가 일치해야 하므로

$\dfrac{k-2}{2}=\dfrac{3k-4}{3}$, 즉 $3(k-2)=2(3k-4)$

$3k-6=6k-8, 3k=2$ $\quad\therefore k=\dfrac{2}{3}$

12 답 $\dfrac{7}{2}$

셀파 네 방정식의 그래프를 좌표평면 위에 나타낸다.

$y-2=0$에서 $y=2$, $2(y+1)+4=0$에서 $y=-3$

$2x=3$에서 $x=\dfrac{3}{2}$, $x-a=0$에서 $x=a\left(a>\dfrac{3}{2}\right)$

네 방정식의 그래프를 좌표평면 위에 나타내면 오른쪽 그림과 같다.

네 직선으로 둘러싸인 도형의 넓이가 10이므로 $\left(a-\dfrac{3}{2}\right)\times\{2-(-3)\}=10$

$5a-\dfrac{15}{2}=10$ $\quad\therefore a=\dfrac{7}{2}$

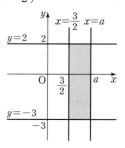

13 답 $-\dfrac{1}{2}$

셀파 $y=a(x-2)$의 그래프의 x절편은 2이다.

$y=x-2$의 그래프의 x절편은 2, y절편은 -2이다.

$y=a(x-2)$, 즉 $y=ax-2a$의 그래프의 x절편은 2, y절편은 $-2a$이다.

이때 색칠한 도형의 넓이가 3이므로

$\dfrac{1}{2}\times\{-2a-(-2)\}\times2=3$

$-2a+2=3, -2a=1$ $\quad\therefore a=-\dfrac{1}{2}$

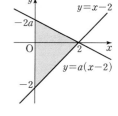

14 답 (1) A: 3, B: -1, C: 0 (2) $-1<a<3$

셀파 직선 $y=ax+1$은 a의 값에 관계없이 점 $(0, 1)$을 지난다.

1 직선 $y=ax+1$이 점 A를 지날 때, a의 값 구하기 [20 %]

(1) 직선 $y=ax+1$이 점 $A(1, 4)$를 지나면

$4=a+1$ $\quad\therefore a=3$

2 직선 $y=ax+1$이 점 B를 지날 때, a의 값 구하기 [20 %]

직선 $y=ax+1$이 점 $B(3, -2)$를 지나면

$-2=3a+1, 3a=-3$ $\quad\therefore a=-1$

3 직선 $y=ax+1$이 점 C를 지날 때, a의 값 구하기 [20 %]

직선 $y=ax+1$이 점 $C(5, 1)$을 지나면

$1=5a+1, 5a=0$ ∴ $a=0$

4 a의 값의 범위 구하기 [40 %]

(2) 직선 $y=ax+1$이 삼각형 ABC와 두 점에서 만나려면 a의 값은 직선 $y=ax+1$이 점 A를 지날 때보다 작고, 점 B를 지날 때보다 커야 한다.
∴ $-1<a<3$

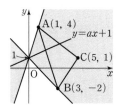

오답 피하기

직선 $y=ax+1$이 점 A를 지나거나 점 B를 지나면 삼각형 ABC와 한 점에서 만나므로 $-1≤a≤3$이 아니다.

15 답 $a=\dfrac{4}{3}, b=4$

셀파 두 직선 $y=3x+9, y=-\dfrac{1}{3}x-1$의 교점의 좌표를 구한다.

직선 $y=3x+9$의 x절편은 -3, y절편은 9이다.

직선 $y=-\dfrac{1}{3}x-1$의 x절편은 -3, y절편은 -1이다.

두 직선 $y=3x+9, y=-\dfrac{1}{3}x-1$의 교점을 B라 하면 점 B의 좌표는 B$(-3, 0)$이다.

이때 직선 $y=ax+b$가 점 B$(-3, 0)$을 지나므로 $0=-3a+b$ ···㉠

오른쪽 그림에서
△ABC
$=\dfrac{1}{2}×\{9-(-1)\}×|-3|$
$=\dfrac{1}{2}×10×3=15$

이므로 직선 $y=ax+b$와 y축의 교점을 D라 하면
$△ABD=\dfrac{1}{2}△ABC=\dfrac{15}{2}$

따라서 점 D의 y좌표를 k라 하면 $\dfrac{1}{2}×(9-k)×3=\dfrac{15}{2}$
$27-3k=15$ ∴ $k=4$
즉 직선 $y=ax+b$가 점 D$(0, 4)$를 지나므로 $b=4$
$b=4$를 ㉠에 대입하면 $0=-3a+4$ ∴ $a=\dfrac{4}{3}$

16 답 $-\dfrac{1}{2}$

셀파 세 직선 중 평행한 직선이 있거나 세 직선이 한 점에서 만나면 삼각형이 만들어지지 않는다.

(i) 세 직선 중 평행한 직선이 있을 때
두 직선 $y=x-1, y=ax$가 서로 평행하면 $a=1$
두 직선 $y=-2x+5, y=ax$가 서로 평행하면 $a=-2$

(ii) 세 직선이 한 점에서 만날 때
두 직선 $y=x-1, y=-2x+5$의 교점의 좌표를 구하면
$x-1=-2x+5$에서 $3x=6$ ∴ $x=2$

$x=2$를 $y=x-1$에 대입하면 $y=2-1=1$
즉 교점의 좌표는 $(2, 1)$이다.
따라서 직선 $y=ax$가 점 $(2, 1)$을 지나므로
$1=2a$ ∴ $a=\dfrac{1}{2}$

(i), (ii)에서 a의 값의 합은 $1+(-2)+\dfrac{1}{2}=-\dfrac{1}{2}$

LECTURE 세 직선에 의하여 삼각형이 만들어지지 않는 경우

❶ 두 직선이 평행하거나 세 직선이 평행한 경우 ❷ 세 직선이 한 점에서 만나는 경우

17 답 (1) A마켓: $y=6000x$, B마켓: $y=5400x+2400$
그래프: 풀이 참조
(2) 4개

셀파 지불해야 하는 총 금액에는 배송비도 포함해야 한다.

(1) A마켓: 모자 한 개의 가격은 6000원이고 배송비는 무료이므로 $y=6000x$
B마켓: 모자 한 개의 가격은 5400원이고 배송비는 2400원이므로 $y=5400x+2400$
이때 두 일차함수 $y=6000x, y=5400x+2400$의 그래프를 그리면 다음과 같다.

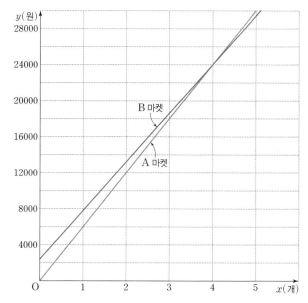

(2) 지불하는 총 금액이 같아질 때의 모자의 개수는
$6000x=5400x+2400, 600x=2400$ ∴ $x=4$
따라서 모자의 개수가 4개를 초과할 때, B마켓에서 사는 것이 더 유리하다.